Pioniers van de westerse wetenschap

Pioniers van de westerse wetenschap

De Europese wetenschappelijke traditie in filosofische,
religieuze en institutionele context, 600 v.C.-1450 n.C.

David C. Lindberg

Vertaling
Henk Moerdijk

Boom
Amsterdam/Meppel

Voor
Marshall Clagett
en
Edward Grant
die een voorbeeld stelden

© 1995 Uitgeverij Boom, Amsterdam

Oorspronkelijk verschenen als David C. Lindberg, *The Beginnings of Western Science:
The European Scientific Tradition in Philosophical, Religious, and Institutional Context,
600 B.C. to A.D. 1450*. Licensed by the University of Chicago Press, Chicago,
Illinois, U.S.A. © 1992 by The University of Chicago. All rights reserved.

Verzorging omslag
Leendert Stofbergen, Amsterdam
Afbeelding omslag: een astronoom die waarneemt met een astrolabium.
Parijs, Bibliothèque de l'Arsenal, MS 1186, fol. 1V (13de eeeuw)

CIP-GEGEVENS KONINKLIJKE BIBLIOTHEEK, DEN HAAG

Lindberg, David C.

Pioniers van de westerse wetenschap: de Europese wetenschappelijke traditie in
filosofische, religieuze en instutionele context, 600 v.C.-1450 n.C./David C.
Lindberg; [vert. uit het Engels door Henk Moerdijk]. – Amsterdam: Boom. – Ill.
Vert. van: The beginnings of Western science: the European scientific tradition in
philosophical, religious, and institutional context, 600 B.C. to A.D. 1450. – Chicago
[etc.]: University of Chicago Press, 1992. – Met index, lit. opg.
ISBN 90-5352-155-0
NUGI 611/606
Trefw.: natuurwetenschappen; geschiedenis; Oudheid/natuurwetenschappen;
geschiedenis; middeleeuwen.

Inhoud

Illustraties

Voorwoord

Het onderzoek naar de geschiedenis van de klassieke en middeleeuwse wetenschap kende in de decennia na de Tweede Wereldoorlog een explosieve groei. Een groot deel van dit onderzoek is van verbazingwekkend hoge kwaliteit en heeft ons inzicht in de vroege westerse wetenschap buitengewoon verrijkt. Er zijn echter verrassend weinig globale synthetische en verklarende pogingen gedaan om de vruchten van dit onderzoek onder de aandacht te brengen van een groter publiek. Sterker nog, terwijl het aantal wetenschappelijke publikaties blijft stijgen, lijkt er zich een daling voor te doen in de produktie van boeken die een breed gebied bestrijken en gericht zijn op de algemeen ontwikkelde lezer en de wetenschappers die zich specialiseren op een ander vakgebied.

Dit kan worden aangetoond met behulp van een kort overzicht van de beschikbare literatuur over de klassieke en middeleeuwse wetenschap. De eerste degelijke, vakkundige, naoorlogse beschrijving van de klassieke en middeleeuwse wetenschap verscheen in een boek van E.J. Dijksterhuis, oorspronkelijk in het Nederlands gepubliceerd als *De Mechanisering van het Wereldbeeld* (1950) en vervolgens in het Engels als *The Mechanization of The World Picture* (1961). Op het moment dat de Engelse vertaling van Dijksterhuis ter beschikking kwam, had Alistair Crombie's *Augustine to Galileo* (1952) al bijna tien jaar gediend als voedingsbodem voor een groeiende doelbewustheid en opwinding onder de schrijvers van de middeleeuwse wetenschapsgeschiedenis. Misschien dat het succes van Crombie de concurrentie afschrikte. Hoe dan ook, het duurde bijna twintig jaar voordat een ander overzichtswerk over de middeleeuwse wetenschap verscheen: *Physical Science in the Middle Ages* (1971) van Edward Grant, drie jaar later gevolgd door *Early Physics and Astronomy: A Historical Introduction* (1974) van Olaf Pedersen en Mogens Pihl, twee werken die (zoals hun titels al aangeven) zich beperkten tot de natuurwetenschappen. Sinds Pedersen en Pihl is er niets meer verschenen, behalve de bundel die werd samengesteld onder mijn redactie, *Science in the Middle Ages* (1978), die de talenten van zestien eminente onderzoekers van de middeleeuwse wetenschapsgeschiedenis samenbracht om de huidige staat van het vakgebied onder de ogen te brengen van een betrekkelijk ontwikkeld publiek. Hoewel een groot deel van de essays die in *Science in the Middle Ages* zijn opgenomen hun gezaghebbende status behouden, lijdt het boek als geheel aan een gebrekkige samenhang, hiaten in de dekking van het onderwerp en een (toenemende) ouderdom.

De enige boeken die tot nu toe zijn genoemd en die meer dan terloops ingaan op de antieke wetenschap, zijn die van Dijksterhuis en Pedersen en Pihl. De klassieke wetenschap en de middeleeuwse wetenschap hebben in voor- en tegenspoed ieder een eigen identiteit en een afzonderlijke literatuur ontwikkeld. Benjamin Farringtons *Greek Science* (twee delen, verschenen in respectievelijk 1944 en 1949) gaf de toon aan op het gebied van de geschiedenis van de Griekse wetenschap. Een rol die al snel werd overgenomen door het gezaghebbende werk van Marshall Clagett, *Greek Science in Antiquity* (1957). In 1961 volgde Giorgio de Santillana's *The Origins of Scientific Thought*. De Romeinse wetenschap kreeg speciale aandacht in *Roman Science* (1962) van William H. Stahl. En in het begin van de jaren zeventig produceerde G.E.R. Lloyd twee alom geprezen werken die dit gebied gedurende de afgelopen twee decennia onbetwist lieten – *Early Greek Science: Thales to Aristotle* (1970) en *Greek Science after Aristotle* (1973).

Twintig jaar na Lloyd en veertig jaar na Crombie (de laatste auteur die de middeleeuwse wetenschap uitvoerig behandelde) lijkt een nieuwe poging niet voorbarig. Het boek dat voor u ligt is een produkt van deze overtuiging. Ik verwacht niet dat dit boek zijn voorgangers zal vervangen, in het bijzonder niet de voortreffelijke werken van Lloyd, maar dat het bepaalde andere doelstellingen verwezenlijkt. In de eerste plaats heb ik getracht rekening te houden met een aanzienlijk deel van het wetenschappelijk onderzoek dat niet beschikbaar was voor mijn voorgangers. (Zo was, bijvoorbeeld, tweederde van de werken die worden genoemd in de bibliografie achterin dit boek in de vroege jaren zeventig niet beschikbaar voor Lloyd en Grant.) Ten tweede heb ik, door de klassieke en middeleeuwse wetenschap in één werk samen te brengen, gelegenheid gekregen om vragen te stellen betreffende de continuïteit tussen de klassieke en middeleeuwse wetenschap op een manier die bij afzonderlijke behandeling van de twee helften onmogelijk zou zijn geweest, en tevens om kwesties van overlevering te behandelen die anders geneigd zijn in het breukvlak te verdwijnen.

Ten derde meen ik, zoals de ondertitel van dit boek zou moeten aangeven, dat ik in mijn pogingen de klassieke en middeleeuwse wetenschap in een filosofische, religieuze en (grotendeels het onderwijs betreffend) institutionele context te plaatsen, vasthoudender ben geweest dan de auteurs van eerdere beschouwingen. Ik ben zeker niet de eerste die oog heeft voor de filosofische context. Maar ik geloof niet dat er een ander onderzoek bestaat dat serieus, zonder onbehagen en zonder een verontschuldigende of polemische opzet, aandacht heeft besteed aan de religieuze context. Als ik dus een oorspronkelijke bijdrage geleverd heb, dan bevindt die zich hierin.

Het doel van dit boek is eerder synthetisch dan encyclopedisch. Door de belangrijkste thema's van de geschiedenis van de klassieke en middeleeuwse wetenschap tegenover elkaar te plaatsen, tracht ik een breed gebied te bestrijken, terwijl ik tegelijkertijd voldoende betrouwbare, feitelijke informatie verstrek om te voorzien in de behoefte van de lezer die bij aanvang niets van het onderwerp weet.

Vanzelfsprekend heb ik voortgebouwd op de kennis die in het verleden verzameld is, maar ik heb niet geaarzeld om nieuwe interpretaties te geven en de uitkomsten van oude meningsverschillen te herzien. Ongetwijfeld ben ik afhankelijker geweest van de bestaande interpretatieve tradities binnen de klassieke wetenschapsgeschiedenis (waarin ik, eerlijk gezegd, een geïnteresseerde buitenstaander ben) dan van die binnen de middeleeuwse wetenschapsgeschiedenis (waarin ik beter thuis ben). Ook beweer ik uiteraard niet dat ik op het gebied van de middeleeuwse of de klassieke wetenschap altijd 'gelijk' heb – of zelfs dat ik al de juiste vragen gesteld heb; mijn wens is dat dit boek ontvangen zal worden als een bijdrage aan de voortgaande dialoog over het onderwerp dat het behandelt.

Dit boek is geschreven voor een breed publiek. De passages waarin ik de lezer onderricht over de juiste manieren om geschiedenis te bedrijven en hem of haar waarschuw voor de diverse gevaren (een lezer van het manuscript betichtte mij van een groot aantal 'anti-Whig indoctrinaties') zullen onmiddellijk herkenbaar zijn als het resultaat van een lange loopbaan in het onderwijs; en ik hoop dat dit boek inderdaad geschikt zal blijken voor gebruik in het leslokaal. Tevens hoop ik dat dit boek de algemeen ontwikkelde lezer en de historici met een ander specialisme van dienst zal zijn.

Ten slotte nog twee opmerkingen over de eindnoten en de bibliografie. Ten eerste zijn de noten niet alleen bedoeld voor de verantwoording van de documentatie en de erkenning van mijn verplichting aan de wetenschap, maar ook voor de mogelijkheid bibliografisch commentaar te leveren; commentaar waarin ik bronnen aanvoer (veelal van een hoog niveau) die mogelijk een zinvolle behandeling van het betreffende onderwerp geven. Ten tweede heb ik zowel in de noten als in de bibliografie grote nadruk gelegd op de Engelstalige literatuur (denkend aan het studentenpubliek en de gemiddelde lezer). Bronnen in andere talen worden alleen vermeld wanneer er naar mijn mening geen vergelijkbare, Engelstalige bron bestaat.

Niemand behandelt een onderwerp zo groot als dit zonder enorm veel hulp; ik ben dan ook zeer veel dank verschuldigd aan de vrienden en collega's die hun best hebben gedaan om mij te onderrichten in de fijne kneepjes van hun verschillende specialismen en mij hebben behoed voor verwarring en vergissing. Ik was niet altijd een schrandere leerling en sommige lezers zullen in dit boek interpretaties aantreffen die hen niet zullen aanstaan.

Ieder hoofdstuk is gelezen en van commentaar voorzien door collega's die goed op de hoogte waren van het onderwerp. Zeer dankbaar ben ik de vier mensen die het manuscript van de eerste tot de laatste bladzijde hebben gelezen en mij de meest opvallende gebreken hebben helpen inzien: Michael H. Shank, Bruce S. Eastwood, Robert J. Richards en Albert van Helden. Anderen die één of meer hoofdstukken op het gebied van hun vakkundigheid lazen, zijn: Thomas H. Broman, Frank M. Clover, Harold J. Cook, William J. Courtenay, Faye M. Getz,

Owen Gingerich, Edward Grant, R. Stephen Humphreys, James Lattis, Fannie J. LeMoine, James Longrigg, Peter Losin, A.G. Molland, William R. Newman, Franz Rosenthal, A.I. Sabra, George Saliba, John Scarborough, Margaret Shabas, Nancy G. Siraisi, Peter Sobol, Edith D. Sylla, wijlen Victor E. Thoren, Sabetai Unguru, Heinrich von Staden en David A. Woodward. Het manuscript werd door verschillende wetenschappers beoordeeld op haar educatieve nut of daadwerkelijk getest in het leslokaal; Edward B. Davis, Frederick Gregory, Edward J. Larson, Alan J. Rocke en Peter Ramberg wil ik bedanken voor hun commentaar. Voor de hulp die ik kreeg bij het identificeren en verkrijgen van de illustraties ben ik dank verschuldigd aan Bruce S. Eastwood, Owen Gingerich, Edward Grant, John E. Murdoch en David A. Woodward. En voor de kaarten dank ik het Cartografisch Laboratorium van de Universiteit van Wisconsin. Als deze lijst zich onderscheidt door haar lengte, kan ik hierover alleen opmerken dat ik alle beschikbare hulp nodig had.

Het idee voor dit boek vindt zijn oorspong in de discussies over een mogelijke totstandkoming van een handboek voor de geschiedenis van de wetenschap, die plaatsvonden aan de Universiteit van Florida in het voorjaar van 1986; voor hun inspiratie en aanmoediging ben ik dank verschuldigd aan Frederick Gregory (de stuwende kracht achter de bijeenkomst) en andere deelnemers aan de discussie, onder wie William B. Ashworth, Richard Burkhardt, Thomas L. Hankins en Frederic L. Holmes. Het boek werd geschreven in het semester dat ik directeur was van het Institute for Research in the Humanities aan de Universiteit van Wisconsin. Het is onwaarschijnlijk dat het project op het juiste spoor zou zijn gebleven zonder de nimmer falende efficiëntie van mijn administratieve assistent, Loretta Freiling, en de vastberaden aanmoediging en steun van mijn collega's in het Humanities Institute en het Department of the History of Science. Het boek werd voltooid tijdens een verblijf van een maand aan het Bellagio Study and Conference Center van de Rockefeller Foundation; ik ben dank verschuldigd aan de stichting en de directeuren van het Bellagio Center, Francis and Jackie Sutton, voor het leveren van een onvergelijkelijk denk- en schrijfklimaat. En tot slot ben ik zeer dankbaar voor het geduld van mijn vrouw Greta en mijn zoon Erik, die onbetaalde adviezen leverden betreffende mijn schrijfstijl en die dit boek kennen als een reeks losstaande, ordeloze fragmenten.

I

De wetenschap en haar oorsprong

De aard van de wetenschap is al eeuwenlang het onderwerp van heftige discussie – een discussie die wordt gevoerd door natuurwetenschappers, filosofen, geschiedkundigen en andere belanghebbenden. Alhoewel het niet tot een algemene overeenstemming is gekomen, hebben diverse opvattingen van de wetenschap grote bijval gekregen. (1) Zo is er een opvatting die de wetenschap beschouwt als het gedragspatroon waarmee de mens zich controle over zijn omgeving heeft verschaft. De wetenschap wordt aldus in verband gebracht met ambachtelijke tradities en technologie, en de prehistorische mens zou, toen hij leerde metalen te bewerken en zich met succes ging bezighouden met landbouw, hebben bijgedragen aan de opkomst van de wetenschap. (2) Een tweede opvatting maakt *onderscheid* tussen wetenschap en technologie. De wetenschap wordt dan gezien als een bepaalde hoeveelheid theoretische kennis en de technologie als de toepassing van deze theoretische kennis bij het oplossen van praktische problemen. In het licht van deze visie moet de technologie van het ontwerpen en bouwen van auto's worden onderscheiden van de theoretische disciplines die dit proces ondersteunen, zoals de theoretische mechanica en de aërodynamica; alleen de theoretische disciplines gelden als 'wetenschappen'.

De aanhangers van deze tweede opvatting, die wetenschap zien als theoretische kennis, zouden doorgaans niet toegeven dat alle theorieën (ongeacht hun aard of inhoud) wetenschappelijk zijn en voor die mensen is het definiëren nog maar juist begonnen. Als zij bepaalde theorieën willen uitsluiten, zullen zij criteria moeten voorstellen met behulp waarvan de ene theorie als wetenschappelijk en de andere als onwetenschappelijk kan worden bestempeld. (3) Om die reden is het nogal populair geworden om wetenschap te definiëren aan de hand van de vorm van haar beweringen – universele, wetmatige beweringen, bij voorkeur in wiskundige taal gesteld. Zo stelt de wet van Boyle (in de zeventiende eeuw door Robert Boyle geformuleerd) dat de druk in een gas omgekeerd evenredig is met zijn volume als al het overige constant blijft. (4) Als dit een te beperkt criterium lijkt, kan wetenschap ook worden gedefinieerd aan de hand van zijn methodenleer. Wetenschap wordt dan in verband gebracht met een specifieke reeks van doorgaans experimentele procedures, die tot doel hebben de geheimen van de natuur te onderzoeken en theorieën over haar gedragingen te bevestigen of te ontkennen. Een stelling is der-

halve wetenschappelijk wanneer deze, en uitsluitend wanneer deze, op proefneming is gebaseerd. (5) Op haar beurt zwicht een dergelijke definitie gemakkelijk
voor pogingen de wetenschap te definiëren op grond van haar epistemologische
status (ofwel de zekerheden die haar stellingen geacht worden te geven), of zelfs
aan de hand van de koppigheid waarmee de beoefenaars vasthouden aan haar beginselen. Zo beweerde Bertrand Russell dat 'de wetenschapper zich niet onderscheidt door wat hij gelooft, maar door *hoe* en *waarom* hij dat gelooft. Zijn overtuigingen zijn tentatief, niet dogmatisch; zij zijn gebaseerd op bewijzen, niet op autoriteit of intuïtie'.[1] Zo opgevat, is wetenschap een bevoorrechte wijze waarop men
zijn kennis vergaart en rechtvaardigt.

(6) In menige context wordt wetenschap niet gedefinieerd op grond van haar
methodenleer of epistemologische status, maar op die van haar inhoud. Wetenschap is dan een specifieke reeks overtuigingen aangaande de natuur – min of meer
wat de hedendaagse natuurkunde, scheikunde, biologie, geologie, en dergelijke leren. Hiernaar gemeten, is het geloof in alchemie, astrologie en parapsychologie onwetenschappelijk. (7) Vaak worden de begrippen 'wetenschap' en 'wetenschappelijk' toegepast op iedere werkwijze of overtuiging die gekenmerkt wordt door logische geldigheid, precisie of objectiviteit. Sherlock Holmes gebruikte, aldus beschouwd, bij het bestuderen van misdaden een wetenschappelijke methode. (8) En
ten slotte worden 'wetenschap' en 'wetenschappelijk' vaak gewoonweg gebruikt
als algemene termen van goedkeuring – als benamingen die wij verbinden aan alles
wat wij willen aanprijzen.

Wat dit korte en onvolledige overzicht ons laat zien, zou misschien vanaf het
begin al duidelijk moeten zijn geweest – namelijk dat vele woorden (de meest interessante inbegrepen) meerdere betekenissen kunnen hebben, afhankelijk van de
specifieke context waarbinnen zij worden gebruikt. Soms zijn deze betekenissen
onderling verenigbaar en vullen zij elkaar aan, maar soms ook niet. Bovendien lijkt
het nutteloos te proberen de verschillen in gebruik op te heffen. Taal is immers niet
een stel regels die zijn gegrond in de aard van het universum, maar een reeks afspra-
ken die door een groep mensen is aanvaard; iedere betekenis van het begrip 'wetenschap' die in het bovenstaande wordt besproken, is een door een aanzienlijke
gemeenschap aanvaarde conventie, waarvan de geprefereerde toepassing niet zonder enige strijd zal worden prijsgegeven. Of anders gezegd, de lexicografie moet
niet worden beoefend als een normatieve maar als een beschrijvende kunst. Om
die reden moeten wij aanvaarden dat het begrip 'wetenschap' verschillende betekenissen heeft, die stuk voor stuk geldig zijn.

Zelfs als wij een voor iedereen bevredigende definitie van møderne wetenschap
zouden kunnen vinden, wordt de geschiedkundige toch met een ingewikkeld probleem geconfronteerd. Als de geschiedschrijver van het wetenschappelijke denken
de oude gebruiken en overtuigingen slechts zou onderzoeken in zoverre deze
overeenkomst vertonen met de moderne wetenschap, zou het resultaat een scheef
beeld geven. Vertekening zou onvermijdelijk zijn omdat de wetenschap in inhoud,

vorm, methode en functie veranderd is; de historicus zou geen gehoor geven aan het verleden zoals dat bestond, maar het zien door een gekleurde bril. Als wij recht willen doen aan de historische onderneming, moeten wij het verleden nemen voor wat het is. Wat betekent dat wij de verleiding moeten weerstaan het verleden te doorzoeken op voorbeelden of voorlopers van de moderne wetenschap. Wij moeten respect hebben voor de wijze waarop eerdere generaties de natuur benaderden en erkennen dat die, hoewel zij anders is dan de moderne benadering, toch van belang is omdat het deel uitmaakt van onze intellectuele voorgeschiedenis. Dit is de enige juiste manier om te begrijpen hoe wij zijn geworden wat wij nu zijn. Dus wat de historicus nodig heeft, is een zeer brede definitie van 'wetenschap' – een definitie die het onderzoek naar de enorme reeks gebruiken en overtuigingen die achter ons ligt, en die ons de moderne wetenschappelijke onderneming helpt begrijpen, niet in de weg zal staan. Wij moeten eerder breed en veelomvattend zijn dan bekrompen en kieskeurig, en wij moeten er op rekenen dat wij breder zullen moeten denken naarmate wij verder in de tijd teruggaan.[2]

Deze aanmaning is in het bijzonder belangrijk voor iedereen die zich inlaat met de bestudering van de oudheid en de middeleeuwen. Als wij onze aandacht zouden beperken tot de voorlopers van de moderne wetenschap, dan concentreren we ons op een erg kleine reeks activiteiten, vervormen we die ongetwijfeld hierbij, en zien we veel van de verschillende overtuigingen en gebruiken van de klassieke en middeleeuwse cultuur over het hoofd, hoewel die het eigenlijke doel van ons onderzoek moeten zijn en ons zullen helpen de latere ontwikkeling van de moderne wetenschap te begrijpen.

In de bladzijden die volgen, zal ik proberen mijn eigen raad niet in de wind te slaan en een definitie van wetenschap kiezen die even breed is als die van de historische figuren wiens intellectuele verrichtingen wij zullen trachten te begrijpen. Dit betekent uiteraard niet dat geen enkele onderscheiding toegestaan is. Ik zal onderscheid maken tussen de ambachtelijke en de theoretische aspecten van de wetenschap – een onderscheid waar vele klassieke en middeleeuwse geleerden zelf de nadruk op zouden hebben gelegd – en mijn aandacht zal zich dan voornamelijk toespitsen op het laatstgenoemde.[3] Het uit dit betoog weglaten van ambacht en technologie is niet bedoeld als commentaar op hun betrekkelijke belang, maar eerder als een erkenning van de omvang van de problemen omtrent de geschiedenis van de technologie en haar status als een afzonderlijke geschiedkundige specialiteit met haar eigen vakkundige beoefenaars. Ik zal mij bezighouden met de oorsprongen van het wetenschappelijke *denken*, wat een meer dan toereikende uitdaging zal blijken te zijn.

Tot besluit nog iets over de terminologie. Tot nu toe heb ik consequent gebruik gemaakt van de term 'wetenschap'. Nu is echter het moment aangebroken om de alternatieve uitdrukkingen 'natuurwetenschap' en 'natuurfilosofie', die eveneens veelvuldig in dit boek zullen voorkomen, te introduceren. Maar waarom zijn deze nieuwe uitdrukkingen nodig en waaraan geven zij uiting? Het begrip 'wetenschap' heeft zowel klassieke als moderne connotaties, die enigszins (en in sommige contexten) afwijken van de onderwerpen waarop ons onderzoek zich richt. Het moderne begrip draagt alle bovengenoemde ambiguïteiten in zich en de klassieke begrippen (*scientia* in het Latijn, *episteme* in het Grieks) waren toepasbaar op ieder stelsel van overtuigingen dat werd gekenmerkt door logische geldigheid en zekerheid, of het nu wel of niet iets te maken had met de natuur. Zo refereerde men in de middeleeuwen gewoonlijk aan theologie als een wetenschap (*scientia*). Dit boek echter, zal een studie zijn van de klassieke en middeleeuwse pogingen de natuur te onderzoeken, en de minst dubbelzinnige naam voor die onderneming was en is 'natuurwetenschap' of 'natuurfilosofie'.

Maar het is belangrijk dat wij deze laatste twee termen niet interpreteren als een degradatie van het 'wetenschappelijke' middeleeuwse natuuronderzoek naar een lagere orde. Wij doen er goed aan niet te vergeten dat de natuurwetenschap het waagstuk was waaraan een wetenschappelijk licht als Isaac Newton (tweede helft van de zeventiende eeuw) zijn enorme werk over de mechanica en de theorie van de zwaartekracht *De mathematische principes van de natuurwetenschap* wijdde. De natuurwetenschap, het onderzoeken van de natuur, werd door Newton en zijn klassieke en middeleeuwse voorgangers gezien als een integraal onderdeel van de grotere filosofische verkenning van de totale werkelijkheid waarmee de mens wordt geconfronteerd.

In dit boek zal ik een uiteenlopend vocabulair hanteren, waarbij ik praktische concessies zal doen aan de wisselende betekenissen in het dagelijks gebruik. Ik zal regelmatig gebruik maken van de term 'natuurwetenschap', waarmee ik de ene keer doel op de gehele wetenschappelijke onderneming, en de andere keer op haar meer filosofische kant. Ook het begrip 'wetenschap' zal worden gebruikt; meestal als een synoniem voor 'natuurwetenschap', soms om de meer technische aspecten van de natuurwetenschap aan te duiden, en een enkele keer om de eenvoudige reden dat het conventionele gebruik in een bepaalde context om dat begrip vraagt. Er zal op veel plaatsen gewoonweg worden gesproken van 'filosofie', omdat wij de natuurwetenschap niet zullen kunnen bevatten als wij de grotere onderneming waartoe zij behoorde volledig negeren. Ook zal ik uiteraard vaak refereren aan de van de natuurwetenschap afgeleide disciplines, de exacte wetenschappen: wiskunde, astronomie, natuurkunde, optica, geneeskunde, biologie, en dergelijke. Zorgvuldige beschouwing van de context zal in alle gevallen zorgen voor een duidelijke betekenis.

De prehistorische opvattingen van de natuur

Het voortbestaan van het menselijk ras is vanaf het begin afhankelijk geweest van zijn vermogen het hoofd te bieden aan de natuurlijk omgeving. De prehistorische mens ontwikkelde indrukwekkende technieken om in zijn levensbehoeften te voorzien. Hij leerde gereedschappen te vervaardigen, vuur te maken, zich van beschutting te voorzien; hij leerde jagen, vissen en groente en fruit vergaren. Voor het succesvol jagen en het vergaren van voedsel (en, ongeveer vanaf 7000 of 8000 v. Chr., het bewerken van land) was een grondige kennis van het dierlijk gedrag en de eigenschappen van planten onontbeerlijk. Eenmaal verder gevorderd, leerde de prehistorische mens onderscheid te maken tussen giftige en geneeskrachtige kruiden. Hij ontwikkelde verscheidene ambachten, waaronder het pottenbakken, weven en bewerken van metaal, en vóór 3500 v. Chr. had hij het wiel uitgevonden. Hij was zich bewust van de seizoenen, en zag het verband tussen de seizoenen en bepaalde hemelse verschijnselen. Kortom, hij wist heel veel van zijn omgeving.

Maar het woord 'weten', dat zo duidelijk en eenvoudig lijkt, is een bijna net zo netelig begrip als 'wetenschap'; het voert ons in feite terug tot het reeds besproken onderscheid tussen technologie en theoretische wetenschap. Te weten hoe iets te doen, is heel iets anders dan te weten waarom dingen zich gedragen zoals zij zich gedragen. Men kan zich, bijvoorbeeld, met goed gevolg bezighouden met verfijnd timmerwerk zonder enige kennis te hebben van de spanningen in de spanten die men gebruikt. Een elektricien die slechts over een basiskennis van de elekriciteitsleer beschikt, kan met succes een huis bedraden. Het is mogelijk een onderscheid te maken tussen giftige en geneeskrachtige kruiden zonder in het bezit te zijn van enige biochemische kennis die de giftige of geneeskrachtige eigenschappen zou verklaren. Klaarblijkelijk is het eenvoudig zo dat praktische vuistregels zelfs bij totale onwetendheid van de achterliggende theoretische beginselen kunnen worden toegepast. Praktische vaardigheid kan het stellen zonder theoretische kennis.

Het zou dus duidelijk moeten zijn dat, in praktische of technologische zin, de kennis van de prehistorische mens groot en groeiende was. Maar hoe groot was zijn theoretische kennis nu precies? Wat 'wist' of geloofde de prehistorische mens met betrekking tot het ontstaan van de wereld waarin hij leefde, haar aard, en de oorzaken van haar talloze en diverse verschijnselen? Was hij zich in enige mate bewust van algemene wetten of principes waaraan bepaalde zaken waren onderworpen? Stelde hij zich in 't geheel zulke vragen? Bewijzen hebben wij hier nauwelijks van. De prehistorische cultuur is per definitie een orale cultuur en orale culturen laten, zolang zij uitsluitend oraal blijven, geen schriftelijke overblijfselen na. Maar een nauwgezette bestudering van de resultaten van het onderzoek dat antropologen in de negentiende en twintigste eeuw deden naar volksstammen zonder schriftelijke overlevering, alsook van de overblijfselen van het prehistorische denken zoals wij die terugvinden in de eerste schriftelijke documenten, zal het mogelijk maken enige voorzichtige generalisaties te formuleren.

Bij het onderzoek naar het intellectuele klimaat in een samenleving zonder schriftelijke overlevering is een inzicht in de communicatieprocessen cruciaal. Bij afwezigheid van het schrift is het gesproken woord de enige vorm van verbale communicatie; en de enige opslag van kennis vindt plaats in de geheugens van de individuele leden van de gemeenschap. In een dergelijke cultuur vindt de overdracht van ideeën en overtuigingen alleen plaats in het geval van een daadwerkelijke ontmoeting, door middel van een proces dat wel getypeerd is als een 'een lange ketting van in elkaar grijpende conversaties' tussen haar leden. Het deel van deze conversaties dat belangrijk genoeg wordt geacht om te onthouden en door te geven aan de volgende generaties, vormt de basis van een mondelinge traditie die dienst doet als de voornaamste opslagplaats van de collectieve ervaring en de algemene opvattingen, gedragingen en waarden van de gemeenschap.[4]

Er is een belangrijke eigenschap van de mondelinge traditie die onze speciale aandacht vraagt – namelijk haar plooibaarheid. Mondelinge overlevering is kenmerkend voor een voortdurende staat van evolutie, omdat het nieuwe ervaringen in zich opneemt en zich aanpast aan de nieuwe omstandigheden en behoeften van de gemeenschap. Nu zou deze plooibaarheid van de mondelinge traditie erg verwarrend zijn als het overbrengen van abstracte historische of wetenschappelijke gegevens gezien wordt als de functie van de mondelinge traditie – de orale equivalent van een historisch archief of een wetenschappelijk rapport. Maar een orale cultuur, waaraan het vermogen te schrijven ontbreekt, kan zeker geen archieven of rapporten produceren; sterker nog, in een orale cultuur is zelfs het *idee* van schrift afwezig en daarom zelfs ook het *idee* van een historisch archief of een wetenschappelijk rapport.[5] De primaire functie van de mondelinge traditie is de zeer praktische taak de actuele situatie en structuur van de gemeenschap te verklaren en te rechtvaardigen, en de gemeenschap op die manier te voorzien van een zich voortdurend ontwikkelend 'sociaal handvest'. Een verslag van vroegere gebeurtenissen mag bijvoorbeeld worden gebruikt voor de rechtvaardiging van de rol van het huidige leiderschap, de rechten van eigendom, of de bestaande verdeling van privileges en verplichtingen. En om deze functie afdoende te kunnen vervullen, moet de mondelinge traditie in staat zijn zichzelf redelijk snel aan te passen aan de wijzigingen in de sociale structuur.[6]

Maar nu zijn wij voornamelijk geïnteresseerd in de *inhoud* van de mondelinge tradities en in het bijzonder in die delen van de inhoud die de aard van het universum als onderwerp hebben – dat wil zeggen, de delen die gezien kunnen worden als de ingrediënten van een wereldbeeld of kosmologie. Dergelijke ingrediënten bestaan binnen elke mondelinge traditie, maar veelal onderhuids, zelden helder uitgedrukt en bijna nooit geordend in een coherent geheel. Om die reden moeten we uitermate terughoudend zijn om ons, namens hen, uit te spreken over het wereldbeeld van de ongeletterde mensen, want dit kan niet geschieden zonder dat *wij* elementen als coherentie en stelselmatigheid daaraan toevoegen, en zodoende juist die vindingen vervormen die we proberen te beschrijven. Niettemin kunnen we tot bepaalde conclusies komen inzake de ingrediënten of elementen van het wereldbeeld binnen de ongeletterde, mondelinge tradities. (De nu volgende conclusies zijn gebaseerd op een mengeling van bewijzen uit prehistorische culturen en hedendaagse ongeletterde samenlevingen en zouden, tenzij er uitdrukkelijk wordt gewaarschuwd voor het tegendeel, op beide situaties van toepassing moeten zijn.)

Het is duidelijk dat ongeletterde mensen, niet minder dan diegenen onder ons die leven in een moderne wetenschappelijke cultuur, behoefte hebben aan verklarende principes die in staat zijn orde, eenheid en met name betekenis te geven aan de schijnbaar willekeurige en chaotische stroom van gebeurtenissen. Maar we moeten niet verwachten dat de verklarende principes van de ongeletterde mens enige gelijkenis vertonen met die van ons: omdat hij geen enkele voorstelling heeft van 'natuurwetten' of deterministische, causale mechanismen, gaan zijn ideeën van oorzaak en gevolg veel verder dan de diverse mechanische of fysieke activiteiten die door de moderne wetenschap worden erkend. Het is begrijpelijk dat zijn speurtocht naar betekenis zich afspeelt binnen het kader van zijn eigen ervaringen, waarbij menselijke of biologische eigenschappen worden geprojecteerd op dingen en gebeurtenissen die in onze ogen niet alleen gespeend zijn van menselijkheid, maar ook van leven. Zo wordt heel typerend het ontstaan van de wereld beschreven in termen van geboorte, en kunnen kosmische gebeurtenissen worden geïnterpreteerd als het resultaat van een strijd tussen twee tegenovergestelde krachten, een goedaardige en een kwaadaardige. In ongeletterde culturen bestaat er niet alleen de neiging oorzaken te personaliseren, maar ook om deze te individualiseren, te veronderstellen dat de dingen gebeuren zoals ze gebeuren omdat het zo is bepaald. Deze tendens is omschreven door H. en H.A. Frankfort:

> Onze visie op causaliteit ... zou de primitieve mens niet tevredenstellen vanwege het onpersoonlijke karakter van haar verklaringen. Bovendien zou hij ontevreden zijn over haar algemeenheid. Wij begrijpen verschijnselen niet door middel van hun eigenaardigheden, maar door middel van wat hen tot manifestaties van algemene wetten maakt. Maar een algemene wet kan geen recht doen aan het individuele karakter van iedere gebeurtenis. En juist het individuele karakter van de gebeurtenis is wat de primitieve mens het sterkst ervaart. Wij zouden verklaren dat bepaalde fysiologische processen de dood van een mens veroorzaakt. De primitieve mens vraagt: Waarom sterft *deze* mens op *die* manier op *dit* moment? Wij kunnen slechts zeggen dat, gegeven deze omstandigheden, de dood altijd zal intreden. Hij wil een oorzaak vinden die even specifiek en individueel is als de gebeurtenis die zij moet verklaren. De gebeurtenis ... wordt in al zijn complexiteit en individualiteit ervaren, hetgeen wordt geëvenaard door overeenkomstig individuele oorzaken.[7]

Typerend voor de mondelinge tradities is dat zij het universum afschilderen als een hemel, een aarde en, in sommige gevallen, een onderwereld. Een Afrikaanse mythe beschrijft de aarde als een kleed dat wel is uitgerold maar niet plat ligt, waarmee de fenomenen stroomopwaarts en stroomafwaarts worden verklaard – een illustratie van de algemene tendens om het universum te beschrijven met behulp van vertrouwde objecten en processen. In de wereld van de mondelinge tradities is goddelijkheid een alomtegenwoordige werkelijkheid, hoewel er over het algemeen geen duidelijk onderscheid wordt gemaakt tussen het natuurlijke, het bovennatuurlijke en het menselijke; de goden staan niet boven het universum, maar zijn daarin geworteld en aan zijn wetten onderworpen. Het geloof in het bestaan van schimmen van doden, geesten en een verscheidenheid aan onzichtbare krachten, die met hulp van magische rituelen in bedwang worden gehouden, is een ander universeel kenmerk van de mondelinge traditie. Het geloof in reïncarnatie (het idee dat de ziel na de dood terugkeert in een ander lichaam) is wijdverspreid. De voorstellingen van tijd en ruimte zijn niet (zoals die van de moderne fysica) abstract en wiskundig, maar zijn doorspekt met betekenissen en normen uit de gemeenschappelijke ervaring. Zo zijn niet noord, zuid, west en oost, maar 'stroomopwaarts' en 'stroomafwaarts' de voornaamste richtingen voor een stam waarvan het dagelijks leven nauw verbonden is met een rivier. Sommige orale culturen kunnen zich een meer dan oppervlakkig verleden moeilijk voorstellen: de Tio bijvoorbeeld, een Afrikaanse volksstam, kunnen iemand niet verder dan twee generaties terug in de tijd plaatsen.[8]

Mondelinge tradities vertonen sterk de neiging om oorzaken te verbinden met oorsprongen, zodat een verklaring tevens de identificatie van een historisch begin is. Binnen een dergelijke voorstellingswereld kan het onderscheid dat wij tussen wetenschappelijk en historisch inzicht maken, niet duidelijk worden gemaakt of zelfs helemaal niet bestaan. Wanneer wij dus zoeken naar de kenmerken van de mondelinge traditie die staan voor een wereldbeeld of kosmologie, zullen zij bijna altijd een ontstaansgeschiedenis bevatten – het ontstaan van de wereld, het verschijnen van de eerste mens, de oorsprong van dieren, planten en andere belangrijke zaken, en ten slotte de totstandkoming van de gemeenschap. Vaak worden de ontstaansgeschiedenissen in verband gebracht met de genealogieën van goden, koningen en andere heldhaftige figuren, die gepaard gaan met verhalen over hun heldhaftige daden. Het is belangrijk op te merken dat in dergelijke historische verslagen het verleden niet wordt afgebeeld als een aaneenschakeling van oorzaken en gevolgen die een geleidelijke verandering teweegbrengt, maar als een reeks doorslaggevende en op zichzelf staande gebeurtenissen die de huidige structuur tot stand heeft gebracht.[9]

Deze tendensen kunnen worden geïllustreerd met voorbeelden uit zowel vroegere als hedendaagse orale culturen. Volgens de twintigste-eeuwse Koeba uit tropisch Afrika

> had Mboem, of het oorspronkelijke water, negen kinderen die allen Woet heetten en op hun beurt de aarde schiepen. Zij waren, blijkbaar in volgorde van opkomst: Woet de zee; Woet de graver, die rivierbeddingen en greppels groef en heuvels opwierp; Woet de stromende, die rivieren deed stromen; Woet de schepper van bossen en savannen; Woet de schepper van bladeren; Woet de beeldhouwer, die van houten ballen mensen maakte; Woet de uitvinder van stekelige dingen als vissen, doorns en vinnen; en Woet de slijper, die als eerste een snijkant aan scherpe dingen gaf. De dood kwam in de wereld toen een ruzie tussen de laatste twee Woeten leidde tot de dood van een van hen door toedoen van een scherpe punt.[10]

Wat opvalt is dat dit verhaal niet alleen verslag doet van het ontstaan van het menselijk ras en de voornaamste topografische eigenschappen van de wereld van de Koeba, maar tevens de uitvinding verklaart van wat de Koeba ongetwijfeld beschouwden als een uiterst belangrijk wapen – het geslepen voorwerp.

In Egyptische en Babylonische scheppingsverhalen vinden we een overvloed van soortgelijke thema's. Volgens een Egyptisch verhaal begint het met de zonnegod Atoem die Sjoe, de god van de lucht, en Tefnet, de god van de vochtigheid, uitspuwde. Vervolgens

> baarden Sjoe en Tefnet, lucht en vochtigheid, de aarde en de hemel, de god van de aarde Geb en de hemelgodin Nut ... Toen paarden Geb en Nut, aarde en hemel, en brachten op hun beurt twee koppels voort, de god Osiris met zijn gemalin Isis, en de god Seth met zijn gemalin Nephthys. Zij vertegenwoordigen de wezens van deze wereld, of zij nu menselijk, goddelijk, of kosmisch zijn.[11]

Een Babylonische mythe schrijft het ontstaan van de wereld toe aan de seksuele activiteit van Enki, de god van de wateren. Enki bevruchtte de godin van de aarde of grond, Ninhursaga. Deze eenwording van water en aarde bracht de vegetatie voort, vertegenwoordigd in de vorm van de geboorte van de godin van de planten, Ninsar. Vervolgens paarde Enki eerst met zijn dochter en toen met zijn kleindochter, om verschillende soorten gewassen en hun produkten voort te brengen. Ninhursaga, boos geworden omdat Enki acht van de nieuwe planten verslonden had voordat zij in de gelegenheid was ze te benoemen, sprak een vloek over hem uit. Bevreesd voor de gevolgen van Enki's dood (klaarblijkelijk het opdrogen van de wateren) haalde de andere goden Ninhursaga over om de vloek in te trekken en Enki te genezen van de verschillende kwalen die de vloek veroorzaakt had, hetgeen zij deed door acht genezende goden te baren, die ieder waren verbonden met een deel van het lichaam – waarmee rekenschap was gegeven van het ontstaan van de geneeskunde.[12]

Dit is een goed moment om even stil te staan bij de geneeskundige ambachten, omdat sommige kenmerken van de orale culturen hiermee kunnen worden toegelicht. Er kan geen twijfel over bestaan dat in de oude orale culturen geneeskundige praktijken zeer belangrijk waren. Door de primitieve omstandigheden waren ziekte en letsel alledaagse verschijnselen.[13] Kleine medische problemen zoals wonden en kwetsuren, werden ongetwijfeld door familieleden behandeld. Maar bij meer ingrijpende aandoeningen, zoals grote wonden, gebroken botten en zware of onverwachte ziekte – kan de hulp nodig zijn van iemand met een hoger ontwikkelde kennis en bekwaamheid. Zo ontstond er een zekere mate van medische specialisatie: sommige mensen uit de gemeenschap of het dorp werden bekend om hun handigheid in het verzamelen van kruiden, hun vaardigheid bij het zetten van botten of de behandeling van wonden, of om hun ervaring in het assisteren bij bevallingen.

Maar zo beschreven lijkt de primitieve medische praktijk in ongeletterde samenlevingen opvallend veel op een elementaire versie van de moderne geneeskunde. Een meer nauwkeurige beschouwing wijst uit dat de geneeskunde binnen de orale culturen onlosmakelijk verbonden was met religie en magie, en hiervan niet te onderscheiden was. De wijze vrouw of de 'medicijnman' werd niet alleen gewaardeerd om diens farmaceutische of chirurgische bekwaamheid, maar ook om diens kennis van de goddelijke en demonische oorzaken van ziekte, en de magische en religieuze rituelen waarmee die kon worden behandeld. Als het probleem een splinter was, een wond, een bekende huiduitslag, een klacht over de spijsvertering of een gebroken bot, dan reageerde de genezer op de voor de hand liggende manier – door het verwijderen van de splinter, het verbinden van de wond, het aanbrengen van een substantie (als er een bekend was) die de uitslag zou tegengaan, het verbieden van bepaald voedsel, en het zetten en spalken van het gebroken lichaamsdeel. Maar als een familielid op mysterieuze wijze zwaar ziek werd, gingen de gedachten als snel uit naar hekserij of een invasie van het lichaam door een vreemde geest. In zo'n geval werd een beroep gedaan op meer dramatische middelen – exorcisme, waarzegging, reiniging, het zingen van liederen, het uitspreken van toverspreuken en andere rituele activiteiten.

Er bestaat binnen orale culturen (zowel oude als hedendaagse) nog een laatste kenmerkende overtuiging die onze aandacht verdient – namelijk de gelijktijdige aanvaarding van wat in onze ogen onverenigbare alternatieven zijn, waarbij men zich kennelijk totaal niet bewust is (of was) van mogelijke problemen die deze houding zou kunnen opleveren. Hiervan zijn talloze voorbeelden, maar het zal voldoende zijn te vermelden dat het genoemde verhaal van de negen Woeten één van de zeven (of meer) ontstaansgeschiedenissen is die onder de Koeba circuleren, terwijl de Egyptenaren diverse alternatieven hadden voor het verhaal van Atoem, Sjoe, Tefnet, en hun nageslacht; en niemand lijkt (of leek) het op te vallen, of anders zich erom te bekommeren, dat zij stuk voor stuk onwaar zouden kunnen zijn. Voeg dit toe aan de schijnbaar 'fantastische' aard van vele van de genoemde overtuigingen, en wij stuiten onvermijdelijk op de kwestie van de 'primitieve mentaliteit': hebben de leden van ongeletterde samenlevingen een mentaliteit die prelogisch of mystiek is, of op andere wijze afwijkt van de onze; en zo ja, hoe moet deze mentaliteit dan precies worden beschreven en verklaard?[14]

Dit is een zeer ingewikkeld en moeilijk probleem, dat gedurende het grootste deel van de twintigste eeuw voor onder anderen antropologen het onderwerp van een verhitte discussie is geweest, en het is niet aannemelijk dat ik er hier een oplossing voor zal vinden. Maar het minste wat ik kan doen, is enige woorden wijden aan een methodologisch advies: namelijk dat het verspilde moeite is, en in het geheel niet bijdraagt aan het doel inzicht te krijgen, om tijd te steken in de wens dat de ongeletterde mens gebruik zou maken (of hebben gemaakt) van een voorstelling of maatstaf van kennis waarmee hij nooit wordt (of werd) geconfronteerd – een voorstelling die, in het geval van de prehistorische mens, pas eeuwen later zou worden uitgevonden. We komen geen stap verder door aan te nemen dat de ongeletterde mens wel een poging deed om onze voorstellingen van kennis en waarheid waar te maken, maar daarin faalde. Er is slechts een moment van bezinning voor nodig om ons te realiseren dat hij moet hebben gefunctioneerd in een totaal andere linguïstische en conceptuele wereld, een wereld met andere doeleinden, en het is in het kader van deze doeleinden dat hun prestaties moeten worden gewaardeerd.

De verhalen die in de orale culturen rondgaan, zijn bedoeld om de waarden en opvattingen van de gemeenschap over te brengen en te bekrachtigen, om bevredigende verklaringen te geven voor de voornaamste eigenschappen van de wereld zoals die door de gemeenschap wordt ervaren, en om de bestaande sociale structuur te rechtvaardigen; verhalen doen hun intrede in de mondelinge traditie (het collectieve geheugen) vanwege hun doelmatigheid in het bereiken van deze doelen en zolang zij hieraan voldoen, is er geen enkele reden ze in twijfel te trekken. In een dergelijke sociale omgeving wordt scepticisme niet beloond en zijn er weinig middelen om uitdagingen te bevorderen. Sterker nog, onze hoogontwikkelde voorstellingen van de waarheid en de criteria waaraan een stelling moet voldoen om als waarheid te worden beoordeeld (bijvoorbeeld interne samenhang, of gelijkenis met een externe werkelijkheid), bestaan in orale culturen over het algemeen niet en zouden, indien uitgelegd aan een lidmaat van een orale cultuur, naar alle waarschijnlijkheid enigszins nutteloos overkomen. Onder ongeletterden is het meest invloedrijke beginsel eerder dat van het bekrachtigde geloof – waarbij de betreffende bekrachtiging komt van de gemeenschappelijke consensus.[15]

Als wij, tot besluit, inzicht willen hebben in de ontwikkeling van de wetenschap in de oudheid en de middeleeuwen, zullen we ons moeten afvragen hoe de ongeletterde geloofspatronen die we onderzocht hebben, zijn bezweken voor of vervangen door nieuwe opvattingen van kennis en waarheid (het meest duidelijk vertegenwoordigd door de logische principes van Aristoteles en de filosofische traditie die hieruit voortkwam). De doorslaggevende ontwikkeling lijkt de uitvinding van het schrift te zijn geweest, die zich stapsgewijs voordeed. Eerste waren er pictogrammen, waarbij het geschreven teken voor het object zelf stond. Rond 3000 v. Chr. onstond er een systeem van woordtekens (of logogrammen), waarbij tekens werden gecreëerd voor de belangrijke woorden, zoals bij de Egyptische hiërogliefen. Maar bij het hiëroglifische schrift konden tekens ook staan voor klanken of lettergrepen – de oorsprong van het syllabische schrift. De ontwikkeling, rond 1500 v. Chr., van volledig syllabische systemen (ofwel systemen waaruit alle niet-syllabische tekens zijn verwijderd) maakte het voor mensen mogelijk, en in feite zelfs redelijk gemakkelijk, om alles wat zij konden zeggen ook te kunnen noteren. En ten slotte het volledig alfabetische schrift, met een teken voor iedere klank (zowel medeklinkers als klinkers), dat rond 800 v. Chr. zijn intrede deed in Griekenland en zich gedurende de vijfde en zesde eeuw wijd verspreidde binnen de Griekse cultuur.[16]

Een van de cruciale bijdragen van het schrift, en in het bijzonder van het alfabetische schrift, was de verschaffing van middelen om de mondelinge tradities vast te leggen, waardoor de tot dan toe instabiele, vertolkte, stromende, hoorbare signalen werden gestabiliseerd in blijvend zichtbare objecten.[17] Het schrift kreeg hierdoor de functie van opslagruimte en verving het geheugen als de voornaamste bewaarplaats voor kennis. Dit had het revolutionaire effect dat kennis nu aanspraak kon maken op de mogelijkheid van onderzoek, vergelijking en kritiek. Als wij een geschreven verslag van gebeurtenissen krijgen voorgelegd, kunnen wij deze verregaand vergelijken met andere (inclusief oudere) geschreven verslagen van diezelfde gebeurtenissen, wat ondenkbaar is binnen een uitsluitend orale cultuur. Een dergelijke vergelijking moedigt een sceptische houding aan en bevorderde in de oudheid het destijds gemaakte onderscheid tussen waarheid enerzijds en mythe of legende anderzijds; dit onderscheid vroeg op zijn beurt om maatstaven waarmee het waarheidsgehalte kon worden geverifieerd; en uit de pogingen geschikte criteria te formuleren, ontstonden regels voor het redeneren die serieuze filosofische verrichtingen mogelijk maakten.[18]

Maar niet alleen onderzoek en kritiek worden bevorderd door de blijvende vorm die aan het woord gegeven wordt. Het maakt tevens nieuwe soorten intellectuele verrichtingen mogelijk, die geen (of alleen zwakke) tegenhangers kennen in de orale cultuur. Jack Goody heeft overtuigend beweerd dat vroege, geletterde culturen grote hoeveelheden geschreven inventarissen en andere soorten lijsten produceerden (meestal voor administratieve doeleinden), die veel gedetailleerder waren dan het materiaal dat mogelijkerwijs door een orale cultuur kon worden voortgebracht; en dat deze lijsten bovendien nieuwe soorten onderzoek mogelijk maakten en om nieuwe denkprocessen vroegen, of om nieuwe manieren om gedachten te organiseren. In ieder geval zijn de artikelen op de lijst verwijderd geraakt van de context die hun binnen orale verhandelingen betekenis gaf, en zijn zij in die zin abstracties geworden. En in deze abstracte vorm kunnen zij worden gescheiden, gesorteerd en geclassificeerd op grond van een aantal criteria, waardoor zij aanleiding geven tot talloze vragen die in een orale cultuur waarschijnlijk niet zouden worden gesteld. Om een voorbeeld te geven: de inventarissen van nauwkeurige observaties van de hemel, die door de eerste Babyloniërs werden samengesteld, zouden nooit zijn kunnen verzameld en doorgegeven in mondelinge vorm; dat zij in schrift bestaan, en daardoor in detail zijn onderzocht en vergeleken, maakte de ontdekking van complexe patronen in de bewegingen van hemellichamen mogelijk, die wij weer in verband brengen met het ontstaan van de wiskundige astronomie en de astrologie.[19]

Uit dit betoog kunnen we twee conclusies trekken. Ten eerste dat de uitvinding van het schrift een eerste vereiste was voor de ontwikkeling van filosofie en wetenschap in de oudheid. Ten tweede dat de mate waarin filosofie en wetenschap in de oudheid tot ontplooiing kwamen voor een groot deel te danken was aan de doelmatigheid van het systeem van schrijven (het grote voordeel van het alfabetische

schrift in vergelijking met alle alternatieven) en de wijde verspreiding daarvan onder het volk. De eerste voordelen van het gebruik van woordtekens of logogrammen zien wij rond 3000 v. Chr. in Egypte en Mesopotamië in werking treden.
Echter, de complexiteit en ondoelmatigheid van het logografisch schrift beperkten
onvermijdelijk zijn verspreiding, waardoor het slechts toegankelijk werd voor een
kleine, geleerde elite. Dit in tegenstelling tot het Griekenland van de zesde en vijfde eeuw, waar de wijde verspreiding van het alfabetisch schrift bijdroeg aan de
spectaculaire ontwikkeling van filosofie en wetenschap. We moeten echter niet
denken dat alleen de geletterdheid voldoende was om het 'Griekse wonder' van de
zesde en vijfde eeuw te produceren; zonder twijfel droegen ook andere factoren
hiertoe bij, zoals de welvaart, de nieuwe beginselen voor sociale en politieke ordening, het contact met Oosterse culturen en de introductie van een competatieve
stijl binnen het Griekse intellectuele leven. Maar het belangrijkste element van dit
mengsel was zeer zeker de opkomst van Griekenland als 's werelds eerste algemeen
geletterde cultuur. [20]

HET ONTSTAAN VAN DE WETENSCHAP IN EGYPTE EN MESOPOTAMIË

De Griekse wereld zal behandelend worden in het volgende hoofdstuk. Maar eerst
moet ik kortstondig ingaan op de pre-Griekse ontwikkelingen in Egypte en
Mesopotamië (het gebied tussen de Tigris en de Eufraat, op de plek van het oude
Babylonië en Assyrië, en het huidige Irak – zie kaart 2). In het voorgaande gedeelte heb ik genoeg gezegd over scheppingsmythen om de belangrijkste eigenschappen van de Egyptische en Mesopotamische kosmologische en kosmogonische speculatie uit te wijzen. Hier zal ik mij beperken tot de Egyptische en Mesopotamische bijdrage aan diverse andere onderwerpen of disciplines die later een plek
kregen binnen de Griekse en middeleeuwse Europese wetenschap: de wiskunde,
de astronomie en de geneeskunde. Het bewijsmateriaal is schaars, maar voldoende
om een algemeen beeld te kunnen schetsen.

De Grieken zelf geloofden dat de oorsprong van de wiskunde in Egypte en Mesopotamië lag. Herodotus (vijfde eeuw v. Chr.) schreef dat Pythagoras afreisde naar
Egypte, waar hij door priesters werd ingewijd in de mysteriën van de Egyptische
wiskunde. Volgens de klassieke overlevering werd hij als gevangene vanuit Egypte
meegenomen naar Babylon, waar hij in contact kwam met Babylonische wiskundigen. Uiteindelijk wist hij terug te keren op het eiland Samos, waar hij de wiskundige schatten uit Egypte en Babylonië overleverde aan de Grieken. Of dit verhaal en
gelijksoortige verhalen over andere wiskundigen historisch juist of legendarisch
zijn, is minder belangrijk dan de achterliggende waarheid die zij onthullen – namelijk dat de wiskundige kennis uit Egypte en Babylonië werd overgeleverd aan de
Grieken (die zich daarvan bewust waren).

Rond 3000 v. Chr. ontwikkelden de Egyptenaren een getallensysteem dat decimaal van karakter was en voor iedere macht van tien (1, 10, 100, enzovoorts) een

andere symbool had. Door deze symbolen in een bepaalde volgorde te zetten, zoals bij de Romeinse getallen, kon ieder gewenst getal worden gevormd. Dus als 1 werd voorgesteld door ❘ en 10 door ∩, dan kon het getal 34 worden geschreven als ❘❘❘❘∩∩. Rond 1800 v. Chr. waren er aanvullende symbolen ontworpen voor andere getallen, zodat bijvoorbeeld 7 kon worden geschreven als een sikkel (ᔭ) in plaats van zeven verticale strepen. Optellen en aftrekken waren binnen de Egyptische rekenkunde eenvoudige handelingen die op dezelfde wijze werden uitgevoerd als bij de Romeinse getallen, maar delen en vermenigvuldigen waren uitermate onhandige processen; het algemene concept van gebroken getallen was onbekend en de algemene regel liet alleen breukgetallen van één eenheid toe (breukgetallen met de teller 1). Eenvoudige problemen van het volgende type konden worden opgelost: als een zevende deel van een grootheid aan die grootheid wordt toegevoegd en de som is gelijk aan 16, wat is dan de grootheid?[21]

De Egytpische geometrische kennis lijkt zich te hebben geconcentreerd op praktische problemen, misschien wel die van opzieners en aannemers. De Egyptenaren waren in staat om de oppervlakte te berekenen van eenvoudige vlakke figuren als de driehoek en de rechthoek en het volume van eenvoudige driedimensionale lichamen als de pyramide. Om bijvoorbeeld de oppervlakte van een driehoek te berekenen, vermenigvuldigde men de helft van de lengte van de liggende zijde met de hoogte; en om het volume te bepalen van een pyramide, vermenigvuldigde men eenderde van de oppervlakte van het liggende vlak met de hoogte. Voor de berekening van de oppervlakte van een cirkel ontwikkelde de Egyptenaren regels die corresponderen met een waarde voor π van ongeveer 3,17. En tot besluit, op een van de meest voor de hand liggende gebieden van de toegepaste wiskunde ontwierpen de Egyptenaren een kalender van twaalf maanden van ieder dertig dagen, plus een toevoeging van vijf dagen aan het einde van het jaar – een kalender die vanwege zijn onveranderlijke aard beduidend eenvoudiger was dan de toenmalige Babylonische kalender en die van de eerste stadstaten in Griekenland, die probeerde rekening te houden met zowel de cyclus van de maan als die van de zon.[22]

In diezelfde periode waren de wiskundige verrichtingen in Mesopotamië van een hogere orde dan die in Egypte. De kleitabletten (zie afb. 1.1), die in grote hoeveelheden zijn teruggevonden, brengen een Babylonisch getallensysteem aan het licht dat rond 2000 v. Chr. al volledig was ontwikkeld en tegelijkertijd decimaal (gebaseerd op het getal 10) en sexagesimaal (gebaseerd op het getal 60) was. Nog steeds gebruiken wij sexagesimale getallen in ons systeem van tijdmeting (zestig minuten in een uur) en bij de berekening van hoeken (zestig minuten in een graad en 360 graden in een cirkel). De Babyloniërs hadden afzonderlijke symbolen voor 1 (▼) en voor 10 (◀); deze konden, net als de Romeinse cijfers, worden gecombineerd om getallen tot aan 59 te vormen. Bijvoorbeeld het getal 32, dat kon worden geschreven als drie van de symbolen voor tien plus twee van de symbolen voor één eenheid, zoals in tabel 1.1.

Afbeelding 1.1 Een Babylonisch kleitablet (ca. 1900-1600 v. Chr.), met daarop de tekst van een wiskundig probleem omtrent bakstenen, hun volume, en de oppervlakte die ze bestrijken. Yale Babylonian Collection, YBC 4607. De tekst wordt vertaald en besproken in O. Neugebauer en A. Sachs, red., *Mathematical Cuneiform Texts*, pp. 91-97.

Tabel 1.1 Vijf Babylonische sexagesimale getallen en hun Hindoe-Arabische equivalenten.

	60^3	60^2	60	1	$1/60$	$1/60^2$	Modern Hindu-Arabic Equivalent
(1)				◄◄◄▼▼			32
(2)			▼▼	◄▼▼▼			$2\times60 + 16 = 136$
(3)		▼	◄▼▼	◄◄▼▼▼			$1\times3600 + 12\times60 + 23 = 4.343$
(4)	▼▼	◄◄▼▼					$2\times216000 + 22\times 3600 = 511.200$
(5)					◄◄	◄▼▼	$2\times1/60 + 12\times1/3600 = 1/30 + 1/300 = 11/300$

▼ = 1   ◄ = 10

Maar vanaf 59 treedt er een belangrijke verandering op. In plaats van het getal 60 te vormen door een opeenvolging van zes symbolen voor 10, gebruikten de Babyloniërs een plaatsingssysteem dat gelijk is aan het onze. In ons getal 234 betekent het cijfer 4 (geplaats in de kolom voor 'eenheden') het getal 4; het cijfer 3, geplaatst in de kolom voor tientallen, betekent 30; terwijl het cijfer 2, geplaatst in de kolom voor honderdtallen, voor het getal 200 staat. Zo is 234 dus 200 + 30 + 4. Het Babylonische plaatsingssysteem werkte op dezelfde manier, alleen stonden de opeenvolgende kolommen dan niet voor de machten van 10, maar voor de machten van 60. Dus in het tweede voorbeeld in tabel 1.1 staan de twee eenheidssymbolen niet voor 2, maar voor 2 x 60 = 120; en in het derde voorbeeld staat het eenheidssymbool in de 60^2 kolom niet voor 1, maar voor 1 x 60^2 = 3.600. Er bestond geen equivalent van het decimaalteken dat de plaats van de kolom voor eenheden kon aangeven en deze informatie moest daarom uit de context worden afgeleid. Tabletten voor vermenigvuldiging en voor de tafels van omgekeerd evenredige getallen, machten en wortels werden gebruikt om berekeningen te vergemakkelijken. Een van de grote voordelen van het sexagesimale systeem was het gemak waarmee berekeningen door de toepassing van breuken konden worden uitgevoerd.[23]

De volledige superioriteit van de Babylonische wiskunde over diens Egyptische tegenhanger wordt duidelijk wanneer we ons richten op de meer ingewikkelde problemen die *wij* algebraïsch zouden oplossen. Historici van de wiskunde noemen deze problemen soms 'algebra', dat een handige term is voor dit aspect van de Babylonische wiskundige onderneming, maar tevens een gevaarlijke als men daaruit concludeert dat zij zuivere algebra beoefenden – hetgeen zou betekenen dat zij in het bezit waren van een algemeen bekend algebraïsch schrift of een inzicht hadden in de regels die wij als algebraïsch bestempelen. Maar we kunnen zonder twijfel zeggen dat de Babylonische wiskundigen rekenkundige bewerkingen gebruikten voor het oplossen van problemen die *wij* zouden oplossen met behulp van vierkantsvergelijkingen. We vinden bijvoorbeeld veel Babylonische tabletten, waaronder onderwijsmateriaal, die laten zien hoe een probleem als het volgende kan worden opgelost: van twee getallen is het produkt en hun som of verschil bekend; vind nu de twee getallen.[24]

De astronomie was een van de gebieden waarop de Babyloniërs hun wiskundige technieken toepasten. Vanaf de vroegste tijden zijn de sterren object geweest van onderzoek en speculatie. Sommige van onze vroegste schriftelijke verslagen, die meer dan 4000 jaar oud zijn, zijn astronomisch van karakter. Er zijn verschillende redenen voor deze bijzondere interesse in het heelal. Onder meer een landbouwkundige reden, want zelfs een redelijk oppervlakkige observatie maakte duidelijk dat de landbouwseizoenen – de tijden van zaaien en oogsten – correspondeerden met de bewegingen van de zon en met de positie van bepaalde sterren en sterrenbeelden ten opzichte van de zon. Een tweede reden was een religieuze, want het heelal, en in het bijzonder de zon en de maan, werd meestal in verband gebracht met de goden. Een derde reden was astrologisch van aard. En een vierde had betrekking op de kalender.

Een deel van de eerste inspanningen was gewijd aan het in kaart brengen van het heelal – het identificeren en benoemen van opvallende sterren en sterrenbeelden, het observeren van hun verhoudingen en het leggen van een verband tussen hun zichtbaarheid en de seizoenen. De systematische observatie van het heelal vond in Mesopatamië plaats in de tempels, om zowel religieuze en astrologische redenen als om redenen met betrekking tot de kalender. De tempelpriesters brachten niet alleen de vaste sterren in kaart, maar identificeerden ook de 'zwervende sterren' of planeten – de planeten die nu Mercurius, Venus, Mars, Jupiter en Saturnus heten. (De zon en de maan werden tevens als planeten beschouwd, omdat zij ten opzichte van de vaste sterren bewogen). Men contstateerde dat deze zeven planeten zich in de smalle ring van de dierenriem door het heelal bewogen. Rond 500 v. Chr. was deze ring al door Babylonische priesters bepaald en hadden zij de sterrenbeelden geïdentificeerd die twaalf segmenten van ieder dertig graden afbakenen, waarmee zij ons de tekens van de dierenriem gaven. Eenmaal vastgesteld, kon de dierenriem functioneren als een handig systeem voor het meten en in kaart brengen van de bewegingen van de zon, de maan en de resterende planeten, en als bron voor astrologische voorspellingen.[25]

Het astrologische aspect benodigt enige aandacht (voor de astrologie, zie ook hoofdstuk 11). Het is duidelijk dat de behoeften aan een astrologie een belangrijke impuls was voor de ontwikkeling van de wiskundige astronomie in Babylonië. Uit de astrale religie – het associëren van sterren (in het bijzonder de zwervende sterren) met goden – en uit het onmiskenbare feit dat de hemelse gebeurtenissen verbonden waren met de seizoenen en het weer, ontwikkelde zich een systeem van gerechtelijke astrologie, ofwel de poging tot het doen van korte-termijn-voorspellingen die van invloed zijn op koning en koninkrijk op basis van de actuele configuratie van het uitspansel. Het is ook mogelijk dat de horoscopische astrologie, die de loop van een mensenleven voorspelt met behulp van de hemelse configuratie op het moment van geboorte, tot stand kwam in de laat-Babylonische periode. Van belang is dat beide soorten astrologie een gedetailleerde kennis vereisten van de bewegingen van de zon, de maan en de andere planeten. De Babylonische astrologie werd overgeleverd aan de Grieken, die haar verder ontwikkelden en doorgaven aan de middeleeuwen, de vroeg-moderne tijd en uiteindelijk de twintigste eeuw. Het is opmerkelijk dat gedurende de meeste tijd van deze lange geschiedenis de astronomische tradities nauw verbonden waren met die van de astrologie.[26]

We hebben hier niet de ruimte voor een detailonderzoek naar de ontwikkeling van de wiskundige astronomie in Babylonië. Belangrijk is dat in de periode 500-300 v. Chr. de Babylonische astronoom-priester zijn ambacht in die mate ontwikkelde dat hij grote hoeveelheden astronomische gegevens kon manipuleren en verschillende astronomische voorspellingen kon doen. Hij had numerieke modellen in de vorm van rekenkundige rijen, die hem in staat stelden de dagelijkse bewegingen van zon en maan door de dierenriem in kaart te brengen. Met dergelijke gegevens kon hij de eerste verschijning van de nieuwe maan voorspellen (belangrijk voor de kalender, omdat de nieuwe maan het begin van een nieuwe maand aanduidt), maar ook kon hij maansverduisteringen en de mogelijkheid of onmogelijkheid van zons-verduisteringen voorspellen. We moeten benadrukken dat hij dit niet deed met be-hulp van geometrische modellen, zoals de Griekse astronomen dat zouden doen, maar gewoonweg met numerieke methoden waarbij toekomstige gebeurtenissen werden afgeleid uit reeds gedane observaties.[27]

Het laatste gebied dat aandacht verdient met betrekking tot de Egyptische en Mesopotamische verrichtingen, is de geneeskunde. Een aantal geneeskundige pa-pyri (geschreven in de periode 2500-1200 v. Chr.) is bewaard gebleven en biedt ons een fragmentarisch beeld van het geneeskundige vak in het oude Egypte. Uit verscheidene papyri wordt duidelijk dat de invasie van het lichaam door duivelse machten of geesten gezien werd als een hoofdoorzaak van ziekte. Verlossing werd bewerkstelligd door rituelen die tot doel hadden de geesten te verzoenen of angst aan te jagen – exorcisme, toverspreuken, reiniging, of het dragen van de juiste amulet. Voor bescherming kon er beroep worden gedaan op de goden: een gebed tot de god Horus dat werd aangetroffen in de papyrus-Leyden luidt ten dele: 'Gezegend zijt gij, Horus ... Ik kom tot u, ik loof uw schoonheid: moge gij het kwaad dat in mijn ledematen is, vernietigen'.[28] Bepaalde goden werden in het bij-zonder geassocieerd met helende functies of helende culten: Thot, Horus, Isis en Imhotep. De opvatting dat ieder lichaamsorgaan bestuurd werd door een bepaalde god die kon worden opgeroepen om dat orgaan te genezen, lijkt wijdverbreid te zijn geweest. En natuurlijk was er voor ieder ritueel een expert nodig wiens rein-heid erkend was, kennis had van de benodigde toverspreuken en kon verzekeren dat ieder ritueel tot in het kleinste detail juist werd uitgevoerd; dit was de priester-genezer.

Genezende therapieën beperkten zich in het oude Egypte niet tot gebeden, to-verspreuken en rituelen. Veel gebruikt werden ook farmacologische middelen be-reid uit dieren, groente en mineralen – hoewel men geloofde dat hun doelmatig-heid afhing van de juiste rituele omstandigheden waaronder zij waren bereid en toegediend. De papyrus-Ebers (geschreven rond 1600 v. Chr., maar kopieën bevat-tend van veel oudere teksten) bevat medische recepten voor de behandeling van aandoeningen aan huid, ogen, mond, handen en voeten, spijsverterings- en voort-plantingsorganen, en andere interne organen; voor de behandeling van verwondin-gen, brandwonden, abcessen, maagzweren, tumoren, hoofdpijnen, opgezette klie-ren en een slechte adem.[29]

De chirurgie wordt behandeld in een andere papyrus, bekend als de papyrus-Edwin Smith (in ongeveer dezelfde tijd geschreven als de papyrus-Ebers), die een chirurgische handleiding bevat waarin de behandeling van verwondingen, breuken en ontwrichtingen beschreven wordt (zie afb. 1.2).[30] Een van de opmerkelijke ei-genschappen van de papyri van Ebers en Edwin Smith is de zorgvuldige samenstelling van de casussen, die aanvangen met een beschrijving van het probleem en vervolgen met de diagnosis, de beslissing (of een kwaal wel of niet behandelbaar is) en de behandeling.

Afbeelding 1.2
Een kolom uit de Chirurgische Papyrus-Edwin Smith (ca. 1600 v. Chr.), nu in de New York Academy of Medicine.

De Mesopotamische geneeskunde vertoont veel van dezelfde eigenschappen als de Egyptische geneeskundige praktijken. Net als de Egyptische papyri bevatten de Baylonische kleitabletten casussen, die systematisch zijn gerangschikt naar soort en waarvan vele een zorgvuldige beschouwing van symptomen en een intelligente prognose aan de dag leggen. Mesopotamische genezers vertoonden tevens een vergelijkbare vaardigheid in het chirurgische ingrijpen en de toebereiding van farmaceutische middelen. Net als in Egypte ontwikkelde er zich enige vorm van medische specialisatie – verschillende categorieën van genezers die enigszins verschillende specialiteiten en functies kregen. En opnieuw zien we dat de geneeskunde innig verbonden is met religie en met praktijken die wij nu als magie zouden bestempelen. Ziekte werd beschouwd als het gevolg van een invasie van het lichaam door kwade geesten (te wijten aan noodlot, achteloosheid, zonde of hekserij). De behandeling was gericht op uitschakeling van de binnendringende geest door middel van waarzegging (waaronder de interpretatie van astrologische voortekenen), offering, gebed en magische rituelen.[31]

Dit beknopte overzicht van de Egyptische en Mesopotamische bijdragen aan de wiskunde, astronomie en de geneeskunde biedt ons niet alleen een een vluchtige blik op de oorsprong van de westerse wetenschappelijke traditie, maar tevens een context waarbinnen wij de Griekse verrichtingen kunnen bezien. Zonder twijfel waren de Grieken zich bewust van het werk van hun Egyptische en Mesopotamische voorgangers en profiteerden zij daarvan. In de hoofdstukken die volgen, zullen we zien hoe deze produkten van het Egyptische en Mesopotamische denken hun intrede deden in de Griekse natuurwetenschap en deze hielp gestalte te krijgen.

2

De Grieken en de Kosmos

DE WERELD VAN HOMERUS EN HESIODES

Van Homerus, befaamd auteur van de twee grote epische gedichten de *Ilias* en de *Odyssee*, weten wij niets. De dichtwerken, die verslag doen van de heroïsche avonturen die verbonden worden met de laatste dagen en de nasleep van de Trojaanse Oorlog tussen Griekenland en Troje, zijn overduidelijk de produkten van een lange orale traditie met wortels die ver, tot aan het Myceense tijdperk (vóór 1200), teruggaan in de Griekse geschiedenis; ook lijken ze te zijn beïnvloed door niet-Griekse epische tradities uit het Nabije Oosten. Zij zijn waarschijnlijk in de achtste eeuw op schrift gesteld, maar of dit gedaan is door één man (Homerus) of door meerdere personen blijft een punt van discussie. Waar zich hun precieze oorsprong echter ook bevindt, de *Ilias* en de *Odyssee* vormden de basis van het onderwijs en de cultuur in Griekenland en blijven twee van de beste maatstaven voor de vorm en inhoud van het klassieke Griekse denken die wij tot onze beschikking hebben.[1]

Naast Homerus moeten wij Hesiodes plaatsen, die zijn werken rond het einde van de achtste eeuw schreef. Aan Hesiodes, de zoon van een boer, worden twee werken toegeschreven: *Werken en Dagen* (dat onder meer een handleiding voor boeren bevat) en de *Theogonie*, dat verslag doet van het onstaan van de goden en de wereld.[2] Hesiodes gaf de goden een genealogie en stelde vast, samen met Homerus, wat hun aard was en over welke werkingen zij heersten. Het was door de gemeenschappelijke inbreng van Homerus en Hesiodes dat de twaalf goden van de berg Olympus uit een overvloed aan lokale goden gekozen werden als de goden van de Grieken.

Onder de Olympiërs bevond zich Zeus, die door Homerus en Hesiodes wordt afgeschilderd als de machtigste der goden, heerser over het uitspansel, god van het weer, hanteerder van de bliksem, handhaver van wet en moraal, en vader van allen. Hera, zijn zuster en vrouw, regeerde over bruiloften en huwelijken. Poseidon, de broer van Zeus, was god van zowel de zee als de aarde en de auteur van stormen en aardbevingen. Hades, een andere broer, heerste over de onderwereld en de dood. Athena, de dochter van Zeus, was godin van de oorlog en beschermster der steden, terwijl Ares, de zoon van Zeus, de meedogenloze god van de oorlog was.

In de beschrijvingen van Homerus zijn de goden nauw betrokken bij menselijke aangelegenheden en beslissen ze over overwinningen, nederlagen, tegenspoed en noodlot. In de *Odyssee* komen verscheidene momenten van goddelijke bemoeienis voor. De held, Odysseus, lijdt schipbreuk als gevolg van goddelijke toorn, wordt voor acht jaar verbannen naar het eiland van de nimf Calypso en uiteindelijk verlost van zijn gevangenschap op bevel van Zeus, waarna hij afzeilt naar Ithaca. Poseidon echter, die niet was geraadpleegd over de vrijlating van Odysseus, ontwaarde hem op zijn vlot en besloot in te grijpen:

> Toen verzamelde hij de wolken en bracht hij de wateren van de diepte in beroering, zijn drietand vast in zijn handen grijpend; schudde hij alle stormen van alle windsoorten wakker en hulde het land en de zee in wolken: en de nacht daalde met grote snelheid uit de hemel neer ... En Poseidon, de schudder van de aarde, joeg een ontzagwekkende en afschuwelijke golf op hem af, die op hem kantelde.

> En zo verliep Odysseus' tocht naar huis, soms door de goden geholpen en soms door hen getart.[3]

In de *Theogonie* van Hesiodes vinden we een beknopte wereldgeschiedenis, van de oerchaos tot aan het ordelijke bewind van Zeus. Uit de chaos ontstonden Gaia ('breedborstige aarde') en diverse andere nakomelingen, onder wie Eros (liefde), Erebos (een deel van de onderwereld) en donkerste Nacht. Erebos en Nacht paarden en brachten Dag en Aether (of hemel) voort. Eerst baarde Gaia de sterrenhemel (Uranus) 'om haar overal te bedekken en een eeuwig onbeweeglijke basis te zijn voor de gezegende goden. En zij baarde de hoge bergen, de bekoorlijke schuilplaatsen van de goddelijke nimfen die huizen in de bosrijke valleien tussen de bergen. En ... zij bracht Pontos voort, de onuitputtelijke zee die raast en golft'.[4] Gaia (moeder aarde) paarde vervolgens met haar nakomeling Uranus (vader hemel) en uit dat samenzijn werden Oceanos (de rivier die de aarde omcirkelt en de vader van alle rivieren is), de twaalf Titanen en een verzameling monsters geboren. Uiteindelijk was het

Afbeelding 2.1
Een bronzen beeld van Zeus
in het Museo Archeologico, Florence.
Alinari/Art Resource, N.Y.

Kronos, een van de Titanen, die zijn vader Uranos castreerde en ten val bracht; Kronos, op zijn beurt, werd onttroond door zijn zoon Zeus. Zeus verwierf de bliksemschicht van de Cyclopen en gebruikte deze om de Titanen te verslaan en zijn eigen Olympische heerschappij te vestigen.

Zelfs deze korte beschrijving legt de kloof bloot die de wereld van Homerus en Hesiodes scheidt van die van de moderne wetenschap. Hun wereld was een wereld van antropomorfische goden die zich bemoeiden met menselijke aangelegenheden en mensen gebruikte als marionetten in hun eigen plannen en intriges. Dit was onvermijdelijk een grillige wereld, waarin niets met zekerheid kon worden voorspeld vanwege de grenzeloze mogelijkheid van goddelijke interventie. Natuurlijke fenomenen werden gepersonificeerd en vergoddelijkt. De zon en de maan werden opgevat als goden, als het kroost uit de gemeenschap van Theia en Hyperion. Stormen, bliksemflitsen en aardbevingen werden niet beschouwd als het onafwendbare resultaat van onpersoonlijke, natuurlijke krachten, maar als machtige wapenfeiten die door de goden waren verordend.

Afbeelding 2.2 Een tempel voor Gaia, de godin van de aarde, te Delphi (vierde eeuw v. Chr).

Wat moeten wij hieruit opmaken? Dachten de oude Grieken dat de verhalen, die nu de zogeheten 'Griekse mythologie' vormen, op waarheid berustten? Geloofden zij werkelijk in goddelijke wezens die woonachtig zijn op de berg Olympus of een andere geheimzinnige plek, elkaar verleiden en de mensen die hun pad kruisen beheksen? Twijfelde niemand aan het idee dat stormen en aardbevingen het gevolg waren van goddelijke grilligheid? We hebben in het vorige hoofdstuk, toen het denken in ongeletterde culturen werd besproken, gezien hoe moeilijk deze vragen te beantwoorden zijn.[5] In ieder geval staat vast dat elke poging waarbij dergelijke overtuigingen worden overwogen op grond van de moderne maatstaven van wetenschappelijke waarheid, zal leiden tot een verkeerd inzicht. We kunnen echter wel iets leren van een vluchtige blik op de hedendaagse overtuigingen buiten het wetenschappelijke domein. Wanneer een politieke kandidaat, een militaire bevelhebber of een professionele atleet God dankt voor zijn overwinning, gelooft hij of zij dan werkelijk dat de overwinning verkregen is op bovennatuurlijke wijze? Het antwoord is niet volledig duidelijk en verschilt waarschijnlijk van geval tot geval. Wat zeker lijkt, is dat de publieke figuren in kwestie de causale problemen niet op een filosofische of wetenschappelijke manier proberen aan te pakken en het waarschijnlijk nooit bij hen is opgekomen dat hun beweringen getoetst kunnen worden aan filosofische of wetenschappelijke criteria. Evenzo moeten wij inzien dat de werken van Homerus en Hesiodes, hoewel zij zich lijken te richten op kwesties van oorzakelijkheid, niet bedoeld waren als wetenschappelijke of filosofische verhandelingen. Homerus en Hesiodes – en de dichters van eerdere epische gedichten – deden verslag van heldendaden ten behoeve van het onderwijs en het amusement; wanneer we hen behandelen als mislukte filosofen zullen we hun verrichtingen zeker verkeerd begrijpen.

Niettemin moeten we deze oude verhalen niet te snel terzijde schuiven. Homerus en Hesiodes zijn immers een van de weinige beschikbare bronnen die ons in ieder geval *iets* vertellen over het archaïsche Griekse denken; zij mogen dan niet representatief zijn voor het primitieve Griekse denken, maar wel stonden ze eeuwenlang centraal in het Griekse onderwijs en de Griekse cultuur, en zij moeten invloed hebben gehad op het Griekse denken. Het is overduidelijk dat de taal en de beelden die mensen hanteren van invloed zijn op de waarneembare werkelijkheid. Al werd de inhoud van de gedichten van Homerus en Hesiodes niet 'geloofd' zoals wij de inhoud van de moderne natuurkunde geloven, de mythologie van de Olympische goden (om maar niet te spreken van de mythologie van de lokale goden) was niettemin een hoofdkenmerk van de Griekse cultuur dat van invloed was op de manier waarop de Grieken dachten, praatten en handelden.

DE EERSTE GRIEKSE FILOSOFEN

Vroeg in de zesde eeuw verscheen de Griekse filosofie voor het eerst ten tonele. Dit was niet, zoals sommigen het hebben afgeschilderd, de vervanging van mythologie door filosofie; want de Griekse mythologie verdween niet, maar bleef nog eeuwen gedijen. Eerder was het de verschijning van nieuwe filosofische denkwijzen naast, en zich soms vermengend met, de mythologie. Homerus en Hesiodes waren gewoonweg geen filosofen en beoefenden geen filosofie; Thales, Pythagoras en Heraclitus, levend in een cultuur die nog altijd gedomineerd werd door de mythologie, begonnen met een nieuw soort intellectueel onderzoek, dat wij nu 'filosofie' kunnen noemen.

Maar wat waren de nieuwe denkwijzen die wij filosofie noemen? Een groep denkers initieerde in de zesde eeuw een serieus en kritisch onderzoek naar de aard van de wereld waarin zij leefden – een onderzoek dat zich uitstrekt van hun tijd tot de onze. Zij stelden vragen over haar bestanddelen, haar constructie en haar werking. Zij onderzochten of de wereld bestond uit één ding, of uit vele dingen. Zij onderzochten haar vorm en haar positie, en speculeerden over haar oorsprong. Zij streefden naar een inzicht in het proces van verandering, waardoor dingen ontstaan en het ene in het andere lijkt te veranderen. Zij dachten na over buitengewone, natuurlijke fenomenen als aarbevingen en verduisteringen, en zochten universele verklaringen die niet alleen van toepassing waren op een bepaalde aardbeving of verduistering, maar op aardbevingen en verduisteringen in het algemeen. En zij maakten een begin met het overdenken van de regels voor argumentatie en toetsing.

De vroege filosofen stelden niet alleen maar een nieuwe reeks vragen; zij zochten ook naar nieuwe antwoorden. De personificatie van de natuur werd langzamerhand een minder dominant kenmerk van hun verhandelingen en de goden verdwenen uit hun verklaringen van natuurverschijnselen. We hebben kennis gemaakt met de mythologische benadering van Homerus en Hesiodes: in Hesiodes' *Theogonie* worden de aarde en hemel gezien als nakomelingen van de goden. Dit in tegenstelling tot het werk van Leucippus en Democritus, waar de wereld en haar diverse onderdelen het resultaat zijn van de mechanische rangschikking van atomen in de oorspronkelijke maalstroom. Zelfs in de vijfde eeuw nog handhaafde de geschiedschrijver Herodotus een groot deel van de oude mythologie door in zijn *Historiën* te strooien met verhalen over goddelijk ingrijpen. Volgens zijn zeggen gebruikte Poseidon een vloed om het moeras, waar de Perzen op dat moment doortrokken, te doen overstromen. En Herodotus beschouwde een verduistering, die samenviel met het vertrek van het Perzische leger, als een bovennatuurlijk teken voor Griekenland. De filosofen boden een geheel andere verklaring voor overstromingen en verduisteringen, zonder enig spoor van bovennatuurlijk ingrijpen. Anaximander bestempelde verduisteringen als het resultaat van een afsluiting van de gaten die zich in de ringen van het hemels vuur bevonden. Volgens Heraclitus zijn de hemellichamen met vuur gevulde kommen en doet zich een verduistering voor als de open zijde van de kom zich van ons afkeert. De theorieën van Anaximander en Heraclitus lijken niet erg verfijnd (vijftig jaar na Heraclitus zouden de filosofen Empedocles en Anaxagoras inzien dat verduisteringen gewoonweg het gevolg waren van kosmische schaduwen), maar het is van essentieel belang dat zij de goden buitensluiten. De verklaringen zijn geheel naturalistisch; verduisteringen zijn geen weerspiegeling van de persoonlijke bevliegingen of de willekeurige impulsen van de goden, maar gewoonweg kenmerkend voor brandende ringen of voor hemelse kommen en hun brandende inhoud.[6]

Kortom, de wereld van de filosofen was een ordelijke, voorspelbare wereld waarin de dingen zich naar hun aard gedroegen. *Kosmos* was de Griekse term voor deze geordende wereld en is de oorsprong van ons woord 'kosmologie'. De grillige wereld van goddelijke interventie werd aan de kant geschoven om plaats te maken voor orde en regelmaat; *chaos* werd vervangen door *kosmos*. Er onstond een onderscheid tussen het natuurlijke en het bovennatuurlijke; en er was een algemene overeenstemming over het feit dat oorzaken (als zij filosofisch moeten worden behandeld) gezocht moeten worden in de aard van de dingen. De filosofen die deze nieuwe denkwijzen introduceerden, werden vanwege hun belangstelling voor *physis* of natuur door Aristoteles *physikoi* of *physiologoi* genoemd.

DE MILEZIËRS EN HET VRAAGSTUK VAN DE ULTIEME WERKELIJKHEID

Deze filosofische ontwikkelingen lijken zich het eerst voor te doen in Ionië, aan de westkust van Klein-Azië (het huidige Turkije, vanaf het Griekse vasteland gezien aan de andere kant van de Egeïsche Zee; zie kaart 1). Daar hadden Griekse kolonisten welvarende steden gesticht, zoals Efeze, Milete, Pergamum en Smyrna, waarvan het succes gebaseerd was op de handel en de exploitatie van lokale, natuurlijke rijkdommen. Ionië zou, zoals vele pioniersamenlevingen, zware arbeid en onafhankelijkheid hebben gestimuleerd; maar hier stonden welvaart en kansen tegenover. Tevens bracht het de Grieken in contact met de kunst, religie en kennis van het Nabije Oosten, waarmee Ionië culturele, commerciële, diplomatieke en militaire contacten had. Hoewel deze factoren zeker van belang waren, was de voornaamste factor ongetwijfeld de beschikbaarheid van het volledig alfabetisch schrift en zijn wijde verbreiding onder het Griekse volk. Het resultaat was een uitbarsting van creativiteit in lyrische poëzie en filosofie.

De vroegste filosofen van wie ons iets bekend is, kwamen uit de stad Milete, aan de kust van zuidelijk Ionië. De namen Thales, Anaximander en Anaximenes zijn vanuit de zesde eeuw aan ons overgeleverd en die van Leucippus vanuit de vijfde eeuw. De beschikbare fragmenten portretteren de vroegste Milezische filosoof, Thales, als meetkundige, astronoom en bouwkundige. Hij zou de zonsverduistering in 585 met succes hebben voorspeld; de bronnen van deze legende lijken echter niet bepaald betrouwbaar en het is niet waarschijnlijk dat de astronomische kennis van de Grieken ten tijde van Thales het punt had bereikt waarop een dergelijke voorspelling mogelijk was. De theorie dat de aarde (een platte schijf) op water drijft, wordt door andere fragmenten aan hem toegeschreven; een veronderstelling die een meer getrouwe taxatie van zijn astronomische en kosmologische distinctie zou kunnen zijn.[7]

Kaart 1
De Griekse wereld
rond 450 v. Chr.

Onze kennis van alle Mileziërs wordt geplaagd door het probleem van twijfel-achtige, fragmentarische bronnen; we moeten alle beweringen aangaande de eerste Griekse filosofen met een gezond scepticisme benaderen. Wat we echter niet kun-nen ontkennen, is hun interesse in de kwestie van de fundamentele werkelijkheid, de basale zaken waaruit het universum bestaat of waaruit het te voorschijn is geko-men. Aristoteles, schrijvend in de vierde eeuw v. Chr. (met zijn eigen zelfzuchtige bedoelingen en slechts in het bezit van fragmentarische en indirecte bewijzen), zegt het volgende:

> Want de oorspronkelijke bron van alle bestaande dingen, dat waaruit een ding eerst ontstaat en waarin het uiteindelijke weer te gronde gaat, de stof die standhoudt maar verandert in zijn hoedanigheid, is volgens [de eerste filosofen] het hoofdbestanddeel en eerste beginsel der bestaande dingen, en om deze reden beweren zij, op grond van het feit dat de natuur altijd behouden blijft, dat er geen absolute geboorte of dood is.[8]

Volgens Aristoteles beschouwde Thales het water als de meest fundamentele werkelijkheid, hoewel Aristoteles niets meer kon doen dan te speculeren over de achterliggende reden van Thales' keuze.

Andere Milesiërs uit de zesde eeuw, naar men aanneemt studenten of discipelen
van Thales (wij hebben geen nauwkeurige informatie over hun levens), lijken op
dezelfde vraag andere antwoorden te hebben gegeven. Volgens diverse recente
verslagen geloofde Anaximander (actief rond 550) dat de oorsrong van de dingen te
vinden was in de *apeiron*, het grenzeloze of oneindige – 'een enorme, onuitputtelijke massa die zich oneindig ver uitstrekt in alle richtingen', zoals een van zijn moderne vertolkers het zegt.[9] Uit de *apeiron* ontstond een zaad, waaruit de kosmos ver-
rees. Anaximenes (actief rond 545), ten slotte, beweerde klaarblijkelijk dat de basismaterie lucht was, die kon worden verdund of verdicht om een verscheidenheid
aan stoffen te produceren, zoals wij die vinden in de ons bekende wereld. Het
loont de moeite op te merken dat de Milesiërs materialisten en monisten waren;
hetgeen wil zeggen dat zij de oersubstantie bestempelden als een soort materiële
stof en als zijnde één.

Dit alles mag primitief lijken. En in zekere zin is het dat ook; het kan niet worden gelijkgesteld met enige moderne theorie en loopt daarop niet vooruit. Maar
een vergelijking van het verleden met het heden leidt zeker tot de vervorming van
de vroegere verrichtingen. Wanneer wij de Milesiërs vergelijken met hun onmiddellijke voorlopers, wordt hun betekenis meteen duidelijk. In de eerste plaats stelden de Milesiërs een nieuw soort vraag: wat is de oorsrong der dingen, of wat is de
eenvoudige, onderliggende werkelijkheid die diverse vormen aan kan nemen en
op die manier de verscheidenheid aan stoffen voortbrengt die wij waarnemen? Dit
is een speurtocht naar eenheid achter diversiteit en naar orde achter verandering. In
de tweede plaats bevatten de antwoorden van de Milesiërs geen elementen van
personificatie of vergoddelijking van de natuur, zoals wij die zagen bij Homerus en
Hesiodes. De Milesiërs lieten de goden weg. Wat hun gedachten over de Olympische goden waren, weten wij (in de meeste gevallen) niet; maar zij beriepen zich
niet op de goden om de oorsprong en aard der dingen te verklaren. In de derde
plaats lijken de Milesiërs zich bewust van de behoefte hun theorieën niet zonder
meer mede te delen, maar die ook tegen critici of concurrenten te verdedigen.
Bijgevolg zien wij het ontstaan van een traditie van kritische waardering.[10]

Milezische speculaties betreffende de basismaterie waren slechts het begin van
een zoektocht die tot in onze tijd voortduurt. In de oudheid werden de Milesiërs
opgevolgd door diverse filosofische scholen. Vijftig jaar later legde Heraclitus (actief rond 500) van Efeze (een Ionische stad niet ver van Milete) een verband tussen
de oorsprong der dingen en het vuur: 'deze wereldorde werd niet gemaakt door
een van [de] goden of mensen, maar was altijd en is en zal zijn: een onsterfelijk
vuur, dat in zekere mate ontvlamt en in zekere mate dooft'.[11] In de tweede helft
van de vijfde eeuw werd het zesde-eeuwse materialisme overgenomen en uitgebreid door de atomisten Leucippus van Milete (actief rond 440) en Democritus van

Abdera (actief rond 410). Leucippus en Democritus beweerden dat de wereld bestond uit een oneindig aantal kleine atomen, die zich willekeurig bewogen in een oneindige leegte. De atomen, vaste deeltjes die te klein zijn om te kunnen worden gezien, zijn er in een grenzeloze hoeveelheid vormen; door hun bewegingen, botsingen en vluchtige samenstelling geven zij rekenschap van de grote verscheidenheid aan stoffen en de complexe fenomenen die wij ervaren. Leucippus en Democritus probeerden zelfs op grond van atomische wervelwinden of draaikolken de vorming van werelden te verklaren.[12]

Afbeelding 2.3 De ruïnes van het oude Epheze

De atomisten boden ingenieuze verklaringen voor vele andere natuurverschijnselen, maar wij moeten ons niet laten afleiden van de hoofdzaak. Van belang is dat de atomisten de werkelijkheid zagen als een levenloos apparaat, waarin alle verschijnselen de uitkomst zijn van inerte, stoffelijke atomen die zich volgens hun eigen aard bewegen. Geen gedachte of godheid dringt in deze wereld binnen. Het leven zelf wordt gereduceerd tot de bewegingen van inerte deeltjes. Er is geen ruimte voor intentie of vrijheid; alleen de ijzeren vuist van de noodzakelijkheid regeert. Deze mechanistische kijk op de wereld zou door Plato en Aristoteles en hun discipelen worden verworpen; maar zou weer geducht (en met enige nieuwe trekken) van zich laten spreken in de zeventiende eeuw en heeft sindsdien een krachtig stempel gedrukt op wetenschappelijke discussies.

Niet iedereen die de basismaterie bestudeerde, was een monist of materialist. Noch waren de goden geheel afwezig in hun verklaringen. Empedocles van Akragas (actief rond 450), die ongeveer in dezelfde tijd leefde als Leucippus (tweede helft van de vijfde eeuw), onderscheidde vier elementen of 'wortels' (zoals hij ze noemde) waaruit alle dingen bestonden: vuur, lucht, aarde en water (in mythologische gedaanten gepresenteerd als Zeus, Hera, Aidoneus en Nestis). Uit deze vier wortels, schreef Empedocles, 'ontsprongen alle dingen die waren, zijn en zullen zijn, bomen en mannen en vrouwen, beesten en vogels en in water verwekte vissen, en ook de lang levende goden met hun machtige voorrechten. Want er zijn enkel deze dingen en zij nemen vele vormen aan, omdat zij zich met elkaar vermengen'.[13] Maar niet de materiële bestanddelen alleen verklaren beweging en verandering. Om die reden introduceerde Empedocles twee aanvullende, immateriële beginselen: liefde en strijd, die de vier wortels doen samenkomen en uiteengaan.

Empedocles was niet de eerste klassieke filosoof die immateriële beginselen toevoegde aan de meest fundamentele dingen. De volgelingen van Pythagoras uit de zesde en de vijfde eeuw (met name geconcentreerd in de Griekse koloniën in Zuid-Italië en ons niet bekend als personen, maar als 'scholen') lijken te hebben beweerd, als wij hun leer goed begrijpen, dat de ultieme werkelijkheid niet materieel is, maar numeriek – geen materie, maar getal. Aristoteles schrijft dat de volgelingen van Pythagoras in de loop van hun wiskundige onderzoekingen getroffen werden door het grote aantal getallen dat rekenschap geeft van verschijnselen als de toonladder. Volgens Aristoteles, 'omdat ... alle andere dingen in hun gehele karakter zijn ontworpen op basis van getallen, en getallen de eerste dingen in de gehele natuur lijken te zijn, veronderstelden zij dat de elementen van getallen de elementen van alle dingen zijn en het gehele uitspansel een toonladder en een getal is'.[14] Nu is dit een obscure passage en wordt onze onzekerheid aangewakkerd door de mogelijkheid dat Aristoteles geen goed begrip had van de methoden van Pythagoras, of daar onredelijk over was. Geloofden de volgelingen van Pythagoras letterlijk dat materiële dingen uit getallen bestonden? Of wilden zijn alleen beweren dat materiële dingen eigenschappen bezitten die fundamenteel numeriek zijn en dat dergelijke eigenschappen inzicht geven in de aard der dingen? Zeker weten zullen we het nooit. Een redelijke interpretatie van de opvattingen van Pythagoras is dat getallen in een bepaalde zin het begin zijn en dat al het andere daaruit voortkomt; in die zin is het getal een fundamentele werkelijkheid en ontlenen materiële dingen hun bestaan, of ten minste hun eigenschappen, aan het getal. Als wij voorzichtiger willen zijn, kunnen wij hooguit beamen dat de volgelingen van Pythagoras het getal beschouwden als een fundamenteel aspect van de werkelijkheid en de wiskunde als een primair werktuig voor het onderzoeken van deze werkelijkheid.[15]

HET PROBLEEM VAN DE VERANDERING

Als deze kwestie van de oorsprong en fundamentele samenstelling van de wereld het meest prominente filosofische probleem in de zesde eeuw was, dan zou een hieraan gerelateerd probleem dat worden in de vijfde eeuw. Wanneer wij de fundamentele bestanddelen van de wereld werkelijk hebben ontdekt, bestaat er dan enige twijfel over dat deze onveranderlijk zijn? Dit lijkt niet het geval: zou iets dat gezien wordt als de ultieme werkelijkheid, als wezenlijk ultiem worden beschouwd als het veranderde van vorm, of tot leven kwam en weer verloren ging? Zouden wij niet met alle geweld de verandering in deze entiteit willen verklaren door een verwijzing naar iets dat nog ultiemer is? Aan het einde van de reeks verklaringen moet iets zijn dat vast en onveranderlijk is. Als wij het dus eens zijn over het onveranderlijke karakter van de werkelijkheid, is het dan mogelijk om rekenschap te geven van de veranderende werkelijkheid of deze zelfs maar te aanvaarden? Is stabiliteit op het niveau van de ultieme werkelijkheid verenigbaar met onvervalste verandering op een ander niveau? Hoe kan de wereld zowel stabiel als veranderlijk zijn?

Een van de eerste filosofen die aandacht schonken aan dit probleem was Heraclitus, die de afkondiging van de veranderlijke werkelijkheid aan de grote klok hing. Heraclitus is vermaard om zijn bewering dat niemand twee keer een voet kan zetten in dezelfde rivier (omdat het de tweede keer niet precies dezelfde rivier meer is), en dit aforisme maakte hem tot het symbool, zelfs al in de oudheid, van de opvatting dat alles in een staat van voortdurende beweging verkeert. Heraclitus beweerde tevens dat een staat van algeheel evenwicht of stabiliteit de onderliggende verandering zou kunnen verbergen, in de vorm van compenserende krachten of elkaar bestrijdende tegenpolen. Zo is er, bijvoorbeeld, een eeuwigdurende strijd tussen de elementen aarde, water en vuur, die elk pogen de andere te verbruiken; het dynamisch evenwicht wordt echter bereikt door algehele balans of wederkerigheid.[16]

Hetgeen Heraclitus bevestigde, werd door Parmenides (actief rond 480, uit de Griekse stadstaat te Elea in Zuid-Italië) ontkend. Parmenides schreef een lang filosofisch gedicht (filosofie had nog niet gekozen voor proza als haar enige uitdrukkingsvorm), waarvan grote delen bewaard zijn gebleven. Hierin verkondigde Parmenides de radicale opvatting dat verandering – alle verandering – een logische onmogelijkheid is. Parmenides begon met het ontkennen, om diverse logische redenen, van de mogelijkheid dat iets wat niet bestaat verandert in iets dat wel bestaat: bijvoorbeeld, als iets tot stand komt, waarom dan juist op een bepaald moment, en op welke wijze? Hij concludeerde dat uit niets ook niets voortkomt. 'Nooit zal worden bewezen', schreef hij, 'dat de dingen die zijn niet zijn'.[17] Voorts ontkende Parmenides, om analoge redenen, alle andere vormen van verandering. Tevens ontkende hij het bestaan van tijd en meervoudigheid; wat bestaat, bestaat nu en is één.

Zeno (actief rond 450), een leerling van Parmenides, legde zich toe op de uitbreiding en verdediging van de leer van Parmenides met een aantal nieuwe bewijzen tegen de mogelijkheid van een bepaald type verandering – beweging, of verandering van plaats. Een van deze bewijzen, het 'stadium van de paradox', zal de benadering van Zeno illustreren. Het is onmogelijk, beweerde Zeno, een stadium te doorlopen, want voor je het geheel hebt bestreken, zul je eerst de helft moeten bestrijden; en voor je de helft hebt bestreken, zul je eerst het kwart moeten bestrijken; voor het kwart, het achtste; en zo tot in het oneindige toe. Het doorlopen van een stadium staat daarom gelijk aan het doorlopen van een eindeloze reeks helften en het is onmogelijk een oneindig aantal intervallen van een eindige tijd te doorlopen, of daar zelfs maar 'mee in contact te komen' (zoals Aristoteles het in zijn bespreking van de paradox verwoordde). Dezelfde redenering kan worden toegepast op ieder willekeurig ruimtelijk interval – waaruit geconcludeerd kan worden dat alle beweging onmogelijk is.[18]

Nu kan dit alles belachelijk overkomen. Het zou Parmenides en Zeno weinig moeite hebben gekost de ogen te openen en overal veranderingen te zien. Stonden zij 's ochtends niet op, genoten zij niet van een goed ontbijt en gingen zij niet op weg naar de agora (het openbare plein) voor een dag van zware filosofische arbeid? En zagen zij niet in dat hier beweging voor nodig was? Ongetwijfeld wel. Parmenides en Zeno wisten uitstekend wat de ervaring hun leerde, maar het was de vraag of die ervaring kon worden vertrouwd. Wat doet men wanneer de ervaring lijkt te wijzen op de realiteit van verandering, terwijl zorgvuldige redenering (met de juiste aandacht voor de wetten van de logica) op ondubbelzinnige wijze inzicht geeft in haar onmogelijkheid? Voor Parmenides en Zeno was het antwoord duidelijk: de rationele methode moet zegevieren. Parmenides maakte onderscheid tussen 'de weg van de schijn', verbonden met de waarneming, en 'de weg van de waarheid', die werd betreden door de rede. In zijn gedicht waarschuwde hij ervoor niet toe te laten dat 'gewoonte, geboren uit een veelheid aan ervaring, u dwingt uw doelloze oog, uw weerklinkende oor of uw tong te laten zwerven over deze weg; maar door rede uw oordeel te vellen over het door strijd volvoerde bewijs waarvan ik heb gesproken'.[19] Inderdaad erkenden Parmenides en Zeno dat de ervaring ons de realiteit van verandering leert. Maar zij wisten, op grond van rationele bewijzen, dat dit een illusie was – misschien wel een plezierige en machtige illusie, maar een illusie niettemin.

Parmenides' ontkenning van de mogelijkheid van verandering had enorm veel invloed en bood een uitdaging die door generaties van filosofen moest worden aangegaan. Empedocles reageerde met zijn theorie van de vier materiële 'wortels' of elementen, en liefde en strijd. Deze elementen komen niet tot leven, noch gaan zij teloor, en op die manier wordt voldaan aan de voorwaarden van Parmenides; maar wel komen zij samen, scheiden en vermengen zij zich in verschillende verhoudingen, zodat gesproken kan worden van echte verandering. De atomisten Leucippus en Democritus stelden dat het afzonderlijke atoom absoluut onveranderlijk is, zodat op het niveau van de atomen geen generatie, ontbinding of wijziging plaatsvindt. Maar de atomen bewegen, botsen en vermengen zich voortdurend; en door de bewegingen en formaties van de atomen komt de eindeloze variatie in de wereld van de zintuiglijke ervaring tot stand. Om die reden beweren de atomisten dat fundamentele stabiliteit ten grondslag ligt aan oppervlakkige verandering; beide zijn aanwezig, en beide zijn echt.[20]

HET PROBLEEM VAN DE KENNIS

De eerste Griekse filosofen behandelden nog een derde fundamentele kwestie, die tevoorschijn gekomen was uit de discussies over de onderliggende werkelijkheid en het vraagstuk van verandering en stabiliteit – namelijk het probleem van kennis (de technische term is epistemologie). Dit probleem ligt besloten in de zoektocht naar de fundamentele werkelijkheid die ten grondslag ligt aan de verscheidenheid van substanties die blootgelegd wordt door de zintuigen: als de zintuigen de eenheid van de dingen niet blootlegt, moeten wij op zoek gaan naar andere wegen die leiden naar de waarheid. Het probleem van kennis is uitdrukkelijk aanwezig in de vijfde-eeuwse besprekingen van verandering en stabiliteit. Parmenides' radicale standpunt betreffende het vraagstuk van verandering had overduidelijk epistemologische implicaties: als de zintuigen verandering uitwijzen, wordt hun onbetrouwbaarheid daarmee aan het licht gebracht; waarheid wordt alleen verkregen door het uitvoeren van de rede. Ook de atomisten neigden ernaar de zintuiglijke ervaring te kleineren. De zintuigen onthullen immers de 'secundaire' kwaliteiten – kleur, smaak, geur en gevoel –, terwijl de rede leerde dat alleen de atomen en de leegte werkelijk bestaan. In een bewaard gebleven fragment identificeert Democritus 'twee vormen van kennis, een zuivere en een vage. Tot de vage behoren deze: zicht, gehoor, reuk, smaak en aanraking'.[21] Het fragment houdt op voordat het idee volledig gesteld is, maar wij mogen aannemen dat Democritus rationele kennis als de werkelijke kennis beschouwt.

Hoewel de eerste filosofen geneigd waren de rede te verkiezen boven de zin, was deze tendens niet universeel, noch zonder voorbehoud. Empedocles verdedigde de zintuigen tegen de aanval van Parmenides. De zintuigen mogen dan niet perfect zijn, beweerde hij, maar zij zijn nuttige richtsnoeren wanneer zij op kritische wijze worden toegepast. 'Maar toch, overweeg met al uw macht hoe ieder ding zich openbaart', schreef hij, 'noch door het zien een groter vertrouwen te schenken dan het horen, noch door het weergalmende oor te verheffen boven het zekere bewijs van uw tong, noch door minder vertrouwen te hebben in een van uw andere ledematen, waar een weg is die naar inzicht leidt'. En Anaxagoras (actief rond 450) van Klazomenai (ook een stad aan de Ionische kust) beweerde in een kort fragment dat de zintuigen 'een vluchtige blik op het onduidelijke' bieden.[22]

Een van de vruchten van de Griekse interesse in de epistemologie (en van het Griekse rationalisme in het bijzonder) was de nieuwe aandacht voor de regels van het redeneren, beargumenteren en beoordelen van theorieën. De formele logica zou de creatie van Aristoteles zijn; maar zijn voorgangers uit de zesde en vijfde eeuw werden zich in toenemende mate bewust van de noodzaak een argument op zijn overtuigingskracht te beproeven en de theoretische grondslagen te beoordelen. De verfijnde redeneringen van Parmenides en Zeno – bijvoorbeeld hun gevoeligheid voor de wetten van deductie en de criteria van proefneming – laten zien hoe de Griekse filosofie zich in anderhalve eeuw (positief) ontwikkeld had.

DE FORMELE WERELD VAN PLATO

Een passend baken in de geschiedenis van de Griekse filosofie is de dood van Socrates in 399 v. Chr., op het breukvlak van twee eeuwen (uiteraard niet in hun jaartelling, maar in die van ons). De voorgangers van Socrates uit de vijfde en zesde eeuw (de filosofen met wie wij ons tot nu toe in dit hoofdstuk hebben beziggehouden) noemt men meestal de 'pre-socratische filosofen'. Het belang van Socrates ligt echter niet alleen in dit toevallige tijdsaspect; Socrates vertegenwoordigt tevens een accentverschuiving binnen de Griekse filosofie, van de kosmologische begaandheid van de vijfde en zesde eeuw naar politieke en ethische aangelegenheden. Toch was deze verschuiving niet zo radicaal dat er geen enkele aandacht meer werd geschonken aan de pre-socratische filosofie. In het werk van Socrates' jongere vriend en volgeling Plato vinden we zowel oude als nieuwe aspecten.

Plato (427-348/47) kwam uit een voorname Atheense familie, die een actieve rol speelde in staatsaangelegenheden: ongetwijfeld volgde hij nauwgezet de politieke gebeurtenissen die leidden tot het doodvonnis van Socrates. Na de dood van Socrates verliet Plato Athene en bezocht hij Italië en Sicilië, alwaar hij waarschijnlijk contact heeft gehad met volgelingen van Pythagoras. In 388 keerde Plato terug in Athene en stichtte hij zijn eigen school, de Academie, waar jonge mannen studies voor gevorderden konden doen (zie afbeelding 4.2). Het literaire werk van Plato lijkt volledig te bestaan uit dialogen, waarvan de meeste bewaard zijn gebleven. Het is noodzakelijk dat we uitermate selectief zijn in onze behandeling van Plato's filosofie; laten we beginnen met zijn zoektocht naar de fundamentele werkelijkheid.[23]

In een passage in een van zijn dialogen, de *Republiek*, behandelt Plato de relatie tussen de tafel die een

Afbeelding 2.4 Plato
(eerste eeuw na Chr., kopie),
Museo Vaticano, Vaticaanstad.
Alinari/Art Resource N.Y.

timmerman daadwerkelijk heeft gebouwd en het idee of de definitie van een tafel in het hoofd van de timmerman. Bij iedere tafel die hij maakt, probeert de timmerman het verstandelijke idee zo nauwgezet mogelijk te kopiëren, maar perfect is hij nooit. Niet twee van de vervaardigde tafels zijn tot in het kleinste detail gelijk en de beperkingen van het materiaal (een knoest hier, of een kromme plank daar) verzekeren dat geen enkele tafel aan het ideaal zal voldoen.

Welnu, zei Plato, er is een goddelijke handwerksman die eenzelfde verhouding heeft met de kosmos als de timmerman die heeft met zijn tafels. De goddelijke handwerksman (de Demiurg) bouwde de kosmos volgens een idee of plan, zodat de kosmos en alles wat daarin is kopieën zijn (en altijd onvolmaakte, vanwege de beperkingen inherent aan het materiaal) van eeuwigdurende ideeën of vormen. Kortom, er zijn twee rijken: het rijk van vormen en ideeën, die het perfecte idee van ieder afzonderlijk ding bevat, en het rijk van de materie, waarin die vormen en ideeën op onvolmaakte wijze worden gekopieerd.

Plato's veronderstelling van twee afzonderlijke rijken zal velen vreemd lijken en daarom zullen we een aantal belangrijke punten benadrukken. De vormen zijn onstoffelijk, ongrijpbaar en onwaarneembaar: zij hebben altijd bestaan en delen deze onsterfelijke kwaliteit met de Demiurg; tevens zijn ze absoluut onveranderlijk. Zij bevatten de vorm, het volmaakte idee, van alle dingen in de materiële wereld. Men spreekt niet van hun plaats, want zij zijn onstoffelijk en daarom niet ruimtelijk. Alhoewel zij onstoffelijk en voor de zintuigen niet waarneembaar zijn, bestaan zij echt; in feite is de werkelijkheid (de werkelijkheid in zijn totaliteit) alleen gelegen in de wereld van de vormen. De waarneembare, stoffelijke wereld is, hiermee vergeleken, onvolmaakt en vergankelijk. Zij is minder echt in de zin dat het stoffelijke object een kopie is van de vorm en om die reden daarvan afhankelijk is voor zijn bestaan. Stoffelijke objecten bestaan secundair, terwijl de vormen primair bestaan.

Plato illustreerde deze opvatting van de werkelijkheid met zijn beroemde 'allegorie van de grot', te vinden in boek VII van de *Republiek*. In een diepe grot zijn mensen opgesloten die zo zijn geketend dat zij hun hoofden niet kunnen bewegen. Achter hen is een muur, met daarachter een vuur. Langs de muur lopen mensen heen en weer die verscheidene dingen, waaronder beelden van mensen en dieren, boven de muur houden, zodat de schaduwen van die beelden op de muur vallen die de gevangenen kunnen zien. De schaduwen van deze beelden en andere dingen is het enige wat de gevangenen zien; en omdat zij al van kindsbeen af in de grot hebben geleefd, herinneren zij zich geen andere werkelijkheid dan deze. Zij vermoeden niet dat deze schaduwen slechts onvolmaakte beelden van voor hen onzichtbare dingen zijn; en daarom beschouwen zij de schaduwen per abuis als de werkelijkheid.

Zo vergaat het ons allen, zegt Plato. Wij zijn in lichamen gevangen zielen. De schaduwen in de allegorie verbeelden de wereld van de zintuiglijke ervaring. De ziel kan, glurend vanuit haar gevangenis, alleen deze heen en weer schietende schaduwen waarnemen en de onwetenden beweren vervolgens dat dit de enige werkelijkheid is. Nochthans bestaan ook de beelden en de andere objecten, waarvan de schaduwen zwakke voorstellingen zijn, en bestaan ook de mensen en dieren, waarvan de beelden onvolmaakte kopieën zijn. Om toegang te verkrijgen tot deze hogere werkelijkheden moeten wij onszelf ontdoen van de onderworpenheid aan de zintuiglijke ervaring, moeten wij uit de grot kruipen om eindelijk de eeuwigdurende werkelijkheden te zien en het rijk van de ware kennis te betreden.[24]

Welke gevolgen hebben deze ideeën voor de belangen van de pre-socratische filosofen? Ten eerste stelde Plato zijn vormen gelijk aan de onderliggende werkelijkheid, terwijl hij een afgeleid of secundair bestaan toeschreef aan de stoffelijke wereld van waarneembare dingen. Ten tweede schiep Plato ruimte voor zowel verandering als stabiliteit door hun ieder een eigen niveau van werkelijkheid te geven: het materiële rijk is de plek voor onvolmaaktheid en verandering, terwijl het formele rijk gekenmerkt wordt door eeuwigdurende, onveranderlijke volmaaktheid. Daarom zijn zowel verandering als stabiliteit oorspronkelijk, elk typeren zij iets; maar stabiliteit behoort toe aan de vormen en is bijgevolg deelgenoot van hun meer volledige werkelijkheid.

Ten derde, zoals we hebben gezien, besteedt Plato aandacht aan epistemologische kwesties door waarneming en ware kennis (of inzicht) tegenover elkaar te plaatsen. De zintuigen leiden helemaal niet naar kennis en inzicht, maar slaan ons in hun boeien; de weg naar kennis is die van de filosofische overdenking. Deze gedachte is uitdrukkelijk aanwezig in de *Phaedo*, waar Plato verkondigt dat de zintuigen onbruikbaar zijn voor het verwerven van waarheid en hij aangeeft dat de ziel, wanneer deze de zintuigen probeert te gebruiken, onvermijdelijk misleid wordt.

Nu eindigt een kort verslag van Plato's epistemologie meestal op dit punt, maar het zou fout zijn bepaalde belangrijke kwaliteiten niet te vermelden. In feite verwierp Plato de zintuigen niet volledig, zoals Parmenides dat deed en zoals de passage uit de *Phaedo* kan suggereren dat Plato deed. In Plato's opvatting diende de zintuiglijke ervaring diverse doeleinden. In de eerste plaats zou de zintuiglijke ervaring kunnen voorzien in een nuttige herschepping. In de tweede plaats zou de observatie van bepaalde waarneembare dingen (in het bijzonder die met geometrische aspecten) kunnen dienen om de ziel de weg te wijzen naar de meer edele dingen in het rijk van de vormen; Plato gebruikte dit argument voor de rechtvaardiging van het beoefenen van de astronomie. In de derde plaats beweerde Plato (in zijn theorie betreffende de herinnering) dat de zintuiglijke waarneming het geheugen in feite zou kunnen stimuleren en de ziel herinnert aan vormen die zij in een vorig bestaan kende, en aldus een proces van overdenking stimuleert dat zal leiden tot een feitelijke kennis van de vormen. In de laatste plaats, en ondanks dat Plato ervan overtuigd was dat kennis van de eeuwigdurende vormen (de hoogste en misschien wel enige vorm van kennis) alleen wordt verkregen door het praktiseren van de rede, is ook het veranderlijke rijk der dingen een aanvaardbaar studieobject. Dergelijke onderzoeken doen dienst als voorbeelden van de werking van de rede in de kosmos. Als dit onze belangstelling heeft, zoals het soms die van Plato had, dan is de

beste onderzoeksmethode die van waarneming. In de *Republiek* worden de geldigheid en bruikbaarheid van de zintuiglijke waarneming duidelijk door Plato gesuggereerd wanneer hij erkent dat een gevangene die uit de grot komt in de eerste
plaats zijn gezichtsvermogen gebruikt voor het bevatten van de levende wezens, de
sterren en ten slotte het meest edele van de (materiële) dingen, de zon. Als hij
streeft naar een begrip van 'de essentiële werkelijkheid', zal hij zijn weg 'door de
verhandelingen van de rede zonder hulp van een van de zintuigen' moeten vervolgen. Dus zijn zowel de rede als het zintuig waardevolle instrumenten om te bezitten; maar welke wij gebruiken, hangt in ieder afzonderlijk geval af van het onderzoeksobject.[25]

Er is nog een andere manier om uitdrukking te geven aan Plato's verrichtingen
en deze tegelijkertijd te verduidelijken. Toen Plato het werkelijke bestaan toeken-
de aan de vormen, identificeerde hij in feite de werkelijkheid met de eigenschappen die categorieën van dingen gemeen hebben. De drager van de wezenlijke werkelijkheid is bijvoorbeeld niet de hond met het hangende linker oor, of de hond
die zo dreigend blaft, maar de geïdealiseerde vorm van een hond die iedere hond
gemeenschappelijk heeft (op onvolmaakte wijze) – waardoor wij hen allemaal als
honden kunnen typeren. Daarom moeten wij, om ware kennis te verkrijgen, alle
karakteristieke eigenschappen van de afzonderlijke dingen negeren en zoeken naar
de gemeenschappelijke kenmerken die hen tot een bepaalde categorie doen behoren. Weergegeven op deze envoudige wijze, is Plato's opvatting zeker modern ge-
tint: idealisering is een belangrijk kenmerk van een groot deel van de moderne
wetenschap; wij ontwikkelen modellen of wetten die de randverschijnselen ondergeschikt maakt aan het essentiële. (De traagheidstheorie van Galileï, bijvoorbeeld,
was een poging tot de omschrijving van beweging onder ideale omstandigheden,
zonder enige vorm van weerstand of interventie.) Plato ging echter verder, en niet
alleen door te stellen dat de echte werkelijkheid gezocht dient te worden in de gemeenschappelijke kenmerken van categorieën van dingen, maar ook door te beweren dat dit gemeenschappelijke kenmerk (het idee of de vorm) een objectief,
onafhankelijk en daadwerkelijk voorafgaand bestaan is.

DE KOSMOLOGIE VAN PLATO

De stellingen die wij hebben besproken – Plato's reactie op de pre-socratici in zijn
Republiek, de *Phaedo* en diverse andere dialogen – vertegenwoordigen slechts een
klein deel van zijn gehele filosofie. Plato schreef ook een dialoog, de *Timaios*, waaruit zijn belangstelling voor de natuur blijkt. Hierin vinden we zijn opvattingen
over astronomie, kosmologie, licht, kleur, de elementen en de menselijke fysiologie. Omdat de *Timaios* tot in de vroege middeleeuwen (tot aan de twaalfde eeuw)
het enige coherente natuurwetenschappelijke werk was, is het een van de voornaamste kanalen waarlangs de invloed van Plato zich verspreidde en verdient het
om die reden onze aandacht.

Plato refereerde aan de inhoud van de *Tamaios* als een 'waarschijnlijk verhaal', hetgeen sommige lezers heeft verleid het te zien als een mythe waarin Plato zelf geen aandeel had. Plato zelf stelde in feite dat dit het best mogelijke verslag was en dat de aard van het onderwerp de mogelijkheid van een beter verslag uitsloot. Zekerheid is alleen verkrijgbaar wanneer wij rekenschap geven van de eeuwige en onveranderlijke vormen; wanneer wij het onvolmaakte en veranderlijke beschrijven, zal onze beschrijving onvermijdelijk deel gaan uitmaken van de onvolmaaktheid en veranderlijkheid van haar onderwerp – en daarom niet beter zijn dan 'waarschijnlijk'.

Wat vinden wij in de *Timaios*? Een van de meest opvallende kenmerken is Plato's felle oppositie tegen bepaalde eigenschappen van het pre-socratische denken. De *Physikoi* hadden de wereld beroofd van de goddelijkheid; en ze hadden het *en passant* tevens beroofd van planmatigheid en doelbewustzijn. Volgens deze filosofen gedragen de dingen zich volgens hun inherente aard, en dit alleen verklaart de kosmische orde en regelmaat. De orde is dus intrinsiek, in plaats van extrinsiek; niet van buitenaf opgelegd, maar van binnenuit totstandgekomen.

Plato achtte een dergelijk standpunt niet alleen dwaas, maar ook gevaarlijk. Hij had niet de intentie om de goden van de Olympus, die hun invloed uitoefenen op de dagelijkse gang van zaken in het universum, weer in het zadel te helpen, maar hij was ervan overtuigd dat de kosmische orde en rationaliteit alleen konden worden verklaard als zijnde de oplegging van een externe geest. Waar de *physikoi* de oorsprong van de orde dachten te vinden in de *physis* (natuur), plaatste hij hem in de *psyche* (geest).[26]

Plato verbeeldde de kosmos als het handwerk van een goddelijke vakman, de Demiurg. Volgens Plato is de Demiurg een goedgunstige vakman, een rationele god (en inderdaad, de waarlijke personificatie van de rede) vechtend tegen de beperkingen die liggen ingesloten in het materiaal waarmee hij moet werken om een kosmos te maken die het best, mooist en intellectueel meest bevredigend is. De Demiurg neemt een oorspronkelijke chaos, gevuld met het ongevormde materiaal waaruit de kosmos zal worden opgebouwd, en legt deze volgens een rationeel plan de orde op. Dit is geen schepping uit het niets, zoals in het joods-christelijke relaas van de schepping, want het onbewerkte materiaal is reeds aanwezig en bevat eigenschappen waarover de Demiurg geen macht heeft; de Demiurg is niet almachtig, want hij is gebonden aan, en beperkt door, de materialen waarmee hij werkt. Niettemin is het duidelijk dat Plato de Demiurg wilde afschilderen als een bovennatuurlijk wezen, een buitenstaander die gescheiden leeft van de kosmos die hij bouwde. Of Plato wilde dat zijn lezers de Demiurg letterlijk namen is een andere, veelbesproken kwestie die wellicht nooit zal kunnen worden opgehelderd. Wat niet ter discussie staat, is Plato's verlangen te verklaren dat de kosmos het produkt van rede en ordening is, dat de orde in de kosmos een rationele orde is die het weerspannige materiaal van buitenaf kreeg opgelegd.

De Demiurg is niet alleen een rationele handwerksman, maar ook een wiskundige, want hij bouwt de kosmos op basis van geometrische beginselen. Plato nam de vier wortels of elementen over van Empedocles: aarde, water, lucht en vuur. Maar onder invloed van Pythagoras reduceerde hij deze tot iets fundamentelers – driehoeken. Zo formuleerde hij een 'geometrisch atomisme'. Driehoeken zijn, als tweedimensionale figuren, natuurlijk onstoffelijk; maar als zij op de juiste manier worden gecombineerd, kunnen zij gevormd worden tot driedimensionale licha- men die ieder overeenkomen met een van de elementen. In de tijd van Plato was het al bekend dat er vijf, en niet meer dan vijf, regelmatige driedimensionale licha- men bestaan (symmetrische driedimensionale figuren bestaande uit platte vlakken die allemaal gelijk zijn); dit zijn de tetraëder (vier gelijkzijdige driehoeken), de ku- bus (zes vierkanten), de octaëder (acht gelijkzijdige driehoeken), de dodecaëder (twaalf vijfhoeken) en de icosaëder (twintig gelijkzijdige driehoeken). (Zie afb. 2.5) Plato associeerde ieder element met een van deze lichamen – het vuur met de te- traëder (de kleinste, scherpste en meest mobiele van de regelmatige lichamen), de lucht met de octaëder, het water met de icosaëder en de aarde met de meest stabie- le van de regelmatige lichamen, de kubus. Ten slotte vond Plato ook een functie voor de dodecaëder (het regelmatige lichaam dat het uitspansel het dichtst bena- dert) door deze te identificeren met de kosmos in zijn geheel.[27]

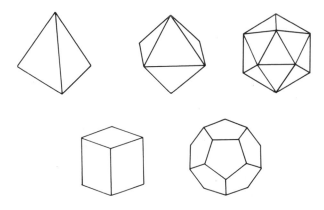

Afbeelding 2.5 De vijf platonische lichamen: de tetraëder, de octaëder, de icosaëder, de kubus en de dode- caëder. Beschikbaar gesteld door J.V. Field.

Drie kenmerken van dit schema verdienen onze aandacht. Ten eerste geeft het op dezelfde wijze rekenschap van verandering en diversiteit als de theorie van Empe- docles: de elementen kunnen zich in verschillende samenstellingen vermengen om zo verscheidenheid in de materiële wereld tot stand te brengen. Ten tweede maakt het de omvorming van het ene element in het andere mogelijk, zodat op die ma- nier ook veranderingen worden verklaard. Bijvoorbeeld, een enkel deeltje van wa- ter (de icosaëder) kan worden opgesplitst in zijn twintig samenstellende gelijkzijdi- ge driehoeken, die zich vervolgens kunnen hercombineren in, laten we zeggen, twee deeltjes van lucht (de octaëder) en één van vuur (de tetraëder). Alleen de aar- de, die uit vierhoeken is samengesteld (en een diagonaal opgesplitste vierhoek geeft geen gelijkzijdige driehoeken), valt buiten dit omvormingsproces. Ten derde betekenden Plato's geometrische lichamen een belangrijke stap in de richting van de mathematisering van de natuur. Voor ons is het zeker van belang in te zien hoe groot deze stap is. Plato's elementen zijn geen materiële substanties in de gedaanten van regelmatige lichamen; in een dergelijke theorie zou de materie nog steeds als de fundamentele stof erkend worden. Voor Plato is de vorm het enige bestaande; deeltjes zijn volledig reduceerbaar (zonder overblijfselen) tot regelmatige lichamen, die weer tot vlakke geometrische figuren gereduceerd kunnen worden. Water, lucht en vuur zijn niet *driehoekig*; het zijn gewoonweg *driehoeken*. Het programma van Pythagoras, dat alles wil reduceren tot elementaire wiskundige beginselen, is verwezenlijkt.

Verder beschreef Plato vele kenmerken van de kosmos; laten we op enkele hiervan een blik werpen. Hij toonde een sterk ontwikkelde kennis van de kosmologie en de astronomie. Hij stelde een bolvormige aarde voor, omgeven door het bolvormige omhulsel van het hemelgewelf. Hij omschreef diverse cirkels in het uitspansel, die de banen van de zon, maan en andere planeten markeerden. Hij zag in dat de zon ieder jaar een cirkel in het uitspansel doorloopt (die wij de ecliptica noemen), die schuin staat ten opzichte van de hemelequator (zie afb. 2.6). Hij wist dat de maan een maandelijkse route aflegt langs bijna dezelfde baan. Hij wist dat Mercurius, Venus, Mars, Jupiter en Saturnus hetzelfde doen, ieder in zijn eigen tempo en met incidentele omkeringen, en dat Mercurius en Venus nooit ver van de zon geraken. Hij wist zelfs dat de totale beweging van de planeten (als wij hun trage gang rond de ecliptica combineren met de dagelijkse rotatie van het uitspansel) een spiraal vormt. En misschien wel het allerbelangrijkste, Plato lijkt te hebben geweten dat de onregelmatigheden in de bewegingen van de planeten kan worden verklaard door de vermenging van uniforme cirkelbewegingen.[28]

Toen Plato zijn aandacht verlegde van de kosmos naar het menselijk gestel, gaf hij verklaringen voor ademhaling, spijsvertering, emotie en zintuiglijke gewaarwording. Zo had hij een theorie over het gezichtsvermogen die inhield dat er een visueel vuur van het oog uitgaat en reageert met het externe licht, waardoor er een visueel pad onstaat waarlangs de bewegingen van het zichtbare object naar de ziel van de waarnemer kunnen worden doorgegeven. De *Timaios* bood zelfs een theorie over ziekte en schetste een stel leefregels die gezondheid zouden verzekeren.

De kosmos die Plato heeft afgeschilderd is bewonderingswaardig. Wat zijn hiervan de voornaamste kenmerken? Uit driehoeken en regelmatige lichamen modelleerde de Demiurg een eindprodukt van buitengewone rationaliteit en schoonheid; hetgeen volgens Plato inhoudt dat de kosmos een levend wezen moet zijn. De Demiurg, zo lezen we in de *Timaios*, 'die ernaar verlangde de wereld bijna net zo te maken als dat verstandelijke ding dat het beste en in elk opzicht compleet is, modelleerde haar als een afzonderlijk zichtbaar levend wezen'. Maar als de wereld een levend wezen is, moet het een ziel hebben. En inderdaad, die heeft het; in het midden van de kosmos plaatste de Demiurg 'een ziel, verspreidde deze over het geheel en wikkelde haar lichaam ook aan de buitenkant in ziel; en zo stichtte hij een en-

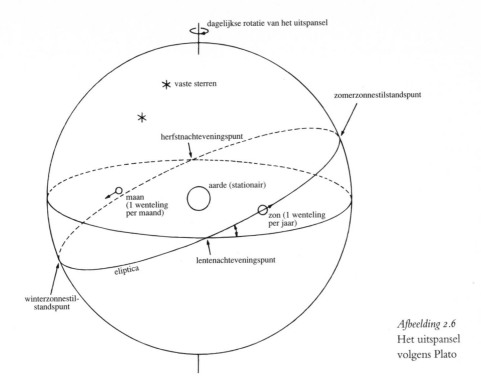

dagelijkse rotatie van het uitspansel

✳ vaste sterren

zomerzonnestilstandspunt

✳

herfstnachteveningspunt

maan
(1 wenteling
per maand)

aarde (stationair)

zon (1 wenteling
per jaar)

lentenachteveningspunt

eliptica

winterzonnestil-
standspunt

Afbeelding 2.6
Het uitspansel
volgens Plato

kelvoudige wereld, rond en in een cirkel rondgaand, solitair, maar vanwege haar uitmuntendheid bij machte zichzelf gezelschap te verlenen, niet verlangend naar een andere kennis of vriend, maar voldoende hebbend aan zichzelf'. De wereldziel is uiteindelijk verantwoordelijk voor alle bewegingen in de kosmos, zoals de menselijke ziel verantwoordelijk is voor de bewegingen van het menselijk lichaam. Wat wij hier zien, is de oorsprong van de sterke animistische tendens, hetgeen een belangrijk kenmerk zou blijven van de platonische traditie. Weerstand biedend aan de levenloze noodzakelijkheid van de atomistische wereld, beschreef Plato een bezielde kosmos, doordrongen van rationaliteit en doordrenkt met intentie en ontwerp.[29]

Ook de goden zijn aanwezig. Natuurlijk is er de Demiurg, maar bovendien schreef Plato goddelijkheid toe aan de wereldziel en beschouwde hij de planeten en vaste sterren als gastheren van de hemelse goden. Maar in tegenstelling tot de goden van de traditionele Griekse godsdienst, verstoorden Plato's goden nooit de loop van de natuur. Integendeel, het is volgens Plato juist de standvastigheid van de goden die de regelmatigheid van de natuur garandeert; de zon, maan en andere planeten *moeten* zich exact volgens een bepaalde combinatie van uniforme cirkelbewegingen verplaatsen omdat een dergelijke beweging het meest perfect en rationeel is, en daarom voor de goden de enig denkbare beweging is. Dus Plato's herinvoering van de goden is geen terugkeer naar de onvoorspelbaarheid van de home-

rische wereld. Integendeel, voor Plato lag de functie van de goden in het ondersteunen en verantwoorden van de kosmische orde en rationaliteit. Plato rehabili-
teerde de goden om rekenschap te geven van juist die kenmerken van de kosmos
die, in de opvatting van de *physikoi*, de verbanning van de goden vereisten.[30]

De verrichtingen van de eerste Griekse filosofen

Wanneer wij de Griekse filosofie in haar beginstadium met een modern wetenschappelijk oog overzien, komen ons bepaalde delen bekend voor. Het pre-socratische onderzoek naar de vorm en samenstelling van de kosmos, naar zijn oorsprong,
of naar zijn fundamentele bestanddelen, doet ons denken aan problemen die nog
altijd onderzocht worden door de moderne astrofysica, kosmologie en elementai-
re-deeltjesfysica. Maar andere delen van de vroege filosofie komen ons beduidend
vreemder voor. De huidige beoefenaars van de wetenschap vragen zich niet af of
verandering logischerwijs mogelijk is, of dat de echte werkelijkheid kan worden
gevonden; en het zou een hele prestatie zijn om, laten we zeggen, een natuur- of
scheikundige te vinden die zich afvraagt hoe de respectieve aanspraken van rede en
waarneming tegen elkaar opwegen. Hierover wordt door wetenschappers niet langer gepraat. Moeten we hieruit concluderen dat de eerste filosofen, die hun levens
aan dergelijke problemen wijdden, 'onwetenschappelijk' waren en misschien zelfs
verdwaasd of onbenullig?

Deze vraag moet met enige voorzichtigheid worden behandeld. Uiteraard waren de *physikoi* geïnteresseerd in bepaalde zaken die nu niet meer van belang zijn,
hetgeen geen aanklacht tegen hun streven is; in de loop van iedere intellectuele inspanning wordt een aantal problemen opgelost, terwijl andere uit de mode raken.
Maar de tegenwerping kan verder gaan dan dat: zijn er kwesties die wezenlijk mis-
plaatst of ongeldig zijn, of vragen die zinloos waren vanaf het begin? En verspilden
Plato en de *physikoi* daaraan hun tijd? Thema's als de identiteit van de ultieme werkelijkheid, het onderscheid tussen het natuurlijke en het bovennatuurlijke, de oorsprong van de orde in het universum, de aard van de verandering en de grondslagen van kennis verschillen geheel van de verklaring van kleinschalige, waargenomen verschijnselen (bijvoorbeeld de val van een zwaar lichaam, een chemische reactie, of een fysiologisch proces) waarmee wetenschappers zich de afgelopen paar
eeuwen bezig hebben gehouden; maar het anders-zijn is niet een onbelangrijk-zijn.
Ten minste tot aan de tijd van Isaac Newton vroegen deze grotere thema's om net
zoveel aandacht van de natuurvorsers als de problemen die een universitaire cursus
in de wetenschap tegenwoordig volledig in beslag nemen. Het waren interessante
en wezenlijke problemen, juist omdat zij deel uitmaakten van de poging een conceptueel raamwerk en een vocabulair voor het onderzoek naar de wereld te creëren. Het waren fundamentele vragen; en het lot van fundamentele vragen is vaak
dat zij in de ogen van latere generaties, die de basis voor lief nemen, zinloos lijken.
Het onderscheid tussen het natuurlijke en het bovennatuurlijke, bijvoorbeeld, vin-

den wij nu zonneklaar; maar zolang dit onderscheid niet was aangebracht, kon het onderzoek naar de natuur niet correct aanvangen.

De eerste filosofen begonnen dus op de enige juiste plek: het begin. Zij schiepen een voorstelling van de natuur die in de tussenliggende eeuwen als basis heeft gediend voor het wetenschappelijk geloof en onderzoek – de voorstelling die door de moderne wetenschap min of meer verondersteld wordt. Ondertussen zijn vele van de gestelde problemen opgelost – vaak met primitieve oplossingen, in plaats van definitieve, maar voldoende opgelost om aan de aandacht van de wetenschappers te ontsnappen. Ze zijn verdwenen achter de horizon en hun plaats is ingenomen door een verzameling van meer nauwgezette onderzoekingen. Als wij de wetenschappelijke onderneming in al zijn rijkdom en complexiteit willen begrijpen, moeten wij inzien dat haar twee onderdelen – de basis en de bovenbouw – complementair en wederkerig zijn. Modern laboratoriumonderzoek vindt plaats in een breed conceptueel kader en kan zonder verwachtingen aangaande de natuur of de onderliggende werkelijkheid niet eens beginnen; aan de andere kant verwijzen de uitkomsten van het laboratoriumonderzoek naar deze meest fundamentele ideeën terug en forceren zo verfijning en (zo nu en dan) herziening. Het is de taak van de historicus de onderneming in al haar opzichten te waarderen. Als de tuin van de *physikoi* gelegen is aan het begin van de weg naar de moderne wetenschap, dan kan de geschiedschrijver van de wetenschap, voor hij zijn reis aanvangt, uitstekend lanterfanten in zijn lommerrijke hoeken.

3

De natuurwetenschap van Aristoteles

LEVEN EN WERK

Aristoteles werd in 384 v. Chr. geboren in Stageira, een stad in het noorden van Griekenland, in een bevoorrechte familie. Zijn vader was de lijfarts van de Macedonische koning Amyntas II (grootvader van Alexander de Grote). Aristoteles had het voordeel van een buitengewone opleiding: op zeventienjarige leeftijd werd hij naar Athene gestuurd, om daar bij Plato te studeren. Hij verbleef meer dan twintig jaar in Athene, waar hij tot aan Plato's dood rond 347 een leerling was op Plato's academie. In de jaren die volgden studeerde hij en maakte hij reizen, waarbij hij over de Aegeïsche Zee naar Klein-Azië (het huidige Turkije) en langs de kusteilanden trok. In deze periode ontmoette hij Theophrastus, die zijn leerling en levenslange collega zou worden, en deed hij biologisch onderzoek, totdat hij terugkeerde naar Macedonië om de mentor te worden van de jonge Alexander (de latere 'Grote'). In 335, toen Athene onder Macedonisch bestuur viel, keerde Aristoteles terug naar de stad en begon hij les te geven in het Lyceum, een openbare tuin die vaak door leraren werd bezocht. Hij stichtte er een informele school, waar hij tot aan zijn dood in 322 zou blijven.[1]

In de loop van zijn lange loopbaan als student en leraar vestigde Aristoteles zijn aandacht op de voor die tijd belangrijke filosofische kwesties. Er zijn meer dan 150 verhandelingen aan hem toegeschreven, waarvan ongeveer dertig bewaard zijn gebleven. De overgeleverde werken lijken voornamelijk te bestaan uit aantekeningen van lezingen of onvoltooide verhandelingen die niet bestemd waren voor een wijde verspreiding; wat hun precieze oorsprong dan mag zijn, duidelijk is dat zij gericht waren tot de gevorderde leerlingen en andere filosofen. In moderne vertaling beslaan zij bijna een halve meter van een boekenplank en

Afbeelding 3.1 Aristoteles,
Museo Nazionale, Rome.
Alinari/Art Resource N.Y.

bevatten een filosofisch systeem dat van een overweldigende kracht en reikwijdte is. Het is voor ons onmogelijk om de filosofie van Aristoteles in zijn geheel te behandelen, en wij moeten tevreden zijn met een nadere beschouwing van de basisprincipes van zijn natuurfilosofie – te beginnen met zijn reactie op de opvattingen van de pre-socratici en Plato.[2]

METAFYSICA EN EPISTEMOLOGIE

Door zijn lange omgang met Plato was Aristoteles natuurlijk zeer goed onderlegd in Plato's theorie van de vormen. Plato had de werkelijkheid van de materiële wereld, zoals die wordt waargenomen door de zintuigen, op drastische wijze verkleind (zonder deze totaal af te wijzen). Werkelijkheid, beweerde Plato, wordt in zijn volmaakte volheid alleen bezeten door eeuwige vormen die voor hun bestaan van niets anders afhankelijk zijn. De dingen waaruit de waarneembare wereld bestaat, daarentegen, ontlenen hun kenmerkende eigenschappen en hun hele bestaan aan de vormen; en dus bestaan de waarneembare dingen alleen in afgeleide of afhankelijke vorm.

Arsistoteles weigerde deze afhankelijke status, die Plato aan de waarneembare dingen gaf, te aanvaarden. Naar zijn mening moesten ze een autonoom bestaan hebben, omdat zij immers de inhoud vormen van de werkelijke wereld. Bovendien, beweerde Aristoteles, hebben de eigenschappen die de hoedanigheid van een afzonderlijk ding bepalen geen primair en gescheiden bestaan in een wereld van vormen, maar behoren zij toe aan het ding zelf. Er is bijvoorbeeld geen volmaakte vorm van een hond, die onafhankelijk bestaat, onvolmaakt wordt gereproduceerd in afzonderlijke honden en deze hun eigenschappen verschaft. Voor Aristoteles waren ze slechts individuele honden. Deze honden deelden natuurlijk een reeks eigenschappen – want anders zouden we hen geen 'honden' mogen noemen – maar de eigenschappen bestonden in, en behoorden toe aan, de afzonderlijke honden.

Wellicht klinkt deze visie op de wereld ons bekend in de oren. Om de afzonderlijk waarneembare dingen te bestempelen als de primaire werkelijkheden (die Aristoteles 'substanties' noemde) zal voor de meeste lezers van dit boek getuigen van gezond verstand, zoals het waarschijnlijk ook het geval was voor de tijdgenoten van Aristoteles. Maar als het gezond verstand is, kan het dan tevens goede filosofie zijn? Dat wil zeggen, kan het met succes, of op zijn minst op geloofwaardige wijze, een oplossing zoeken voor de moeilijke filosofische kwesties die door de pre-socratici en Plato te berde waren gebracht – de aard van de fundamentele werkelijkheid, de epistemologische kwesties en het vraagstuk van verandering en stabiliteit? Laten we deze problemen eens stuk voor stuk gaan bekijken.[3]

Het besluit om de werkelijkheid te plaatsen in waarneembare, lichamelijke dingen zegt ons vooralsnog niet veel over de werkelijkheid zelf – alleen dat we die kunnen vinden in de waarneembare wereld. Reeds in de tijd van Artistoteles zou iedere filosoof meer willen weten: zo zou hij willen weten of lichamelijke objecten onherleidbaar zijn, of dat ze gezien moeten worden als samenstellingen van meer fundamentele componenten. Aristoteles stelde dit probleem aan de orde door een onderscheid te maken tussen eigenschappen en hun objecten (bijvoorbeeld tussen warmte en het warme object). Hij stelde (zoals de meesten van ons zouden doen) dat een eigenschap de eigenschap *van* iets moest zijn; dat iets noemen wij dan haar 'subject'. Een eigenschap behoort toe aan een subject; eigenschappen kunnen niet onafhankelijk bestaan.

De afzonderlijke lichamelijke objecten hebben dus zowel eigenschappen (kleur, gewicht, weefselstructuur, en dergelijke) als iets anders dan eigenschappen, wat dienst doet als subject. Deze twee rollen worden door respectievelijk 'vorm' en 'materie' vervuld (technische termen die voor Aristoteles een andere betekenis hadden dan voor ons). Lichamelijke objecten zijn 'samenstellingen' van vorm en materie – de vorm bestaat uit eigenschappen die het ding maken tot wat het is, en de materie dient als subject of ondergrond voor deze vorm. Een wit rotsblok, bij-voorbeeld, is wit, hard, zwaar, etc., op grond van zijn vorm; maar er moet een ma-terie zijn die dient als subject voor de vorm en zelf geen eigenschappen bijdraagt aan zijn eenheid met vorm.[4] (De leer van Aristoteles zal verder worden beproken in hoofdstuk 12, in samenhang met de middeleeuwse pogingen haar te verhelderen en uit te breiden.)

In werkelijkheid kunnen wij vorm en materie nooit scheiden; zij worden ons gepresenteerd als een verenigd geheel. Als ze scheidbaar waren, zouden wij in staat zijn een stapel te maken van eigenschappen (maar niet langer de eigenschappen van iets) en een stapel van materie (geheel zonder eigenschappen) – een onmiskenbare onmogelijkheid. Maar als vorm en materie nooit kunnen worden gescheiden, is het dan niet zinloos ze te zien als de *werkelijke* componenten van dingen? Is dit dan niet een zuiver logisch onderscheid, dat bestaat in onze geest maar niet in de uiter-lijke wereld? Voor Aristoteles in ieder geval niet, en misschien ook wel niet voor ons; de meesten onder ons zullen zich twee keer bedenken voordat ze de werke-lijkheid van koud of rood ontkennen, ondanks het feit we met geen van beide een emmer kunnen vullen. Kortom, Aristoteles verrast ons weer met moeilijk te ont-kennen gedachten, waarop hij zijn stevig filosofisch bouwsel fundamenteert.

Aristoteles' bewering dat de primaire werkelijkheden concrete, afzonderlijke dingen zijn, heeft epistemologische implicaties, omdat de ware kennis voortkomt uit het ware werkelijke. Op grond hiervan was Plato's aandacht gericht op de eeu-wige vormen, die gekend worden door rede en filosofische overdenking. Dit in te-genstelling tot Aristoteles' metafysica van concrete, afzonderlijke dingen, die de kennis zocht in de wereld van de afzonderlijke dingen, de natuur en de verandering – een wereld zoals de zintuigen die aantreffen.

De epistemologie van Aristoteles is ingewikkeld en subtiel. Het moet voldoen-de zijn er hier op te wijzen dat het proces van kennisverwerving begint bij de zin-tuiglijke ervaring; uit de herhaling van de zintuiglijke ervaring ontstaat herinnering; en uit de herinnering kan de ervaren onderzoeker de universele kenmerken van de dingen halen aan de hand van 'intuïtie' of inzicht. Wat nu precies een hond is, komt de ervaren hondenfokker te weten door de herhaalde waarneming van honden; hetgeen betekent dat hij inzicht krijgt in de definitie of vorm van een hond, in de essentiële eigenschappen zonder welke een dier geen hond kan zijn. Opmerkelijk is dat Aristoteles, niet minder dan Plato, op vastberaden wijze naar het universele zocht; maar dat hij in tegenstelling tot zijn leraar beweerde dat de zoektocht bij het afzonderlijke begonnen moest worden. Wanneer dan de universele definitie gevonden is, kunnen we die gebruiken als de premisse van een deductische bewijsvoering.[5]

Kennis wordt dus verworven door een proces dat begint met ervaring (een term die in bepaalde contexten breed genoeg is om de algemene opinie of de verslaggevingen van verre waarnemers te omvatten). In die zin is kennis empirisch; en zonder deze ervaring kan niets worden gekend. Maar hetgeen wij door dit 'inductieve' proces leren, krijgt pas de status van ware kennis wanneer wij het in de deductieve vorm gieten; het eindproduct is een deductieve bewijsvoering (mooi weergegeven in een euclidisch bewijs), die begint met universele definities, als premissen. Hoewel Aristoteles zowel de inductieve als de deductieve fase van het proces van kennisverwerving bespreekt (de laatste veel uitgebreider dan de eerste), ging hij lang niet zo ver als latere methodologen, in het bijzonder niet in de analyse van inductie.

Dit is de kennistheorie die door Aristoteles in de samenvatting wordt geschetst. Maar is het tevens de methode die Aristoteles daadwerkelijk gebruikte in zijn eigen onderzoekingen? Waarschijnlijk niet – misschien een enkele uitzondering daargelaten. Evenals de moderne wetenschapper, ging Aristoteles niet te werk aan de hand van een methodologisch receptenboek, maar meer op grond van kant en klare methoden, bekende procedures die zichzelf in de praktijk reeds hadden bewezen. Iemand heeft wetenschap ooit gedefinieerd als 'het onderste uit de kan halen, waarbij alle middelen zijn toegestaan'; dit is ongetwijfeld wat Aristoteles deed bij (bijvoorbeeld) zijn uitgebreide biologische onderzoek. Het is geen verrassing, en zeker geen karakterfout, dat Aristoteles in de loop van zijn gedachten over de natuur en de grondslagen van kennis een theoretische methode formuleerde (een epistemologie), die niet geheel strookte met zijn eigen wetenschappelijk praktijk.[6]

NATUUR EN VERANDERING

Het probleem van de verandering was in de vijfde eeuw v. Chr. een beruchte kwestie geworden. In de vierde eeuw dacht Plato een oplossing te hebben gevonden door de verandering alleen toe te schrijven aan de onvolmaakte materiële kopieën van de onveranderlijke formele wereld. Voor Aristoteles, een naturalist die zich onderscheidde door zijn filosofische betrokkenheid bij de volledige realiteit van de veranderlijke, afzonderlijke dingen die de waarneembare wereld vormen, was het probleem van de verandering een van de meest urgente kwesties.[7]

Als uitgangspunt nam Aristoteles de ongecompliceerde veronderstelling dat de verandering oorspronkelijk is. Maar daarmee komen we niet veel verder; er moet nog worden aangetoond dat het idee van de verandering opgewassen is tegen een nauwkeurig filosofisch onderzoek, en het moet duidelijk worden hoe verandering kan worden verklaard. Aristoteles had verschillende pijlen op zijn boog om dit te bewerkstelligen. De eerste was zijn leer van vorm en materie. Als ieder ding bestaat uit vorm en materie, kon Aristoteles vorm en materie beide inpassen door te beweren dat wanneer iets verandert, het een verandering van zijn vorm is (door een proces van vervanging, de nieuwe vorm die de oude vervangt), terwijl de materie hetzelfde blijft. Vervolgens beweerde Aristoteles dat de verandering van vorm zich afspeelt tussen twee tegengestelden, de vorm die uiteindelijk bereikt wordt en de vorm die verloren gaat of afwezig is. Wanneer het droge nat wordt, of het koude warm, dan is dat een verandering van het afwezige (droog of koud) in de toekomstige vorm (nat of warm). Voor Aristoteles is de verandering daarom nooit een open en vrij proces, maar beperkt zij zich tot het smalle pad waar paren van tegengestelde kwaliteiten elkaar ontmoeten; zo is zelfs midden in het proces van verandering de orde nog waarneembaar.

Een overtuigd aanhanger van Parmenides zou hier tegenin kunnen brengen dat deze analyse niets doet aan Parmenides' bezwaar tegen alle verandering, namelijk de onvermijdelijke conclusie dat er dan dus iets uit niets ontstaat. Het antwoord van Aristoteles ligt in zijn leer van potentie en actualiteit. *In het geval dat* zijn en niet-zijn de enige twee mogelijkheden zijn – dat wil zeggen, als dingen wel of niet bestaan –, zou Aristoteles ongetwijfeld hebben toegegeven dat de overgang van niet-heet naar heet inderdaad een overgang is van niet-zijn naar zijn (van het niet-zijn van heet naar het zijn van heet) en dat dit geval gevoelig is voor de tegenwerping van Parmenides. Maar Aristoteles geloofde dat deze tegenwerping met succes kon worden omzeild door uit te gaan van drie categorieën van zijn: (1) het niet-zijn, (2) het potentieel-zijn en (3) het actueel-zijn. Als dit de hoedanigheid van de dingen is, kan er verandering plaatsvinden van een potentieel-zijn naar een actueel-zijn zonder dat het niet-zijn ook maar één keer in beeld komt. Een zaad is bijvoorbeeld in potentie een boom, maar niet in feite. Door een boom te worden, maakt het zijn eigen potentie actueel. Verandering is dus een overgang van potentialiteit naar actualiteit – niet van niet-zijn naar zijn, maar van het ene type zijn naar het ander type zijn. Deze leer kan dan misschien het best worden geïllustreerd met voorbeelden uit het biologische rijk, maar is op alles van toepassing. Een zwaar object dat boven de aarde wordt gehouden, zal vallen om zijn potentie te bewerkstelligen (zich met de andere zware dingen te bevinden rond het universele middelpunt); en een brok marmer heeft de potentie om iedere vorm aan te nemen die de beeldhouwer verkiest het te geven.

Hoewel deze argumenten ons in de gelegenheid stellen de logische dilemma's, die met het idee van verandering worden geassocieerd, te omzeilen en ons daarom in staat stellen te geloven in de mogelijkheid van verandering, werpen zij geen enkel licht op de oorzaak van verandering. Om welke reden zou een zaad de overgang maken van potentiële boom naar feitelijke boom, of een ding van zwart naar wit veranderen in plaats van zijn oorspronkelijke staat te behouden? Deze vraag leidt ons naar Aristoteles' opvattingen over de aard van de dingen en de relatie tussen oorzaak en gevolg.

De wereld waarin wij leven is een orderlijke wereld, waar de dingen zich over het algemeen op voorspelbare wijze gedragen omdat, beweerde Aristoteles, ieder natuurlijk ding een 'aard' heeft – een eigenschap (in de eerste plaats verbonden met vorm) die een ding zich op een normale manier doet gedragen, mits er geen onoverkomelijke obstakels zijn die dit verhinderen. Volgens de briljante zoöloog Aristoteles wordt de groei en ontwikkeling van biologische organismen gemakkelijk verklaard door de activiteit van een dergelijke innerlijke drijfveer. Een eikel wordt een eikeboom, omdat het in zijn aard ligt. Maar zijn theorie beperkte zich niet tot de biologische groei en ontwikkeling, en zelfs niet tot het gehele biologische rijk. Honden blaffen, stenen vallen en het marmer onderwerpt zich aan hamer en beitel, omdat het in hun aard ligt. Uiteindelijk, beweerde Aristoteles, vinden alle veranderingen en bewegingen in het universum hun oorsprong in de aard van de dingen. Voor de natuurwetenschapper, die per definitie geïnteresseerd is in verandering en in de dingen die onderhevig zijn aan verandering, zijn deze eigenaardigheden het middelpunt van zijn onderzoek. Aan deze globale uiteenzetting van Aristoteles' theorie over 'de aard' van de dingen moeten nog twee opmerkingen worden toegevoegd: dat zij niet van toepassing is op kunstmatig gefabriceerde dingen, omdat die geen innerlijke bron van verandering bezitten, maar slechts de ontvangers van externe invloeden zijn; en dat de aard van een ingewikkeld organisme niet voortkomt uit de som of samenvoeging van de eigenschappen van de samengestelde, materiële delen, maar een unieke karaktertrek is van dat organisme in zijn totaliteit.[8]

Met deze natuurtheorie in gedachten, kunnen wij inzicht krijgen in een aspect van Aristoteles' wetenschappelijke praktijk dat de moderne commentatoren en critici heeft verbaasd en verontrust – namelijk, de afwezigheid van iets dat lijkt op een weloverwogen experiment. Het is spijtig dat een dergelijke aanmerking voorbijgaat aan de doelen die Aristoteles zich stelde – doelen die zijn methodologische mogelijkheden drastisch beperkten. Als de aard van een ding afgeleid kan worden uit zijn gedrag in een natuurlijke, ongebonden situatie, dan zullen kunstmatige restricties slechts storend werken. Als iets zich ondanks de verstoring op een normale wijze gedraagt, dan hebben wij het onszelf moeilijk gemaakt voor niets. En als wij omstandigheden creëren die voorkomen dat de aard van een ding aan het licht komt, leren wij slechts dat ons ingrijpen zo ver kan gaan dat de aard verborgen blijft. Proefneming onthult niets over de natuurlijke aard wat wij niet beter zouden kunnen leren op een andere manier. De wetenschappelijke praktijken van Aristoteles moeten daarom niet worden uitgelegd als het resultaat van zijn domheid of gebrekkigheid – het onvermogen om voor de hand liggende procedurele verbeteringen te bespeuren – maar als een methode die verenigbaar was met de wereld zoals hij die waarnam en die goed paste bij de kwesties die hem boeiden. De experimentele wetenschap ontstond niet op het moment dat er eindelijk eens iemand opstond die slim genoeg was om in te zien dat kunstmatige omstandigheden de ontdekkingsreis door de natuur zouden verspoedigen, maar op het moment dat natuurwetenschappers vragen gingen stellen die, naar men hoopte, door toepassing van een dergelijke methode beantwoord zouden worden.[9]

Om de uiteenzetting van Aristoteles' theorie van verandering compleet te maken, moeten we kort ingaan op de beroemde vier oorzaken van Aristoteles. Om inzicht te krijgen in de verandering of totstandkoming van een artefact moeten we de oorzaken hiervan weten (wellicht het best vertaald met 'verklarende condities en factoren'). Hiervan zijn er vier: de vorm die een ding aanneemt; de materie die de ondergrond is van die vorm, en niet wijzigt tijdens de verandering; de kracht die de verandering tot stand brengt; en het doel van de verandering. Deze noemt men respectievelijk de formele oorzaak, de materiële oorzaak, de werkoorzaak en de doeloorzaak. Om een zeer eenvoudig voorbeeld te geven – de totstandkoming van een beeld: de formele oorzaak is de vorm die aan het marmer wordt gegeven, de materiële oorzaak is het marmer dat die vorm aanneemt, de werkoorzaak is de beeldhouwer, en de doeloorzaak is de rede waarom het beeld wordt gemaakt (zoals de verfraaiing van Athene, of de verering van een van haar helden). Er zijn gevallen waarbij het identificeren van sommige oorzaken lastig is, of waarbij enige oorzaken zich vermengen, maar Aristoteles geloofde heilig dat deze vier oorzaken voorzagen in een algemeen toepasbare, analytische methode.

We hebben genoeg gezegd over het onderscheid tussen vorm en materie om duidelijk te maken wat werd bedoeld met formele en materiële oorzaken, en de werkoorzaak ligt dicht genoeg bij de moderne opvattingen van oorzaak en gevolg om geen nadere toelichting te behoeven; maar de doeloorzaak benodigt wel enige toelichting. Ten eerste is het woord 'doeloorzaak' afgeleid van het Latijnse *finis*, dat 'doel', 'reden', of 'einde' betekent, en heeft niets te maken met het feit dat het vaak als laatste van de Aristotelische oorzaken wordt genoemd. Aristoteles beweerde volledig terecht dat veel dingen niet kunnen worden begrepen zonder kennis van hun doel of functie. Om bijvoorbeeld de plaatsing van de tanden in de mond te verklaren, moeten wij weten wat hun functie is (scherpe tanden voor in de mond om te scheuren, en achterin kiezen om te malen). Of om een voorbeeld te nemen uit de anorganische wereld, het is niet mogelijk te begrijpen waarom een zaag gemaakt is zoals hij is, zonder te weten waartoe hij dient. Aristoteles beweerde zelfs dat de doeloorzaak van groter belang is dan de materiële oorzaak, waarbij hij opmerkt dat het doel van de zaag de keuze bepaalt van het materiaal (ijzer) waarvan deze gemaakt wordt, terwijl het feit dat wij een stuk ijzer hebben niet bepaalt dat wij daar een zaag van zullen maken.[10]

Het meest belangrijke aspect van de doeloorzaak is misschien wel diens illustratie van de rol van het doel (de technische term hiervoor is 'teleologie') in het wereldbeeld van Aristoteles. De wereld van Aristoteles is niet de inerte, mechanische wereld van de atomisten, waarin het afzonderlijke atoom zijn eigen gang gaat zonder te letten op alle andere. De wereld van Aristoteles is geen wereld van kans en toeval, maar een ordelijke, georganiseerde wereld, een wereld van het doel waarin de dingen zich ontwikkelen met een doel voor ogen dat bepaald wordt door hun aard. Het zou onterecht en zinloos zijn om het succes van Aristoteles te meten naar de mate waarin hij vooruitliep op de moderne wetenschap (alsof het zijn bedoeling was om onze vragen te beantwoorden, in plaats van de zijne); desalniettemin is het nuttig op te merken dat de nadruk op het functionele verklaren, waar Aristoteles' teleologie toe leidt, van grote betekenis zou blijken te zijn voor alle wetenschappen en tot op de dag van vandaag een toonaangevend verklaringsmodel binnen de biologische wetenschappen is.

Kosmologie

Aristoteles ontwikkelde voor het onderzoeken en begrijpen van de wereld niet alleen methoden en beginselen: vorm en materie, aarde, potentialiteit en actualiteit, en de vier oorzaken. Ondertussen ontwierp hij gedetailleerde en invloedrijke theorieën over een enorme hoeveelheid natuurverschijnselen, van het hemelgewelf tot de aarde en zijn bewoners daaronder.[11]

Laten we beginnen met het probleem van de oorsprong. Aristoteles, die volhardde in zijn opvatting dat het universum eeuwigdurend was, ontkende met alle geweld de mogelijkheid van een begin. Het alternatief – dat het universum op een zeker ogenblik was ontstaan – vond hij ondenkbaar, waarmee hij (onder andere) Parmenides' commentaar op het ontstaan van iets uit het niets geweld aandeed. Aristoteles' opvattingen over dit probleem zouden lastig blijken te zijn voor zijn middeleeuwse critici.

Aristoteles beschouwde dit eeuwige universum als een grote bol, met een bovensfeer en een ondersfeer die gescheiden worden door de bolvormige schil waarin zich de maan bevindt. Boven de maan bevindt zich het hemelse gebied, daaronder het aardse gebied; de maan, ruimtelijke intermediair, is tevens intermediair van karakter. Het aardse of ondermaanse gebied wordt gekenmerkt door geboorte, dood en allerlei soorten van verandering; het hemelse of bovenmaanse gebied is daarentegen een sfeer van eeuwig onveranderlijke cirkelvormige bewegingen. Dat dit ontwerp zijn oorsprong vindt in waarneming mag duidelijk zijn; in zijn *Over de hemel* merkt Aristoteles op dat 'in de gehele voorbije tijd, zover als de ons overgeleverde verslagen teruggaan, lijkt er in het hele ontwerp van de buitenste hemel niets te zijn veranderd, noch in een van zijn onderdelen'.[12] Als we in de hemel eeuwigdurende en onveranderlijke cirkelvormige bewegingen waarnemen, vervolgde hij, dan kunnen we aannemen dat de hemel niet bestaat uit de aardse elementen die zich kenmerken door (zoals waarneming aantoont) op- en neergaande rechtlijnige bewegingen. De hemel moet een onvergankelijk vijfde element bevatten (er zijn vier aardse elementen): de ether, of de vijfde substantie. Het hemelse gebied is volledig gevuld met ether (bevat dus geen lege ruimten) en is verdeeld, zoals we zullen zien, in concentrische bolvormige schillen waarin zich de planeten bevinden. Aristoteles gaf het een superieure, semi-goddelijke status.[13]

Het ondermaanse gebied is de plek van wording, ontbinding en tijdelijkheid. Net als zijn voorgangers verdiepte Aristoteles zich in het fundamentele element, of de fundamentele elementen, tot welke de hoeveelheid substanties in het aardse gebied kunnen worden herleid. Hij aanvaardde de vier elementen die oorspronkelijk door Empedocles waren voorgesteld en vervolgens waren overgenomen door Plato – aarde, water, lucht en vuur. Met Plato was hij van mening dat deze elementen tot iets fundamentelers herleid kunnen worden; maar hij kon zich niet vinden in Plato's wiskundige neigingen, en weigerde daarom Plato's regelmatige lichamen en hun driehoekige componenten te aanvaarden. In plaats daarvan gaf hij uitdrukking aan zijn eigen betrokkenheid bij de werkelijke wereld van de zintuiglijke ervaring door te kiezen voor de *waarneembare kwaliteiten* als essentiële bouwstenen. Twee paren van kwaliteiten zijn cruciaal: heet-koud en nat-droog. Er zijn vier combinaties van vier paren, waarvan ieder leidt tot een van de elementen (zie afb. 3.2):

koud en droog = aarde
koud en nat = water
heet en nat = lucht
heet en droog = vuur

Afbeelding 3.2 De rechthoek van tegenstelling van de Aristotelische elementen en kwaliteiten.
Een middeleeuwse versie van dit diagram vindt men in John E. Murdoch, *Album of Science: Antiquity and the Middle Ages*, p. 352.

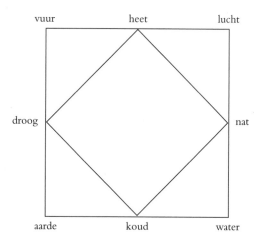

We zien dat er wederom gebruik wordt gemaakt van tegengestelden. Er is niets op tegen als een van de vier kwaliteiten wordt vervangen door diens tegenpool (als gevolg van externe invloeden). Als water wordt verhit, zodat het koud van water plaats maakt voor heet, wordt het water omgevormd tot lucht. Een dergelijke proces verklaart op eenvoudige wijze de veranderingen in de hoedanigheid (van vast naar vloeibaar gas, en omgekeerd), maar ook de meer algemene omvorming van de ene substantie naar de andere. Op een dergelijke theorie konden de alchemisten eenvoudig voortbouwen.[14]

De verschillende substanties waaruit de kosmos bestaat, vullen deze geheel op en laten geen enkele ruimte voor lege plekken. Om waardering te kunnen hebben voor Aristoteles' zienswijze moeten we niet toegeven aan onze natuurlijke neiging om atomistisch te denken; moeten we de materiële dingen niet zien als samenstellingen van kleine delen, maar als continue eenheden. Hoewel het duidelijk is dat, laten we zeggen, een brood bestaat uit kruimels die door kleine ruimten worden gescheiden, is dit nog geen reden om aan te nemen dat deze ruimten worden gevuld door een of andere fijnere substantie, zoals lucht of water. En er bestaat zeker geen eenvoudige manier om aan te tonen, laat staan een voor de hand liggende reden om te geloven, dat water en lucht allesbehalve continu zijn. Door een gelijke redenering toe te passen op het gehele universum kwam Aristoteles tot de conclusie dat het universum vol is, een *plenum* is, en geen lege ruimte bevat.

Aristoteles verdedigde deze conclusie met diverse argumenten, zoals de volgende. Er moet altijd een verhouding zijn tussen twee willekeurige bewegingen (gemeten aan de hand van de tijd die nodig is om een gegeven ruimte te doorkruisen); als het tijdsverschil het gevolg is van het verschil in dichtheid tussen twee milieus, zal de verhouding tussen de tijden gelijk zijn aan de verhouding tussen de dichtheden. Als een van de milieus echter een lege ruimte zou zijn, zou diens dichtheid (nul) zich niet kunnen verhouden tot de dichtheid van het andere milieu en zou de ene tijd zich niet kunnen verhouden tot de andere, zodat de veronderstelling waarmee dit argument begint, wordt ondermijnd. Tegenwoordig zouden we hetzelfde kunnen zeggen door te beweren dat als weerstand de snelheid van een bewegend lichaam remt, bij afwezigheid van weerstand het lichaam zou bewegen met een oneindige snelheid – een onzinnig idee. Critici hebben vaak opgemerkt dat dit argument net zo goed zou kunnen worden gebruikt om te bewijzen dat de afwezigheid van weerstand geen oneindige snelheid met zich meebrengt, als om te bewijzen dat er niet iets dergelijks als leegte bestaat. Uiteraard is dit juist gezien. Maar we moeten goed begrijpen dat Aristoteles' ontkenning van de leegte niet alleen gebaseerd was op dit ene argument. In feite was dit slechts een klein onderdeel van een uitgebreide veldtocht tegen de atomisten, waarmee Aristoteles het idee van lege ruimte (of lege plek) bestreed met een verscheidenheid aan argumenten, waarvan de ene overtuigender was dan de andere.[15]

Ieder element is behalve heet of koud en nat of droog, tevens zwaar of licht. Aarde en water zijn zwaar, maar de aarde is het zwaarst. Lucht en vuur zijn licht, waarbij vuur het lichtst is. Toen hij twee van de elementen een geringe zwaarte gaf, bedoelde Aristoteles niet (zoals we, mocht dat onze intentie zijn, zouden kunnen beweren) dat zij eenvoudig minder zwaar zijn, maar dat zij licht zijn in een absolute zin; lichtheid is geen verzwakte vorm van zwaarte, maar diens tegendeel. Omdat aarde en water zwaar zijn, ligt het in hun aard om af te dalen naar het universele middelpunt; omdat lucht en vuur licht zijn, ligt het in hun aard op te stijgen naar de periferie (waarmee de periferie van het aardse gebied bedoeld wordt, de bolvormige schil die de maan bevat). Indien ze niet zouden worden belemmerd, zouden aarde en water daarom afdalen naar het centrum; vanwege haar groter gewicht zou de aarde zich in het centrum verzamelen, met het water als een concentrische bolvormige schil daaromheen. Lucht en vuur stijgen, maar vanwege zijn grotere lichtheid bezet het vuur het buitenste gebied, met de lucht als een concentrische bolvormige schil daar net binnen. In het ideale geval (waarin er geen vermengde lichamen zijn en niets de vier elementen verhindert zichzelf te volbrengen), zouden de vier elementen een reeks concentrische cirkels vormen: aan de buitenkant vuur, dan lucht en water, en tot slot in het midden aarde (zie afb. 3.3). Maar in werkelijkheid bestaat de kosmos grotendeels uit samengestelde lichamen, het ene lichaam dat het andere altijd hindert, en wordt het idee nooit verwezenlijkt. Niettemin bepaalt de ideale ordening de natuurlijke plek van ieder element; het middelpunt van het universum de natuurlijke plek van de aarde, even binnen de maansfeer de plek van het vuur, enzovoorts.[16]

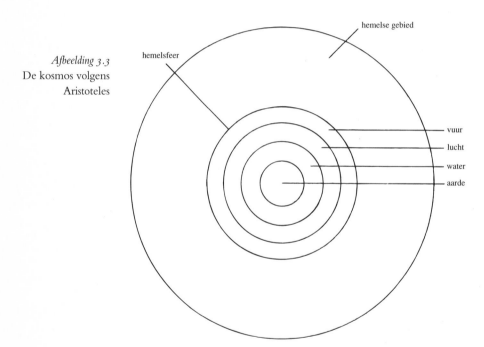

Afbeelding 3.3
De kosmos volgens
Aristoteles

De bolvormigheid van de ordening van de elementen moet worden benadrukt. Aarde verzamelt zich in het centrum om *de aarde* te vormen, die ook bolvormig is. Aristoteles verdedigde deze overtuiging met verschillende argumenten. Redenerend vanuit zijn natuurwetenschap stelde hij dat vanwege haar natuurlijke neiging zich in de richting van het universele middelpunt te bewegen, de aarde zichzelf symmetrisch rond dat punt moet ordenen. Maar tevens vestigde hij de aandacht op bewijzen die uit observatie voortkwamen, zoals de cirkelvormige schaduw die de aarde tijdens een maansverduistering werpt, en het feit dat de schijnbare positie van de sterren verandert als gevolg van de noord-zuid beweging van de waarnemer over het oppervlak van de aarde. Aristoteles doet zelfs verslag van een schatting van wiskundigen aangaande de omtrek van de aarde (400.000 stadiën = ca. 72.000 km, ongeveer 1,8 maal de waarde van de huidige meting). De bolvormigheid van de aarde, zoals die door Aristoteles werd verdedigd, zou nooit meer worden vergeten of ernstig worden betwijfeld. De wijdverspreide mythe dat de middeleeuwse mens geloofde in een platte aarde is in de moderne tijd ontstaan.[17]

Tot besluit moeten we melding maken van een van de implicaties van deze kosmologie − namelijk dat ruimte eigenschappen bezit, en geen neutrale, homogene achtergrond is (analoog aan onze moderne opvatting van een geometrische ruimte) waartegen gebeurtenissen zich afspelen. Of om het duidelijker uit te drukken, onze wereld is een wereld van *ruimte*, die van Aristoteles een wereld van *plaats*. Zware lichamen bewegen zich naar het centrum van het universum om de eenvoudige reden dat het in hun aard ligt het middelpunt te zoeken, en niet vanwege hun neiging zich te verenigen met de andere zware lichamen die daar zijn; als door een of ander wonder het centrum leeg zou zijn (onmogelijk in een Aristotelisch universum, maar wel een interessante denkbeeldige situatie), zou dit toch het einddoel zijn van de zware lichamen.[18]

DE AARDSE EN HEMELSE BEWEGINGEN

De beste manier om Aristoteles' theorie van beweging te benaderen is aan de hand van haar twee meest fundamentele beginselen. Het eerste is dat beweging nooit spontaan is: zonder 'beweger' is er geen beweging. Het tweede beginsel is het onderscheid tussen twee soorten beweging: beweging naar de natuurlijk plaats van het bewegend lichaam is een 'natuurlijke beweging'; beweging in iedere andere richting is een 'gedwongen of gewelddadige beweging'.

In het geval van de natuurlijke beweging is de beweger de aard van het lichaam, die verantwoordelijk is voor zijn neiging te bewegen naar zijn natuurlijke plaats zoals die is bepaald door de ideale cirkelvormige ordening van de elementen. Samengestelde lichamen hebben een bewegingsrichting die afhankelijk is van de verhouding van de diverse componenten in hun samenstelling. Wanneer een natuurlijk bewegend lichaam zijn natuurlijke plaats heeft bereikt, stopt de beweging. In het geval van de gedwongen beweging is de beweger een externe kracht, die het lichaam dwingt zijn natuurlijke neiging geweld aan te doen en te bewegen in een andere richting dan die van zijn natuurlijke plaats. Een dergelijke beweging houdt op wanneer de externe kracht tenietgedaan wordt.[19]

Tot nu toe lijkt alles logisch. Maar het is moeilijk te verklaren waarom een horizontaal geworpen projectiel, dat dus onderhevig is aan een gedwongen beweging, niet onmiddellijk tot stilstand komt wanneer het contact verliest met datgene waardoor het geworpen werd. Aristoteles antwoordde hierop dat het milieu het overneemt als beweger. Wanneer wij een object gooien, geeft dit tevens een impuls aan het milieu (bijvoorbeeld lucht) en verschaft het deze de kracht om objecten voort te bewegen; deze kracht wordt van deel tot deel doorgegeven, op zo'n manier dat het projectiel altijd in contact staat met een deel van het milieu dat de beweging in stand kan houden. Indien dit onwaarschijnlijk lijkt, overweeg dan de (voor Aristoteles) grotere onwaarschijnlijkheid van het alternatief – dat een projectiel, dat door zijn aard geneigd is naar het universele middelpunt te bewegen, horizontaal of opwaarts beweegt ondanks het feit dat er niets meer is dat deze beweging veroorzaakt.

Kracht is niet de enige bepalende factor voor beweging. In alle daadwerkelijke gevallen van beweging zal er tevens sprake zijn van een weerstand of een oppositionele kracht. En klaarblijkelijk was het Aristoteles duidelijk dat de snelheid van beweging afhankelijk moet zijn van deze twee bepalende factoren – de beweegkracht en de weerstand. De vraag was: Wat is de verhouding tussen kracht, weerstand, en snelheid of vlugheid? Hoewel het waarschijnlijk niet in Aristoteles' gedachten opkwam dat er een universeel toepasbare, kwantitatieve wet zou kunnen zijn, liet deze vraag hem toch niet onbewogen en waagde hij verscheidene pogingen op het kwantitatieve gebied. In zijn *Over de Hemel* en wederom in zijn *Physica*, verwijst Aristoteles naar natuurlijke beweging en betoogt hij dat, wanneer twee lichamen van verschillend gewicht vallen, de benodigde tijd voor het afleggen van een bepaalde afstand zich omgekeerd evenredig zal verhouden tot de gewichten (een tweemaal zo zwaar lichaam zal de helft van de tijd nodig hebben). In hetzelfde hoofdstuk van *Physica* introduceert Aristoteles de weerstand in de analyse van natuurlijke beweging en beweert hij dat, wanneer lichamen met een identiek gewicht bewegen door milieus met een verschillende dichtheid, de benodigde tijden voor het afleggen van een bepaalde afstand zich verhouden tot de dichtheden van de respectieve milieus; hetgeen inhoudt dat een lichaam trager beweegt naarmate de dichtheid toeneemt. En tot besluit, Aristoteles behandelde in zijn *Physica* ook de gedwongen beweging en beweerde dat een gegeven kracht die een gegeven gewicht (tegen zijn natuur in) in een gegeven tijd over een gegeven afstand beweegt, dezelfde kracht de helft van dit gewicht zal bewegen over de dubbele afstand in dezelfde tijd (of de helft van die afstand in dezelfde tijd); op gelijke wijze zal de halve kracht het halve gewicht bewegen over dezelfde afstand in dezelfde tijd.[20]

Uit dergelijke stellingen hebben de opvolgers van Aristoteles hardnekkig geprobeerd een algemene wet te berekenen. Deze wet wordt gewoonlijk geformuleerd als:

$$s \propto K/W$$

Hetgeen wil zeggen dat de snelheid (s) evenredig is aan de beweegkracht (K), en omgekeerd evenredig is aan de weerstand (W). In het speciale geval van de natuurlijke val van een zwaar lichaam is de beweegkracht het gewicht (G) van het lichaam; de verhouding wordt dan:

$$s \propto G/W$$

Dergelijke verhoudingen doen Aristoteles' bedoeling in de meeste gevallen van beweging geen geweld aan; door hun echter een wiskundige vorm te geven, zoals wij hebben gedaan, wordt gesteld dat zij gelden voor alle waarden van s, K en W – een stelling die Aristoteles zeker zou hebben ontkend. Zo zegt hij uitdrukkelijk dat een weerstand die gelijk is aan de beweegkracht de beweging in zijn geheel zal voorkomen, terwijl dit niet uit de bovenstaande formule volgt. Sterker nog, de aanwezigheid van snelheid in deze verhoudingen wijkt ernstig af van Aristoteles' conceptuele raamwerk, dat niet voorzag in een concept van snelheid als een meetbare waarde van beweging, maar beweging slechts beschreef in termen van afstanden en tijdvakken. Snelheid als een technische, wetenschappelijke term waaraan numerieke waarden konden worden toegeschreven, zou een bijdrage worden van de middeleeuwse wetenschap.

Aristoteles is heftig bekritiseerd om zijn bewegingstheorie, waarbij men ervan uitging dat ieder redelijk mens erkend zou hebben dat die grote zwakheden vertoonde. Is een dergelijke kritiek terecht? In de eerste plaats zijn er weinig historici die het als hun voornaamste taak zien om iets als goed of slecht te bestempelen, immers, het inzicht in het verleden is een veel nuttiger doel. Ten tweede is bepaalde kritiek slechts van toepassing op de theorie die door volgelingen en critici aan Aristoteles is opgedrongen, en niet op die van Aristoteles zelf. Ten derde heeft de theorie in zijn oorspronkelijke aristotelische versie wel degelijk nut; zo zijn er verschillende onderzoeken die hebben uitgewezen dat een meerderheid van de moderne, academisch geschoolde mensen bereid is om vele van de basisprincipes van Aristoteles' bewegingstheorie te onderschrijven. Ten vierde is het betrekkelijk lage kwantitatieve gehalte in Aristoteles' theorie eenvoudig te verklaren als het resultaat van zijn algehele natuurwetenschap. Zijn voornaamste doel was het inzicht in fundamentele eigenschappen, niet de ontdekking van kwantitatieve verhoudingen tussen zulke bijkomstige factoren als de ruimte-tijd (of plaats-tijd) coördinaten die op een bewegend lichaam van toepassing zijn; zelfs een uitputtend onderzoek van de laatste geeft ons geen enkele nuttige informatie over de eerste. (Een van de voornaamste kenmerken van de moderne mechanica is juist haar vaste voornemen om alle lichamen gelijk te behandelen en verschillen in fundamentele aard niet te erkennen: ongeacht waaruit het lichaam bestaat, zullen dezelfde wetten van toepassing zijn en dezelfde gedragingen zich voordoen.) Indien wij dat willen, kunnen wij Aristoteles bekritiseren om zijn onverschilligheid voor wat ons nu juist interesseert, maar dan leren wij dus niets over Aristoteles dat van enig belang is.

Beweging in het uitspansel is een geheel ander type verschijnsel. Het heelal bestaat uit het vijfde element, een onvergankelijke substantie die geen tegengestelden kent en daarom geen kwalitatieve verandering kan ondergaan. Het lijkt gepast voor een dergelijke gebied om absoluut bewegingloos te zijn, maar die hypothese wordt ondergraven door de meest oppervlakkige bestudering van het heelal. Daarom bedeelde Aristoteles het uitspansel met de meest volmaakte beweging – een eeuwige en eenparige cirkelvormige beweging. Dit is niet alleen de meest volmaakte van alle bewegingen, maar heeft klaarblijkelijk ook het vermogen om een verklaring te geven voor de waargenomen hemelse cycli.

Deze cycli waren vóór Aristoteles' tijd al eeuwenlang een studieobject. Men begreep dat de 'vaste' sterren bewogen met een volmaakte gelijkmatigheid, alsof zij gefixeerd waren op een gelijkmatig roterende cirkel met een omlooptijd van ongeveer één dag. Maar er waren zeven sterren, de zwervende sterren of planeten, die een meer ingewikkelde beweging vertoonden; deze zeven waren de zon, de maan, Mercurius, Venus, Mars, Jupiter en Saturnus. De zon beweegt traag (ongeveer $1°$ per dag) met kleine variaties in snelheid, van west naar oost door de sfeer van de vaste sterren, langs een baan die de ecliptica wordt genoemd en die door het centrum van de dierenriem loopt (zie afb. 2.6). De maan beschrijft ongeveer dezelfde route, maar dan sneller (ongeveer $12°$ per dag). De rest van de planeten beweegt zich ook langs de ecliptica, met wisselende snelheid en een incidentele verandering van koers.

Zijn zulke ingewikkelde bewegingen verenigbaar met de vereiste eenparige cirkelvormige bewegingen in het heelal? Eudoxos had een generatie eerder aangetoond dat zij dit zijn. Ik zal hier in hoofdstuk 5 op terugkomen; vooralsnog is het voldoende op te merken dat Euxodos iedere complexe planetaire beweging bejegende als een samenstelling van een reeks eenvoudige, eenparige cirkelvormige bewegingen. Hij deed dit door iedere planeet een reeks van concentrische sferen te geven, en iedere sfeer te bedelen met één component van de complexe planetaire beweging. Aristoteles nam dit ontwerp van Eudoxos over en wijzigde het enigszins. Toen hij daarmee klaar was, had hij een ingewikkeld hemels apparaat in elkaar gezet, bestaande uit vijfenvijftig planetarische sferen en de sfeer van de vaste sterren.

Wat is eigenlijk de oorzaak van de bewegingen in het heelal? Aristoteles' natuurwetenschap kan het zich niet permitteren een dergelijke vraag niet te stellen. De hemelse sferen bestaan natuurlijk uit de ether; hun bewegingen, die eeuwigdurend zijn, moeten niet gedwongen maar natuurlijk zijn. De oorzaak van deze eeuwige beweging moet zelf onbewogen zijn, want als wij niet een onbewogen beweger vooronderstellen, zijn wij snel gevangen in een oneindige regressie: een bewogen beweger moet zijn beweging verkregen hebben van weer een andere beweger, enzovoorts. Aristoteles stelde vast dat de onbewogen beweger van de planetarische sferen de 'Eerste Beweger' was, een levende godheid die stond voor het hoogste goed, geheel werkelijkheid was, totaal in beslag werd genomen door zelfbespiegeling, niet-ruimtelijk was, gescheiden was van de sferen die het bewoog, en in het geheel niet leek op de traditionele antropomorfische Griekse goden. Maar hoe veroorzaakt de Eerste Beweger, of Onbewogen Beweger, dan de bewegingen in het heelal? Niet als werkoorzaak, want dat zou een contact vereisen tussen de beweger en het bewogene, maar als doeloorzaak. Wat wil zeggen dat de Eerste Beweger het object is van het verlangen van de hemelse sferen, die trachten diens onveranderlijke perfectie te imiteren door het maken van eeuwigdurende eenparige cirkelvormige bewegingen. Nu zou iedere lezer die Aristoteles' verhandeling tot zover heeft gevolgd terecht kunnen denken dat er één Onbewogen Beweger voor de hele kosmos is; daarom komt het enigszins onverwacht als Aristoteles verklaart dat in feite iedere hemelse sfeer een eigen Onbewogen Beweger heeft, het object van haar genegenheid en de doeloorzaak van haar beweging.[21]

De bioloog Aristoteles

Er is geen enkele manier om vast te stellen hoe en waarom Aristoteles interesse kreeg voor de biologische wetenschappen. Dat zijn vader een medicus was, zal zeker geen onbelangrijke factor zijn geweest. Het biologisch onderzoek van Aristoteles strekte zich ongetwijfeld over een groot aantal jaren uit, maar zijn verblijf van enige jaren op het eiland Lesbos (aan de kust van Klein-Azië) bood hem een buitengewoon goede gelegenheid voor het observeren van het leven in de zee. Waarschijnlijk werd hij bij het verzamelen van biologische gegevens geholpen door zijn leerlingen en verlaatte hij zich zeker op de reacties van andere onderzoekers, onder wie medici, vissers en boeren. Het produkt van deze wetenschappelijke inspanningen was een reeks lange zoölogische verhandelingen en korte werken over de menselijke fysiologie en psychologie die in moderne vertaling meer dan 400 bladzijden tellen; deze werken legden de basis van de systematische zoölogie en hebben de gedachten over de menselijke biologie zo'n tweeduizend jaar lang wezenlijk vorm gegeven.[22]

Al lange tijd voor Aristoteles hadden de anatomie en fysiologie veel aandacht gekregen vanwege hun medische betekenis en zij behoefden vermoedelijk geen verdere rechtvaardiging, maar Aristoteles voelde zich toch verplicht om zijn zoölogisch onderzoek te verdedigen. In *Van de delen der dieren* gaf hij toe dat dieren onwaardig zijn in vergelijking met het heelal en erkende hij dat velen een afkeer hebben van zoölogisch onderzoek. Hij vond deze afkeer echter kinderachtig en beweerde dat in het zoölogisch onderzoek de kwantiteit en kostbaarheid van de beschikbare gegevens de onwaardigheid van het onderzoeksobject compenseren. Bovendien beweerde hij dat het zoölogisch onderzoek bijdraagt aan de kennis van het menselijk lichaam vanwege de grote gelijkenis tussen de dierlijke en de menselijke aard; hij vermeldde hoeveel plezier de ontdekking van oorzaken in het zoölogische rijk hem gaf; en hij merkte op dat orde en intentie bijzonder helder worden tentoongespreid in het dierenrijk, waardoor wij de kans krijgen om ons te verzetten tegen het idee dat de 'verrichtingen der natuur' slechts het produkt van toeval zijn.[23]

Aristoteles constateerde dat de biologie zowel een beschrijvende als een verklarende kant had. De verklaring van biologische verschijnselen beschouwde hij als het ultieme doel, maar hij erkende dat het vergaren van biologische gegevens als eerste aan de orde was. Zijn *Geschiedenis van de dieren*, dat aan deze eerste behoefte wilde voldoen, bevat een enorme hoeveelheid biologische gegevens. Aristoteles begon met het menselijk lichaam, dat de standaard vormde die inzicht verleende in de andere dieren. Hij verdeelde het menselijk lichaam in hoofd, nek, borst, armen en benen; en vervolgde met een bespreking van zowel externe als interne aspecten, waaronder de hersenen, het spijsverteringsstelsel, de geslachtsorganen, de longen, het hart en de bloedvaten.

Maar Aristoteles' grootste bijdrage lag niet zozeer op het gebied van de menselijke anatomie als wel op het gebied van de beschrijvende zoölogie. In zijn *Geschiedenis van de dieren* noemt hij meer dan 500 diersoorten; van vele wordt het uiterlijk en gedrag tot in het kleinste detail beschreven, vaak op basis van een vakkundige ontleding. Hoewel hij veel aandacht besteedde aan de theoretisch problemen van classificatie, maakte Aristoteles in de praktijk gebruik van 'natuurlijke' of ongecompliceerde groeperingen die op vele kenmerken waren gebaseerd. De dieren verdeelde hij in de twee belangrijkste categorieën – 'bloedig' (wat rood-bloedig betekent) en 'niet-bloedig'. De eerstgenoemde verdeelde hij weer in levendbarende viervoeters (viervoetige zoogdieren die levende jongen ter wereld brengen), ovipare (of eierleggende) viervoeters, zeezoogdieren, vogels en vissen; de laatstgenoemde in weekdieren (zoals de octopus en de inktvis), schaaldieren (zoals krabben en rivierkreeften), schelpdieren (zoals de slak en de oester) en insekten. Deze voornaamste categorieën werden, afhankelijk van het gehalte van hun vitale warmte, hiërarchisch gerangschikt op een biologische schaal.[24]

Hoewel hij het gehele dierenrijk behandelde, was Aristoteles ongetwijfeld het meest thuis op het gebied van het zeeleven, waarbij hij blijk gaf van een gedegen kennis uit de eerste hand. Het is bijvoorbeeld vaak opgemerkt dat hij de placenta van de hondsvis (*Mustelus laevis*) beschrijft in termen die tot aan de negentiende eeuw niet werden bevestigd. Maar Aristoteles vertoonde tevens een indrukwekkende deskundigheid op andere deelgebieden van het dierenrijk. Zijn beschrijving van de uitbroeding van vogeleieren is een treffend voorbeeld van nauwkeurige observatie:

> Geboorte uit het ei geschiedt bij alle vogels op identieke wijze, maar de perioden tussen bevruchting en geboorte verschillen ... Bij de gewone hen zien we na drie dagen en drie nachten de eerste tekenen van het embryo ... Ondertussen ontstaat de dooier, groeiend in de richting van het spitse deel, waar het primaire bestanddeel van het ei zich bevindt en het ei openbreekt; dan verschijnt het hart als een bloedvlek in het eiwit. Deze plek klopt en beweegt als zijnde bevrucht met leven, en hieruit ... komen twee kronkelende aderen met daarin bloed ...; en een membraan met bloedige vezels nestelt zich rondom het wit, beginnend bij de aderen. Korte tijd later tekent het lichaam zich af, eerst erg klein en wit. Het hoofd onderscheidt zich duidelijk, met daarin de ogen, die erg uitpuilen... [25]

De natuurgeschiedenis, die een opsomming en beschrijving geeft van de bewoners van het universum, is ongetwijfeld een aantrekkelijke bezigheid en kan door sommigen worden gezien als een doel op zich. Maar Aristoteles zag het als een middel

tot een hoger doel – de bron van feitelijke gegevens die zouden leiden tot fysiologisch inzicht en causale verklaringen. En voor hem bestond de ware kennis altijd
uit kennis van oorzaak en gevolg.

Aristoteles paste dezelfde beginselen toe op het fysiologisch onderzoek als die hij
toepaste op de andere gebieden van zijn natuurwetenschap. (Of deze voortkwamen
uit zijn biologie en vervolgens werden toegepast op de metafysica, fysica en kosmologie, of omgekeerd, is een discussiepunt onder de geleerden.)[26] Dus vorm en
materie, actualiteit en potentialiteit, de vier oorzaken, en in het bijzonder het aspect van intentie of functie dat in verband staat met de doeloorzaak, zijn essentieel
voor zijn biologie. De bestanddelen van een juiste biologische verklaring worden
goed samengevat in Aristoteles' *Van het ontstaan der dieren*: 'Alles wat ontstaat of gemaakt wordt, moet [1] van iets gemaakt zijn, [2] gemaakt zijn door toedoen van
iets en [3] iets worden'.[27] Datgene waaruit een organisme is gemaakt, is natuurlijk
zijn materiële oorzaak; door toedoen waarvan het is gemaakt, is zijn formele oorzaak of werkoorzaak (die in Aristoteles' biologie vaak met elkaar worden verbonden); en datgene wat het wordt, het doel van zijn ontwikkeling, is zijn doeloorzaak.

Ieder organisme is dus gemaakt van materie en vorm: de materie bestaat uit de
diverse organen die het lichaam bevat; de vorm is het ordeningssysteem dat deze
organen kneedt tot een samenhangend organisch geheel. Aristoteles bracht de ziel
in verband met vorm en bedeelde deze met de verantwoordelijkheid voor de vitale eigenschappen van de levende dingen – voeding, voortplanting, groei, gevoel,
beweging, enzovoorts. Aristoteles maakte zelfs een hiërarchische ordening van de
levende dingen op basis van hun aandeel in de verschillende soorten zielen, met ieder hun eigen functie. Planten bezitten een voedende ziel, die hen in staat stelt
voeding, groei en voortplanting te verwerven. Dieren bezitten bovendien een zintuiglijke ziel, die het gevoel en (indirect) de beweging veroorzaakt. Tot besluit
voegt de mens hier een rationele ziel aan toe, die voorziet in de verheven vermogens van het verstand. Indien de ziel niets meer is dan de vorm van het organisme
(hetgeen Aristoteles beweerde), dan is de ziel (de menselijke ziel incluis) duidelijk
niet onsterfelijk; de dood zal het organisme doen ontbinden en zijn vorm in rook,
in niet-zijn doen opgaan.[28]

Hoe wordt de ziel, de vorm van het levende organisme, dan overgedragen van
ouder op kind? Dit leidt direct tot een van de centrale punten in Aristoteles' fysiologie – het probleem van de organische voortplanting. Aristoteles beweerde in de
eerste plaats dat het bestaan van twee geslachten – mannelijk en vrouwelijk – het
onderscheid weergeeft tussen de formele oorzaak of werkoorzaak (hier één) en de
materie waarop deze oorzaak effect heeft. Bij de mensen en de hogere dieren voorzien de vrouwen, in de vorm van menstruaal bloed, in de materie. Het mannelijke
zaad is drager van de vorm en geeft deze aan het menstruale bloed om zodoende
een nieuw organisme te produceren. De jongen van de hogere dieren, die een hoger gehalte van vitale warmte hebben, worden levend en als volledig ontwikkelde

leden van de soort gebaard; bij de dieren die een lager gehalte van vitale warmte hebben, bestaan de nakomelingen uit eieren die intern worden uitgebroed; als wij de schaal van perfectie afdalen, komen we bij de dieren die eieren produceren die extern worden uitgebroed en de perfectie van de eieren is dan afhankelijk van het precieze warmtegehalte; op het laagste deel van de schaal bevinden zich de dieren zonder bloed, die een larve of made voortbrengen:

> We bemerken hoe goed de Natuur de voortplanting ordent in een vaste rangschikking. De meer volmaakte en warmere dieren brengen hun jongen volmaakt voort waar het de kwaliteit betreft ..., en deze doen vanaf het begin levende dieren in zich ontstaan. De tweede categorie doen geen volmaakte dieren in zich ontstaan vanaf het begin (want zij zijn alleen levendbarend nadat zij eieren hebben gelegd)... De derde categorie brengen geen volmaakt dier voort, maar een ei, en dit ei is volmaakt. De dieren die nog kouder van aard zijn dan deze brengen een ei voort, maar een onvolmaakt ei dat vervolmaakt wordt buiten het lichaam ... De vijfde en meest koude categorie brengt zelfs geen ei voort; maar als het jong deze hoedanigheid ooit verwerft, dan is het buiten het lichaam van de ouder om ... Want insekten brengen eerst een larve voort; de larve wordt als een ei na zich te hebben ontwikkeld ...[29]

Het idee van volmaaktheid, dat zo belangrijk is in Aristoteles' theorie over de voortplanting, brengt ons bij het derde en laatste aspect van het biologische onderzoek – de doeloorzaak of, zoals Aristoteles het zegt in een hierboven geciteerde passage, dat wat een biologisch organisme uiteindelijk zal worden. Volgens Aristoteles moet de bioloog altijd op de hoogte zijn van de complete, volwassen vorm of aard van een organisme. Het is alleen deze kennis die hem inzicht verschaft in de structuur van het organisme en in het bestaan van diens onderdelen en hun verhoudingen. Bijvoorbeeld, Aristoteles verklaarde het feit dat landdieren in het bezit zijn van longen door te verwijzen naar de behoeften van het organisme in zijn totaliteit. Dieren met bloed, zo beweerde hij, hebben vanwege hun warmte een externe 'koeler' nodig. Bij vissen is dit het water, en daarom hebben vissen kieuwen in plaats van longen. Echter, de dieren die ademen worden gekoeld door lucht en zijn daarom uitgerust met longen.[30] Kennis van de volwassen vorm verklaart ten dele ook de ontwikkeling van het organisme, want in het organische rijk bestaat er een stijgende lijn omdat de organismen streven naar het actualiseren van de in hen aanwezige potentialiteit. Wij kunnen bijvoorbeeld de veranderingen die zich in een eikel voordoen niet begrijpen als wij de eikeboom, de uiteindelijke bestemming, niet begrijpen. En tot besluit, doel en functie bestaan in Aristoteles' biologie niet slechts als een verklaring van de vorm of ontwikkeling van het individu of de soort, maar ook als universele of kosmische verschijnselen die inzicht geven in de wederzijdse afhankelijkheid en de onderlinge relaties tussen de soorten in de natuurlijke orde.

Dit is uiteraard bij lange na niet het complete beeld van Aristoteles' biologische stelsel. Hij gaf uitleg over voeding, groei, beweging en gevoel. Hij behandelde de

functies van de belangrijkste organen, zoals hersenen, hart, longen, lever en voort-
plantingsorganen. Het is belangrijk hierbij aan te tekenen dat hij het hart beschouwde als het centrale orgaan van het lichaam, niet alleen de plek van het gevoel en de emotie, maar tevens die van de vitale warmte. Hij ontwikkelde het idee
van een hiërarchisch geordend biologisch rijk: vorm, dacht hij, staat boven materie,
levend boven niet-levend, mannelijk boven vrouwelijk, 'bloedig' boven 'niet-
bloedig', volwassen boven onvolwassen. In feite rangschikte hij de levende dingen
in een enkelvoudige, hiërarchische schaal van het bestaan, bovenaan beginnend bij
de Eerste Beweger en vervolgens afdalend via het menselijk ras naar de levenbaren-
de, eierleggende en larven producerende dieren, en vervolgens eindigend bij de
planten.

Laten we deze uiteenzetting besluiten met een korte analyse van de methode
die Aristoteles in zijn biologische werken gebruikte. De biologische tak van de wetenschappelijke onderneming, en in het bijzonder die van de geschiedenis van de
natuur, behoeft zeker enige aandacht. Het is ondenkbaar dat Aristoteles zou hebben gepoogd de beschrijving van de bouw en het gedrag van dieren op iets anders
te baseren. In dit specifieke geval werden de waarnemingen veelal door hemzelf
gedaan en we vinden in zijn werken dan ook een overvloed aan materiaal dat wijst
op het gebruik van empirische methoden, zoals ontleding. Er is echter geen enkele
natuuronderzoeker die de hoeveelheid gegevens zoals we die in Aristoteles' biologische werk aantreffen alleen zou kunnen verzamelen, en klaarblijkelijk verlaatte
hij zich ook op de verslagen van reizigers, boeren en vissers, de hulp van assistenten
en de werken van zijn voorgangers. Aristoteles behandelde zijn bronnen over het
algemeen kritisch en vertoonde een gezond scepticisme, zelfs ten aanzien van zijn
eigen waarnemingen. Maar hij was niet altijd sceptisch genoeg en in zijn biologische werken stuiten we op vele voorbeelden van foutieve beschrijvingen. Wat betreft de biologische theorie was Aristoteles verplicht (zoals iedere theoreticus) conclusies te trekken uit de observaties; zijn conclusies mogen dan niet altijd de onze
zijn, maar zij laten wel het inzicht zien van een van de meest briljante biologen die
ooit hebben geleefd. Zij vertonen natuurlijk ook de belangrijke invloed van Aristoteles' gehele filosofische stelsel, dat van voortdurende invloed was op de vragen
die hij zich stelde, de details die hij opmerkte, en de theoretisch verklaringen die hij
van deze details gaf.[31]

De verrichtingen van Aristoteles

De juiste maatstaf voor de waardering van een filosofisch stelsel is niet de mate
waarin het vooruitliep op het moderne denken, maar de mate waarin het met succes de filosofische problemen van zijn eigen tijd aan de orde stelde. Als er een vergelijking moet worden getrokken, dan moet dat gedaan worden tussen Aristoteles
en zijn voorgangers, en niet tussen Aristoteles en het heden. Gemeten naar een
dergelijke maatstaf is de filosofie van Aristoteles een verbazingwekkende prestatie.

Met betrekking tot de natuurwetenschap bood hij een subtiele en geavanceerde behandeling van de voornaamste problemen die door de pre-socratici en Plato naar voren waren gebracht: de aard van de fundamentele materie, de juiste manier om die te leren kennen, de problemen van verandering en causaliteit, de fundamentele structuur van de kosmos, en de aard van de goddelijkheid en diens verhouding tot de materiële dingen.

Maar ook in zijn analyse van specifieke natuurverschijnselen ging Aristoteles veel verder dan zijn voorgangers. Het is niet overdreven om te stellen dat hij, bijna zonder hulp, volledig nieuwe disciplines creëerde. Zijn *Physica* bevat een gedetailleerde uiteenzetting van de aardse bewegingen. Het grootste deel van zijn *Meteorologie* is gewijd aan de verschijnselen in de hogere atmosfeer, zoals kometen, vallende sterren, regen en regenboog, en donder en bliksem. In zijn *Over de hemel* ontwikkelde het werk van bepaalde voorgangers zich tot een invloedrijke verhandeling over de planetarische astronomie. Hij behandelt geologische verschijnselen, zoals aardbevingen en de mineralogie. Hij deed een grondig onderzoek naar de waarneming en de zintuiglijke organen, in het bijzonder het gezichtsvermogen en het oog, waarbij hij een theorie ontwikkelde over licht en gezichtsvermogen die tot aan de zeventiende eeuw gezaghebbend zou zijn. Hij hield zich bezig met dingen die wij nu zouden kunnen bestempelen als de basismethoden van de chemie – het mengen en combineren van stoffen. Hij schreef een boek over de ziel en haar vermogens. En hij leverde, zoals we hebben gezien, een monumentale bijdrage aan de ontwikkeling van de biologische wetenschappen.

In de hoofdstukken die volgen, zullen we terugkomen op de invloed van Aristoteles. Nu zullen we het laten bij de conclusie dat zijn enorme invloed in de late oudheid en zijn dominerende positie vanaf de dertiende eeuw tot en met de renaissance niet het gevolg waren van de intellectuele ondergeschiktheid van de geleerden uit die tijd, of van de bemoeienis door de kerk, maar voortkwamen uit de enorme kracht van zijn filosofische en wetenschappelijke verklaringsmethoden. Het gezag van Aristoteles berustte op overreding, en niet op onderdrukking.

4

De hellenistische natuurwetenschap

De dood van Aristoteles in 322 v. Chr. viel bijna samen met het einde van de veldtochten van Alexander de Grote (334-323 v. Chr.), die een uitgestrekt Grieks rijk
vestigde en de doodsklok luidde over de autonome Griekse stadstaten. Alexander
vergrootte het Griekse territorium enorm, waardoor de Griekse taal en cultuur zich
ver in oostelijke richting verbreidde, tot aan Bactrië (het huidige Afghanistan) en
de rivier de Indus, en in zuidelijke richting tot in Egypte (zie kaart 2). Maar Alexander en diens opvolgers namen ook dingen over van de overwonnen volkeren en
creëerden zo een mengsel van Griekse en vreemde elementen dat wordt aangeduid
met het bijvoeglijk naamwoord 'hellenistisch' – ofwel 'dat wat Grieks aandoet'.
Alhoewel de Griekse elementen zeer dominant waren, wilden de historici die deze
term verzonnen een onderscheid aanbrengen tussen het hellenistische tijdvak en
hetgeen zij beschouwden als de onvervalste Griekse cultuur van de vroegere, 'Hel-

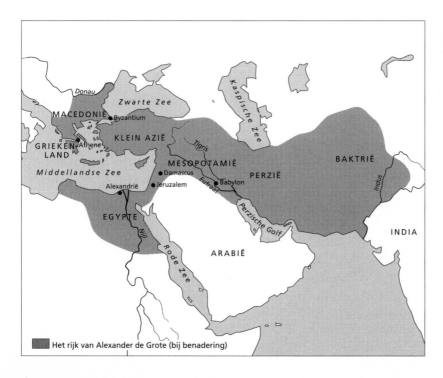

Kaart 2
Het rijk
van Alexander
de Grote.

leense' tijden. Het begrip 'hellenistische natuurwetenschap' verwijst dus naar de ideeën over de natuur van geleerden en ontwikkelde mensen die in dit uitgebreide Griekse rijk leefden. De eerste tijd bleef het zwaartepunt binnen de oorspronkelijke Griekse territoria; op den duur zou het gezag in zuidelijke richting verschuiven naar het Egyptische Alexandrië en in westelijke richting naar Rome.

De scholen en het onderwijs

Voordat we aandacht gaan besteden aan de inhoud van de hellenistische natuurwetenschap moeten we stilstaan bij haar sociale ondergrond – de sociale en institutionele mechanismen waardoor kennis in zijn algemeenheid en de natuurwetenschap in het bijzonder werden overgedragen. Kennis kan uiteraard van persoon op persoon worden overgedragen, van ouder op kind, van vriend op vriend, of van meester op leerling. Maar zodra kennis ingewikkelder en geavanceerder wordt, ligt het voor de hand dat de behoefte aan een meer geformaliseerd, collectief onderwijssysteem zal toenemen. Deed zich dit in het klassieke Griekenland voor? En zo ja, wat was de aard van het onderwijssysteem dat hieruit voortkwam?[1]

In geen enkele oude samenleving bestond er behoefte aan formeel onderwijs, maar enige onderwijsjaren op basisniveau werd het ideaal van de eerste Griekse aristocraten. Omdat het bedoeld was voor jonge kinderen (*paides*) werd dit onderwijs *paideia* genoemd. Oorspronkelijk bestond de *paideia* uit twee delen: *gymnastike* voor het lichaam en *mousike* voor het denken of de geest. *Gymnastike* bestond uit lichamelijke ontwikkeling en atletiek. *Mousike* omvatte alle vaardigheden waarover de muzen gezag uitoefenden, in het bijzonder de muziek en de dichtkunst. Maar uiteindelijk maakten de sociale behoeften een einde aan dit tweeledige systeem, en vroeg in de vijfde eeuw ontstonden er tevens scholen voor lezen en schrijven.

Het onderricht in *gymnastike* vond meestal plaats op een sportveld of in een worstelschool, of mogelijk in een openbaar gymnasium. *Mousike* en letterkundig onderwijs konden bijna overal worden gegeven, zoals in een openbare ruimte of het huis van een leraar. Het moge duidelijk zijn dat er niets was dat lijkt op het moderne, verplichte, massale onderwijs. De leraren gaven particulier les en deden dit op eigen initiatief; de aristocraten maakten naar eigen voorkeur en behoefte gebruik van deze onderwijsvoorzieningen.

Een belangrijke verandering in dit onderwijsstelsel deed zich voor in de vijfde eeuw v. Chr., met de komst van de sofisten. Tot dan toe was het onderwijs enkel inleidend geweest en grotendeels gericht op de atletiek en de kunst. Ongeveer halverwege de vijfde eeuw verschenen in Athene de rondtrekkende leraren die bekend stonden als de sofisten en iets nieuws boden. Ten eerste boden zij onderwijs van een hoger niveau. Ten tweede wilden zij burgers en politici opleiden, waardoor er binnen het onderwijs een behoefte ontstond naar onderricht in meer intellectuele, en in het bijzonder politieke, onderwerpen. De sofisten boden een soort groepsonderwijs, zonder een vast studieaanbod of algemeen patroon en zeker zonder een algemeen filosofisch systeem, want alles was afhankelijk van de door beide partijen overeengekomen onderwijsperiode. (Historici suggereren vaak een periode van drie of vier jaar, maar recentelijk is er nog beweerd dat de onderwijsperiode ook 'niet meer dan een week of een uur' zou hebben geduurd.)[2] Vanwege hun zakelijke belangen wilden de sofisten graag voor iedereen zichtbaar zijn en om die reden werd het de gewoonte dat zij onderwijs gaven op openbare plaatsen, zoals de agora (het openbare marktplein) of een groot openbaar gymnasium (waarvan er in het toenmalige Athene drie waren). Wanneer de zaken slecht gingen, of de leraar niet langer gewenst was, trok hij verder.

Geplaatst tegen deze achtergrond, krijgen wij enig inzicht in het onderwijs van Plato en Socrates. Plato en Socrates verschilden zonder twijfel in menig opzicht van de sofisten – zij trokken niet rond maar bleven in Athene, en zij gingen uit van schijnbaar logische onderwijsmethoden – maar dit onderscheid werd waarschijnlijk niet gemaakt door de toenmalige inwoners van Athene, die beide mannen moeten hebben gezien als typische vertegenwoordigers van de sofistische beweging. Toen Plato na zijn reizen door Italië in 388 terugkeerde naar Athene, stichtte hij een school in de Academie, een monumentaal openbaar gymnasium net buiten de stadsmuren dat voordien al lange tijd voor educatieve doeleinden gebruikt werd. Als deze onderneming in enig opzicht ongebruikelijk was, dan was het om de blijvende aard van Plato's school, die nog tot lang na zijn dood zou blijven bestaan.[3]

Plato's school was een filosofische gemeenschap, die bestond uit geleerden die qua ontwikkeling en vakkundigheid op verschillende niveaus stonden en zich met elkaar onderhielden als gelijken. Plato was ongetwijfeld de overheersende kracht, die een voorbeeldige inspiratie was voor zijn collega's en minder ver gevorderden met zijn kritisch vermogen hielp; maar hij was niet boven de kritiek verheven en hij leerde wellicht zelf net zoveel als hij de anderen leerde (zoals de tegenwoordige docent binnen een post-doctorale werkgroep).[4] Aan deze onderneming zat zonder twijfel een religieus luchtje; de Academie was gewijd aan de verering van de muzen en er deden zich wellicht dingen voor die wij zouden bestempelen als religieuze ceremonieën. Maar de school was zeker niet dogmatisch van karakter en stond (althans in principe) open voor leerlingen van elke overtuiging. Er werden geen financiële bijdragen verlangd en een geleerde kon deelnemen aan de activiteiten van de school zolang zijn middelen van bestaan dat toestonden. Toen Plato een stuk land kocht dat dichtbij de Academie lag, konden ook daar activiteiten plaatsvinden. Het bezit van eigen grond heeft, samen met Plato's voorziening in de keuze van een opvolger, bijgedragen tot het langdurige bestaan van de school.

Aristoteles was twintig jaar lang, tot aan de dood van Plato in 348 of 347, lid van Plato's school. Toen hij in 335 terugkwam in Athene, vlak na de instelling van het Macedonische bewind, werd Aristoteles niet opnieuw lid van de Academie, wat heel normaal zou zijn geweest, maar stichtte hij een rivaliserende school in een ander Atheens gymnasium, het Lyceum. Net als de Academie werd het Lyceum voordien al lange tijd voor educatieve doeleinden gebruikt. Aristoteles en zijn vol-

Afbeelding 4.1
Het Parthenon
(tempel van Athena)
op de Akropolis,
Athene.
Gebouwd in de
vijfde eeuw v. Chr.

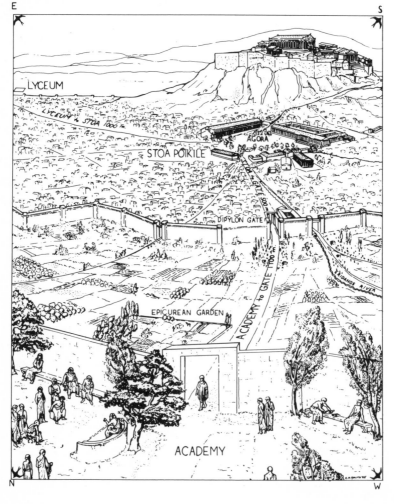

Afbeelding 4.2
De scholen van
het hellenistische
Athene.
© Candace H. Smith.
Eerst verschenen
in A.A. Long en
D.N. Sedley,
*De Hellenistic
Philosophers*, deel 1.

gelingen verzamelden zich gewoonlijk in een zuilengang (peripatos) in het Lyceum en kregen (of gaven zichzelf) daarom de benaming 'peripatetici', zoals zij sindsdien bekend staan. Aristoteles' Lyceum en Plato's Academie waren in vele opzichten gelijk, maar verschilden qua methode en accent. Op methodologisch gebied stelde Aristoteles het coöperatieve onderzoek in, zoals blijkt uit zijn geschiedenis van de natuur en ook uit de systematische verzameling van vroeger filosofische werk. Wat het accent betreft, is er een sterk contrast tussen de biologische belangstelling van Aristoteles en Plato's interesse voor de wiskunde; en daarenboven is er nog het duidelijke verschil tussen de platonische en de aristotelische metafysica.[5]

Inmiddels had Athene zich op onderwijsgebied een toonaangevende positie binnen de Griekse wereld verworven en kwamen er al spoedig andere leraren om van de mogelijkheden gebruik te maken. Zeno van Citium arriveerde rond 312 in Athene, ging vervolgens doceren in de *stoa poikile* (de geschilderde zuilengang) in een hoek van de agora en stichtte zodoende een school die bekend zou worden als die van de 'stoïcijnse' filosofie. Epicurus, een Atheens burger geboren op het eiland Samos, keerde rond 307 in Athene terug, kocht een huis en een tuin, en stichtte daar de school van de 'epicurische' filosofie die tot in de vroeg-christelijke tijd zou blijven bestaan.

De Academie, het Lyceum, de Stoa en de Tuin van Epicurus – de belangrijkste scholen in Athene – ontwikkelden alle een eigen institutionele identiteit, waardoor ze hun oprichters konden overleven. De Academie en het Lyceum lijken tot aan het begin van de eerste eeuw v.Chr ononderbroken actief te zijn geweest (wellicht tot aan de plundering van Athene door de Romeinse bevelhebber Sulla in 86 v. Chr.). Er is vaak beweerd dat de Academie zou hebben bestaan tot aan het moment dat zij in 529 na Chr. op bevel van keizer Justinianus gesloten werd. Waarschijnlijker is dat de neoplatonisten de Academie in de vijfde eeuw na Chr. opnieuw oprichtten en haar in leven konden houden tot ongeveer 560 of nog later. Er was echter geen continuïteit tussen deze school en die van Plato. De Stoa bestond tot in de tweede eeuw na Chr. en de epicurische school tot in de eeuw daarna.[6]

Ondertussen was het Atheense model geëxporteerd naar andere delen van de Griekse wereld, met name naar Alexandrië (in Egypte). Na de dood van Alexander de Grote verdeelden zijn militaire bevelhebbers zijn rijk, waarbij Egypte en Palestina toekwamen aan Ptolemaeus. Alexandrië werd Ptolemaeus' hoofdstad, en tijdens zijn bestuur en dat van zijn opvolgers ontwikkelde het zich tot een grote en welvarende stad met een superieure positie op onderwijsgebied. Toen Demetrius van Phalerum, een voormalig lid van Aristoteles' Lyceum, in 307 ten val werd gebracht als dictator van Athene, nodigde Ptolemaeus hem uit in Alexandrië, waar hij waarschijnlijk een beslissende invloed heeft gehad op Ptolemaeus' besluit het Museum te stichten – geen gebouw voor de uitstalling van kunstvoorwerpen, maar een tempel voor de muzen, en daarmee tevens een religieus heiligdom en een plek voor studie. De banden tussen het Museum en het Lyceum blijken verder uit het feit dat Strato, het derde hoofd van het Lyceum, enige tijd aan het Ptolemeïsche hof verbleef om les te geven aan het koninklijk nageslacht. Het Museum bestond schijnbaar uit een aantal gebouwen in het koninklijke stadsdeel en werd (omdat het een tempel was) bestuurd door een priester. Met zijn bijbehorende bibliotheek (volgens een oude schatting omvatte die bijna een half miljoen perkamentrollen), het vrijgevige bewind van de Ptolemeïsche koningen en op de achtergrond het uiteindelijke verval van de Atheense scholen, kon het Museum tot de voornaamste onderwijsinstelling in het hellenistische tijdvak uitgroeien – een van de belangrijkste verbindingen tussen het vroeg-Griekse denken en de Romeinse en middeleeuwse tijden.[7]

De vestiging van het Museum in Alexandrië is niet alleen belangrijk vanwege de betekenis van het onderzoek dat daar werd gedaan, maar ook omdat het de eerste keer was dat het gevorderde onderwijs werd gesteund door het openbare of koninklijke bestuur. Dit model werd uitgewerkt in de periode 140-180 na Chr. door de Romeinse keizers Antonius Pius en Marcus Aurelius, die in Athene en elders keizerlijke leerstoelen voor de rethorica en de filosofie bekostigden. Marcus Aurelius bewerkstelligde in Athene de vestiging van leerstoelen voor iedere belangrijke filosofische traditie – de platonische, peripatetische, stoïcijnse en epicurische – een voorbeeld dat elders in de Griekse wereld als snel navolging vond. Op den duur zou dit model van grote invloed zijn op het Romeinse en christelijke onderwijs.

Het Lyceum na Aristoteles

Aristoteles leerde Theophrastus (ca. 371 - ca. 286) kennen tijdens zijn reizen door Klein-Azië, waarschijnlijk tijdens zijn verblijf op het eiland Lesbos (de geboorteplaats van Theophrastus) in de jaren '40 van de vierde eeuw. Zij raakten bevriend en toen Aristoteles in 335 terugkeerde naar Athene werd hij vergezeld door Theophrastus, die gedurende de daarop volgende dertien jaar deel aan de activiteiten van het Lyceum. Na de dood van Aristoteles werd Theophrastus hoofd van het Lyceum, een positie die hij zesendertig jaar bekleedde.

Theophrastus lijkt het eens te zijn geweest met de algemene filosofische zienswijze van Aristoteles, alsmede met diens methodologische overtuigingen en interessen. Theophrastus ging door met het doceren en uitvoeren van de coöperatieve onderzoeksprojecten betreffende de geschiedenis van de natuur en de geschiedenis van de filosofie, waarmee een begin was gemaakt in de tijd van Aristoteles. Hij verzamelde de opvattingen van de pre-socratische filosofen in een boek dat leidde tot de zogeheten 'doxografische' traditie (ofwel de traditie van de 'opinie') – een reeks handboeken waarin filosofische opvattingen aangaande diverse onderwerpen werden verzameld en vastgelegd. De meeste van Theophrastus' werken zijn verloren gegaan, maar onder de bewaard gebleven werken bevinden zich twee botanische werken en een verhandeling over mineralen, die blijk geven van een grote verplichting aan het Aristotelische onderzoeksprogramma. Evenals de zoölogische werken van Aristoteles bevatten de botanische werken nauwgezette beschrijvingen van het planteleven (er worden meer dan 500 variëteiten genoemd), onderbouwde pogingen tot classificatie en intelligente fysiologische theorievorming. Theophrastus nam veel van Aristoteles' verklaringsprincipes over (bijvoorbeeld het verband tussen leven en vitale warmte) en benadrukte het noodzakelijke gebruik van een rigoreuze empirische methodenleer. In zijn werk *Over stenen* volgde hij Aristoteles' voorbeeld van de verdeling van mineralen in metalen (waarin het element water overheerst) en 'aarden' (waarin het element aarde overheerst). Verder geeft hij een systematische omschrijving van een grote hoeveelheid stenen en mineralen.

Theophrastus voerde Aristoteles' onderzoeksprogramma wel uit, maar ging vragen en meningsverschillen betreffende bepaalde aspecten van de Aristotelische natuurwetenschap niet uit de weg. Drie voorbeelden zullen dit aantonen. Theophrastus gaf blijk van twijfel omtrent Aristoteles' teleologie, waarbij hij aangaf dat niet alle kenmerken van het universum een kenbaar doel dienen en dat er een substantieel willekeurig element in de wereld is. Hij nam Aristoteles' theorie van de vier elementen opnieuw in overweging en betwijfelde de elementaire status van vuur. En hij verschilde van mening met Aristoteles aangaande het licht en het gezichtsvermogen, waarbij hij de opvatting van Aristoteles dat licht de verwezenlijking is van de doorzichtigheid van het medium in twijfel trok en beweerde dat de ogen van dieren een soort vuur bevatten, waarvan de uitstraling een verklaring vormt van het nachtelijk gezichtsvermogen.[8]

Een geheel andere prestatie was Theophrastus' verwerving van grond voor het Lyceum. Hoewel hij geen Atheens burger was, kreeg Theophrastus speciale toestemming om een stuk land dichtbij het gymnasium te kopen; daar, in diverse gebouwen, waren waarschijnlijk de bibliotheek en diverse werkruimten gevestigd. Dit onroerend goed liet Theophrastus na aan zijn geleerde collega's: 'Ik geef de tuin, de *peripatos*, en alle huizen langs deze tuin aan de hier genoemde vrienden, die voortdurend wensen daarin onderwijs en filosofie te praktiseren...; mijn voorwaarde is dat niemand het bezit overdraagt of aanwendt voor eigen gebruik, maar dat allen het in gemeenschap behouden, als ware het een heiligdom'.[9]

De bibliotheek van de peripatetische school was een gecompliceerder lot beschoren. Theophrastus liet deze bibliotheek (die niet alleen zijn eigen boeken bevatte, maar ook die van Aristoteles) na aan Neleus, die hij mogelijk als zijn opvolger zag. Toen de oudste leden van de gemeenschap niet hem, maar Strato verkozen, ging Neleus terug naar Skepsis in Klein-Azië en nam de boeken (of in ieder geval een groot deel daarvan) mee, zodat het Lyceum van een essentieel hulpmiddel was beroofd. Deze bibliotheek bleef min of meer intact tot vroeg in de eerste eeuw v. Chr., toen (volgens de geschiedschrijver Strabo – niet te verwarren met Strato) die gekocht werd van Neleus' erfgenamen en weer deel werd van de peripatetische school te Athene. Kort daarna kwam Athene onder het bewind van Sulla, die de boeken naar Rome verscheepte. Daar kwamen ze in handen van Andronicus van Rhodos, die ze ordende en uitgaf, waardoor ze verder verspreid werden.[10]

Ondertussen had Strato (uit Lampsacos in Klein-Azië) de leiding overgenomen van het Lyceum, een functie die hij achttien jaar lang bekleedde (286-268). De interesse van Strato lijkt even breed te zijn geweest als die van Aristoteles en Theophrastus. Geen van zijn werken zijn echter intact gebleven en we moeten ons tevreden stellen met een fragmentarisch beeld van zijn filosofische en wetenschappelijke activiteiten, gebaseerd op sporadische citaten en parafrasen in het werk van latere schrijvers. Schijnbaar heeft Strato gepoogd het werk van Aristoteles en Theophrastus op een aantal gebieden te corrigeren en uit te breiden. Hij aarzelde niet hun opvattingen in twijfel te trekken of, als daar een goede rede voor leek te zijn, ideeën over te nemen van andere filosofische tradities.

Strato's meest opvallende bijdragen (zoals ze ons zijn overgeleverd) lagen op het gebied van beweging en de onderliggende structuur van de stoffelijke wereld. Strato verlangde een fundamentele herziening van Aristoteles' bewegingsleer, toen hij het onderscheid tussen zware en lichte lichamen ontkende, en beweerde dat alle lichamen in mindere of meerdere mate een gewicht hebben. Lucht en vuur stijgen op, niet omdat ze licht zijn in absolute zin, maar omdat ze verdrongen worden door zwaardere lichamen. Strato was het tevens oneens met Aristoteles' theorie van plaats en ruimte. En hij voerde bewijzen op basis aan die waren gebaseerd op observatie om te laten zien dat zware lichamen een hogere snelheid krijgen tijdens hun val (een kenmerk van vallende lichamen dat Aristoteles niet had vermeld). Strato merkte op dat een waterstroom die valt van een bepaalde hoogte regelmatig is aan het begin, maar onregelmatig is aan het einde – een feit dat verklaard wordt door een constant toenemende snelheid. Ter ondersteuning van dezelfde conclusie merkte hij op dat de inslag van een vallend lichaam niet slechts het gevolg is van zijn gewicht, maar ook van de hoogte waarvan het valt.[11]

Hoewel er geen twijfel over kan bestaan dat Strato een wezenlijk Aristotelische opvatting had van de onderliggende structuur van de stoffelijke wereld, valt het niet te ontkennen dat hij corpusculaire ideeën invoerde in de peripatetische natuurwetenschap – mogelijk door de invloed van Epicurus, die enige tijd doceerde in Strato's geboorteplaats Lampsacos en tegelijk met Strato in Athene verbleef. Corpusculaire ideeën zijn het meest duidelijk in Strato's opvatting dat licht een materiële uitstraling is en dat lichamen niet regelmatig zijn maar tussen de delen ook lege ruimten bevatten. Strato gebruikte het idee van lege ruimten om een verklaring te geven voor diverse kenmerken van materie, zoals verdichting, verdunning en elasticiteit. Hoewel hij de verspreiding van kleine lege ruimten door de materie erkende, ontkende Strato het natuurlijke bestaan van een continue lege ruimte. Wij moeten oppassen Strato niet te bestempelen als een volslagen atomist, want klaarblijkelijk bleef hij geloven in de oneindige deelbaarheid van stoffelijke substanties en ontkende hij dus dat ene, absoluut essentiële kenmerk van iedere atomistische filosofie – namelijk het geloof in het bestaan van onherleidbare atomen.

Sommige opvolgers van Strato als hoofd van het Lyceum zijn ons bekend, tot aan het einde van de tweede eeuw v. Chr. toe. De school was ongetwijfeld de aan-

gewezen plek voor geregelde lezingen over de peripatetische filosofie en voor pogingen Aristoteles' filosofie te verhelderen en het materiaal dat hij achter had gela-
ten te organiseren. Maar er zijn ons geen nieuwe natuurwetenschappelijke bijdragen bekend, noch enige scherpe en veelzeggende commentaren op de traditionele
peripatetische filosofie, die dateren van vóór de tijd dat het Lyceum opgehouden
had te functioneren. Niettemin bleven de werken van Aristoteles bekend en becommentarieerd, met name nadat Andronicus van Rhodos zijn nieuwe editie van
de werken van Aristoteles had uitgegeven. Uit het midden van de eerste eeuw v.
Chr. stammen de commentaren van Boëthus van Sidon (een leerling van Andronicus) en Nicolaas van Damascus (geschiedschrijver aan het hof van Herodes de
Grote). Rond 200 na Chr. was het Alexander van Aphrodisias die in Athene lezingen gaf over de perpatetische filosofie en belangwekkende en invloedrijke commentaren schreef op verscheiden weken van Aristoteles. En tot besluit getuigen de
Aristotelische commentaren van Simplicius en Johannes Philoponus (beiden neo-
platonici) van de nawerking van de Aristotelische traditie, zelfs tot in de zesde eeuw
na Chr. De hernieuwde aandacht voor deze traditie binnen de islamitische wereld
en het middeleeuwse christendom zou eens te meer de gezaghebbende positie van
Aristoteles' filosofie bevestigen.[12]

DE EPICURISTEN EN STOÏCIJNEN

Tijdens het hellenistische tijdvak gingen de volgelingen van Plato en Aristoteles
door met het bespreken, verhelderen en aanpassen van de platonische en aristotelische filosofie. Tegelijkertijd ontwikkelden zich alternatieve filosofische stelsels, waarvan er
twee elkaars serieuze rivalen werden. Beide bevatten
vertrouwde elementen, maar hun nadruk op ethische
vraagstukken was nieuw. En inderdaad is het opvallend hoe doelbewust zij alle andere aspecten van de filosofie ondergeschikt maken aan ethische belangen.

Volgens Epicurus (341-270 v. Chr.) is het doel van de
filosofie de verzekering van geluk. 'Te zeggen dat het seizoen voor de filosofische overpeinzing nog niet is aangebroken, of dat het verleden tijd is', schreef Epicurus aan
Menoeceus, 'is te zeggen dat het seizoen voor geluk nog
niet is aangebroken of reeds voorbij is'. De weg naar het
geluk lag volgens Epicurus in de uitschakeling van de
angst voor het onbekende en het bovennatuurlijke,

Afbeelding 4.3 Epicurus,
Museo Vaticano, Vaticaanstad.
Alinari/Art Resource N.Y.

en hiervoor was de natuurwetenschap uitermate geschikt. Een spreuk gewijd aan Epicurus luidt aldus: 'Als wij nooit waren getergd door de verschrikkingen van de hemelse en atmosferische verschijnselen, noch door het beangstigende vermoeden dat de dood ons hoe dan ook treft, noch door de verontachtzaming van de eigenlijke grenzen van pijn en verlangen, dan hadden wij geen behoefte aan de bestudering van de natuurwetenschap'. De natuurwetenschap is niet alleen een middel om het geluk te verwerven; dit is de enige functie die zij heeft.[13]

De natuurwetenschap van Epicurus nam veel elementen over van het klassieke atomisme. Het universum werd beschouwd als een eeuwigdurende, oneindige leegte waarin een oneindig aantal atomen zich onophoudelijk bewegen, heen en weer geslingerd worden 'als in een eindeloos gevecht', als stofdeeltjes in een lichtstraal. Alle dingen en alle verschijnselen in onze wereld (en in het oneindige aantal andere werelden) zijn herleidbaar tot atomen en tot de leegte; ook de goden zelf moeten zijn samengesteld uit atomen. De zintuiglijk waarneembare kwaliteiten van dingen (we noemen die nu 'secundaire kwaliteiten'), zoals smaak, geur, kleur en warmte, bestaan niet in het afzonderlijke atoom, waarvan de enige eigenlijke kwaliteiten vorm, omvang en gewicht zijn. Dit is een passieve, mechanistische wereld waarin alles het resultaat is van mechanische betrekkingen tussen oorzaak en gevolg (met één uitzondering, die hieronder zal worden vermeld); er bestaat geen overheersend verstand, geen goddelijke voorzienigheid, geen noodlot, geen leven na de dood. En er bestaan geen doeloorzaken, of zoals Lucretius het zou verwoorden († ca. 55 v. Chr.) in zijn beschrijving van de epicurische filosofie: 'alle leden [van het lichaam] ... bestonden al voordat zij werden gebruikt; zij kunnen niet slechts voor het gebruik zijn volgroeid'.[14]

Maar Epicurus en zijn volgelingen deden meer dan het propageren van het filosofische concept van de klassieke atomisten. Zij moesten de atomistische filosofie ook aanpassen ten behoeve van haar ethische taak. En zij wijzigden de inhoud om problemen op te lossen, bezwaren te weerleggen, en het verklarende vermogen in zijn algemeenheid te doen toenemen. Epicurus verzette zich bijvoorbeeld tegen het rationalisme van Democritus door te beweren dat alle gevoelens fundamenteel betrouwbaar zijn.[15] Hieruit leek te volgen dat zintuiglijk waarneembare of secundaire kwaliteiten werkelijk bestaan op een microscopisch niveau, ondanks het feit dat zij (zoals Democritus beweerde) niet bestaan in de atomen.

Een inhoudelijke aanpassing van de atomistische natuurwetenschap die van groter belang was, is Epicurus' leer van de afwijking, die niet alleen werd ontwikkeld om de atomistische kosmologie te beschermen tegen dodelijke kritiek, maar ook om de epicurische ethiek te ontdoen van het dreigende determinisme. Volgens Epicurus hebben atomen niet alleen een vorm en een formaat (zoals Leucippus en Democritus hadden beweerd), maar ook een gewicht. Hun gewicht veroorzaakt hun val in de oneindige leegte, waardoor een zogenaamde kosmische oer-regen ontstaat. Omdat geen van de atomen weerstand ondervindt, vallen zij allemaal met dezelfde snelheid en haalt niet één atoom de ander in. Dit is echter een totaal onbevredigende kosmologie, omdat de botsingen die het atomisme zijn verklarende kracht geven niet mogelijk lijken te zijn. Epicurus loste dit op met de invoering van een oneindig kleine afwijking: een atoom wijkt een weinig af van de baan van zijn val, waardoor een kettingreactie van botsingen in werking treedt. Het meest problematische kenmerk van deze theorie is de noodzakelijke spontaniteit van de afwijking, want de enige oorzaak die mogelijk is, is een botsing met ander atoom; en de onmogelijkheid van dergelijke botsingen is nu precies de moeilijkheid die we proberen te omzeilen.[16]

Als we geneigd zijn een hard oordeel te vellen over Epicurus' vinding van de spontane gebeurtenissen (die nog altijd zorgen voor een filosofisch onbehagen, ook al komen zij voor in sommige verklaringen van de moderne quantum mechanica), dan moeten we opmerken dat de afwijking niet alleen een verklaring geeft voor het ontstaan van de atomische maalstroom, die op zijn beurt onze wereld verklaart, maar tevens de deterministische keten doorbreekt, die geen ruimte laat voor menselijke verantwoordelijkheid en zo Epicurus' ethische systeem ongedaan maakt. Als de wereld totaal onderworpen is aan een rigide mechanische causaliteit, kan de mens niet vrij zijn in zijn handelen; en als mensen geen vrije keuzen maken, hebben zij geen verantwoordelijkheid. De afwijking introduceert in het universum een indeterministisch element; en dit verklaart nog niet hoe de vrije keuze in de praktijk werkt (een vraagstuk dat nog altijd niet is opgelost), maar door een breuk te forceren in de keten van rigide causaliteit wordt er ruimte gemaakt voor de *mogelijkheid* van een vrije menselijke wil. Dit is ongetwijfeld niet een oplossing die geheel bevredigt, maar het constateren van het probleem van de vrije wil in een mechanisch universum (en Epicurus constateerde dat als eerste) is op zichzelf een veelzeggende prestatie.

De grondlegger van de stoïcijnse filosofie was Zeno (ca. 332-262 v. Chr.) van Citium op het eiland Cyprus. Deze Zeno, niet te verwarren met de volgeling van Parmenides die ook zo heette, kwam naar Athene en studeerde ongeveer tien jaar lang aan verschillende Atheense scholen, waaronder de Academie, voordat hij rond 300 zijn eigen school begon in de *stoa poikile*. Zeno werd opgevolgd door Cleanthes van Assos (331-232 v. Chr.) en Chrysippus van Soli (ca. 280-207 v. Chr.), zelf ook invloedrijke denkers, die evenzeer als Zeno bijdroegen aan de ontwikkeling van het stoïcijnse denken als een stelselmatige filosofie. De stoïcijnse filosofie wist zich als een actieve wetenschappelijke traditie tot in de tweede eeuw na Chr. te handhaven; maar de sporen van haar invloed vinden we tot in de zeventiende eeuw terug.[17]

De stoïcijnen en epicuristen stonden op de meeste gebieden lijnrecht tegenover elkaar, maar over enkele dingen waren zij het eens. Ten eerste waren zij het eens over de ondergeschiktheid van de natuurwetenschap aan de ethiek; in beide filosofische scholen werd het nastreven van geluk beschouwd als het doel van het menselijk bestaan. De stoïcijnen geloofden dat geluk alleen kon worden verkregen door in harmonie te leven met de natuur en haar wetten; en om in harmonie te leven met de natuur is er kennis nodig van de natuurwetenschap. Ten tweede waren de leden van beide filosofische scholen overtuigde materialisten, die met klem beweerden dat er niets anders bestaat dan de stoffelijke elementen.

Dit gemeenschappelijk materialisme was een belangrijk punt van overeenkomst; het betekende dat de stoïcijnen en epicuristen bondgenoten waren in de strijd tegen de voorstanders van een immaterialistische filosofie, zoals Plato en zijn volgelingen. Maar als we verder kijken dan deze fundamentele stellingname, dan zien we dat de stoïcijnen en de epicuristen een geheel verschillende visie op het universum hadden. De epicuristen geloofden dat de materie onregelmatig en passief was – bestaande uit onopvallende, onbreekbare, levenloze atomen die zich verstandeloos bewogen in een oneindig lege ruimte. Hun universum was mechanistisch. De stoïcijnen, daarentegen, ontwierpen een organisch universum dat werd gekenmerkt door continuïteit en activiteit. We kunnen deze tegenstellingen (continuïteit-discontinuïteit en activiteit-passiviteit) gebruiken bij de nadere beschouwing van de stoïcijnse natuurwetenschap.[18]

De stoïcijnen waren van mening dat de materie zich niet aanwezig stelt in de vorm van atomen met een afzonderlijke en permanente identiteit, maar als een oneindig deelbaar continuum, zonder natuurlijke onderbrekingen en zonder lege ruimten. Omvang en vorm zijn dus geen permanente eigenschappen van de materie, want de materie kan in stukken worden gehakt die zo groot zijn en zo gevormd zijn als wij ons wensen. De stoïcijnen lieten binnen de wereld geen ruimte toe voor leegte, maar erkenden wel een leegte buiten de kosmos door deze af te schilderen als een eiland van continue materie omgeven door een oneindig lege ruimte.

De stoïcijnen erkenden evenals de epicuristen een passieve zijde van materiële dingen, maar waren ervan overtuigd dat daarmee niet alles gezegd was. Het epicurische standpunt was gevoelig voor de volgende kritiek. Als een afzonderlijk object al zijn eigenschappen ontleent aan de toevallige samenstelling van kleine, levenloze stukjes materie, dan kan er geen overtuigende verklaring zijn voor veel van de eigenschappen van het geheel. De enige eigenschappen van de epicurische atomen zijn hun omvang, vorm en gewicht. Hoe kon een epicurist dan een verklaring geven voor een eenvoudig en fundamenteel verschijnsel als cohesie – het feit dat een steen een steen blijft en niet uiteenvalt in zijn samengestelde delen? Waarom is een ijsblok koud, ondanks het feit dat koude geen eigenschap is van zijn componenten? En hoe verklaren wij kleur, geur en weefselstructuur? Of om een veel moeilijker geval aan te roeren, waaruit ontstaan de kenmerkende eigenschappen van de levende dingen – de levenscyclus van een plant, het voortplantingsgedrag van een insekt, of de persoonlijkheid van een mens? Als onze hond niets anders is dan een toevallige samenstelling van inerte materie, hoe verklaren we dan zijn onophoudelijk achtervolgen van postbodes? Blijkbaar is er behalve een passieve materie ook nog een actief beginsel dat in staat is de passieve materie te structuren in een organische eenheid en zodoende rekenschap geeft van diens kenmerkende gedrag. Er moet iets zijn waarop wordt ingewerkt; maar er moet ook iets zijn dat werkt, en in een materialistische wereld moet dat iets materieel zijn.

De stoïcijnen stelde dit actieve principe gelijk aan de adem of pneuma, de meest verfijnde substantie die alles volledig doordringt door de ontvangende passieve materie bijeen te binden in enkelvoudige objecten en deze te voorzien van hun kenmerkende eigenschappen. Maar we moeten niet vergeten dat het pneuma meer is dan een verfijnde, allesdoordringende substantie; het is tevens een actieve en rationele substantie, de bron van vitaliteit en rationaliteit binnen de kosmos. De stoïcijnen legden zeker een verband tussen het pneuma en de goddelijke rationaliteit en de goden zelf. De vergelijking pneuma=rede=god mag in onze ogen vreemd lijken, en in de joods-christelijke opvatting zeker onjuist zijn, maar voor de stoïcijnse kosmologie was het essentieel. De goden waren neergedaald vanuit de hemel, verstoffelijkt, en gemaakt tot de veroorzakers van activiteit en orde in het universum.

Laten we dit pneuma eens nader onderzoeken en ons verdiepen in zijn structuur (indien aanwezig), de bron van zijn organiserende vermogens en zijn verhouding tot de passieve materie. De stoïcijnen aanvaardden het bestaan van de vier aristotelische elementen, maar verdeelden deze op grond van hun activiteit in twee groepen. Zij beschouwden aarde en water, de hoofdbestanddelen van de tastbare dingen, als passieve elementen, en lucht en vuur als actieve. Lucht en vuur vermengen zich in verschillende proporties (de stoïcijnen dachten aan een totale, homogene vermenging) om zo een verscheidenheid aan pneuma's voort te brengen. Dus lucht en vuur werken zelf, en op aarde en water wordt ingewerkt.

Pneuma's bestaan op verschillende niveaus. Op het laagste niveau staat het pneuma dat verantwoordelijk is voor de cohesie van de zogeheten anorganische lichamen − zoals stenen en mineralen − dat *hexis* wordt genoemd. Het pneuma van planten en dieren, dat deze bedeelt met hun wezenlijke eigenschappen, wordt *physis* genoemd. Op het hoogst niveau staat het pneuma dat toebehoort aan de mensen en verantwoordelijk is voor hun denkvermogen, de *psyche*. De stoïcijnen identificeerden het pneuma van een object met de ziel. Hieruit volgt dat ieder afzonderlijk ding vervuld is met een ziel, die fungeert als zijn ordeningsprincipe. Er moet zelfs een kosmische pneuma zijn, want de kosmos is immers een organische eenheid en bezit eigenschappen die verklaard moeten worden door actieve principes. Het fundamenteel vitalistische karakter van de stoïcijnse natuurwetenschap zou hiermee duidelijk moeten zijn gemaakt.

Pneuma's bestaan in de hoedanigheid van spanning of elasticiteit. Deze spanning verklaart de meest fundamentele eigenschap van alle dingen, de cohesie. Op de hogere niveaus zijn andere spanningen verantwoordelijk voor de verscheidenheid aan eigenschappen en persoonlijkheden die waarneembaar zijn in de wereld. En tot besluit moeten we benadrukken dat de verhouding tussen het pneuma en het ontvangende lichaam bepaald wordt door de totale vermenging of wederzijdse doordringing, waarbij beide substanties dezelfde ruimte in beslag nemen.

De stoïcijnse kosmologie was, net als die van Plato en Aristoteles, geometrisch.

Maar de stoïcijnen volgden de atomisten en namen ontegenzeggelijk afstand van Aristoteles door te weigeren een duidelijk onderscheid te maken tussen de aardse en hemelse regionen; wanneer het fundamentele zaken als de samenstelling en de wetten van de natuur betrof, was de stoïcijnse kosmos homogeen. De stoïcijnen waren het eens met Aristoteles aangaande de eeuwigheid van het universum, maar zijn geloof in de kosmische stabiliteit vervingen zij door een cyclische theorie die was ingegeven door het pre-socratische denken. Volgens diverse stoïcijnse denkers bestaat er een eeuwigdurende kosmische cyclus van inkrimping en uitzetting, af-branding en aangroeiing. In de fase van uitzetting lost de wereld op in vuur; in de fase van inkrimping wijkt het vuur voor de andere elementen en komt de ons be-kende wereld weer tot stand. Deze cyclus wordt eeuwig herhaald en produceert zo een oneindige reeks van identieke werelden.[19]

Tot slot moeten we opmerken dat het stoïcijnse universum niet alleen voorzien was van een doel, maar ook van een deterministische aard was. Doordrongen van verstand en goddelijkheid, moest de stoïcijnse kosmos wel vol zijn van intentie, ra-tionaliteit en voorzienigheid. En bovendien werd zijn koers strak bepaald. De stoï-cijnse filosofie volhardde in het idee van causale kettingreacties (zelf het resultaat van goddelijke rede) die niet doorbroken kunnen worden en die de loop der din-gen volledig bepalen. Zoals Cicero schreef in *De divinatione*: 'niets is gebeurd wat niet ging gebeuren, en evenzo zal er niets bestaan waarvan de natuur geen oorza-ken bevat die dat ding doen ontstaan. Dit maakt het bestaan van het lot begrijpelijk; niet het 'lot' van bijgelovigheid, maar dat van de natuurwetenschap'.[20]

We hebben gezien dat de natuurwetenschappen van de stoïcijnen en de epicu-risten in vele opzichten elkaars tegenpolen waren. Een van de voornaamste doelen van de epicurische filosofie was de bestrijding van de platonische en aristotelische teleologie, terwijl de stoïcijnse filosofie zich juist richtte op de ontdekking van de intentie en de verdediging van de teleologie. De epicuristen verbeeldden zich een mechanistische wereld, terwijl de stoïcijnen een organische ontdekten. Epicurus deed zijn best om een indeterministisch element te introduceren in zijn overigens mechanistische universum, terwijl de stoïcijnen tevreden waren met een organisch universum dat beheerst werd door een rigoreus determinisme. Op de korte termijn leek de stoïcijnse voorstelling van het universum de meer geloofwaardige van de twee, en deze zou in de late oudheid een belangrijke filosofische optie vormen. Op de lange termijn werden zowel de stoïcijnse als de epicurische filosofie in de vroeg-moderne tijd in ere hersteld en gepresenteerd als alternatieven voor de platonische en aristotelische wereldbeelden; en elk speelden zij een rol in de vormgeving van de nieuwe zeventiende-eeuwse filosofie.

5

De exacte wetenschappen in de oudheid

De toepassing van de wiskunde op de natuur

Binnen de westerse wetenschappelijke traditie is er lange tijd een meningsverschil geweest over de toepasbaarheid van de wiskunde op de natuur. De vraag is of de wereld fundamenteel wiskundig is, in welk geval de wiskundige analyse *het* middel is voor een beter inzicht, of dat de wiskunde alleen toepasbaar is op de oppervlakkig meetbare aspecten van dingen en de ultieme werkelijkheden ongeroerd laat. Ongetwijfeld zijn de natuurwetenschappers in de moderne tijd steeds meer geneigd op deze vraag een antwoord te geven dat in het voordeel is van de wiskundige benadering. Maar het alternatief heeft ook zijn verdedigers, zodat de discussie onder de sociale wetenschappers en historici levendig blijft.

De klassieke pythagoreeërs lijken te hebben verkondigd dat de natuur door en door wiskundig is. Als we Aristoteles moeten geloven, gingen de pythagoreeërs tot het uiterste met de stelling dat de ultieme werkelijkheid het getal is (zie hoofdstuk 2 voor een verdere bespreking). Het pythagorische denken werd door Plato op indringende wijze verwerkt in zijn theorie van de materie, waar hij beweerde dat de vier elementen zijn te herleiden tot regelmatige geometrische lichamen, die op hun beurt herleid kunnen worden tot driehoeken. De fundamentele bouwstenen van de zichtbare wereld waren in Plato's visie dus niet materieel, maar geometrisch; sterker nog, wat alles samenvoegt in een verenigde kosmos is volgens Plato niet een lichamelijke of mechanische kracht, maar gewoonweg een geometrische verhouding.[1]

Aristoteles was zonder twijfel bekend met de wiskunde. Hij modelleerde zijn kennistheorie op een wiskundige bewijsvoering, hij gebruikte de geometrie in zijn theorie over de regenboog, en hij wendde de theorie van de verhoudingen aan voor zijn analyse van beweging. Maar Aristoteles was ervan overtuigd dat er een verschil was tussen de wiskunde en de natuurwetenschap of natuurkunde. In zijn definitie beschouwde de natuurkunde de natuurlijke dingen in hun totaliteit, als waarneembare, veranderlijke lichamen. De wiskundige, daarentegen, schuift alle waarneembare kwaliteiten van lichamen terzijde en concentreert zich op het wiskundige restant:

> Bij zijn onderzoekingen abstraheert [de wiskundige] eerst alles wat waarneembaar is, zoals zwaarte en lichtheid, hardheid en haar tegendeel, en tevens hitte en koude en alle andere waarneembare tegenstrijdigheden, zodat enkel de kwantiteit en de continuïteit overblijven – soms in één, soms in twee, en soms in drie dimensies...[2]

De wiskundige houdt zich slechts bezig met de geometrische verhoudingen van dingen, en deze sluiten geenszins de werkelijkheid uit. De herinvoering van gewicht, hardheid, warmte, kleur en de andere kwaliteiten die bestaan in de werkelijke wereld zorgt ervoor dat men het wiskundige terrein verlaat en terugkeert op het gebied van de natuurkunde.

Aangaande de kwestie van de toepasbaarheid van de wiskunde op de natuur koos Aristoteles dus voor een middenweg. Hij wist zeker dat de wiskunde en de natuurkunde beide hun nut hebben, maar het was hem duidelijk dat zij niet hetzelfde zijn; de wiskundige en de natuurkundige kunnen hetzelfde object bestuderen, maar concentreren zich daarbij op verschillende eigenschappen. Niettemin zijn er bepaalde onderwerpen – de astronomie, de optica en de harmonieleer – die zich in het overgangsgebied tussen de wiskunde en de natuurkunde bevinden. Binnen deze vakgebieden, die de 'gemengde' of 'midden'wetenschappen zouden gaan heten, is het mogelijk dat de wiskundige de oorzaak of verklaring levert van de feiten die door de natuurkundige zijn vastgesteld.

Plato en Aristoteles leverden hiermee dus twee *theorieën* van de relatie tussen de wiskunde en de natuur, die de tegenpolen werden waartussen de natuurwetenschappers zich, vanaf de oudheid tot op de dag van vandaag, aarzelend hebben bewogen. Wij zijn echter niet alleen geïnteresseerd in de theorieën over de toepasbaarheid van de wiskunde op de natuur, maar ook in de wijze waarop deze theorieën in de *praktijk* werden uitgevoerd. Om de Grieken feitelijk aan het werk te zien, de wiskunde toepassend op de natuur, zullen we de gebieden van de astronomie, de optica en de hefboomwerking nader bestuderen. Maar ter voorbereiding hierop zullen we eerst een blik moeten werpen op de Griekse verrichtingen in de zuivere wiskunde.

De Griekse wiskunde

We weten weinig over de oorsprong van de Griekse wiskunde. Zonder twijfel hadden de Griekse wiskundigen toegang tot de Egyptische, en in het bijzonder de Babylonische, wiskundige verrichtingen (zie hoofdstuk 1). Maar vanaf het begin was de Griekse wiskunde anders; en het verschil lag met name op het gebied van de Griekse geometrie, met haar gerichtheid op de abstracte geometrische kennis en haar formele methoden van deductie en bewijsvoering. Een reden voor de Griekse nadruk op de geometrie zou de ontdekking kunnen zijn geweest, wellicht binnen de pythagorische school, van het feit dat de verhouding tussen de schuine en diagonale zijde van een rechthoek door geen enkel paar gehele getallen kan worden weergegeven. In meer technische bewoordingen omschrijven we dit als de onvergelijkbaarheid van de zijde en de diagonaal; een andere manier om aan hetzelfde uit te drukken, is te spreken van de irrationaliteit van $\sqrt{2}$ (de lengte van de diagonaal van een rechthoek waarvan de zijde 1 is; zie afbeelding 5.1). Het is mogelijk dat deze irrationaliteit de Griekse wiskundigen overtuigde van de ongeschiktheid van ge-

tallen (gehele getallen, in de Griekse opvatting) voor de weergave van de werkelijkheid en dat zo de ontwikkeling van de geometrie stimuleerden.[3]

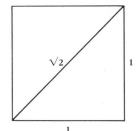

Afbeelding 5.1
De onvergelijkbaarheid
van de zijde en de diagonaal
van een rechthoek.

We hebben slechts fragmentarisch bewijsmateriaal van bepaalde wiskundige ontwikkelingen in de tijd vóór Euclides (die zijn werken rond 300 v. Chr. schreef),
maar het is algemeen erkend dat deze ontwikkelingen zijn geordend in het wiskundig handboek dat Euclides zelf schreef, *Elementen*.[4] Hier treffen we wiskunde aan
die in hoge mate is ontwikkeld als een axiomatisch, deductief stelsel. *Elementen* begint met een reeks definities: van een punt ('dat wat geen deel heeft'), een lijn
('lengte zonder breedte'), een rechte lijn, een oppervlak, een plat vlak, een vlakke
hoek, rechte, scherpe en stompe hoeken, diverse vlakke figuren, parallelle lijnen,
enzovoorts. De definities worden gevolgd door vijf stellingen: dat een lijn getrokken kan worden van het ene punt naar elk ander punt, dat een rechte lijn aan beide
einden continu verlengd kan worden, dat een cirkel met iedere willekeurige straal
getrokken kan worden rond ieder willekeurig punt, dat alle rechte hoeken gelijk
zijn, en een uiteenzetting van de omstandigheden waaronder rechte lijnen elkaar
zullen kruisen. De stellingen worden gevolgd door vijf 'gangbare ideeën', of axioma's – vanzelfsprekende waarheden die nodig zijn voor de beoefening van het correcte denken in het algemeen en de wiskunde in het bijzonder. Hieronder bevindt
zich de bewering dat de dingen die gelijk zijn aan hetzelfde ding tevens gelijk zijn
aan elkaar, dat gelijken die worden opgeteld bij gelijken leiden tot gelijke totalen,
en dat het geheel groter is dan het deel. Deze inleidende stellingen leggen de basis
voor de beweringen waarmee de dertien daarop volgende boeken zijn gevuld. Een
typerende stelling begint met een uitspraak, gevolgd door een voorbeeld, dan een
verdere definitie of specificatie van de stelling, en een uitleg; de stelling wordt
beëindigd met een bewijs en een conclusie. Het is van belang op te merken dat de
conclusie van een zuivere euclidische bewijsvoering het noodzakelijke gevolg is
van definities, stellingen, axioma's en eerder bewezen beweringen. Euclides hanteerde deze methode zo effectief dat deze door zijn invloed – en die van Aristoteles, wiens methode in diverse kritische opzichten lijkt op die van Euclides – tot
aan het einde van de zeventiende eeuw de maatstaf voor wetenschappelijke bewijsvoeringen zou zijn.

We blijven niet lang stilstaan bij de inhoud van Euclides' *Elementen*, want die

vertoont een grote gelijkenis met de geometrie die wordt onderwezen op hedendaagse middelbare scholen. De boeken I-VI geven een uiteenzetting van de onderdelen van de vlakke meetkunde; boek X is gewijd aan de rangschikking van onver-
gelijkbare grootheden; en de boeken XI-XIII behandelen de stereometrie. In de
boeken VII-IX gaat Euclides in op rekenkundige onderwerpen, waaronder de ge-
tallenleer en de theorie van numerieke evenredigheid. Van de vele verrichtingen in
Elementen moet er één worden genoemd vanwege haar belang voor de toekomst,
namelijk de ontwikkeling van de 'uitputtingsmethode' – waarschijnlijk door Euclides geleend van zijn voorganger Eudoxos en voorbestemd om diverse volgelingen
te beïnvloeden, onder wie Archimedes. Euclides toont aan (XII, 2) hoe het oppervlak van een cirkel kan worden 'uitgeput' door middel van een ingeschreven veelhoek; als wij achtereenvolgens het aantal zijden van de veelhoek verdubbelen, zullen we uiteindelijk het verschil tussen het oppervlak van de veelhoek (bekend) en
het oppervlak van de cirkel (onbekend) reduceren tot het punt waar het kleiner is
dan iedere willekeurige grootheid (zie afbeelding 5.2). Deze methode maakte het
mogelijk het oppervlak van een cirkel te berekenen, en wel zo exact mogelijk als
men zich wenst; met een kleine uitbreiding kon deze methode tevens gebruikt
worden voor de berekening van het oppervlak binnen (of onder) andere kromme
lijnen. Een ander belangrijk aspect van *Elementen* is de bestudering van de eigenschappen van de vijf regelmatige, geometrische lichamen, soms ook wel de 'platonische lichamen' genoemd, en de bewezen stelling (XIII, 18) dat er buiten deze vijf
geen andere regelmatige, geometrische lichamen bestaan.[5]

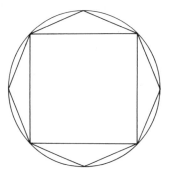

Afbeelding 5.2
De bepaling van het oppervlak
van een cirkel met behulp van
de 'uitputtingsmethode'.

Na Euclides volgde een reeks briljante Helleense wiskundigen, waarvan de belangrijkste ongetwijfeld Archimedes was (ca. 287-212 v. Chr.) Archimedes droeg bij
aan zowel de theoretische als de toegepaste wiskunde, maar hij wordt met name
gewaardeerd vanwege de elegantie van zijn wiskundige bewijsvoeringen. In enkele
van zijn meeste belanghebbende werken breidde Archimedes de uitputtingsmethode verder uit en paste die toe op de berekening van oppervlakten en volumes,
waaronder het oppervlak dat zich bevindt binnen een segment van een parabool,
het oppervlak dat bestreken wordt door bepaalde spiralen, en de oppervlakte en inhoud van een bol. Hij berekende en verbeterde de waarde voor π (de verhouding

tussen de omtrek en de middellijn van een cirkel), waarbij hij aangaf dat die moest liggen tussen 3 10/71 en 3 1/7. Archimedes had een diepgaande invloed op de latere ontwikkeling van de wiskunde en de wiskundige natuurkunde, met name nadat zijn werken in de renaissance opnieuw werden ontdekt en uitgegeven. Zijn bijdragen aan de natuurkunde zullen hieronder worden behandeld.[6]

Een laatste Griekse prestatie op het gebied van de wiskunde die genoemd moet worden, is het werk van Apollonios van Perga over kegelsneden (rond 210 v. Chr. geschreven). Apollonios bestudeerde de ellips, de parabool en de hyperbool – de vlakke figuren die worden gevormd wanneer een cirkelvormige kegel in verschillende hoeken door een plat vlak doorsneden wordt – en demonstreerde een nieuwe benadering van hun berekening en vormingsproces. Zijn boek over kegelsneden was, net als de werken van Archimedes, voorbestemd om van grote invloed te zijn op de vroeg-moderne tijd.

Het begin van de Griekse astronomie

De Griekse astronomie lijkt zich in haar beginfase voornamelijk te hebben beziggehouden met het observeren en in kaart brengen van de sterren, met de kalender en met de bewegingen van de zon en de maan, die ingetekend moesten worden voordat een bevredigende kalender kon worden opgesteld. Hierbij was het voornaamste probleem dat het zonnejaar geen hele veelvoud is van de maanmaand. Hetgeen wil zeggen dat in de tijd die de zon nodig heeft om één baan langs de dierenriem af te leggen, de maan een fractie meer dan twaalf banen aflegt. Een kalender die gebaseerd is op twaalf maanden van ieder negenentwintig of dertig dagen mist dus ongeveer elf dagen, zodat de kalender en de seizoenen niet zullen samenvallen. Er werden diverse schema's ontwikkeld om, indien nodig, een extra maand in te voeren, zodat de kalender weer gelijk liep met de seizoenen. Deze pogingen tot het ontwerpen van een kalender mondden uit in de maancyclus, voorgesteld door Meton (actief rond 425 v. Chr), die gebaseerd was op het inzicht dat negentien jaren bij zeer dichte benadering 235 maanden bevatten. Dan bestaat een negentienjarige cyclus dus uit twaalf jaren van twaalf maanden en zeven jaren van dertien maanden. Waarschijnlijk beschouwde Meton dit niet zozeer als een civiele kalender, maar als een astronomische; en in die zin zou hij gedurende enige eeuwen ook worden gebruikt.[7]

De Griekse astronomie kende in de vierde eeuw een doorslaggevende kentering onder invloed van Plato (427-348/347) en diens jongere tijdgenoot Eudoxos van Knidos (ca. 390-ca. 337 v. Chr.). In hun werk zien we (1) de belangstelling verschuiven van de sterren naar de planeten, (2) de vervaardiging van een geometrisch model, het 'twee-sferen model', voor de weergave van stellaire en planetaire verschijnselen, en (3) de vaststelling van criteria als leidraden voor de theorieën die werden ontwikkeld om rekenschap te geven van de planetaire waarnemingen. Laten we deze verrichtingen eens nader bekijken.

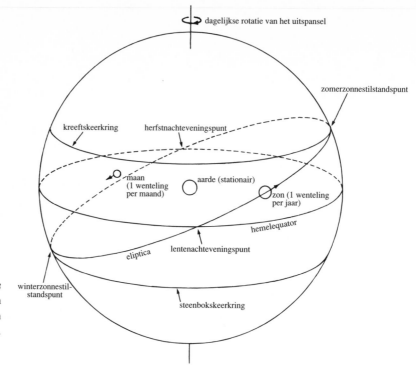

dagelijkse rotatie van het uitspansel

zomerzonnestilstandspunt

kreeftskeerkring   herfstnachteveningspunt

maan
(1 wenteling
per maand)   aarde (stationair)   zon (1 wenteling
per jaar)

hemelequator

ecliptica   lentenachteveningspunt

Afbeelding 5.3
Het twee-sferen
model van
de kosmos.

winterzonnestil-
standspunt

steenbokskeerkring

Het twee-sferen model dat Plato en Eudoxos ontwierpen, beschouwt het uitspansel en de aarde als twee concentrische sferen. De sterren liggen vast in de hemelse
sfeer, en langs haar oppervlak bewegen zich de zon, de maan en de resterende vijf
planeten. De dagelijkse draaiing van de hemelse sfeer verklaart de waargenomen
dagelijkse opkomst en ondergang van al de hemelse lichamen. Overeenkomstige
cirkels langs de twee sferen verdelen hen in zones en markeren de bewegingen van
de zwervende sterren. Afbeelding 5.3 laat ruwweg zien wat Plato en Eudoxos in
gedachten hadden. De aardse sfeer ligt vast in het middelpunt, terwijl de hemelse
sfeer dagelijks rond een verticale as draait. De projectie van de aardse evenaar op de
hemelse sfeer bepaalt de positie van de hemelse evenaar. De ecliptica is de cirkel
waarlangs de zon, de maan en de planeten bewegen op hun reis door de hemelse
sfeer – een cirkel die gekanteld ligt in een hoek van ongeveer 23° ten opzichte van
de evenaar en door het centrum van de dierenriem loopt. De ecliptica en de hemelse evenaar kruisen elkaar op de dag- en nachtevening; wanneer de zon op zijn
jaarlijkse reis langs de ecliptica het herfstnachteveningspunt bereikt (op of omstreeks 21 september), begint de herfst; wanneer het lentenachteveningspunt wordt
bereikt, begint de lente. De punten waarop de ecliptica het verst verwijderd is van
de evenaar zijn de zonnestilstandspunten; wanneer de zon het zomerzonnestilstandspunt bereikt (op of omstreeks 21 juni), begint de zomer. De cirkels die paral-

lel aan de evenaar door het zomer- en winterzonnestilstandspunt lopen, zijn respectievelijk de kreeftskeerkring en de steenbokskeerkring.[8]

Toen de vierde eeuw aanving, waren de bewegingen van de zon, de maan en de resterende planeten reeds zorgvuldig geobserveerd en in kaart gebracht. In het model van Plato en Eudoxos doorloopt de zon één keer per jaar de ecliptica, terwijl de maan zijn baan aflegt in een maand, waarbij beide met vrijwel gelijke snelheid van west naar oost gaan. De andere planeten – Mercurius, Venus, Mars, Jupiter en Saturnus – volgen tevens de ecliptica (met een afwijking van niet meer dan een paar graden) en bewegen zich in dezelfde richting als de zon en de maan, maar met zeer verschillende snelheden. Mars, bijvoorbeeld, doorloopt de ecliptica eens in de ca. 22 maanden (687 dagen); eens in de naar schatting 26 maanden komt hij langzaam tot stilstand, beweegt dan in omgekeerde richting (van oost naar west), komt weer tot stilstand, en vervolgt dan zijn normale gang van west naar oost. Deze omkering wordt de 'retrogade beweging' genoemd en is te zien bij alle planeten, behalve bij de zon en de maan. Afbeelding 5.4 verbeeldt de waargenomen retrogade beweging van Mars.

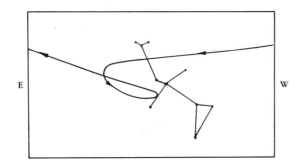

Afbeelding 5.4
De waargenomen retrogade beweging van Mars in de nabijheid van het sterrenbeeld Boogschutter, 1986. Gegevens verkregen van Jeffrey W. Percival.

Een ander opvallend kenmerk van de planetaire beweging dat aan Plato en Eudoxos bekend was, was het feit dat Mercurius en Venus nooit ver van de zon afdwalen (de maximale afstandshoek is 23° voor Mercurius en 44° voor Venus). Zij kunnen voorliggen op de zon, of een achterstand op haar hebben, maar net zoals honden aan een lijn kunnen ze nooit verder verwijderd raken dan de onveranderbare lengte van de lijn toelaat. En tot slot, om het twee-sferen model als prestatie te kunnen waarderen, moeten we inzien dat al deze bewegingen zich voordoen op het oppervlak van de hemelse sfeer terwijl die sfeer zijn dagelijkse draaiing rond de aarde maakt. Waargenomen vanaf de aarde, zal de hieruit voortvloeiende beweging een combinatie zijn van de onregelmatige beweging van de planeet rond de ecliptica en de gelijkvormige, dagelijkse rotatie van de hemelse sfeer; het is een poging de verbijsterende complexiteit van de waargenomen planetaire bewegingen vast te leggen. Het twee-sferen model is dus een geometrische manier om de planetaire verschijnselen te verbeelden en te bespreken.

Het is een goed idee om een geometrische taal te creëren waarmee de planetaire bewegingen kunnen worden verwoord, en de presentatie van een ruwe schets van de planetaire bewegingen rond de ecliptica verdient alle lof. Maar er is nog iets waarnaar we kunnen streven: als wij deze 'verbijsterende complexiteit' van het uitspansel werkelijk willen ordenen en begrijpen, moeten we de ingewikkelde, variabele beweging van elke planeet afzonderlijk herleiden tot een of andere combinatie van gelijkvormige bewegingen. Hetgeen inhoudt dat we aan moeten nemen dat de wanorde de orde verhult, dat onder de onregelmatigheid een regelmatigheid ligt en dat deze onderliggende orde of regelmatigheid te ontdekken is. Een recente en mogelijk onbetrouwbare studie noemt Plato als degene die deze veronderstelling in een onderzoeksprogramma zou hebben vormgegeven, als een uitdaging voor astronomen of wiskundigen om te bepalen welke combinatie van eenparige cirkelvormige bewegingen een verklaring geeft voor de ogenschijnlijke, onregelmatige beweging van de planeten.[9]

Wellicht was het inderdaad Plato die deze vraag als eerste stelde, maar het is Eudoxos geweest die als eerste een antwoord formuleerde. Het idee van Eudoxos was vernuftig, maar in principe eenvoudig. De bedoeling was iedere onregelmatige planetaire beweging te behandelen als een reeks eenvoudige, eenparige cirkelvormige bewegingen. Om dit doel te bereiken, bedeelde Eudoxos iedere planeet met een stel in elkaar passende concentrische cirkels en iedere sfeer met één component van de ingewikkelde planetaire beweging (zie afb. 5.5). Aldus is de eenparige rotatie van de buitenste sfeer voor, laten we zeggen de planeet Mars, een verklaring

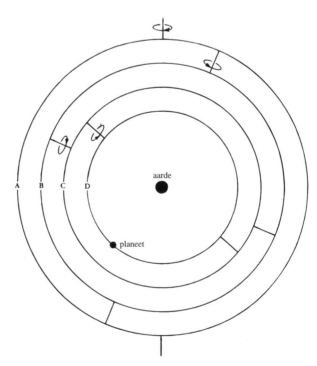

Afbeelding 5.5
De eudoxische sferen voor
een van de planeten

voor diens dagelijkse opkomst en ondergang; de tweede sfeer in de reeks roteert tevens eenparig rond haar as (schuin ten opzichte van de buitenste sfeer), maar in tegenovergestelde richting, eens in de 687 dagen, en geeft op deze manier een verklaring voor de trage beweging van Mars in oostelijke richting rond de ecliptica; en
de twee binnenste sferen verklaren de veranderingen in snelheid en astronomische
breedte, en de retrogade beweging. Mars bevindt zich dus op de evenaar van de
binnenste sfeer en neemt niet alleen deel aan de eigenlijke beweging van die sfeer,
maar ook aan de bewegingen die vanuit de drie sferen daarboven neerwaarts worden doorgegeven. Een dergelijk systeem is ook van toepassing op Mercurius,
Venus, Jupiter en Saturnus. De zon en de maan, die retrogade beweging maken,
hebben elk slechts drie sferen nodig.[10]

> ## De binnenste eudoxische sferen en de retrogade beweging
>
> Als we, om het eenvoudiger te maken, de interactie tussen de sferen C en D
> (afb. 5.5) isoleren van de rest van het stelsel, en hen bedelen met gelijke en
> tegengestelde rotaties rond assen die schuin ten opzichte van elkaar staan,
> zien we dat de planeet (op de evenaar van D) zal bewegen langs een baan die
> op een lus of het cijfer acht lijkt. Op die manier kunnen wij de beweging die
> voortvloeit uit de vier eudoxische sferen visualiseren door C en D te vervan-
> gen door een lus die vastligt op de evenaar van sfeer B (afbeelding 5.6). Sfeer
> A doorloopt eenmaal daags een eenparig rotatie, waarbij de as van B meege-
> voerd wordt; ondertussen roteert B eenparig rond deze as in het siderische
> tijdvak van een bepaalde planeet (de tijd die deze planeet nodig heeft voor
> één volledige omloop door de hemelse sfeer), waarbij de lus rond de eclipti-
> ca gevoerd wordt; en al die tijd beweegt de planeet rond de lus in de richting
> die de pijlen aangeven.[11]

Aldus creëerde Eudoxos het eerste serieuze geometrische model van de planetaire
beweging. Vanzelfsprekend vloeien hier twee vragen uit voort. Ten eerste, zag
Eudoxos dit model als een fysieke werkelijkheid? Met andere woorden, beschouwde hij de sferen als fysieke objecten? Het antwoord lijkt zonder twijfel negatief te
zijn. Er is alle reden aan te nemen dat de concentrische sferen van Eudoxos alleen
bedoeld waren als een wiskundig model dat geen enkele aanspraak maakte op de
verbeelding van de fysieke werkelijkheid. In zoverre wij dit kunnen beoordelen,
verbeeldde Eudoxos zich niet een kosmos die bestaat uit daadwerkelijk waarneembare sferen die op mechanische wijze met elkaar verbonden zijn, maar trachtte hij
eerder door middel van een geometrisch model de afzonderlijke componenten van
de eenparige beweging vast te leggen, die het fundament en de verklaring vormen
voor de ingewikkelde bewegingen van de planeten. Hij zocht niet naar een fysieke
structuur, maar naar een wiskundige orde.

Ten tweede, werkte het model wel? Omdat er geen enkele verhandeling van

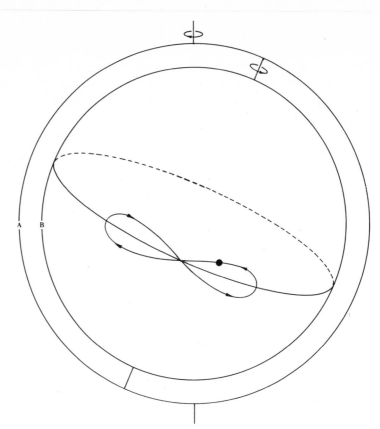

Afbeelding 5.6
De eudoxische sferen
en de 'acht'

Eudoxos bewaard is gebleven, kennen we de geometrische details van zijn stelsel niet. Desondanks kunnen we een aantal dingen vermelden. Hoewel Eudoxos' model duidelijk wiskundig is, is het twijfelachtig in hoeverre het ontwikkeld werd om kwantitatieve voorspellingen te leveren. Inderdaad is het zeer onwaarschijnlijk dat het idee van de precieze, kwantitatieve voorspelling al deel uitmaakte van de Griekse astronomie of enig ander Grieks wetenschappelijk gebied; niemand streefde naar meer dan een grove overeenkomst tussen theorie en waarneming. Desgewenst kunnen we spreken van het potentieel van het eudoxische model, in de veronderstelling dat in ieder afzonderlijk geval de beste maatstaven werden gekozen. Onder deze omstandigheden zou het stelsel (één of twee uitzonderingen daargelaten) tot resultaten hebben geleid die op kwalitatieve wijze, maar zonder kwantitatieve precisie, ruwweg overeenkomen met de astronomische waarnemingen zoals we die tegenwoordig kennen. Gezien de grotere beperkingen van de astronomische kennis en de bescheiden doelen van de atronomische theorie in de vierde eeuw, was dit een grote prestatie.

Een generatie later werd Eudoxos' stelsel verbeterd door Callippus van Cyzicus (geboren ca. 370), die een vierde sfeer toevoegde voor de zon en de maan, en een vijfde sfeer voor Mercurius, Venus en Mars. De functie van de toegevoegde sfeer voor de zon en de maan was rekening te houden met de verschillende snelheden van deze twee planeten tijdens hun rondgang langs de ecliptica – zo kunnen de tijden die de zon nodig heeft om van het zomerzonnestilstandspunt naar het herfstsnachteveningspunt en van het herfstnachteveningspunt naar het winterzonnestilstandspunt te gaan (zie afbeelding 5.3, hierboven) enige dagen verschillen.[12]

De verdere ontwikkeling van het stelsel van concentrische cirkels werd bewerkstelligd door Aristoteles (484-322). Aristoteles gebruikte het door Callippus aangepaste model van Eudoxos, maar met een belangrijk verschil: terwijl Eudoxos zijn concentrische cirkels slechts leek te beschouwen als geometrische constructies, zag Aristoteles het stelsel als een fysieke werkelijkheid en werd daarom aangespoord serieus te denken over de overdracht van een beweging van de ene sfeer naar de andere. Dit dwong hem te denken over de onderlinge verbinding van de sferen en zich te bedenken dat in het geval alle zeven planeten, ieder met zijn eigen stel sferen, op concentrische wijze gerangschikt waren, de binnenste sfeer van de ene planeet (bijvoorbeeld Saturnus) haar ingewikkelde beweging onvermijdelijk over zou dragen op de buitenste sfeer van de planeet daar juist onder (Jupiter). Wanneer het toegevoegde effect van Jupiters eigen sferen werd ingebeeld, zou de complexiteit ondragelijk worden – bovendien zou die niet stroken met de waargenomen feiten. Aristoteles reageerde op dit probleem door een stel neutraliserende sferen in te voegen tussen de binnenste sfeer van Saturnus en de buitenste sfeer van Jupiter, en eenzelfde stel neutraliserende sferen tussen de primaire sferen die toebehoorde aan ieder afzonderlijk paar aangrenzende planeten. Deze neutraliserende sferen, één minder in aantal dan de primaire planetaire sferen net boven hen, waren bedoeld om, zoals Aristoteles het noemde, het stelsel te 'ontrollen' en de eenvoudige, eendaagse beweging terug te geven aan de buitenste sfeer van de volgende planeet in de reeks. (afb. 5.7) Aristoteles liet vele detailkwesties onopgelost; zijn behandeling van het eudoxisch stelsel, met toegevoegde aanpassingen, beslaat slechts een pagina of twee van zijn werk en eindigt met een erkenning van de onzekerheid. Van belang is dat Aristoteles zijn opvolgers een enorm gecompliceerd astronomisch systeem naliet, bestaande uit vijfenvijftig planetaire sferen en de sfeer van de vaste sterren.

Maar tevens liet hij hun een belangrijke vraag na: Waar ligt in de astronomie het evenwicht tussen het wiskundige en het natuurkundige? Is de astronomie voornamelijk een wiskundige bezigheid, zoals Eudoxos haar klaarblijkelijk beschouwde? Of moet de astronoom zich bezighouden met de werkelijke structuur van de dingen, zoals het astronomische stelsel van Aristoteles suggereert? Gedurende de tweeduizend jaren die volgen, zou deze vraag vele astronomen door het hoofd gaan.[13]

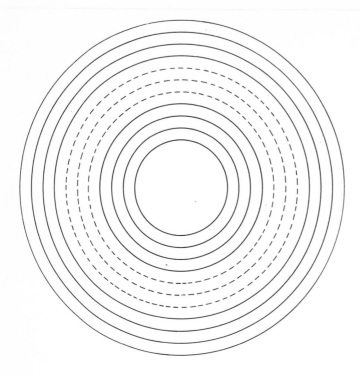

Afbeelding 5.7
De concentrische sferen van
Aristoteles. De primaire sferen
voor Saturnus en Jupiter (vier
sferen ieder) zijn weergegeven
door dichte lijnen.
Daartussen liggen drie neutraliserende sferen (gestippelde
lijnen), die de beweging van
Saturnus' vier sferen (boven)
neutraliseert of 'ontrolt', opdat
een eenvoudige, eendaagse
beweging kan worden over-
gebracht op de buitenste sfeer
voor Jupiter (onder).

KOSMOLOGISCHE ONTWIKKELINGEN

In de tijd van Aristoteles en in de eeuw daarna deden zich verscheidene kosmologische ontwikkelingen voor die van belang waren voor astronomen. Daaronder bevond zich de veronderstelling van Heraclides van Pontus (ca. 390-na 339), een lid
van de Academie onder Plato en diens opvolger, dat de aarde in vierentwintig uur
eenmaal om zijn as draait. Dit idee, dat wijd verpreid was (hoewel het zelden voor
waar werd gehouden), verklaart de dagelijkse opkomst en ondergang van alle hemellichamen. De stelling dat de bewegingen van Mercurius en Venus geconcentreerd zijn op de zon is vaak toegeschreven aan Heraclides, maar de moderne wetenschap heeft aangetoond dat dit ongegrond is.[14]

Zo'n twee generaties na Heraclides stelde Aristarchos van Samos (ca. 310-230 v.
Chr.) een heliocentrisch stelsel voor, waarin de zon het vaste middelpunt is van de
kosmos en de aarde als een planeet om de zon heen draait; over het algemeen
wordt aangenomen dat Aristarchos ook de andere planeten omlopen gaf die de zon
als middelpunt hadden, hoewel het historisch bewijsmateriaal hier niets over ver-
meldt. Naar alle waarschijnlijkheid was Aristarchos' idee een uitwerking van de pythagorische kosmologie, die de aarde reeds had verwijderd uit het middelpunt van
het universum en in beweging had gezet rondom het 'centrale vuur'.[15] Aristarchos
is geprezen om zijn vooruitlopen op Copernicus, maar zijn opvolgers zijn belasterd

omdat zij dit idee niet toepasten. Echter, na een korte overdenking realiseren we ons dat we geen recht doen aan de situatie in de derde eeuw v. Chr. als we Aristarchos' hypothese beoordelen op basis van twintigste-eeuws bewijsmateriaal. De vraag is niet of *wij* overtuigd zijn van het heliocentrisch stelsel, maar in hoever-re *zij* een dergelijke overtuiging hadden; en uiteraard is het antwoord dan negatief. De aarde te bedelen met een beweging en een planetaire status was het schenden van de oude autoriteit, het gezonde verstand, de religieuze overtuiging en de aris-totelische fysica; tevens voorpelde het een stellaire parallax (een verandering in de geometrische verhouding tussen sterrenparen op het moment dat de waarnemer nadert, afstand neemt, of op een ander wijze zijn positie wijzigt), die niet kon wor-den waargenomen. Daarenboven, de voordelen die het zou hebben voor de waar-nemer (zoals het hiermee kunnen verklaren van de verschillen in de helderheid van de planeten) waren ook voorhanden in andere stelsels die de traditionele kosmolo-gie geen geweld aandeden.

Vroeg in de hellenistische periode waren er pogingen gedaan om enige kosmo-logische constanten te berekenen. Aristarchos zelf vergeleek de afstand tussen de aarde en de zon met die tussen de aarde en de maan, waarbij hij de eerste schatte op ongeveer het twintigvoudige van de laatste (de juiste verhouding is ongeveer 400 : 1). Aristarchos' methode is uitgebeeld in afbeelding 5.8. Hipparchos († na 127 v. Chr.) berekende de absolute waarden van de afstanden tot de zon en de maan op basis van de afwezigheid van solaire parallax[16] en verzamelde gegevens over zons-verduisteringen. De veronderstelling dat de solaire parallax even beneden de waar-nemingsdrempel ligt, gaf hem een waarde voor de afstand tot de zon van 490 maal de straal van de aarde. Uit de gegevens over de verduisteringen haalde hij een waarde van tussen de 59 en 67 aardstralen voor de afstand tot de maan. Wat betreft

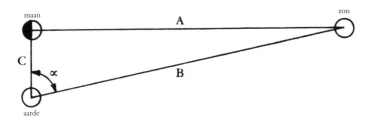

Afbeelding 5.8 Aristarchos' methode voor de bepaling van de verhouding tussen de afstanden aarde-zon en aarde-maan. De hoek tussen de twee waarnemingslijnen wordt gemeten op het moment dat de maan in haar kwartfase is (bekend is dat A en C dan een rechte hoek vormen). Hieruit kan de verhouding van B tot C worden berekend. Maar deze methode heeft diverse nadelen. In de eerste plaats kan niet precies worden bepaald wat het exacte moment is waarop de maanschijf half verlicht is. In de tweede plaats leidt een kleine fout in de berekening van de hoek ... (Aristarchos koos voor 87o, terwijl de werkelijke waarde 89o 52' is) tot een zeer grote fout in de verhouding van B tot C.

de omvang van de aarde had Eratosthenes (actief rond 235 v. Chr.), een geograaf en wiskundige die aan het hoofd stond van de bibliotheek in Alexandrië, een eeuw eerder de cirkelomtrek van de aarde berekend; zijn waarde van 252.000 stadiën (nauwkeurig tot op twintig procent van de moderne waarde) werd alom bekend en werd niet meer vergeten.[17]

DE HELLENISTISCHE PLANETAIRE ASTRONOMIE

In de hellenistische tijd werd de planetaire astronomie schijnbaar fanatiek beoefend, maar hierover zijn ons slechts enkele details bekend omdat Claudius Ptolemaeus (tegen het einde van de hellenistische periode) zó succesvol was in het noteren van de verrichtingen van zijn voorgangers, dat hun werken niet meer verschenen en verloren gingen. Wel weten we, omdat Ptolemaeus ons dit vertelt, dat Apollonius van Perga in de derde eeuw v. Chr. een nieuw wiskundig model ontwierp voor de planetaire beweging. En duidelijk is, eveneens uit de commentaren van Ptolemaeus en andere fragmentarische overblijfsels, dat Hipparchos een van de grootste astronomen van de oudheid was. Hipparchos drukte met name zijn stempel op het gebied van de astronomische observatie met de vervaardiging van een nieuwe en superieure sterrenkaart, de ontdekking van de exacte evennachtspunten, de ontwikkeling van een nieuw astronomisch waarnemingsinstrument (de diopter) en zijn kritiek op de bestaande planetaire theorie. We weten ook dat Hipparchos gebruik kon maken van Babylonische astronomische gegevens, zoals gegevens van planetarie bewegingen en maansverduisteringen. En het belangrijkste is, dat Hipparchos door zijn contact met de Babylonische astronomie waardering kreeg voor het nastreven van exacte, kwantitatieve voorspellingen. Hij was de eerste die methoden ontwikkelde om geometrische modellen te kunnen voorzien van numerieke waarden; en door zijn invloed ontstond er behoefte aan een kwantitatieve koppeling tussen theorie en waarneming, en onderging de Griekse astronomie een radicale gedaanteverandering.[18] Om het resultaat van deze verandering te kunnen zien, moeten we ons wenden tot het werk van Ptolemaeus.

Claudius Ptolemaeus (ca. 150 na Chr.) was aangesloten bij het Museum in Alexandrië en de daaraan verbonden bibliotheek. (De naam Ptolemaeus biedt gelegenheid tot verwarring. Deze staat niet voor een afstamming van de oude Ptolemeïsche dynastie, maar waarschijnlijk voor een bepaalde geografische sector van de stad Alexandrië, waarvan de naam door haar inwoners gebruikt werd als die van een 'stam'. Voor ons is het van belang te weten dat Claudius Ptolemaeus dus niet, zoals veel van de eerste Alexandrijnse intellectuelen, een recentelijk aangekomen immigrant was, maar een telg uit een familie van Alexandrijnse burgers.) Om te voorkomen dat we door de grote tijdsafstand het perspectief verliezen, is het goed ons te bedenken dat Ptolemaeus ongeveer driehonderd jaar na Hipparchos en vijfhonderd jaar na Eudoxos leefde. Dit betekent niet alleen dat hij profijt kon hebben van de theoretische vooruitgang in de tussenliggende eeuwen, maar tevens dat hij toegang had tot eeuwen van Griekse en Babylonische astronomische waarneming, en zelfs betrekkelijk oppervlakkige gegevens kunnen leiden tot opvallend nauwkeurige, theoretische conclusies. Zo kon Hipparchos, door gegevens te gebruiken die in de tweede eeuw v. Chr. beschikbaar waren, de gemiddelde duur van een maanmaand berekenen tot op één seconde van de moderne waarde.[19]

Het zou verbazing wekken als de wiskundige verfijning van de hellenistische wiskundigen geen uitdrukking vond in de hellenistische wiskundige astronomie. In de nadagen van de hellenistische wereld bracht Ptolemaeus de planetaire astronomie op een wiskundig niveau dat Eudoxos, vijfhonderd jaar eerder, zich niet had kunnen voorstellen. De modellen van Ptolemaeus beoogden hetzelfde als die van Eudoxos – de ontdekking van een combinatie van eenparige cirkelvormige bewegingen die rekenschap zouden geven van de waargenomen posities (met andere woorden, de klaarblijkelijke variaties in snelheid en richting) van de planeten. Maar Ptolemaeus' modellen maakten het tevens mogelijk accurate kwantitatieve voorspellingen te doen van toekomstige planetaire posities. Daarenboven paste hij geheel andere wiskundige technieken toe.

Ten eerste gebruikte hij geen sferen, maar cirkels. Laten we eens kijken hoe eenparige beweging in een cirkel kan worden gebruikt om een schijnbare onregelmatigheid te verbeelden. Laat cirkel ABD (afb. 5.9) de baan van de planeet zijn en planeet P daar eenparig langs bewegen. Als de beweging van P eenparig is, dan zal de planeet ten opzichte van het middelpunt C in gelijke tijdseenheden steeds gelijke hoeken maken. Als nu het middelpunt van de eenparig rotatie, C, correspondeert met het waarnemingspunt – met andere woorden, als de aarde zich bevindt op C – dan zal de beweging van C niet alleen eenparig *zijn*, maar ook eenparig *lijken*. Als het middelpunt van de eenparige rotatie echter niet samenvalt met het waarnemingspunt – als de aarde zich bijvoorbeeld op E bevindt – dan zal de beweging van de planeet niet eenparig lijken, want die zal dan schijnbaar vertragen bij benadering van A en schijnbaar versnellen bij benadering van D. Dit is het excentrische model.

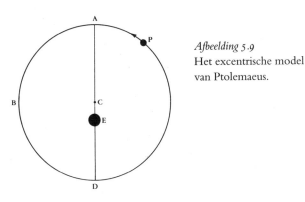

Afbeelding 5.9
Het excentrische model
van Ptolemaeus.

Het excentrische model voldoet bij de behandeling van eenvoudige gevallen van eenparige beweging, zoals die van de zon langs de ecliptica en de hieruit voortvloeiende ongelijkheid van de seizoenen. Voor de meer ingewikkelde gevallen achtte Ptolemaeus het noodzakelijk om het model in te voeren van de epicykel op de deferent (afb. 5.10). Laat ABD de deferent of draagcirkel zijn, en teken een kleine cirkel (een epicykel) waarvan het middelpunt op de draagcirkel ligt. De planeet P beweegt eenparig langs de epicykel; tegelijkertijd maakt het middelpunt van de epicykel een eenparige beweging langs de draagcirkel. De waarnemer op E ziet de samengestelde beweging van twee eenparige cirkelvormige bewegingen. De precieze eigenschappen van deze samengestelde beweging zullen afhankelijk zijn van de gekozen waarden – de relatieve omvang van de twee cirkels, en de snelheid en richting van de beweging –, maar het zal duidelijke zijn dat dit model grote mogelijkheden biedt. Wanneer P zich aan de buitenkant van de epicykel bevindt, zoals in afbeelding 5.10, zal de schijnbare beweging van de planeet (zoals gezien vanaf de aarde) het totaal zijn van haar beweging langs de epicykel en de beweging van de epicykel langs de draagcirkel, en op dit punt zal de planeet haar maximale schijnbare snelheid hebben. Wanneer P zich aan de binnenzijde van de epicykel bevindt, zoals in afbeelding 5.11, zullen haar beweging langs de epicykel en de beweging van de epicykel langs de draagcirkel tegengesteld zijn (gezien vanaf de aarde), en de schijnbare beweging van de planeet zal dan bepaald worden door hun onderlinge verschil; als de beweging van P de grootste van de twee is, zal het lijken alsof de planeet zichzelf omkeert en door een fase van retrograde beweging gaat. Deze retrograde beweging wordt afgebeeld in afbeelding 5.12.

Beide modellen zijn gebaseerd op de vereiste dat de werkelijke planetaire bewegingen – dat zijn dus de deelbewegingen – eenparig en cirkelvormig zijn. De Griekse astronomen zijn vaak bekritiseerd om de 'dogmatische' verbintenis die zij met de eenparige cirkelvormige beweging onderhielden, op grond van het idee dat een a priori veronderstelling (van deze of soortgelijke aard) voor een wetenschap-

Afbeelding 5.10
Ptolemaeus' model van de beweging langs een epicykel op een draagcirkel.

Afbeelding 5.11
Ptolemaeus' model van de beweging langs een epicykel op een draagcirkel, met de planeet aan de binnenzijde van de epicykel.

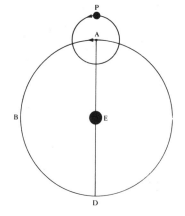

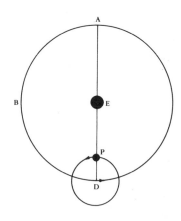

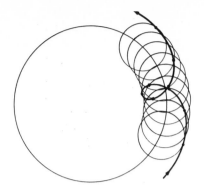

Afbeelding 5.12
De retrograde beweging van een planeet in
het model van de epicykel op de draagcirkel.
Wanneer de epicykel zich tegen de klok in
over de draagcirkel beweegt, beweegt de planeet zich tegen de klok in over de epicykel.
De feitelijke baan van de planeet is weergegeven door de dikke lijn.

per niet verantwoord, of ten minste ongepast is. Is een dergelijke kritiek rechtvaar-
dig? De waarheid is dat de wetenschapper, zowel vroeger als nu, *elk* onderzoek begint met sterke overtuigingen aangaande de aard van het universum en met een
zeer duidelijke mening over welk model op geldige wijze kan worden gebruikt
voor de uitbeelding daarvan. In het geval van Ptolemaeus werd de vooronderstel-
ling van de eenparige cirkelvormige beweging bovenal gerechtvaardigd door de
aard van het onderzoek; zijn doel was niet de uiteenzetting van de relevante waarnemingsresultaten, om de planetaire bewegingen in al hun complexiteit te kunnen
beschrijven, maar om de ingewikkelde planetaire bewegingen te herleiden tot hun
eenvoudigste componenten – de ontdekking van de werkelijke orde die zich bevindt onder de schijnbare wanorde. En de eenvoudigste beweging die de fundamentele orde verbeeldt, is natuurlijk de eenparige cirkelvormige beweging.

Maar er waren vele andere opvattingen die de beperktheid van de op eenparige
cirkelvormige beweging gebaseerde modellen zouden hebben versterkt. Zoals de
invloed van het gezonde verstand en de wetten van de traditie; immers, het cyclische, repeterende karakter van de hemelse verschijnselen had altijd gesuggereerd
dat de hemelse bewegingen in beginsel eenparig en cirkelvormig moesten zijn.
Bovendien zou een kwantitatieve voorspelling onmogelijk zijn geweest zonder de
eenparige cirkelvormige beweging, omdat de 'trigonometrische' methoden die
Ptolemaeus tot zijn beschikking had, niet zonder meer toepasbaar waren op een
ander type beweging. Daarbij komen nog de esthetische, filosofische en religieuze
opvattingen: de speciale aard van het uitspansel vroeg om de meest volmaakte vormen en bewegingen van de hemellichamen. En tot slot is het nuttig op te merken
dat Copernicus 1400 jaar later afstand deed van Ptolemaeus' opvattingen, niet omdat hij aanstoot nam aan de verbintenis met de eenparige cirkelvormigheid, maar
(ten dele) omdat hij inzag dat Ptolemaeus deze verbintenis niet had nageleefd.

In ieder geval waren de excentrische en epicyclische modellen, die gebaseerd
waren op eenparige cirkelvormige beweging, van zeer grote invloed. Maar ze hadden ook hun beperkingen, en omdat bepaalde planetaire bewegingen niet konden
worden verantwoord, ontstond er behoefte aan weer een ander model, dat bekend

zou worden als het vereffeningsmodel. AFB (afb. 5.13) is een excentrische cirkel, met als middelpunt C; de aarde bevindt zich op E. Wanneer de planeet zich met constante snelheid langs de cirkel beweegt, maakt hij nu geen gelijke hoeken ten opzicht van het middelpunt (zoals eenparigheid gewoonlijk wordt gedefinieerd), maar liet Ptolemaeus haar met constante snelheid gelijke hoeken maken ten opzichte van het vereffeningspunt – het niet centraal gelegen punt Q (zo gekozen dat QC gelijk is aan CE). Als de planeet de boog EF doorloopt, wordt de hoek AQF gemaakt. Stel, bijvoorbeeld, dat de planeet deze boog en hoek in drie jaar doorloopt; in de volgende drie jaar moet dan een andere rechte hoek worden gemaakt, FQB, en moet daarom de bijbehorende boog FB doorlopen. In de drie volgende jaren beweegt de planeet zich van B naar G, door de rechte hoek BQG, enzovoorts. Vergelijken we de afgelegde bogen, dan wordt duidelijk dat de planeet op FB een grotere lineaire snelheid had dan op AF; de planeet versnelt langzaam tijdens haar beweging van A naar B, en vertraagt tijdens haar beweging van B naar A. Zien we deze variabele beweging vanuit E, ten opzichte van het vereffeningspunt aan de ander kant van het middelpunt, dan zal de schijnbare veranderlijkheid alleen maar sterker zijn. We zien dus dat Ptolemaeus in het vereffeningsmodel geen afstand deed van de eenparigheid van de hoekvormige beweging – ofschoon niet rond het middelpunt – maar zeker wel van de eenparigheid van de lineaire beweging langs de cirkelomtrek. Of deze verzwakte vorm van eenparigheid toereikend was, is een vraag die Copernicus in de zestiende eeuw zou stellen; ondertussen werd Ptolemaeus zo in staat gesteld de ontwikkeling van zijn geslaagde planetaire modellen te volbrengen. Het succes van zijn voorspellingen woog zwaarder dan de mogelijke argumenten voor een sterkere vorm van eenparigheid.

De drie modellen – de excentrische cirkel, de epicykel op een draagcirkel en het model van de vereffeningsbeweging – waren alle effectieve manieren om de eenparige cirkelvormige beweging te gebruiken (of de eenparigheid nu nauwgezet was, of minder nauwgezet) voor de verantwoording van schijnbare onregelmatigheid in het heelal. Maar de modellen bereikten het grootste effect wanneer zij gecombineerd werden. De modellen van de excentrische cirkel en de epicykel op de draagcirkel konden eenvoudig worden gecombineerd door de bepaling van een draagcirkel die de aarde niet als middelpunt heeft. Een vereffeningspunt kan worden toegevoegd, zodat het middelpunt van de epicykel eenparige cirkelvormige bewegingen maakt ten opzicht van een niet centraal gelegen punt. Het was zelfs mogelijk om het middelpunt van de excentrische cirkel in een kleine cirkel rond de aarde te laten bewegen – hetgeen Ptolemaeus moest doen om zijn theorie over de bewegingen van de maan functioneel te maken.[20] Het meest karaktereristieke model voor een planeet (toepasbaar op Venus, Mars, Jupiter en Saturnus) is dat van afbeelding 5.14, waar ABD een excentrische draagcirkel is, met het middelpunt C; de aarde bevindt zich op E en het vereffeningspunt op Q. De planeet maakt een eenparige beweging langs de epicykel; het middelpunt van de epicykel maakt een eenparige beweging (zoals gemeten aan de hand van de gevormde hoek) rond het vereffeningspunt Q; en vanaf de aarde E wordt de hieruit voorvloeiende beweging waargenomen. Modellen als dit, waarbij de juiste variaties voor al de resterende planeten zijn toegepast, zouden buitengewoon succesvol blijken in het voorspellen van waargenomen planetaire bewegingen. En het was juist dit succes dat hen lang deed voortbestaan en zo moeilijk vervangbaar maakte.

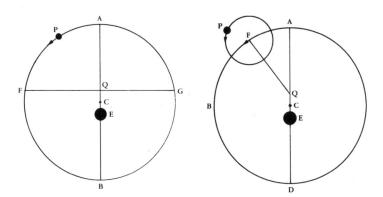

Afbeelding 5.13
Ptolemaeus' model van
de vereffeningsbeweging.

Afbeelding 5.14
Ptolemaeus' model
voor de buitenplaneten.
De lijn QF roteert eenparig
rond het vereffeningspunt Q.

Het kan lijken alsof Ptolemaeus slechts bezig was met de beoefening van wiskunde. Hij gaf de verhandeling waarin deze wiskundige modellen werden gepresenteerd de titel *Wiskundige syntaxis* (of *Wiskundig systeem*). Bovendien verkondigde hij in zijn inleiding tot deze verhandeling, dat beschouwingen over de goddelijke oorzaken van hemelse bewegingen of de stoffelijke aard van de dingen slechts tot 'gokwerk' leiden en dat, als er wordt gestreefd naar zekerheid, de wiskundige weg de enige weg is. En op verschillende plaatsen in het werk beweerde hij dat astronomische modellen moesten worden gekozen op grond van hun wiskundige eenvoud – schijnbaar zonder enig belang te hechten aan natuurkundige aannemelijkheid.

Niettemin zien we bij nadere beschouwing dat niet-wiskundige argumenten wel degelijk deel uitmaken van de analyse. Ptolemaeus gebruikte natuurkundige argumenten voor de centraliteit en stabiliteit van de aarde – hetgeen voor hem niet alleen een wiskundige hypothese was, maar een belangrijke natuurkundige overtuiging. Hij poneerde stellingen over de aard van het uitspansel – in tegenstelling tot de aardse materie vormden zij geen belemmering voor beweging. En in een andere verhandeling, de *Planetaire hypothesen*, probeerde hij een gematerialiseerde versie van zijn wiskundige modellen uit te werken.[21] Ondanks het feit dat Ptolemaeus een wiskundige benadering nastreefde, sloot zijn wiskundige analyse de natuurkundige belangen niet uit, maar functioneerde deze binnen het kader van de traditionele natuurwetenschap.

Hoewel Ptolemaeus belangstelling had voor de natuurkundige aspecten van de kosmos, lag het *zwaartepunt* van zijn astronomische werk bij de wiskundige analyse. En het was als wiskundige van het uitspansel, strevend naar het 'redden van de verschijnselen' door middel van de wiskunde, dat hij de middeleeuwen en de renaissance beïnvloedde. Aristoteles en Ptolemaeus zouden symbool staan voor de twee tegenpolen van de astronomische onderneming – de eerste concentreerde zich in het bijzonder op de problemen van de materiële structuur, en de tweede was een getalenteerd bouwer van wiskundige modellen.

DE OPTICA

Een tweede onderwerp waarop de wiskunde in de oudheid met succes werd toegepast, was de optische wetenschap. De optica omvat de bestudering van het licht en het zien, die vanaf de vroegste tijden al objecten zijn geweest van onderzoek en speculatie. Het oog werd vrijwel algemeen gezien als het zintuig waardoor wij het meeste leren van de wereld waarin wij leven; en het licht blijkt een van de meest belangrijke en aangename entiteiten in die wereld, dat niet slechts een instrument van het gezichtsvermogen is, maar ook verbonden is met warmte en leven in de vorm van het zonlicht.

Elke goed ontwikkelde natuurwetenschap moet aandacht schenken aan het zien. De atomisten schreven het gezichtsvermogen toe aan een dun vlies van atomen (een *simulacrem*) dat door het oog wordt opgevangen, nadat het door het oppervlak van de waarneembare dingen is afgegeven. Volgens Plato (in de *Timaios*) komt er uit het oog van de waarnemer een vuur, dat zich met licht verenigt om een medium te vormen dat zich uitstrekt tussen het waarneembare object en het oog, zodat de 'bewegingen' die voortkomen uit het zichtbare object doorgegeven kunnen worden aan het oog en uiteindelijk aan de ziel. Aristoteles beweerde tevens dat een in potentie transparant medium werkelijk transparant wordt wanneer het verlicht wordt door een stralend lichaam, zoals de zon; licht is gewoonweg deze toestand van het medium. Daarna komen er nog andere veranderingen in het medium voort uit het contact tussen gekleurde lichamen en dit werkelijk transparante medium – veranderingen die doorgegeven worden aan het oog van de waarnemer en een visuele waarneming van deze lichamen tot gevolg hebben.[22]

Een eerste poging tot het ontwikkelen van een wiskundige theorie over de werking van het oog wordt gedaan door de generatie na Aristoteles. Euclides (actief rond 300 v. Chr.) schreef een boek getiteld *Optica*, waarin hij het zien definieerde en een theorie ontwikkelde over het visuele perspectief. Hij beweerde dat de rechtlijnige stralen voortkomen uit het oog van de waarnemer in de vorm van een kegel, waarvan de top zich in het oog bevindt en de basis op het waarneembare object. Datgene waar een straal op valt, dat zien wij. Nadat hij de visuele kegel had gedefinieerd, gebruikte Euclides deze geometrische entiteit bij de ontwikkeling van een geometrische theorie aangaande het perspectief. Een van de stellingen van de *Optica* zegt dat de schijnbare omvang van een waargenomen object een gevolg is van de invalshoek waaronder het wordt waargenomen; een andere stelling beweert dat de plaats van een waargenomen object afhankelijk is van zijn plaats binnen de kegel van de straal waardoor het wordt waargenomen (de dingen die hoger in de kegel door de stralen worden waargenomen, lijken zich voor de waarnemer ook hoger te bevinden). De beweringen van het boek gaan voort met een analyse van de verschijning van het object als een functie van diens ruimtelijke verhouding tot de waarnemer. Afbeelding 5.15 laat bijvoorbeeld zien hoe een verder gelegen object een hogere straal in de visuele kegel opvangt en zich daardoor hoger lijkt te bevinden. Dit is een zeer boeiend en indrukwekkend staaltje van wiskundige analyse, dat van grote invloed zou blijken te zijn. Maar we zouden niet alleen van de wiskunde onder de indruk moeten zijn; het is tevens opmerkelijk dat vele aspecten van het zien, die door mensen als Aristoteles van fundamenteel belang werden geacht, worden overgeslagen – namelijk het milieu, de fysieke connectie tussen het object en het oog, en de handeling van het waarnemen. Kortom, Euclides' theorie was een schitterende theorie voor diegenen die zichzelf wilden beperken tot geometrische aspecten, maar voor degene die geïnteresseerd was in een van de niet-geometrische aspecten van het zien was Euclides' theorie zo goed als waardeloos.[23]

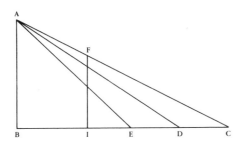

Afbeelding 5.15 De geometrie van het zien volgens Euclides. A is het oog van de waarnemer, AEC de visuele kegel die uitgaat van het oog. C, dat zich op de grootste afstand vanaf de waarnemer bevindt, wordt gezien door straal AC, die een hogere positie in de visuele kegel heeft (zie waar het kruist met de lijn FI) dan de straal AD, waardoor D wordt waargenomen.

De meest waardevolle tekst over de geometrische optica werd 450 jaar na Euclides opgesteld door Ptolemaeus – die uiteraard het meest bekend staat als astronoom, maar ook auteur is van een van de belangrijkste werken over de optica vóór het werk Newton. Ptolemaeus' *Optica* bestaat alleen nog in een incomplete versie, maar deze verschaft ons voldoende inzicht in de aard van Ptolemaeus' prestatie.[24]

Ptolemaeus keerde zich af van Euclides' beperkte, geometrische benadering van de optica. Hij probeerde een brede theorie te ontwerpen, die Euclides' geometrische waarnemingstheorie combineerde met een grondige analyse van de fysische en psychologische aspecten van het waarnemingsproces. Om die reden presenteerde Ptolemaeus de theorie van de visuele kegel (toegepast op zowel het zien met twee ogen als het zien met één oog), maar werkte die uit met een analyse van de straling die uitgaat van het oog en haar wisselwerking met de zichtbare objecten. De fysische aspecten van Ptolemaeus' theorie deden echter geen afbreuk aan zijn geometrische verrichtingen; de geometrische delen van zijn tekst bleken zeer waardevol bij het onderwijzen van de geometrische benadering van licht en waarnemingsvermogen.

Geometrisch gezien waren de meest indrukwekkende delen van Ptolemaeus' *Optica* wellicht de theorieën van weerkaatsing en breking. Anderen, waaronder

Euclides en Hero, hadden al over spiegels geschreven; en op hun werk bouwde Ptolemaeus voort. Hij bood een uitgebreide verklaring voor de weerkaatsing, die we het best kunnen uitleggen aan de hand van afbeelding 5.16. ABC is een plat weerkaatsend oppervlak, O een waargenomen punt en E het oog. Ten eerste beweerde Ptolemaeus dat de inkomende straal EB (vergeet niet dat stralen *vanuit* het oog van de waarnemer *naar* het waargenomen punt gaan) en de weerkaatste straal BO een vlak bepalen dat loodrecht op het spiegelvlak staat; ten tweede dat de invalshoek *i* gelijk is aan de hoek van terugkaatsing *r*; en ten derde dat het beeld van O zich bevindt op punt I, waar het verlengde van de straal die uitgaat van het oog kruist met de verticaal die vanaf het waargenomen punt naar het weerkaatsende oppervlak loopt. (In feite 'weet' de waarnemer niet dat zijn of haar visuele straal werd omgebogen door de weerkaatsing op de spiegel en hij denkt daarom dat het waargenomen punt op het rechtlijnige verlengde van die straal ligt.) Ptolemaeus paste dergelijke regels ook toe op de weerkaatsing van sferische en cylindrische spiegels, zowel concave als convexe. Hij ontwikkelde een indrukwekkende reeks theorema betreffende de plaats, omvang en vorm van beelden die voortkomen uit weerkaatsing. Het is interessant en belangrijk dat hij experimenten bedacht waarmee hij zijn theorie kon testen.

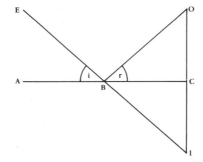

Afbeelding 5.16
Waarneming door weerkaatste
stralen volgens Ptolemaeus.

Ptolemaeus' theorie van weerkaatsing was gebaseerd op het werk van Euclides en Hero, maar zijn theorie van breking betrad nieuw terrein. De basisverschijnselen van breking – bijvoorbeeld de illusie van de 'gebogen' stok, half onder water – waren reeds lang bekend. Maar Ptolemaeus deed een grondige, wiskundige analyse van breking, gekoppeld aan experimenteel onderzoek. Wanneer een straal in een schuine hoek van het ene transparante milieu overgaat in het andere – twee milieus van een verschillende dichtheid – wordt die op het raakvlak zó gebogen, dat die in het dichtere milieu dichterbij bij de verticaal komt. In afbeelding 5.17 is ABC een plat raakvlak met daarboven lucht en daaronder water, DBF een lijn loodrecht op dat raakvlak, E het oog van de waarnemer en O het waargenomen punt; de invalshoek EBD zal dan altijd groter zijn dan de brekingshoek OBF. En het beeld van O zal zich bevinden op het punt I, waar het rechtlijnige verlengde van de inkomende

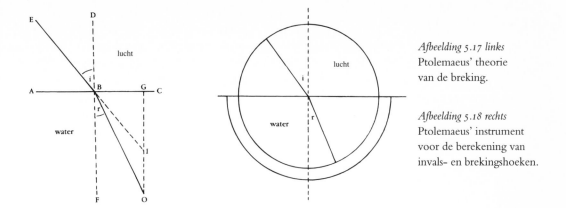

Afbeelding 5.17 links
Ptolemaeus' theorie
van de breking.

Afbeelding 5.18 rechts
Ptolemaeus' instrument
voor de berekening van
invals- en brekingshoeken.

straal EB kruist met de verticaal OG, die getrokken wordt tussen het waargenomen
punt en het breukvlak.

Bestaat er een vaste wiskundige verhouding tussen de invals- en brekingshoek?
Ptolemaeus vermoedde dat dit het geval moest zijn en deed een ingenieus experimenteel onderzoek om die verhouding te vinden. Hij gebruikte een bronzen schijf
waarvan de rand met graden was gemarkeerd, zodat de invalshoek en de bijbehorende brekingshoek konden worden gemeten in drie verschillende paren milieus
(lucht en water, lucht en glas, water en glas). (Zie afb. 5.18.) Hij ontdekte de ge-
wenste verhouding niet, en zeker ontdekte hij niet de moderne sinusregel, maar
wel zag hij in de gegevens een wiskundig patroon – of misschien koos of wijzigde
hij de gegevens zo, dat ze zich schikten naar een aanvaardbaar wiskundig patroon.[25]
Ook bedeelde hij de generaties ná hem met een degelijk inzicht in de basisprincipes
van de breking, een helder en overtuigend voorbeeld van experimenteel onderzoek en een belangrijke hoeveelheid kwantitatieve gegevens.

De wetenschap van de gewichten

De wetenschap van de gewichten, of van de balans, was een derde onderwerp dat
in de hellenistische periode moest zwichten voor de wiskundige analyse. Het
zwichtte zelfs in grotere mate dan de andere twee. In zowel de astronomie als de
optica was het niveau van mathematisering indrukwekkend; maar bij beide onderwerpen bleven er belangrijk fysische vraagstukken bestaan, waarop geen wiskundige antwoorden konden worden gevonden. In de wetenschap van de balansarm,
daarentegen, leek het fysische bijne geheel herleidbaar te zijn tot het wiskundige.[26]

Het voornaamste probleem was een verklaring te vinden voor het gedrag van de
balansarm, of hefboom – het feit dat de boom in evenwicht is wanneer de gewichten aan de uiteinden omgekeerd evenredig zijn aan hun afstand (alleen horizontale
afstanden zijn van belang) tot het steun- of draaipunt. Zo zal een gewicht van 10
(afbeelding 5.19) aan het ene eind van de boom in evenwicht zijn met een gewicht

van 20 aan het andere eind indien de eerste tweemaal zo ver verwijderd is van het draaipunt als de laatste. Een van de eerste overgebleven verklaringen is gevonden in een boek met *Mechanische vraagstukken*, dat is toegeschreven aan Aristoteles, maar in feite een later produkt is van de peripatetische school. Daarin vinden we een 'dynamische' verantwoording van dit statische verschijnsel: de schrijver legt uit dat, wanneer een balansarm in beweging wordt gezet, de snelheid van de bewegende gewichten omgekeerd evenredig is aan de grootte van die gewichten. Afbeelding 5.20 laat zien dat in de tijd die een gewicht van 20 nodig heeft om de afstand *b* af te leggen, het gewicht van 10 de afstand 2*b* af zal leggen. De verklaring die hier gehanteerd wordt, is het idee dat de grotere snelheid van het ene lichaam het grotere gewicht van het andere precies compenseert.

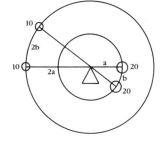

Afbeelding 5.19 links
De balansarm in een
staat van evenwicht.

Afbeelding 5.20 rechts
De dynamische
verklaring van
de balansarm.

Een 'statisch' bewijs van de hefboomwet werd geleverd in een verhandeling die toegeschreven wordt aan Euclides en op veel elegantere wijze in *Over het evenwicht van vlakken* van Archimedes. Met succes reduceerde Archimedes deze kwestie tot een geometrisch probleem. Met uitzondering van de stelling dat de gewichten een zeker gewicht hebben, zijn er geen fysische overwegingen in het spel. De balansarm wordt een gewichtloze lijn; breuken worden genegeerd; de gewichten worden gekoppeld aan één punt van de arm en werken in een richting die daar loodrecht op staat. Bovendien is de bewijsvoering, die op deze veronderstellingen is gebaseerd, euclidisch van vorm. Twee premissen vormen de basis van het bewijs: dat gelijke gewichten op gelijke afstanden van het draaipunt (en aan tegenovergestelde kanten daarvan) in evenwicht zijn; en dat gelijke gewichten die op een willekeurige plek aan de arm bevestigd zijn, vervangen kunnen worden door een dubbel gewicht op een punt dat precies midden tussen hen in ligt (met andere woorden, op hun zwaartepunt). Beide premissen worden gestaafd met een beroep op de geometrische symmetrie en intuïtie. In zijn eenvoudigste vorm stelt het bewijs dat de arm in afbeelding 5.21a, waarop zich drie identieke gewichten met de grootte 10 bevinden, in evenwicht is volgens principe van de symmetrie. We hebben echter ingestemd met het idee dat twee van de gewichten vervangen kunnen worden door een gewicht van 20, dat geplaatst wordt op een punt dat precies midden tussen hen in ligt, zoals in afbeelding 5.21b. Hieruit volgt dat een gewicht van 20 in evenwicht

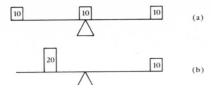

(a)

(b)

Afbeelding 5.21
Archimedes' statische bewijs
van de hefboomwet.

is met een gewicht van 10 als de eerste half zo ver van het draaipunt bevindt als de laatste; een generalisatie van het resultaat kan gemakkelijk leiden tot de hefboomwet.

Archimedes' *Over het evenwicht van vlakken* omvat veel meer dan het hier genoemde; andere werken van zijn hand, zoals *Over drijvende lichamen*, zijn ook gewijd aan het oplossen van mechanische vraagstukken. Maar uit deze onderzoeking van zijn bewijzen voor de hefboomwet blijkt de grondigheid en buitengewone vakkundigheid waarmee hij de natuur tot geometrische principes herleidde. Voor vele wetenschappelijke vraagstukken was geen wiskundige oplossing, maar Archimedes bleef lang symbool staan voor de kracht van de wiskundige analyse en leefde voort als inspiratiebron voor degenen die geloofden dat de wiskunde tot nog grotere triomfen in staat was. Zijn werken hadden een beperkte invloed gedurende de middeleeuwen, maar vormden tijdens de renaissance de basis van een invloedrijke traditie van wiskundige wetenschap.[27]

6

De Griekse en Romeinse geneeskunde

DE VROEG-GRIEKSE GENEESKUNDE

Het bewijsmateriaal van de Griekse geneekunde is schaars en wat betreft vele details van de Griekse geneeskundige praktijk zal dit zeker zo blijven. Uit de periode van vóór de vijfde eeuw hebben we alleen literaire bronnen. Voor de klassieke en hellenistische tijdvakken hebben we diverse schriftelijke stukken die, hoewel ernstig beperkt door de tijd, uitgesproken geneeskundig zijn en ons informatie verschaffen over de medische theorie en praktijk in die periode. Deze medische verhandelingen geven een duidelijk inzicht in de opvattingen en meningen van geleerde medici, van wie velen belangstelling hadden voor theoretische kwesties als het verband tussen de geneeskunde en de filosofie; maar op verschillende punten bieden zij ook een onthullende blik op de enorme onderlaag van populaire medische overtuigingen en praktijken die de meerderheid van de bevolking tot dienst moet zijn geweest. In het verslag dat volgt, zullen we proberen aan beide kanten van het medische spectrum aandacht te schenken.

Het is veilig te veronderstellen dat de traditionele geneeswijzen in de Griekse cultuur – bedoeld is de cultuur van de bronstijd, tussen 3000 en 1000 v. Chr. – grote overeenkomst vertoonden met de contemporaine tradities die we hebben aangetroffen in Egypte en Mesopotamië (hoofdstuk 1). Vast staat dat deze eerste Grieken contact hadden met hun buren in het Nabije Oosten en we bezitten concreet bewijsmateriaal van de invloed van de Egyptische geneeskundige overtuigingen en praktijken. Er moet dus een grote verscheidenheid aan geneeswijzen hebben bestaan, variërend van fundamentele chirurgie en het gebruik van inwendige geneesmiddelen tot aan religieuze bezweringen en genezende dromen. Verschillende genezers met diverse kwalificaties moeten op vele niveaus en voor een gevarieerde clientèle hebben gewerkt, waarbij zij gebruik maakten van het volledige aanbod van beschikbare medische middelen en technieken.[1]

De oude Griekse dichters Homerus en Hesiodus geven ons terloops enige informatie over de aard van de medisch praktijken in de laatste fase van dit tijdvak. In Homerus' *Ilias en Odyssee* wordt geïmpliceerd dat de goden de pest veroorzaken en dat er tot hen gebeden kan worden voor genezing; ook Hesiodus denkt dat ziekte haar oorsprong vindt bij de goden.[2] Homerus noemt helende rituelen en farmaceutische middelen – waarvan sommige duidelijk uit Egypte stammen. Hij beschrijft diverse soorten verwondingen en in sommige gevallen de behandeling daarvan.

Tevens maakt hij duidelijk dat genezers beschouwd werden als beoefenaars van een specifiek ambacht of beroep – vakmensen, in die zin dat zij speciale vaardigheden hadden waarvan de uitoefening een volledige dagtaak vormde.

De religieuze kant van de geneeskunde is het duidelijkst zichtbaar in de cultus rond Aesculapius, de god der geneeskunde. Aesculapius, die al door Homerus wordt aangehaald als een buitengewone genezer, werd vervolgens verheven tot

Afbeelding 6.1 Een reliëf van Aesculapius, de god der geneeskunde, Nationaal Archeologisch Museum, Athene. Alinari/Art Resource N.Y.

god, en in de vierde en derde eeuw ontstond er rond zijn persoon een populaire geneescultus. Op verscheidene plaatsen werden tempels gebouwd voor Aesculapius – van honderden tempels is dit vastgesteld – waar de zieken samenkwamen om te worden genezen. Van hoofdbelang voor het genezingsproces waren de genezende visioenen of dromen, die zich zouden moeten voordoen wanneer de smekeling in een speciaal slaapvertrek sliep. Genezing kon zich voordoen tijdens de droom, of de adviezen die men kreeg tijdens de droom zouden tot genezing kunnen leiden. Daarenboven kon de bezoeker van een tempel voor Aesculapius rekenen op het hebben van een bad, het doen van gebeden en offerandes en het krijgen van laxeer-middelen, beperkingen op het dieet, lichaamsoefening en vermaak. Ook was het uiteraard noodzakelijk de goden te bedanken met een toepasselijke offering. In Epidaurus, het centrum van de cultus, is een aantal tabletten gevonden die getuigen van genezingen die zich aldaar zouden hebben voorgedaan. Volgens een van hen kwam een zekere Anticrates van Knidos, die blind was geworden na door een speer te zijn geraakt, naar Epidaurus voor genezing. 'Tijdens zijn slaap had hij een vi-sioen. Het scheen hem toe dat de god het projectiel verwijderde en vervolgens de zogeheten pupillen in zijn ogen plaatste. De volgende dag kon hij gezond weer vertrekken'.[3] Religieuze praktijken als deze bleven tot en met de Romeinse tijd een belangrijk aandeel vormen van de oude geneeskunde.

De hippocratische geneeskunde

In de vijfde en vierde eeuw ontwikkelde zich naast de traditionele geneeswijzen een nieuwe, meer wereldlijke en wetenschappelijke medische traditie – een medi-sche traditie die werd beïnvloed door de contemporaine ontwikkelingen in de filo-sofie en die werd verbonden aan de naam van Hippocrates van Cos (ca. 460 – ca. 370 v. Chr.). Het is niet zeker of de geschriften (een hoeveelheid tussen de zestig en zeventig) die we nu de 'geschriften van Hippocrates' of het 'werk van Hippocrates' noemen, ook daadwerkelijk door Hippocrates geschreven zijn. We kunnen alleen bevestigen dat het een hoeveelheid nogal onsamenhangend werk betreft, dat gro-tendeels werd opgesteld in de periode tussen 430 en 330 v. Chr., en later bijeen werd gebracht en werd toegeschreven aan Hippocrates vanwege de ogenschijnlijke 'hippocratische' kenmerken. Wat waren sommige van deze kenmerken?[4]

De geschriften van Hippocrates boden bovenal een ontwikkelde geneeskunde. Het feit dat het 'geschriften' waren, maakt dit al duidelijk; de auteurs waren gelet-terd. Hun werken waren het eindproduct van een zoektocht naar inzicht. Een groot aantal van de hippocratische auteurs verdedigden opvattingen betreffende de aard van de geneeskunde als een soort van wetenschap, de aard en oorzaak van ziekte, de verhouding van het menselijk lichaam tot het universivum in zijn alge-meenheid en de beginselen van behandeling en genezing. Ze hielden zich bezig met wat wij ruwweg moeten definiëren als natuurwetenschap – dan wel als oor-spronkelijke denkers, filosofen die zich wijdden aan de fundamentele causale vraag-

Afbeelding 6.2
Het theater van Epidaurus
(vierde eeuw v. Chr.),
centrum van de cultus rond
Aesculapius. Het theater
biedt plek aan ongeveer
14.000 mensen. Foto
Marburg/Art Resource
N.Y.

Afbeelding 6.3
Hippocrates (Romeinse
kopie van een Grieks
origineel). Museo di Ostia
Antica.

stukken wat betreft gezondheid en ziekte, dan wel als praktiserende artsen die hun methoden ontleenden aan de filosofische traditie. Zij bevonden zich op het kruispunt van de geneeskunde en de filosofische onderneming. De hippocratische dokters mogen dan geen unanieme oplossing hebben gevonden voor een van deze fundamentele vraagstukken, maar zij deelden de overtuiging hun zoektocht op wetenschappelijke wijze te vervolgen. Zelfs de hippocratische auteurs die zich uitdrukkelijk hadden verzet tegen de inmenging van de filosofie in de geneeskunde konden niet aan deze invloeden ontsnappen.[5]

Van welke visie op het medische beroep getuigen de geschriften van Hippocrates? We moeten niet vergeten dat de medische praktijk in de oudheid absoluut niet gereguleerd was: vele soorten genezers streden voor acceptatie en prestige – en natuurlijk voor zakelijk succes. De geneeskunde werd niet gestudeerd in officiële medische scholen, maar over het algemeen geleerd door in de leer te gaan bij een praktiserende dokter. Een van de belangen van de geschriften van Hippocrates was het opstellen van regels, het verdringen van kwakzalvers en het creëren van een algemene opinie die in het voordeel was van de wetenschappelijke geneeskunde. De nadruk die in de geschriften van Hippocrates op de succesvolle prognose wordt gelegd, was niet alleen bedoeld om het succes van de dokter als genezer te vergroten, maar ook om diens imago te verbeteren en zo zijn carrière te bevorderen. En tot besluit, de Eed van Hippocrates was een poging van de geneeskundigen om hun eigen regels te creëren.

Theorieën over gezondheid en ziekte vormen het hoofdbestanddeel van een aantal hippocratische geschriften. Wat het meest opvalt, globaal gezien, is de sterke afname (maar niet, zoals soms wordt beweerd, de totale verdwijning) van de theoretische elementen die een magische of bovennatuurlijke karakter hebben. Uiteraard bestaan de goden wel en kan de natuur zelf worden beschouwd als goddelijk, maar de goddelijke bemoeienis geldt niet langer als een directe oorzaak van ziekte of gezondheid. Dit zien we in diverse werken van Hippocrates, onder meer in de verhandeling *Over de heilige ziekte* (die niet hetzelfde is als enige moderne ziekte, maar de symptomen bevat van epilepsie en misschien van beroerte en hersenverlamming), waar de auteur uitdrukking geeft aan de opvatting

> dat diegenen die deze ziekte 'heilig' noemden het slag mensen waren dat wij nu toverdokters, gebedsgenezers, kwakzalvers en oplichters noemen. Juist deze mensen pretenderen vroom en bijzonder wijs te zijn. Hun mislukte pogingen de geschikte behandeling te vinden, konden zij verbloemen door zich te beroepen op een goddelijk element, en om hun eigen onwetendheid te verhullen, noemden zij dit een 'heilige' aandoening.[6]

De auteur vervolgt met zijn eigen naturalistische verklaring, die is gebaseerd op de verstopping van 'aderen' met slijm uit de hersenen. Hier is het van belang dat verondersteld wordt dat de natuur uniform werkt; de mogelijke oorzaken zijn in ieder geval niet grillig van karakter, maar uniform en universeel.

De hippocratische verhandelingen leggen vaak een verband tussen ziekte en een soort van instabiliteit van het lichaam of verstoring van zijn natuurlijke toestand. In verscheidene verhandelingen wordt ziekte in verband gebracht met de lichaamssappen. Een versie hiervan wordt uiteengezet in *Over de aard van de mens*, waar wordt beweerd dat vier lichaamssappen – bloed, slijm, geel gal en zwart gal – de hoofdbestanddelen zijn van het lichaam en dat een onevenwichtigheid tussen deze sappen ziekte veroorzaakt:

> Het menselijk lichaam bevat bloed, slijm, geel gal en zwart gal. Dit zijn de dingen waaruit het is samengesteld en die verantwoordelijk zijn voor pijn en gezondheid. Gezondheid is in de eerste plaats de toestand waarin deze samenstellende substanties zich op juiste wijze tot elkaar verhouden, zowel in kracht als in kwantiteit, en goed vermengd zijn. Pijn doet zich voor wanneer een van de substanties blijk geeft van een tekort of een overschot, of wanneer het afgezonderd wordt in het lichaam en zich niet met de andere substanties vermengt.[7]

Elk van deze lichaamssappen werd in verband gebracht met een tweetal van de fundamentele kwaliteiten: warm, koud, vochtig en droog. Dit stelsel koppelde ziekte aan een overvloed of tekort aan warmte en vochtigheid, en leidde tot de conclusie dat verschillende lichaamssappen tijdens de verschillende seizoenen lijken te overheersen. Slijm, bijvoorbeeld, dat koud is, neemt tijdens de winter toe in hoeveelheid; om die reden zijn slijm-gerelateerde ziekten gedurende de winter heel gewoon. Het bloed overheerst in de lente, het gele gal in de zomer en het zwarte gal in de herfst. De factoren betreffende de seizoenen zijn natuurlijk niet de enige oorzaken van ziekte: voedsel, water, lucht en lichaamsbeweging hebben ook invloed op de gezondheid.

Als ziekte wordt gekoppeld aan onevenwichtigheid, dan moet de behandeling gericht zijn op het herstel van het evenwicht. Voedselvoorschriften en lichaamsbeweging (die samen de zogeheten 'leefregels' vormen) maakten deel uit van de meest voorkomenden behandelingen. Zuivering van het lichaam – door aderlating, braakmiddelen, laxeermiddelen, diuretica en klysma's – was een andere manier om het evenwicht in het lichaamsvocht te herstellen. Zorgvuldige beschouwing van de seizoengebonden en klimatologische factoren en van de natuurlijke inslag van de patiënt maakten ook deel uit van een succesvolle behandeling. En ondertussen moest de arts niet vergeten dat de natuur zelf ook geneeskracht bezit en dat zijn hoofdtaak lag in het begeleiden van het natuurlijk genezingsproces. Een aanzienlijk deel van de medische verantwoordelijkheid was preventief – het geven van adviezen omtrent eetgewoonten, lichaamsbeweging, het baden, seksuele activiteit en andere factoren die zouden bijdragen tot de gezondheid van de patiënt.

Maar de geleerde arts gaf niet alleen maar adviezen. Ook hield hij zich bezig met wat we de 'klinische' kant van de medische praktijk zouden kunnen noemen. Diverse hippocratische geschriften bevatten instructies voor onderzoekmethoden, diagnose en prognose (voorspelling van de mogelijke ontwikkeling van de ziekte).

Er wordt vermeld naar welke symptomen gezocht moet worden en hoe deze moeten worden geïnterpreteerd; het onderzoek betreft het gezicht, ogen, handen, houding, ademhaling, slaap, faeces, urine, braaksel en speeksel van de patiënt; ook moet hij letten op hoesten, niezen, hikken, winderigheid, koorts, stuiptrekkingen, puisten, tumoren en wonden. Er worden ziektegeschiedenissen gegeven die het kenmerkende verloop van een bepaalde ziekte laten zien. Vele hiervan vallen op vanwege hun accuratesse en helderheid. Zoals de volgende beschrijving van wat een epidemische bof moet zijn geweest, die enige aandacht verdient:

> Veel mensen hadden last van zwellingen rond de oren, in sommige gevallen slechts aan één kant; bij andere gevallen aan beide kanten. Er was over 't algemeen geen koorts en de patiënt hoefde niet het bed te houden. In een enkel geval was er een lichte koorts. In alle gevallen namen de zwellingen af zonder schade aan te richten en er deed zich geen ettervorming (ofwel de afscheiding van pus) voor, zoals bij zwellingen die het gevolg zijn van andere kwalen. De zwellingen waren zacht en groot, en lagen ver uiteen; ze gingen niet gepaard met ontstekingen of pijn en verdwenen zonder een spoor achter te laten. Jongetjes, jonge mannen en volwassen mannen in de kracht van hun leven waren de voornaamste slachtoffers, en ... diegenen die veel deden aan worstelen en gymnastiek waren in het bijzonder vatbaar.[8]

Op basis van de geconstateerde symptomen stelde de arts een diagnose en een prognose. En ten slotte, als het geval behandelbaar was, schreef hij een behandeling voor. Zoals we hebben gezien bestond de behandeling veelal uit voedselvoorschriften of was zij gericht op de regulering van lichaamsbeweging en slaap; ook kon zij het nemen van baden en het krijgen van massages bevatten. Maar er waren vele specifieke kwalen waarvan werd gedacht dat ze zouden reageren op bepaalde medicijnen; honderden van deze medicijnen, grotendeels kruiden, worden in de hippocratische geschriften vermeld: laxeer- en purgeermiddelen, emetica (braakmiddelen), narcotica, slijmafdrijvende middelen (hoestopwekkend), zalven, smeersels en poeders. En de hippocratische geschriften bevatten ook nog de behandeling van wonden, breuken en ontwrichtingen – op een niveau dat bij moderne artsen bewondering heeft afgedwongen.

Tot besluit moeten we iets zeggen over de beginselen van het onderzoek die deze medische literatuur bevat. De eenstemmigheid verdwijnt zodra we verder kijken dan het streven naar een kritische benadering van de geneeskundige onderneming en de toepassing van de naturalistische beginselen van verklaring en behandeling. Sommige verhandelingen vertonen een sterke voorkeur voor filosofische speculaties. De auteur van *De aard van de mens*, bijvoorbeeld, biedt ons een speculatieve theorie over de menselijke aard en over gezondheid en ziekte, en aan de hand van deze theorie ontwikkelt hij verschillende therapeutische principes. Echter, andere delen van de hippocratische geschriften vallen de speculatieve benadering aan. De auteur van *Over de oude geneeskunde* vertoont een sceptische houding ten aanzien van het gebruik van hypothesen binnen de geneeskunde, in het bijzonder de hypothese dat ziekte het gevolg is van een instabiliteit tussen de vier kwaliteiten; hij stelt dat deze theorie niet leidt tot geneeswijzen die aanzienlijk anders zijn dan de middelen die door andere artsen worden voorgeschreven, maar hen eenvoudig hult in een mist van 'technisch gebazel'.[9] Hij en andere hippocratische schrijvers met een sceptische inslag gaven voorkeur aan artsen die voorzichtig handelden op basis van de verzamelde ervaring en de causale theorieën alleen aanvaardden wanneer deze waren gestoeld op een enorme hoeveelheid bewijzen. Zoals we hebben gezien, had de aanmaning om te handelen op basis van ervaring een positieve invloed op de nauwgezette diagnostische procedures en indrukwekkende ziektegeschiedenissen in de hippocratische geschriften. Zo nu en dan treffen we zelfs een waarneming aan die speciaal gedaan is om een theoretische conclusie te bevestigen – zoals in *Over de heilige ziekte*, waar de auteur voorstelde een geit te ontleden die ziek was om zo te kunnen aantonen dat de kwaal het gevolg is van een opeenhoping van slijm in de hersenen.[10]

We moeten deze bespreking van de hippocratische geneeskunde besluiten met twee punten die als waarschuwing bedoeld zijn. Ten eerste dat de verschijning van de wetenschappelijke geneeskunde niet gepaard ging met de verdwijning van haar rivalen. De 'geleerde' geneeskunde was nooit de enige geneeskunde, noch de meest populaire, maar functioneerde naast traditionele vormen van geneeskundige overtuigingen en praktijken. In de Griekse oudheid (vanaf de vijfde eeuw v. Chr.) konden de zieken zich wenden tot 'geleerde' artsen, priesterlijke genezers in de tempels voor Aesculapius, vroedvrouwen, kruidenverzamelaars en osteopaten. Bovendien kan ongetwijfeld worden gesteld dat de grenzen tussen deze verschillende soorten genezers onduidelijk waren – genezing in de tempel zou nauw verbonden kunnen zijn geweest met de geleerde geneeskunde. Verder lijkt er ook geen twijfel te bestaan over het feit dat de zieken soms gelijktijdig of opeenvolgend experimenteerden met verschillende geneeswijzen.

Ten tweede, als de traditionele geneeswijzen bleven bestaan naast de wetenschappelijke geneeskunde, waren deze tot op zekere hoogte daar een onderdeel van. Met andere woorden, we moeten de wetenschappelijke Griekse geneeskunde niet opblazen tot een vroege vorm van de moderne geneeskunde. De Griekse geneeskunde was ... laten we zeggen, Grieks. Zij moest ingepast worden in het wereldbeeld en filosofische visie van de oude Grieken; hetgeen betekent dat niet alle medische overtuigingen en praktijken die de hedendaagse westerse arts bizar of weerzinwekkend zou vinden, werden buitengesloten. Zo bleven gedurende de gehele oudheid droomgenezingen deel uitmaken van de geneeskunde, de hippocratische geneeskunde inbegrepen.[11] En ondanks dat de goddelijke bemoeienis had afgedaan, waren de religieuze elementen niet geheel verdwenen. Om het meest eenvoudige voorbeeld te geven: in de eerste zinnen van de hippocratische eed zweert de arts bij Apollo en Aesculapius, en roept de goden en godinnen op getuige te zijn van zijn eedaflegging. Als we in de verleiding komen dit voorbeeld te verwerpen met het argument dat het een geval van nietszeggend ritueel betreft (vergelijkbaar met atheïsten of agnostici die in een rechtzaal zweren op de bijbel), dan is de hip-pocratische auteur die zowel een dieet als gebeden aanbeveelt wellicht een meer overtuigend voorbeeld.[12] Een fijnzinniger voorbeeld van het religieuze aspect is de ontkenning van de auteur van *Over de heilige ziekte* dat iedere ziekte het gevolg is van goddelijke bemoeienis, waarmee hij slechts zeggen wil dat iedere ziekte een natuurlijke oorzaak heeft; hij is geen tegenstander van de opvatting dat deze na-tuurlijke oorzaak zelf een aspect of manifestatie is van goddelijke krachten. De meeste hippocratische artsen bleven ongetwijfeld geloven dat natuurverschijnselen deel zijn van de goddelijkheid en dat ziekte zowel natuurlijk als goddelijk is.

DE HELLENISTISCHE ANATOMIE EN FYSIOLOGIE

Onze Griekse geneeskundige bronnen zijn op eigenaardige wijze opgesplitst. We hebben de hippocratische geschriften, die ons veel leren over de Griekse genees-kunde; en we zijn in het bezit van diverse bronnen uit de vroeg-christelijke tijd, die ons een goed beeld geven van de geneeskunde in het Romeinse rijk. Maar daartussen ligt een periode van vier- tot vijfhonderd jaar waarvoor we slechts enke-le fragmenten van medische literatuur hebben. Niet omdat men ophield met de medische praktijken, of omdat men niet langer medische verhandelingen schreef (hoewel de produktie van medische verhandelingen ongetwijfeld aan golfbewegin-gen onderhevig was), maar omdat de medische geschriften uit de tussenliggende periode om onbekende redenen verdwenen zijn. Ontwikkelingen binnen de ge-neeskunde moeten daarom worden gereconstrueerd met behulp van fragmentari-sche beschrijvingen uit het werk van latere schrijvers.[13]

De kennis van de hippocratische artsen betreffende de menselijke anatomie en fysiologie lijkt zeer beperkt te zijn geweest. Er zijn weinig bewijzen van de syste-matische ontleding van menselijke lichamen gedurende, of voorafgaande aan, de periode waarin de hippocratische geschriften tot stand kwamen – ongetwijfeld van-wege traditionele taboes omtrent de behoorlijke teraardebestelling van de doden en wellicht ook vanwege het ontbreken van een goede reden om te veronderstellen dat de ontleding van mensen kan leiden tot nuttige kennis. De bestaande anatomi-sche kennis werd ongetwijfeld verkregen door chirurgie of de behandeling van wonden, of door een vergelijking te maken met de dierlijke anatomie (waarvan men, dankzij Aristoteles, een goed begrip had).

Daarom was het een belangrijke gebeurtenis toen men in de derde eeuw v. Chr. in Alexandrië begon met het ontleden van menselijke lichamen.[14] Het is ons niet bekend hoe deze vernieuwing precies tot stand kwam. Ongetwijfeld was er een verband met de koninklijke steun van de Ptolemeïsche dynastie, die machtig ge-noeg was om desgewenst traditionele taboes rond de teraardebestelling te doorbre-ken; het kan ook iets te maken hebben gehad met de medische ontwikkelingen, waardoor het belang van anatomische kennis groter werd, of met de overheveling van de Griekse geneeskunde naar een nieuw sociaal en religieus klimaat; schijnbaar deed het zich voor binnen een filosofische context waarin nieuwe vragen naar voren kwamen die nieuwe onderzoeksmethoden vereisten. Wat de reden ook was, de oude getuigen beweren bijna unaniem dat Herophilus van Chalcedon en Erasistratos van Ceos de eersten waren die zich inlieten met de systematische ontleding van het menselijk lichaam; als wij de Romeinse encyclopedist Celsus en de kerkvader Tertullianus moeten geloven, pasten zij vivisectie toe op gevangenen.

Wat leerden zij? Herophilus († ca. 250 of 260 v. Chr.), geboren in Klein-Azië, studeerde geneeskunde bij Praxagoras van Cos voordat hij naar Alexandrië emigreerde, waar hij werkte onder de bescherming van de eerste twee Ptolemeïsche heersers. Voor zover we weten, lijken zijn pathologische theorie en therapeutische praktijk hippocratisch van aard te zijn geweest; als atomist begaf hij zich op nieuwe terrein.[15] Herophilus deed onderzoek naar de anatomie van de hersenen en het zenuwstelsel, waarbij hij twee van de hersenmembramen vaststelde (de dura mater en de pia mater) en verbanden ontdekte tussen de zenuwen, het ruggemerg en de hersenen. Zijn onderscheiding van sensibele en motorische zenuwen openbaart zijn inzicht in de werkingen van het zenuwstelsel. Het oog bestudeerde hij nauwgezet, waarbij hij zijn voornaamste sappen en vliezen bepaalde en een technische naamlijst opstelde die ook vandaag de dag nog wordt gebruikt; hij ontdekte de oogzenuw tussen het oog en de hersenen en beweerde dat deze gevuld was met een verfijnd pneuma.

Ook onderzocht Herophilus de buikholte. Hij introduceerde nauwgezette omschrijvingen van de lever, de alvleesklier, de darmen, de voortplantingsorganen en het hart. Hij maakte een onderscheid tussen aderen en slagaderen op basis van de dikte van hun wanden. Hij bestudeerde de hartkleppen. Hij bestudeerde het kloppen van de slagader – hoewel hij niet begreep dat het eenvoudigweg een mechanische reactie was op het pompen van het hart – en gebruikte de verschillende ritmes van de polsslag als hulpmiddel bij het stellen van diagnosen en prognosen. Hij beschreef de eierstokken en eileiders een schreef een verhandeling over de verloskunde. Zelfs dit beknopte overzicht geeft een indruk van Herophilus' opmerkelijke prestaties als onderzoeker van de menselijke anatomie en fysiologie.

Zijn werk werd voortgezet door Erasistratos, bij benadering zijn tijdgenoot (geb. ca. 304 v. Chr.) en afkomstig van het eiland Ceos, die geneeskunde had gestudeerd bij de peripatetische school in Athene en op Cos.[16] Erasistratos vervolgde en verbeterde Herophilus' bestudering van de structuur van de hersenen en het hart. Hij voorzag in een uitstekende beschrijving (die Galenus voor ons citeert) van de twee- en driepuntige kleppen en van hun functie bij de bewerkstelliging van het 'éénrichtingverkeer' in het hart; volgens Erasistratos werkte het hart als een blaasbalg, die uitzet om bloed of pneuma op te nemen, en inkrimpt om bloed in de aderen en pneuma in de slagaderen te drijven. Het uitzetten en inkrimpen van het hart waren volgens Erasistratos het gevolg van een aangeboren gave van het hart; hij beweerde terecht dat de uitzetting van de slagader tijdens de polsslag eenvoudig een passieve reactie was op het uitzetten en inkrimpen van het hart.

Hoewel Herophilus interessante fysiologische theorieën heeft opgesteld (zoals zijn theorie over de polsslag), leek hij toch meer belangstelling te hebben voor de structuur dan voor de werking. Het werk van Erasistratos bestaat voor een veel groter deel uit fysiologische verhandelingen. Klaarblijkelijk beïnvloed door de peripatetische school en in het bijzonder door Strato, beweerde Erasistratos dat de materie bestaat uit kleine deeltjes die worden gescheiden door minieme lege ruimten; deze corpusculaire theorie combineerde hij met de theorie van het pneuma, om zo de diverse fysiologische processen te kunnen verklaren. We zullen zijn uitleg van de spijsvertering, de ademhaling en het vaatstelsel (van bijzonder belang vanwege hun latere invloed op Galenus) bij wijze van voorbeeld gebruiken.

Erasistratos was van mening dat alle lichamelijke weefsels aderen, slagaderen en zenuwen bevatten, en dat deze dienst doen als kanalen waarlangs de verschillende substanties die essentieel zijn voor het functioneren van het lichaam naar de diverse organen worden geleid. Het voedsel komt in de maag, waar het op mechanische wijze wordt gereduceerd tot sappen die door kleine poriën in de maag- en darmwand terecht komen in de lever, waar ze worden omgezet in bloed. Vervolgens wordt het bloed door de aderen naar alle delen van het lichaam gestuurd, waar het verantwoordelijk is voor voeding en groei. De slagaderen, daarentegen, bevatten alleen het pneuma, dat vanuit de atmosfeer wordt ingeademd en door de 'aderachtige slagader' (onze longader) naar de linkerzijde van het hart wordt getransporteerd; vanuit het hart wordt het pneuma door de slagaderen over alle delen van het lichaam verdeeld, waarmee deze delen hun vitale kwaliteiten verkrijgen. Ten slotte bevatten de zenuwen een verfijnde vorm van het pneuma, het 'psychische' pneuma, dat door raffinage in de hersenen uit arterieel pneuma vervaardigd wordt en verantwoordelijk is voor het gevoel en de motoriek. Om de verplaatsing van deze substanties door het lichaam te verklaren, deed Erasistratos een beroep op het idee dat de natuur een afschuw had van het vacuüm: het pompen van het hart, of de consumptie of verspilling van stoffen in een orgaan, vereist dat het bloed of pneuma de pas gecreëerde of ontstane leegte onmiddellijk op kan vullen.

Deze theorie is zeer indrukwekkend en sommige onderdelen zouden nog bijna tweeduizend jaar deel uitmaken van het westers fysiologische gedachtengoed. Maar al in Erasistratos' tijd werd er een schijnbaar dodelijke kritiek geuit – namelijk dat er bij het doorsnijden van een slagader (het kanaal waardoor het pneuma naar alle delen van het lichaam stroomt) *bloed* vrijkomt. Erasistratos reageerde op deze kritiek met de bewering dat de aderen en slagaderen onder normale omstandigheden niet met elkaar in verbinding staan; wanneer een slagader echter wordt geopend, creëert het pneuma een vacuüm of dreigt daarmee; op zijn beurt opent dit potentiële vacuüm kleine verbindingen (anastomosen) tussen de aderen en de slagaderen, waardoor er een tijdelijke bloedstroom ontstaat van de aderen naar de slagaderen en er na het ontsnappen van het pneuma uit de wond ook bloed zal vloeien.

Erasistratos' theorie over de voeding en het vaatstelsel leidde gemakkelijk tot een theorie over ziekte. Erasistratos stelde dat ziekte voornamelijk veroorzaakt wordt door het overstromen van de aderen door een overschot aan bloed, dit laatste als gevolg van overmatig eten. Als, bijvoorbeeld, de aderen voldoende worden gevuld met bloed, zullen de normaliter gesloten verbindingen tussen de aderen en de slagaderen worden opengebroken; het bloed kan zich dan in de slagaderen begeven en het arteriële stelsel tot in de uiteinden doorstromen, waar het dan ontstekingen en koorts veroorzaakt. Uit een dergelijke theorie over ziekte kan worden geconcludeerd dat de behandeling gericht moet zijn op de vermindering van de hoeveelheid bloed. Dit kan worden bewerkstelligd door de inname van voedsel te beperken of (minder gebruikelijk) door aderlating.

De hellenistische geneeskundige scholen

Herophilus en Erasistratos kregen binnen de medische wereld veel aandacht en hun kring oefende grote aantrekkingskracht uit op toonaangevende artsen en medische theoretici. Deze studenten en onderzoekers, die zonder twijfel geïnspireerd werden door het voorbeeld en het onderricht van deze twee mannen, voelden zich blijkbaar niet gebonden aan een soort van orthodoxe leer. Herophilus en Erasistratos hadden immers ook vele meningsverschillen gehad. Een leerling van Herophilus, Philinus van Cos, schreef een boek met bezwaren tegen bepaalde leerstellingen van Herophilus en diens aanhangers, dat een niet mis te verstane aanval en tegenaanval tot gevolg had. In de eeuwen die volgden, werd er door de volgelingen van Herophilus en hun critici (die bekend werden als de 'empiristen') een aanzienlijke hoeveelheid polemische werken geproduceerd. De hellenistische geneeskunde begon uiteeen te vallen in rivaliserende medische scholen, ieder met een eigen theorie en een eigen methodologisch programma.

Uiteindelijk ontstonden er verscheidene groepen.[17] Een bepaalde familie van gezindten, deels afstammend van de volgelingen van Herophilus en Erasistratos, werd reeds in de oudheid op één hoop gegooid onder de rubriek 'rationalisten' of 'dogmatisten'. Benadrukt dient te worden dat de 'rationalisten' of 'dogmatisten' geen uniforme of coherente beweging vormden, maar op vele punten van mening verschilden; als er iets was wat hen verenigde, dan was het hun algemene betrokkenheid bij de speculatieve, theoretische geneeskunde – de poging om de natuurwetenschappelijke methoden, zoals we die kennen van de voornaamste filosofische scholen, toe te passen op medisch gebied. *Enkele* 'rationalisten' bleven de ontleding van het menselijk lichaam verdedigen als een waardevol methodologisch hulpmiddel dat een bijdrage kon leveren aan de formulering van hypothesen aangaande de verborgen oorzaken van ziekte; maar *allen* waren het eens over het nut van de fysiologische theorie voor de medische praktijk.

Hun voornaamste tegenstanders en lasteraars, de 'empiristen', stonden hier lijnrecht tegenover en waren van mening dat theoretische speculatie, waaronder de zoektocht naar fysiologische kennis en de verborgen oorzaken van ziekte, verspilde moeite was; en in het bijzonder dat de ontleding van het menselijk lichaam geen

Afbeelding 6.4 Een Griekse arts, reliëf van een graf,
480 v. Chr. Antikenmuseum Basel, Inv. no. BS 236.

nuttige bijdrage leverde aan de geneeskundige kennis en verboden zou moeten worden. Kortom, de 'empiristen' waren van mening dat de anatomische en fysiologische traditie, zoals die ontwikkeld was door Herophilus, Erasistratos en hun theoretisch georiënteerde volgelingen, een doodlopende straat was die moest worden vermeden. De succesrijke arts moest zich richten op de waarneembare symptomen en de waarneembare oorzaken, en een behandeling adviseren op basis van de opgedane ervaring (zijn eigen en die van zijn voorgangers) met de werkzaamheid van de diverse geneesmiddelen.

In de eerste eeuw na Chr. ontstond er in Rome een derde groep artsen, bekend als de 'methodisten', die met name beweerden dat de 'rationalisten' en 'empiristen' de geneeskunde onnodig ingewikkeld hadden gemaakt – dat de complexe elementen van de geneeskunde, waaronder de anatomie, de fysiologie en de zoektocht naar de oorzaken van ziekte (zowel de verborgen als de zichtbare), terzijde konden worden geschoven. De kern van de 'methodistische' leerstelling was het idee dat ziekte bepaald wordt door de gespannenheid en slapheid van het lichaam en dat de voorgeschreven behandeling het directe en 'methodische' gevolg is van deze premisse. Dergelijk onderwijs bleek erg populair te zijn bij de Romeinse aristocraten, die door hun steun het 'methodisme' tot een invloedrijke medische macht in Rome en de gehele hellenistische wereld maakten. Een vierde school was die van de 'pneumatici', die een medische filosofie creëerde op basis van stoïcijnse beginselen. En tot slot moeten we Asclepiades van Bithynië (actief in de periode 90-75 v. Chr.) noemen, een invloedrijke Romeinse arts die de theorieën van de lichaamssappen verwierp en een aanhanger werd van de atomistische leerstellingen.

GALENUS EN HET HOOGTEPUNT VAN DE HELLENISTISCHE GENEESKUNDE

Het was deze medische wereld die Galenus binnentrad toen hij op zestienjarige leeftijd besloot een medische loopbaan te beginnen. Galenus werd in 129 n. Chr. geboren te Pergamum (een van de toonaangevende intellectuele centra van Klein-Azië en van de gehele hellenistische wereld) en studeerde filosofie en wiskunde alvorens zich te richten op de geneeskunde.[18] Zijn reizen, waarbij hij eerst op zoek was naar onderwijs en later naar weldoeners, weerspiegelen de hoge mate van mobiliteit die de wetenschappers van de oude wereld genoten. Galenus studeerde geneeskunde in Pergamum en Smyrna (beide in Klein-Azië), toen in Corinthe op het Griekse vasteland en ten slotte in Alexandrië. Vanuit Alexandrië keerde hij terug naar Pergamum als een arts voor de gladiatoren, ging weer naar Rome op zoek naar een weldoener, keerde terug naar Pergamum, vertrok weer naar Italië en vestigde zich uiteindelijk te Rome, waar hij genoot van de vriendschap van de rijken en machtigen en hun medische behoeften bevredigde, zoals die van de keizers Marcus Aurelius, Commodus en Septimius Severus. Hij stierf na 210. Galenus produceerde een enorme hoeveelheid geschriften, waarvan het deel dat bewaard is gebleven in de negentiende-eeuwse standaarduitgave uit tweeëntwintig delen bestaat.

Deze geschriften, die een opsomming geven van de kennis binnen de oude geneeskundige traditie en een oordeel uitspreken over haar belangrijkste discussiepunten, maakten Galenus tot de toonaangevende medische autoriteit van de oudheid – met alleen Hippocrates als concurrent – en waren verantwoordelijk voor de ongekende invloed die hij tot in de moderne tijd had.

Galenus was een breed ontwikkelde filosoof die weet had van alle belangrijke filosofische strijdpunten van de oudheid en streefde naar de integratie van geneeskunde en filosofie. Hij was sterk beïnvloed door het werk van Hippocrates, door Plato, Aristoteles en de stoïcijnen, door de anatomische en fysiologische werken van Herophilus en Erasistratos en de medische geschillen in de hellenistische tijd. Hij is omschreven als een eclectische rationalist,[19] die meer belangstelling had voor de ziekte dan voor de patiënt en de laatste zag als een middel om inzicht te verkrijgen in de eerste. Centraal in zijn medische doelstellingen stonden de classificatie van de ziekten – ter ontdekking van de algemene principes die achter de details schuilgaan – en de opsporing van hun verborgen oorzaken. En het was zijn overtuiging dat de verwerving van anatomische en fysiologische kennis hiervoor noodzakelijk was.

De invloed van Hippocrates was van cruciaal belang voor de ontwikkeling van Galenus' medische filosofie (hoewel hij zich vrij voelde om selectief te lenen en de geleende elementen vrijelijk te interpreteren). Het bepaalde zijn visie op het menselijk lichaam en de taak van de arts, zijn nadruk op het belang van klinische observatie en ziektegeschiedenissen, zijn belangstelling voor diagnose en prognose, en zijn therapeutische ideeën in het algemeen. Aan de hippocratische verhandeling *Over de aard van de mens* ontleende Galenus de leer van de vier lichaamssappen – het idee dat bloed, slijm, geel gal en zwart gal de vier hoofdbestanddelen van het lichaam zijn, die op hun beurt herleidbaar zijn tot de fundamentele kwaliteiten warm, koud, nat en droog. Hij beweerde dat de vier lichaamssappen zich verenigen om weefsels te vormen; weefsels vormen samen de organen; de organen verenigen zich om het lichaam te vormen.

Ziekte zou verbonden kunnen zijn met een verstoord evenwicht tussen de lichaamssappen en hun kwalitatieve bestanddelen, of met de specifieke toestand van een bepaald orgaan; een van Galenus' voornaamste vernieuwingen binnen de kunst van de diagnostiek was de plaatsbepaling van een ziekte door vaststelling van de aangetaste organen. Galenus' bespreking van koortsen illustreert beide aspecten van zijn theorie over ziekte. De koortsen die zich verspreiden, zo beweert hij, worden in het hele lichaam tot stand gebracht door de hitte van bedorven lichaamssappen; lokale koortsen zijn het gevolg van schadelijke of giftige sappen in een bepaald orgaan, die leiden tot pijn en tot veranderingen als verhardingen en zwellingen. Voor zijn diagnosen verlaatte Galenus zich met name op de polsslag en een nadere beschouwing van de urine; maar tevens zag hij de noodzaak in van het onderzoek naar alle andere tekenen die in de hippocratische geschriften met nadruk worden genoemd. In zijn *Over de kunst van het genezen* schreef hij:

Wanneer je de patiënt ziet, bestudeer je de meest belangrijke symptomen zonder de meest triviale te vergeten. Hetgeen de meest belangrijke ons vertellen, wordt bevestigd door de andere. Meestal vindt men de voornaamste indicaties van koorts in de polsslag en de urine. Het is zeer belangrijk om hieraan de tekenen toe te voegen die Hippocrates ons leerde, zoals die in het gezicht, de slaaphouding van de patiënt, de ademhaling, de aard van de afscheiding boven en beneden, ... de aan- of afwezigheid van hoofdpijn, ... de lamlendigheid of het goede humeur van de patiënt, ... [en] het uiterlijk van het lichaam.[20]

Galenus dacht dat kennis van de structuur en de werking van afzonderlijke organen van essentieel belang was voor de succesvolle beoefening van de geneeskunde. Hij predikte het belang van anatomische kennis, maar erkende dat de ontleding van mensen in zijn tijd niet langer mogelijk was. Hij drong er bij zijn lezer op aan om achtzaam te zijn op de mogelijkheid van toevallige anatomische waarnemingen, bij het uiteenvallen van een graftombe of de ontdekking van een skelet langs de weg; hij adviseerde een bezoek aan Alexandrië, voor wie dit mogelijk was, omdat daar het skelet nog uit de eerste hand kon worden bestudeerd; maar hij erkende dat de menselijke anatomie grotendeels zou moeten worden afgeleid uit de analogie, uit de onleding van dieren met een anatomie die vergelijkbaar is met die van de mens. Galenus ontleedde zelf een verscheidenheid aan dieren, zoals de kleine aap die bekend staat als de Turkse aap (de makaak). Zijn vakkundigheid als anatomist blijkt uit diverse anatomische werken, waaronder een handboek voor de ontleding, *Over anatomische methoden*. Hij gaf voortreffelijke omschrijvingen van de botten, de spieren, de hersenen en het zenuwstelsel, de ogen, de aderen en slagaderen, en het hart. Hij nam natuurlijk dingen over uit het werk van Herophilus en Erasistratos; maar hij twijfelde niet om zijn voorgangers te verbeteren wanneer hij dacht dat ze het mis hadden. Helaas leidde Galenus' ontleding van dieren tot de foutieve toeschrijving van dierlijke eigenschappen aan het menselijk lichaam; het meest roemruchte voorbeeld is dat van de *rete mirabele*, waarop we nog zullen terugkomen. Niettemin zijn het Galenus' anatomische werken, en niet die van Herophilus en Erasistratos, die bewaard zijn gebleven; en zo gaf Galenus Europa haar enige systematische uiteenzetting over het menselijk lichaam tot aan de renaissance.

Galenus' fysiologische stelsels hadden wortels die nog complexer waren. Plato had gepleit voor een drieledige ziel, bestaande uit een superieur ('rationeel') deel en twee inferieure delen (verbonden met de passies en begeerten) die zich bevonden in respectievelijk de hersenen, de borst en de buikholte. Galenus nam dit idee over en legde vervolgens een verband tussen de drie gaven van de ziel zoals Plato die had vastgesteld en de drie fysiologische basisfuncties zoals die door Erasistratos waren vastgesteld; het resultaat was een drieledig georganiseerd kader voor de fysiologie. In dit stelsel werden de hersenen (de plek van de rationele gaven van de ziel) opgevat als bron van de zenuwen. Galenus volgde Erasistratos in de opvatting dat de zenuwen psychische pneuma's bevatten, die verantwoordelijk zijn voor het gevoel en de motoriek. Galenus zag het hart (de plek van de passies) als de bron van de slagaderen, die alle delen van het lichaam bedelen met het leven-gevende arteriële bloed (en het vitale pneuma). En de lever (de plek van verlangen of begeerte) was de bron van de aderen, die het lichaam voeden met veneus bloed.[21]

De drie fysiologische stelsels die Galenus ontwikkelde, waren niet volledig zelfstandig, maar onderling verbonden. Het zou daarom nuttig kunnen zijn ze van begin tot eind door te nemen – vanaf de eerste inname van voedsel tot aan de uiteindelijke verspreiding van het psychisch pneuma door de zenuwen. Het voedsel arriveert in de maag, waar het gereduceerd wordt tot sap (de Griekse term is *chyle*) – niet slechts door een mechanische activiteit, zoals Erasistratos dacht, maar doordat het gekookt werd door de vitale warmte van het lichaam. Het *chyle* gaat via de maag- en darmwanden over in de omliggende aderen van het darmvlies, die het weer doorgeven aan de lever. In de lever wordt het *chyle* verder gezuiverd en gekookt, om vervolgens het aderlijk bloed voort te brengen. Dit aderlijke bloed, dat de voeding van het lichaam is, verspreidt zich langzaam door de aderen naar de diverse weefsels en organen, alwaar het wordt verbruikt. Het veneuze stelsel begint dus bij de lever; het transporteert bloed naar alle delen van het lichaam; en het is verantwoordelijk voor de voeding.[22]

Door de *vena cava* bereikt het veneuze bloed de rechterzijde van het hart. Een belangrijk bloedvat (Galenus' slagaderlijke bloedvat, dat wij longslagader noemen) transporteert een deel van dit veneuze bloed naar de longen, die evenals alle andere organen voedingstoffen nodig hebben. Het restant van het veneuze bloed sijpelt langzaam door minuscule poriën in de zware spier (het interventrikulaire septum), die de afscheiding vormt tussen de rechter en linker kamer van het hart. Galenus erkende dat deze poriën te klein zijn om gezien te kunnen worden, maar hij beweerde dat een deel van het veneuze bloed ergens anders heen moet gaan, omdat de ingaande *vena cava* groter is dan het uitgaande slagaderlijke bloedvat; daarenboven is het verschil in omvang te groot om verklaard te kunnen worden door het feit dat het hart, zoals elk ander orgaan, een zekere hoeveelheid veneus bloed als voeding gebruikt; en, tot slot, leidt het principe dat de natuur niets zonder reden doet tot de zekere conclusie dat de kleine putjes in het interventrikulaire septum ergens naartoe moeten leiden. Hieruit volgt dat

> het dunste deel van het bloed van de rechter holte naar de linker holte gaat, door de openingen die zich in de tussenliggende wand bevinden: deze [openingen] kunnen voor het grootste deel [van hun lengte] worden waargenomen; ze zijn als putjes met wijdopen monden die steeds smaller worden; het is echter niet mogelijk hun uiteinde te zien, deels vanwege de geringe omvang daarvan en deels vanwege het feit dat bij het dode dier alle delen koud en geslonken zijn.[23]

Wat gebeurt er wanneer het veneuze bloed de linkerhelft van het hart bereikt? Dit is het aangewezen moment om Galenus' theorieën over vitaliteit en ademhaling te introduceren.[24] Galenus volgde Plato, Aristoteles en de anonieme auteur van

Over het hart (een verhandeling die in eerste instantie als hippocratisch werd bestempeld, maar waarschijnlijk hellenistisch is) in de identificatie van het hart met de aangeboren warmte; bovendien deelde hij met hen de opvatting dat de voornaamste zetel van deze warmte zich in het hart bevindt. Het vasthouden van de juiste temperatuur is natuurlijk cruciaal en deze taak wordt door de longen en de ademhaling vervuld. Enerzijds omgeven de longen het hart en verminderen of matigen zijn temperatuur. Anderzijds voeden ze het 'vuur' in het hart door er lucht heen te sturen door de aderlijke slagader (onze longslagader); en met hetzelfde mechanisme voorzien ze in een manier waarop het hart zich kan ontdoen van de afvalstoffen die vrijkomen bij de verbranding. Wanneer het hart uitzet, wordt er lucht vanuit de longen in de linker kamer van het hart gezogen; wanneer het hart samentrekt, worden er roet en rokerige dampen de andere kant opgestuurd en uitgeademd in de atmosfeer. De lucht die tijdens de uitzettingsfase de linkerkamer van het hart bereikt, vermengt zich met het veneuze bloed dat door het interventrikulaire septum loopt – bloed dat reeds verwarmd is en dus tot leven gewekt is door de natuurlijke warmte in het hart. Het resultaat is een verfijnder, zuiverder en warmer arterieel bloed, verzadigd met vitale geest of pneuma, dat weer via de slagaderen door het lichaam wordt verspreid. Bij de verdediging van deze theorie besteedde Galenus veel aandacht aan het bewijzen van de aanwezigheid van bloed in de slagaderen, hetgeen in strijd was met Erasistratos' opvatting. Dit is dus Galenus' tweede van zijn voornaamste fysiologische stelsels – het arteriële stelsel, dat geworteld is in het hart, arterieel bloed transporteert door de slagaderen, en leven schenkt aan de weefsels en organen van het lichaam.

Zoals ieder ander orgaan ontvangen ook de hersenen arterieel bloed. Een deel van dit arteriële bloed komt terecht in de *rete mirabele* – een netwerk van verfijnde slagaderen, dat aangetroffen wordt bij bepaalde gehoefde dieren (waar het als koelsysteem fungeert) en door Galenus abusievelijk ook aan mensen toegeschreven wordt. Bij het doorlopen van de slagaderen van de *rete mirabele* wordt het arteriële bloed gezuiverd, hetgeen resulteert in de meest verfijnde vorm van geest of pneuma – het psychisch pneuma. Dit pneuma wordt via de zenuwen over alle delen van het lichaam verspreid en is verantwoordelijk voor het gevoel en de motorische functies; dit is het derde van Galenus' voornaamste fysiologische stelsels.

Voordat we Galenus' fysiologie achter ons laten, moeten we nog één punt aanstippen. Galenus vond Erasistratos' poging om de fysiologie te mechaniseren niet overtuigend. In het bijzonder geloofde hij niet dat de bewegingen van het vocht door het lichaam naar tevredenheid verklaard kon worden door pompende bewegingen of een natuurlijke afschuw van het vacuüm. Hij aanvaardde dat het hart als een blaasbalg werkte, dat er tijdens de uitzetting lucht werd aangezogen uit de longen en er tijdens de samentrekking arterieel bloed in de slagaderen werd gedreven, en ook dat de slagaderen zelf bewegingen maken die het vocht doen stromen. Maar hier komt bij dat hij overtuigd was van het feit dat alle organen ook niet-mechanische eigenschappen bezitten, waardoor zij vocht aantrekken, vasthouden en afstoten naargelang hun behoeften. Zo heeft de lever de capaciteit om de *chyle* aan te trekken die het nodig heeft. Evenzo stroomt het veneuze bloed niet door het lichaam omdat het gepompt wordt, maar omdat de lichaamsorganen het aantrekken, vasthouden en afstoten naargelang hun behoefte aan voeding.

Galenus' geneeskundige theorieën bleken buitengewoon overtuigend te zijn en zouden het medische denken en onderwijs in de middeleeuwen en tot in de vroegmoderne tijd domineren. Hun overtuigingskracht lag voor een deel in hun veelzijdigheid. Galenus besteedde aandacht aan alle medische kwesties die in zijn tijd speelden. Hij kon praktisch zijn, zoals in zijn farmacologische werk, en hij kon theoretisch zijn, zoals in zijn fysiologische werk. Hij was filosofisch onderlegd en hanteerde verfijnde methoden.[25] Zijn werk geeft gestalte aan het beste van de Griekse pathologische en therapeutische theorie. Het bevat een indrukwekkende uiteenzetting van de menselijke anatomie en een briljante synthese van het Griekse fysiologische denken. Kortom, Galenus bood een volledige medische filosofie die op voortreffelijke wijze betekenis gaf aan de begrippen gezondheid, ziekte en genezing.

Maar er was nog een andere reden voor Galenus' populariteit. Galenus voorzag zijn anatomie en fysiologie van een enorme dosis teleologie, hetgeen hem geliefd zou maken bij zijn islamitische en christelijke lezers. Galenus was zelf geen christen en zijn teleologische benadering had geen christelijke oorsprong, maar was geïnspireerd op Plato's *Timaios*, Aristoteles' *Over de delen der dieren* en op het stoïcijnse gedachtengoed. Evenals Aristoteles – en zeker meer dan Plato – werd Galenus getroffen door het intelligente ontwerp van het dierlijk en menselijk lichaam; zijn *Over het nut van de lichaamsdelen* is een reeks verheerlijkingen van de wijsheid en voorzienigheid van de Demiurg (een term en een concept die overduidelijk ontleend zijn aan Plato). In dit werk schreef Galenus:

> En ik denk dat ik hem [de Demiurg] niet zozeer vereer met het aanbieden [van offers] ... van stieren en brandende wierook ...., maar bovenal met het leren kennen van zijn wijsheid, kracht en goedheid, en met het doorgeven van deze kennis aan anderen. Ik beschouw het als een bewijs van volmaakte goedheid als men alles op de best mogelijke wijze rangschikt, zonder enig schepsel te bevoorrechten, en daarom moeten wij hem als goedheid prijzen. Maar zijn kennis van de beste manieren waarop alles moet worden geordend, getuigt van zijn ultieme wijsheid, en het feit dat alles gebeurt zoals hij het verlangt, getuigt van zijn onoverwinnelijke kracht.[26]

Galenus beweerde dat de Natuur (of de Demiurg) niets doet wat geen reden heeft; dat de bouw van het mensenlichaam volkomen aangepast is aan zijn functies en zelfs niet door onze verbeelding verbeterd kan worden. Galenus gaf zelfs een aanzet tot een natuurlijke theologie – een theorie over god, of de goden, die gebaseerd is op bewijzen die de natuur ons levert. Tegen het einde van *Over het nut van de lichaamsdelen* wijst hij op de lessen die het onderzoek van de dierlijke anatomie over de wereldziel kan geven:

Want als in modder en slijk, in moerassen, in rottende planten en rottend fruit, zich dieren ontwikkelen die op schitterende wijze blijk geven van het brein achter hun totstandkoming, wat moeten we dan denken van de lichamen boven [dat wil zeggen, de hemellichamen]?... Dus, als men de feiten onder ogen ziet, als men in een dergelijk slijk van vlees en sappen sporen vindt van een aanwezig brein, als men oog heeft voor de bouw van ieder willekeurig dier – want zij geven alle blijk van een wijze Schepper –, dan zal men begrijpen hoe uitzonderlijk groot het verstand in de hemel is.[27]

Wie dit leest, kan zich goed voorstellen dat zowel Galenus' teleologie als zijn verlangen de mens en zijn ziekten een plaats te geven in een volledig en bevredigend (en uiteraard klassiek) wereldbeeld niet altijd goed in de smaak zijn gevallen bij moderne wetenschappers. Galenus is ten prooi gevallen aan vele beschuldigingen van historici van de geneeskunde, die boos op hem waren vanwege zijn ouderwetse inslag.[28] Maar Galenus gedroeg zich uiteraard als een Grieks-Romeins persoon; als we op grond van moderne criteria een oordeel vellen over zijn gebreken, lopen we de kans niets te zullen leren van zijn leven en denken als arts gedurende de laatste jaren van de Grieks-Romeinse beschaving. Galenus verenigde vele aspecten van het klassieke denken: hij vatte meer dan zeshonderd jaar Griekse en Romeinse geneeskunde samen; tegelijkertijd plaatste hij die geneeskunde binnen een klassiek filosofisch en teleologisch kader. Dat de teleologie in het gehele werk van Galenus aanwezig is, herinnert ons eraan dat het vraagstuk van de universele orde en organisatie een centraal en fundamenteel probleem bleef, waaraan iedere belangrijke denker wel aandacht moest schenken, en waarover het laatste woord nog niet was gezegd – sterker nog, een probleem waarover ook nu het laatste woord nog niet is gezegd. Dat de goden een rol spelen in Galenus' wereldbeeld, en zelfs in zijn geneeskundige theorieën, is niet iets dat ons zou moeten spijten, maar iets dat begrepen moet worden als een typisch kenmerk van de klassieke geneeskunde en filosofie. Galenus verschilde in zijn ideeën over de goden niet veel van de hippocratische schrijvers of van zijn voornaamste filosofische voorbeelden. Ofschoon de goddelijkheid deel uitmaakte van het medische domein, zoals in zijn erkenning van de geneeskracht van Aesculapius,[29] stond dit de vorming van een filosofie die zich beperkte tot de natuurlijke causaliteit niet in de weg. Galenus geloofde zeker dat er in het bewonderenswaardige ontwerp van de levende dingen een ontwerper kon worden bespeurd; maar dit geloof had geen grote invloed op zijn analyse van ziekte of op zijn diagnostische en therapeutische methoden.

De Romeinse en vroeg-middeleeuwse wetenschap

De Grieken en Romeinen

De loopbaan van Galenus (besproken in het vorige hoofdstuk) geeft een mooi beeld van de wederzijdse doordringing van het Griekse en het Romeinse intellectuele leven. Geboren en getogen te Pergamum in Klein-Azië – ruim binnen de grenzen van het Romeinse rijk, maar nog altijd een bolwerk van Griekse cultuur –, vervolgde Galenus zijn opleiding in Corinthe (op het Griekse vasteland) en in Alexandrië. Zijn opleiding was Grieks – gegeven in het Grieks en gebaseerd op de Griekse klassieken – en zo sloot hij zich aan bij de Griekse intellectuele traditie. Maar Galenus' loopbaan eindigde in Rome, waar hij in dienst was van Romeinse keizers en lezingen gaf voor een Romeins publiek. Zijn biografie geeft daarom aanleiding tot de vraag waaraan het eerste deel van dit hoofdstuk zal worden gewijd: hoe waren de politieke, culturele, intellectuele en in het bijzonder de wetenschappelijke betrekkingen tussen Griekenland en Rome?

Aan de autonomie en het dynamische politieke leven van de Griekse stadstaten kwam een einde met de veroveringen van Alexander de Grote (334-323 v. Chr.) en de vestiging van een Grieks rijk. Maar het intellectuele leven in de staten van de opvolgers (nadat Alexanders rijk was verdeeld onder zijn bevelhebbers) bleef, in ieder geval nog enig tijd, levendig onder de bescherming van sporadische, en soms genereuze, weldoeners. Ondertussen ontwikkelde Rome zich van een onbetekenende Etruskische stad in de zevende eeuw v. Chr. tot een welvarende republiek in de vijfde en vierde eeuw. In 265 v. Chr. was het gehele Italiaanse schiereiland onder controle van Rome, en in 200 waren het buitenlands beleid en de militaire macht in die mate ontwikkeld dat Rome zich kon bemoeien met de Griekse aangelegenheden tijdens de Tweede Macedonische Oorlog (200-197). In de 150 jaar die volgden, breidde Rome haar macht over het Griekse land uit; toen Julius Caesar in 44 v. Chr. stierf, heerste Rome over vrijwel het gehele Mediterrane gebied, over Griekenland, Klein-Azië en Noord-Afrika (zie kaart 3).

In de Griekse provincies leidde de Romeinse overheersing niet tot de ineenstorting van de cultuur en het onderwijs. Integendeel, zoals de schrijver Horatius († 8 v. Chr.) op schitterende wijze beschreef, kwamen de artistieke en intellectuele veroveringen op naam van de Grieken, terwijl de Romeinen tegelijkertijd de politieke en militaire macht grepen over Griekenland.[1] Terwijl de macht en welvaart van Rome toenam, begon haar bevoorrechte klasse waardering te krijgen voor de

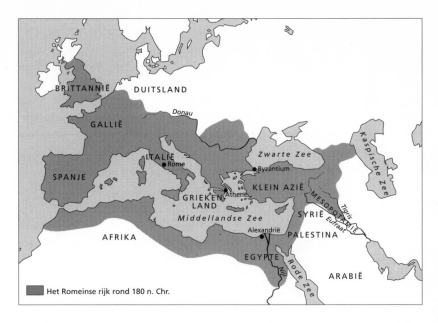

Kaart 3
Het Romeinse rijk

Griekse verrichtingen op het gebied van de literatuur, filosofie, politiek en kunst. Iedere Romein die zich op deze gebieden wilde bekwamen, kon weinig anders doen dan de Grieken te imiteren – te lenen van een cultuur die op deze gebieden superieure prestaties geleverd had.

De linguïstische en geografische barrières die een dergelijke lening mogelijkerwijs in de weg hadden kunnen staan, vormden gedurende de eerste jaren van het culturele contact in feite geen serieus probleem. In Italië, waar eeuwenoude Griekse nederzettingen waren, was het niet ongewoon als men Grieks kon lezen en spreken: denk hierbij bijvoorbeeld aan Parmenides en Zeno uit de stad Elea en de Zuid-Italiaanse pythagoreeërs die werden bezocht door Plato. Rome zelf bevatte in de tweede eeuw v. Chr. een Griekse gemeenschap en tweetaligheid kwam (tot op zekere hoogte) binnen de Romeinse hoogste stand steeds vaker voor. In toenemende mate vestigden Griekse geleerden zich in Rome, vrijwillig of als slaven; het was dan ook niet moeilijk om Griekse leraren te vinden die bereid waren de Griekse literatuur en filsofie toe te lichten. Een andere mogelijkheid was in de Griekse provincies zelf te gaan studeren, hetgeen voor een jonge Romein met wetenschappelijke ambities bijna een verplichting werd. Door dergelijke mechanismen verkregen Rome en haar omgeving een aanzienlijke kring van Griekse en Romeinse geleerden, die allen in contact stonden met de Griekse wetenschappelijke traditie. De Romeinse geleerden begonnen uiteindelijk de Griekse intellectuele verrichtingen door te geven aan de Latijnse lezers. In enkele gevallen werd de tekst zelfs vanuit het Grieks naar het Latijn vertaald.[2]

Een aantal van deze omstandigheden wordt weergegeven door de loopbaan van Cicero (106-43 v. Chr.), een hoog opgeleide en belezen staatsman. Cicero studeer-

Afbeelding 7.1
Het oude forum in Rome. Alinari/Art Resource N.Y.

de onder Griekse leraren, eerste in Rome en later in Athene en op het eiland Rhodos; vanzelfsprekend leerde hij Grieks, maakte hij zich grote delen van de Griekse filosofie eigen en werd hij sterk beïnvloed door het stoïcisme en de epistemologische theorieën die in de derde eeuw binnen de platonische school werden ontwikkeld.[3] Cicero schreef verhandelingen over diverse onderwerpen in het Latijn en maakte een vertaling van Plato's *Timaios* (die verloren is gegaan).

In het begin was de ondersteuning van wetenschappelijke studies een volledig particuliere aangelegenheid. Een lid van de hoogste stand wijdde een deel van zijn vrije tijd aan lezen en wetenschappelijke discussies; hij kon in het bezit zijn van een bibliotheek, die mogelijkerwijs goed gevuld was. Maar een ieder die zelf de middelen ontbrak, moest een patroon zien te vinden. De mogelijke regelingen kenden vele vormen, van eminente geleerden die als leraar deel uitmaakten van de huishouding van de rijken tot aan Grieks sprekende slaven. De verplichtingen van de wetenschappers die op de bovenste treden van de hiërarchische ladder stonden, konden bestaan uit het leveren van adviezen of intellectueel gezelschap voor zijn patroon, of uit het onderhouden van diens bibliotheek; als hij minder geluk had of minder capabel was, werd hij waarschijnlijk opgezadeld met de opleiding van de kinderen van de patroon en daarnaast wellicht nog met huishoudelijke taken.

Deze omstandigheden gingen gepaard met verschillende taalniveaus. De Romeinse geleerde die zich op het hoogste niveau wilde begeven, hanteerde het Grieks. Een dergelijke verhandeling in het Latijn (gesproken of geschreven) stond dus niet op gelijke voet met het hoogste niveau binnen de Griekse wetenschap, dat ons tot nu toe heeft beziggehouden. Het Latijn werd gebruikt wanneer de linguïstische beperkingen van het publiek dit vereiste; en dit publiek werd aangetrokken door een lichtere, meer populaire versie van de Griekse wetenschap. Sommige vooraanstaande wetenschapshistorici, die hun neus ophalen voor deze popularisatie, alsof alleen het baanbrekende onderzoek telt, hebben de Grieken bekritiseerd vanwege hun bewerkstelliging van de populaire wetenschap en de Romeinen vanwege hun aanmoediging daarvan.[4] Maar dit getuigt van een zeer kleingeestige visie. In feite is het noodzakelijk dat er binnen iedere academische traditie een groot aantal niveaus van denken en deskundigheid is. Voor iedere Aristoteles, in staat om zeer ingewikkelde filosofische en wetenschappelijke problemen op originele wijze met elkaar in aanraking te brengen, waren er duizenden goed opgeleide Grieken en Romeinen van wie de ambities niet verder reikten, en niet verder konden reiken, dan een begrip te krijgen van Aristoteles' verrichtingen en deze te vergelijken met de opvattingen van andere erkende autoriteiten. Elk creatief onderwijsprogramma gaat onvermijdelijk gepaard met tendensen die gericht zijn op conservatie, commentaar, onderwijs, popularisatie en overdracht. We vinden dit in ons eigen onderwijsstelsel terug.

Het was begrijpelijk, gezien deze omstandigheden, dat de geleerden zich ten doel stelden de Griekse intellectuele prestaties te testen en te interpreteren voor een Romeins publiek, en zich aldus richtten op datgene wat hun Romeinse patronen interesseerde – niet de subtiliteiten van de Griekse metafysica en epistemologie, noch de technische details van de Griekse wiskunde, astronomie en anatomie, maar de onderwerpen met een praktische waarde en een intrinsieke aantrekkingskracht. Hieraan werd een bepaalde hoeveelheid wiskunde toegevoegd, om utilistische redenen of als hersentraining. De geneeskunde behoefde nauwelijks enige rechtvaardiging, ofschoon de Romeinen in eerste instantie een achterdochtige houding aannamen ten aanzien van bepaalde aspecten van de Griekse geneeskunde. De logica en de retorica waren belangrijk binnen de gerechtshoven en de politieke arena. En de epicurische en stoïcijnse filosofie besteedde aandacht aan het belang van ethische en religieuze kwesties. Maar de wetenschap of natuurwetenschap werd, wanneer deze verder ging dan de basisprincipes, behalve als vermaak zelden op waarde geschat. Deze situatie wordt levendig weergegeven door het feit dat de Romeinen Aratus van Soli († 240 v. Chr.) prezen als astronomische autoriteit, wiens gedicht over de constellaties en weersvoorspellingen (*De phaenomena*) ten minste vier maal naar het Latijn werd vertaald, terwijl de technische werken van Eudoxos en Hipparchos niet beschikbaar of totaal onbekend waren.[5]

De wetenschap of natuurwetenschap van de Romeinen neigde dus naar een beperkte, gepopulariseerde versie van de Griekse verrichtingen. Generaties van historici hebben getracht het Romeinse onvermogen om inzicht te krijgen in de meer diepzinnige of technische aspecten van de Griekse wetenschap te verklaren in termen van intellectuele inferioriteit, morele zwakte of aangeboren onkunde. Men heeft vaak gezegd dat de Romeinen eenvoudig geen theoretisch intellect bezaten – hoewel hieraan snel wordt toegevoegd (omdat iedereen in iets goed moet zijn) dat deze onkunde gecompenseerd werd door hun bestuurlijke en bouwkundige talenten.[6] In feite bestaat er geen mysterie rond het niveau van de Romeinse intellectuele inspanningen en is er geen reden om verrast of kritisch te zijn. We moeten niet vergeten dat de Romeinse aristocratie de wetenschap, met uitzondering van de duidelijk utilistische zaken, zag als vrijetijdsbesteding. De Romeinen deden dus wat voor de hand lag: ze leenden datgene wat hen interessant en nuttig leek. Dat sommige Grieken hun leven hadden gewijd aan onderwerpen die abstract, technisch, onpraktisch en (zoals enkelen ongetwijfeld dachten) vervelend waren, was voor veel Romeinen een reden niet diezelfde fout te maken. Leden van de Romeinse hoogste stand hadden ongeveer evenveel belangstelling voor de details van de Griekse natuurwetenschap als de gemiddelde Amerikaans politicus heeft voor de metafysica en epistemologie. In het gunstigste geval was het hun wens, zoals de Romeinse toneelschrijver Ennius het verwoordde, 'filosofie te studeren, maar met mate'.[7] De enige verrassing is, dat de historici verwachtten dat dit anders was.

POPULARISATOREN EN ENCYCLOPEDISTEN

Ik heb de omstandigheden beschreven waaronder de Romeinse aristocratie zich bezighield met de wetenschap en natuurwetenschap, en de factoren aangegeven die haar hierin stimuleerden. Nu zal ik een toelichting geven op de traditie die hieruit voortkwam, waarbij ik de afzonderlijke genres binnen de Latijnse literatuur die betrekking hebben op wetenschappelijke onderwerpen, of die vorm gaven aan het intellectuele milieu waarbinnen de wetenschap werd beoefend, nader zal beschouwen; tevens zal ik enkele van de meeste invloedrijke werken samenvatten.

Een van de bekendste en misschien wel meest invloedrijke van de eerste beoefenaars van de populaire wetenschap was de stoïcijn Posidonius (ca. 135-51 v. Chr.). Posidonius, die in Syrië werd geboren en Griekse ouders had, studeerde in Athene en werd later het hoofd van de stoïcijnse school op het eiland Rhodos. Door zijn leerlingen, onder wie Cicero, oefende hij indirect grote invloed uit op het Romeinse intellectuele leven; maar hij kwam ook zelf naar Rome, waar hij grote indruk maakte op de Romeinen. Wat de eerste eeuw v. Chr. betreft, komt Posidonius het dichtst in de buurt van de universele wetenschapper. Hij had belangstelling

voor geschiedenis, geografie, moraalfilosofie en natuurwetenschap, en schreef substantiële werken over al deze onderwerpen. Onder zijn werken (alle geschreven in
het Grieks) bevinden zich commentaren op Plato's *Tamaios* en Aristoteles' *Meteorologie*; van de laatste maakte Lucretius voor zijn *Over de aard der dingen* veel gebruik.

Het werk van Posidonius is niet bewaard gebleven en onze kennis hiervan komt
dus uit de tweede hand; maar een van zijn belangwekkendste onderzoeken is klaarblijkelijk zijn bepaling van de cirkelomtrek van de aarde – die hij eerst vaststelde op
240.000 stadiën (iets minder dan Eratosthenes' schatting) en later op 180.000 stadiën. Deze laatste bepaling is belangrijk, omdat die werd overgenomen door
Ptolemaeus, doorgegeven werd aan de lezers van diens *Geografie*, en in de vijftiende
eeuw door Christophorus Columbus werd gebruikt als basis voor zijn berekening
van de afstand tussen Spanje en West-Indië.

Posidonius oefende grote invloed uit op Latijnse schrijvers als Varro (116-27 v.
Chr.), waardoor hij mede de vorm en inhoud bepaalde van de Latijnstalige scholing en wetenschap. Varro, die door zijn Romeinse bewonderaars werd gezien als
een fenomenaal geleerde, studeerde in Rome en Athene; hij bleek een produktief
schrijver en produceerde werken in het Latijn over een verscheidenheid aan onderwerpen (ongeveer vijfenzeventig titels, die alle verloren zijn gegaan). Van deze
werken was de *Disciplinae*, een encyclopedie, het belangrijkste en dit werk zou een
voorbeeld en bron zijn voor latere Romeinse encyclopedisten. Een opmerkelijk
kenmerk van de *Disciplinae* was het gebruik van de zogeheten vrije kunsten (de onderwerpen die geschikt werden geacht voor de scholing van een Romeinse heer)
als structurerende beginselen. Varro stelde negen van deze kunsten vast en vatte ze
bondig samen: grammatica, retorica, logica, rekenkunde, geometrie, astronomie,
muziektheorie, geneeskunde en architectuur. Varro's lijst, verkort door latere
schrijvers die de laatste twee kunsten weglieten, zou de zeven klassieke vrije kunsten van de middeleeuwse scholen bepalen – de eerste drie zouden bekend worden
als het trivium, de andere vier als het quadrivium.[8]

Cicero, tijdgenoot en vriend van Varro, kende de Griekse filosofie zeer goed –
hij had gestudeerd bij de stoïcijn Posidonius, de epicurist Phaedrus en de platonisten Philo van Larissa en Antiochus van Ascalon.[9] Cicero werd in zijn intellectuele
methode sterk beïnvloed door de sceptische tendensen die zich binnen de platonische school hadden ontwikkeld; hij raakte met name overtuigd van het idee dat de
waarschijnlijkheid het beste was dat men binnen de filosofie kon bereiken en dat,
dientengevolge, het kritisch schiften van vroegere opvattingen de beste manier was
om de waarheid te ontdekken. Het resultaat van deze overtuiging was een reeks
dialogen waarin Cicero verslag doet van de opvattingen van zijn leraren, vrienden
en vroegere schrijvers ten aanzien van een verscheidenheid aan filosofische onderwerpen. De opvattingen van zijn voorgangers, en in het bijzonder die uit het verre
verleden, ontleende Cicero aan de bestaande handboeken, waaronder ook de
'doxografische' traditie (of de traditie van de opinie, waartoe Theophrastos de eerste aanzet gegeven had.

Afbeelding 7.2
Cicero, Museo Vaticano,
Vaticaanstad. Ainari/Art
Resource N.Y.

Dus Cicero maakte gebruik van de populaire tendensen, terwijl hij daar tegelijkertijd aan bijdroeg. Hij voorzag zijn lezers van een opsomming van recente en contemporaine strijdpunten wat betreft de voornaamste filosofische kwesties, waaronder enkele van de kwesties die ons in de voorgaande hoofdstukken hebben beziggehouden – de aard van de onderliggende werkelijkheid, de oorsprong van de universele orde, de rol van de goden, de aard van de ziel en het proces van kennisverwerving. Zijn eigen wereldbeeld bestond uit een combinatie van platonische en stoïcijnse elementen, en Cicero zou, wat betreft de stoïcijnse filosofie, een van de belangrijkste bronnen zijn voor de middeleeuwen en de vroeg-moderne tijd. Hij identificeerde god met de natuur, de natuur met vuur, en deze drie samen (god, natuur en vuur) met de actieve kracht die verantwoordelijk was voor het bestaan, de activiteit en de rationaliteit van het universum. Hij beschreef de stoïcijnse, kosmologische cyclus van de opeenvolgende vuurzee en wedergeboorte. En hij pleitte voor het idee van een diepgaande overeenkomst tussen de macrokosmos (god en het universum) en de microkosmos (de individuele mens), door te beweren dat god eenzelfde verhouding heeft met de universele materie als de mens die heeft met het menselijk lichaam. De macrokosmos-microkosmos analogie zou een hoofdbestanddeel worden van het middeleeuwse en renaissancistische gedachtengoed en een centraal thema van astrologische verhandelingen. Cicero besteedde weinig aandacht aan de wiskundige wetenschappen, die hij voornamelijk van waarde achtte voor het ontwikkelen van de scherpzinnigheid van jongemannen; zijn bespreking van de planetaire bewegingen in het heelal en zijn vertaling van Aratus' astronomische gedicht, *De phaenomena*, tonen echter aan dat hij ten aanzien van dergelijke zaken niet volledig ongeïnteresseerd en onwetend was.

Een van de tijdgenoten van Varro en Cicero, Lucretius († 55 v. Chr.), schreef een lang filosofisch gedicht, *Over de aard der dingen*. Enerzijds is dit werk een pleidooi voor de epicurische natuurwetenschap, die zich ten doel stelt de doodsangst te overwinnen door het aanprijzen van de verklarende kracht van de atomen en de leegte. Maar binnen dit fundamenteel epicurische kader is *Over de aard der dingen* encyclopedisch van karakter en populair in taalgebruik en keuze van details. Lucretius bespreekt de oneindige hoeveelheid werelden, hun schepping en vernietiging, alsmede fundamentele astronomische verschijnselen als de baan van de zon langs de dierenriem, de ongelijkheid van de dagen die daaruit volgt, en de maanfasen; de zintuiglijke waarneming, waaronder ook de valse en misleidende; de slaap, de dromen en de liefde; spiegels en de weerkaatsing van licht; de oorsprong van planten en dieren, waaronder de veroordeling van teleologische verklaringsmethoden binnen de biologie; de oorsprong en geschiedenis van het menselijk ras; en de buitengewone meteorologische en geologische verschijnselen, zoals donder, bliksem, aardbevingen, regenbogen, vulkanen en magnetische aantrekkingskracht. Lucretius besluit met een verslag van de grote Atheense pest.[10]

Varro, Cicero en Lucretius vertegenwoordigen de bloei van het Romeinse intellectuele leven in de nadagen van de Romeinse republiek. Anderen die bijdroegen aan deze intellectuele onderneming waren Vitruvius († 25 v. Chr.), een tijdgenoot die schreef over architectuur, en diverse schrijvers uit de periode van de eerste keizers: Celsus (actief rond 25 v. Chr., auteur van een belangrijke medische encyclopedie, en de stoïcijn Seneca († 65 n. Chr.), die zich concentreerde op de natuurwetenschappen, waaronder de meteorologie (voor dit deel van zijn werk maakte hij intensief gebruik van het werk van Posidonius).[11]

Maar de man die met name wordt gezien als het hoogtepunt van de populariserende beweging is Plinius de Oudere (23/24-79 n. Chr.). Plinius staat centraal in de meeste verhandelingen over de Romeinse wetenschap en het is goed om een ogenblik stil te staan bij zijn werk. Hij werd geboren in Noord-Italië, binnen een stand van provinciale adel, en kreeg zijn opleiding in Rome. Na een succesvolle militaire loopbaan (dé weg naar succes voor mannen met een dergelijke sociale achtergrond) keerde hij zich weer tot de literatuur om zijn loopbaan in dienst van de keizers Vespasianus en Titus te beëindigen. Hij schreef verscheidene boeken over de geschiedenis van Rome en haar oorlogen, een boek over grammatica en het werk waarvoor hij nu beroemd is, de *Natuurgeschiedenis*, opgedragen aan Titus.

De *Natuurgeschiedenis* is een opmerkelijk boek, dat zich niet makkelijk laat kenschetsen en daadwerkelijk gelezen moet worden om het te kunnen waarderen.[12] Plinius had een enorme zucht naar feiten. In de inleiding van de *Natuurgeschiedenis* vertelt hij dat hij en zijn assistenten tweeduizend werken van ongeveer honderd auteurs bestudeerden en op die manier twintigduizend feiten vergaarden. Klaarblijkelijk maakte Plinius gebruik van een kaartsysteem, zodat hij zijn twintigduizend feiten met de hand kon ordenen; de kaarten werden op onderwerp gerangschikt en samengevoegd om zo de *Natuurgeschiedenis* te vormen.[13] De energie die Plinius hierin stak is verbazingwekkend. Volgens zijn neef stond hij al rond middernacht op en werkte hij vrijwel het gehele etmaal, las hij of werd hij voorgelezen, noteerde of dicteerde hij. Als wij Plinius' verrichtingen willen begrijpen, is het van belang inzicht te krijgen in zijn fascinatie voor feitelijke gegevens. Hoewel Plinius in de *Natuurgeschiedenis* soms ook natuurverschijnselen verklaart, was het niet zijn bedoeling een uitvoerige, nauwkeurig beargumenteerde natuurwetenschap te maken, maar een gigantische opslagruimte voor interessante en amusante gegevens – een boek, zegt zijn neef, 'dat niet minder gevarieerd is dan de natuur zelf'.[14]

Het lag dus in Plinius' bedoeling het universum en de natuurlijk objecten die zich daarin bevinden nader te beschouwen. Hij wijdde niet minder dan tweeënzeventig bladzijden (in een hedendaagse Engelse vertaling) aan de opsomming van de inhoud van de *Natuurgeschiedenis* en de bronnen die hij raadpleegde. De onderwerpen die hij behandelde zijn onder meer: kosmologie, astronomie, geografie, antropologie, zoölogie, botanie en mineralogie. Plinius had talent voor het selecteren van buitengewoon interessante zaken en is vaak beschreven als iemand die voornamelijk wonderbaarlijke zaken beschreef; en inderdaad treffen we in de *Natuurgeschiedenis* vele natuurwonderen aan. Plinius omschrijft een reeks hemelse wonderen (zoals veelvoudige zonnen en manen), bliksemflitsen die worden opgeroepen door gebeden en rituelen, de grootste aardbeving in mensenheugenis (die twaalf steden in Azië vernietigde), mensenoffers bij transalpijnse stammen, een jongen die regelmatig naar school en naar huis werd gebracht op de rug van een dolfijn, en exotische rassen van monsters (zoals de Arimaspi, die één oog hebben in het midden van hun voorhoofd, de Illyriërs, die doden met een blik van het duivelse oog, en de Monocoli, die slechts één been bezitten waarmee ze zich met opmerkelijke snelheid voortbewegen).[15]

Net zoals het fout is de wonderlijke aspecten van Plinius' *Natuurgeschiedenis* over het hoofd te zien, zou het fout zijn het meer prozaïsche en alledaagse te negeren. Van deze laatste aspecten is Plinius' verhandeling over de astronomie en kosmologie een goed voorbeeld.[16] Hij beschrijft de hemelse en aardse sferen, en de cirkels waarmee deze in kaart werden gebracht. Hij weet dat de planeten zich door de dierenriem van west naar oost bewegen en kent bij benadering de tijd die ze daarvoor nodig hebben; hij beschreef de planetaire teruggang en zegt dat Mercurius en Venus binnen respectievelijk 22° en 46° van de zon blijven. Hij bespreekt de bewegingen, fasen en verduisteringen van de maan; en hij ziet de zons- en maansverduisteringen als een werking van de relatieve dimensies van de betrokken lichamen en de schaduwen die zo worden geworpen. Wat betreft de dimensies van de aarde verwijst Plinius naar Eratosthenes: een waarde van 252.000 stadiën voor de omtrek van de aarde. Op deze manier draagt Plinius een grote hoeveelheid kosmologische en astronomische kennis over, hoewel deze niet altijd betrouwbaar is en zeker niet in overeenstemming met de maatstaven van de wiskundige astronoom. Hij maakte geen gebruik van de traditie op het gebied van de wiskundige astronomie (de astronomische delen van zijn *Natuurgeschiedenis* geven bijvoorbeeld geen blijk van Hipparchos' invloed), noch schreef hij voor een publiek van specialisten in de astronomie. Hij streefde slechts naar het overdragen van de noodzakelijke feiten op een publiek dat geen belangstelling had voor de complexiteiten van de waarneming of de wiskunde, en hiervoor ook niet was opgeleid.

Plinius was geen typisch Romeins geleerde. Duidelijk is dat niemand kon tippen aan zijn werklust en zijn toewijding voor het verzamelen van gegevens. Sterker nog, zijn belangstelling was veel breder dan die van zijn Romeinse voorgangers (onder wie Varro, die zich wijdde aan negen wetenschappen); in de inleiding tot de *Natuurgeschiedenis* geeft Plinius terecht aan dat hij de eerste is die de gehele wereld van de natuur in één werk behandelt. En tot slot, Plinius overtreft de

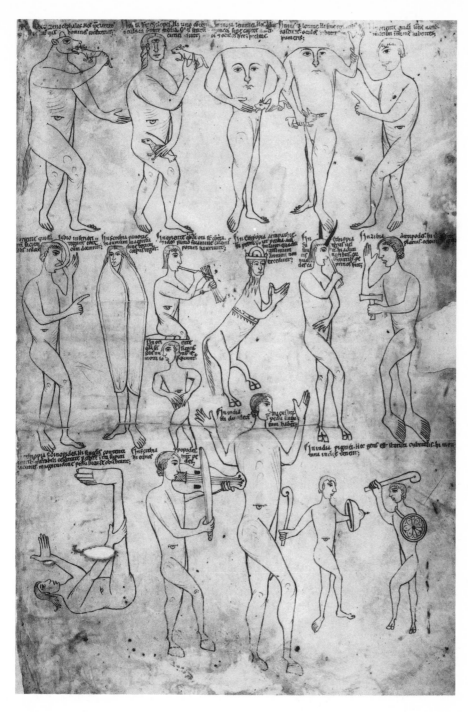

Afbeelding 7.3 De monsterlijke rassen van Plinius.
British Library, MS Harley 2799, fol. 243r (12de eeuw).
Met toestemming van de British Library.

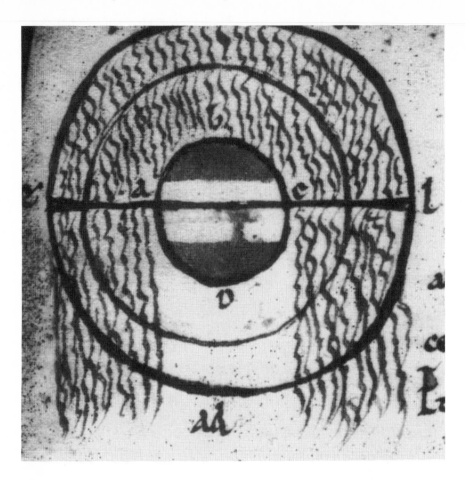

Afbeelding 7.4 De regenval volgens Macrobius. Een dertiende-eeuwse poging van een kopiist tot het weergeven van Macrobius' opvatting dat, indien wij niet aanvaarden dat alle regen langs een radius naar het centrum van de aarde valt, wij de absurde consequentie hiervan moeten aanvaarden, namelijk dat het deel dat de aarde mist, zal opstijgen naar het andere halfrond van het uitspansel. British Library, MS Egerton 2976, fol. 49v (13de eeuw). Met toestemming van de British Library. Meer over deze illustratie en het bijgaande commentaar in John E. Murdoch, *Album of Science: Antiquity and the Middle Ages*, pp. 282–83.

meesten van zijn tijdgenoten als het gaat om oppervlakkigheid. Desalniettemin is hij een zeer nuttige graadmeter voor wat men verwachtte van de kennis van een opgeleide Romein – ná Plinius, of zelfs vóór diens tijd. En het feit dat de *Natuurge-schiedenis* niet verloren is gegaan, zoals wel geldt voor vele andere populair-weten-schappelijk werken, was mede bepalend voor het niveau en de inhoud van de vroeg-middeleeuwse wetenschap.

Tot nu toe hebben we ons geconcentreerd op de Romeinse literatuur met een encyclopedisch karakter – de pogingen grote hoeveelheden informatie uit verschillende bronnen in één werk te verzamelen. Maar in Rome ontwikkelde zich tevens een kritische traditie, waarbij de structuur en een groot deel van de inhoud van de verhandeling gebaseerd waren op één gezaghebbende tekst. Deze traditie weerspiegelt de klassieke tendens bepaalde achtenswaardige of bevoorrechte teksten te beschouwen als de bewaarplaats van kennis en het vermogen deze teksten te lezen, te interpreteren als een maatstaf voor geleerdheid te zien. Een belangrijk voorbeeld van deze Romeinse kritische traditie is het *Commentaar op de droom van Scipio* van Macrobius (die zijn werken schreef in de eerste helft van de vijfde eeuw, zo'n 350 jaar ná Plinius). Dit werk, dat voor de uiteenzetting van de neoplatonische filosofie gebruik maakt van Cicero's *Droom van Scipio*, was enorm populair gedurende de vroege middeleeuwen. We zullen niet verder ingaan op de inhoud, afgezien van de opmerking dat Macrobius in dit werk een uitgebreide natuurwetenschap tentoonspreidde, die grotendeels platonisch van karakter was en onder meer substantiële stukken over rekenkunde, astronomie en kosmologie bevatte.[17]

Een laatste Romeinse samensteller verdient onze aandacht vanwege het inzicht dat hij ons verleent in de hoogstaande wiskunde in de laat-Romeinse tijd – en ook omdat zijn boek in de middeleeuwen een van de meest gebruikte studieteksten was. Martianus Capella was naar alle waarschijnlijkheid een Noordafrikaan uit Carthago; hij is dus een levende herinnering aan de kracht van de wetenschappelijke tradities in de Romeinse provincies, met name die in Noord-Afrika, gedurende de laatste periode van het Romeinse rijk. Martianus wordt gewoonlijk geplaatst in de periode 410-39, maar dit op basis van karig bewijsmateriaal. Zijn meest invloedrijke boek bleek *De nuptiis philologiae et Mercurii*, waarin zeven bruidsmeisjes de gasten van een hemelse huwelijksceremonie een overzicht bieden van hun eigen vrije kunst.[18]

De geometrie is de eerste van de wiskundige kunsten die gepresenteerd worden. Door de mond van het bruidsmeisje Geometrie geeft Martianus een beknopt overzicht van de hoogtepunten van Euclides' *Elementen*, zoals de meeste van de definities, alle stellingen en drie van de vijf axioma's waarmee dat werk begint (zie hoofdstuk 5). Hij definieert en classificeert de vlakke en driedimensionale lichamen; hij definieert rechte, scherpe en stompe hoeken; en hij behandelt evenredigheid, vergelijkbaarheid en onvergelijkbaarheid. Maar dit hoofdstuk staat grotendeels in het teken van een verhandeling over geografie, ontleend aan Plinius en anderen. Martianus vangt aan met het bewijzen van de bolvormigheid van de aarde; een weergave van Eratosthenes' waarde voor haar omtrek, vergezeld van een onjuiste weergave van Eratosthenes' methode van berekening; en argumenten voor de centrale positie van de aarde in het universum. Hij bespreekt de vijf klimatologische zones en de verdeling van de bewoonbare wereld in drie continenten (Europa, Azië en Afrika), en vervolgt met een zeer snelle rondgang door de bekende wereld (voornamelijk een korte samenvatting van Plinius' gelijksoortige uiteenzetting).

Dan volgt de rekenkunde. Martianus begint met een verhandeling, sterk pythagorisch van karakter, over de eerste tien getallen, waarbij hij een uitleg geeft van hun afzonderlijke verdiensten en verbanden, de goden met wie ze worden geassocieerd en hun onderlinge verhoudingen. Drie, bijvoorbeeld,

> is het eerste oneven getal (één beschouwt Martianus niet als oneven) en moet volmaakt worden geacht. Het is het eerste getal dat blijk geeft van een begin, een midden en een einde, en het verbindt, met gelijke tussenruimten, een centraal gelegen gemiddelde met het uiterste begin en het uiterste einde. Het getal drie vertegenwoordigt de schikgodinnen en de zusterlijke gratiëen; en ook een zekere Virgo die, naar men zegt, 'regeert over hemel en hel', wordt in verband gebracht met dit getal. Nog een aanwijzing voor zijn volmaaktheid is dat het de volmaakte getallen zes en negen voortbrengt. Een andere bewijs van zijn waardigheid is het feit dat gebeden en plengoffers driemaal worden uitgevoerd. Concepten van tijd hebben drie aspecten; dientengevolge worden voorspellingen met drie tegelijk uitgesproken. Het getal drie weerspiegelt tevens de volmaaktheid van het universum ...'[19]

Martianus vervolgt met een rangschikking van de getallen en een bespreking van hetgeen wij zouden beschouwen als hun zuiver wiskundige eigenschappen. Hij definieert getallen als priemgetallen (alleen integraal deelbaar door het getal 1) of deelbare getallen; even of oneven; vlak of driedimensionaal; volmaakt, gebrekkig of overvloedig. Volmaakte getallen, bijvoorbeeld, zijn die getallen waarvan de som van de factoren gelijk is aan het getal zelf ($1+2+3=6$); onvolmaakte getallen zijn die waarvan de som van de factoren minder is dan dan het getal zelf ($1+2+7<14$). Ook definieert en classificeert Martianus diverse ratio's of verhoudingen. Bijvoorbeeld, de ratio van 8 tot 6 is supertertius, omdat het eerste getal eenderde maal groter is dan het tweede; en de ratio van 6 tot 8 is bij een soortgelijke redenering subtertius.

Martianus begint zijn verhandeling over de astronomie met verwijzingen naar Eratosthenes, Hipparchos en Ptolemaeus – mannen van wie de reputatie hem bekend was, maar wier werk hij ongetwijfeld nog nooit had gezien. Zijn hoofdstuk over astronomie bevat fundamentele kosmologische en astronomische informatie, die waarschijnlijk is ontleend aan Varro, Plinius en andere bronnen.[20] Hij stelt de hemelse sfeer en haar belangrijkste cirkels vast. Hij beschrijft de dierenriem, die hij verdeelt in twaalf sterrenbeelden van ieder $30°$. Hij benoemt en catalogiseert de voornaamste constellaties. Hij stelt de traditionele zeven planeten vast en omschrijft hun voornaamste bewegingen met meer finesse dan in de handboeken gebruikelijk was. Zo geeft hij blijk van een degelijke kennis van de perioden die ze bij benadering nodig hebben voor hun west-oost beweging langs de ecliptica en van de retrogade bewegingen van de buitenplaneten. Een van de meeste interessante en belangrijkste kenmerken van dit hoofdstuk is Martianus' bespreking van de binnenplaneten, Mercurius en Venus, waarvan hij denkt dat ze een baan beschrijven die de zon als middelpunt heeft (zie afb. 7.5). Copernicus zou elfhonderd jaar later Martianus citeren ter rechtvaardiging van deze eigenschap binnen zijn eigen stelsel.[21]

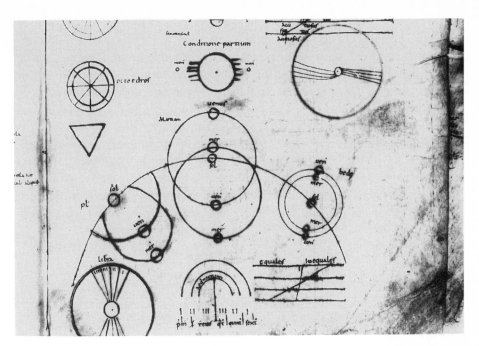

Afbeelding 7.5 De bewegingen van de buitenplaneten volgens Martianus Capella. Verscheidene pogingen om Martianus' theorie over de bewegingen van Venus en Mercurius ten opzichte van de zon vast te leggen. De tekening rechts van het midden plaatst Venus en Mercurius in banen die de zon als middelpunt hebben. Van een negende-eeuwse kopie van Martianus' *De nuptiis philologiae et Mercurii*, Parijs, Bilbliothèque Nationale, MS Lat. 8671, fol. 84r.

DE VERTALINGEN

In de beginjaren van het culturele contact tussen Rome en haar Griekse buren (die spoedig haar onderdanen zouden worden) waren er geen problemen rond de wetenschappelijke toegankelijkheid. Wijdverbreide tweetaligheid, voldoende mogelijkheden om te reizen of in het buitenland te studeren en het ruimschootse aanbod van Griekse leraren voorzagen de geschoolde Romeinen van de middelen om deel te worden van de Griekse intellectuele traditie. Voor degenen die het Grieks minder goed beheersten of minder verreikende ambities hadden, waren er populaire werken in het Latijn en enkele vertalingen. Van de laatste hebben we Cicero's vertalingen van Plato's *Timaios* en Aratus' *De phaenomena* reeds genoemd.

Tegen het einde van de tweede eeuw na Chr. verslechterden de omstandigheden die de wetenschap en de geleerdheid hadden gestimuleerd. Twee eeuwen van vrede en stabiliteit maakten na de dood van keizer Marcus Aurelius (180 n. Chr.) plaats voor politieke onrust, burgeroorlog, stedelijk verval en uiteindelijk economische rampspoed. Een andere bedreiging vormden de aanvallen van de barbaren op de grenzen van het keizerrijk, die rond 250 begonnen. Het resultaat van deze gebeurtenissen waren onder meer het verlies van economische en politieke vitaliteit en de algehele verslechtering van de leefomstandigheden, met name die van de hoogste standen. De economische problemen, verergerd door een onvoldoende aanbod van slavenarbeid en een algemene ontvolking (als gevolg van pest, oorlog en een teruglopend geboortencijfer), droegen bij aan het verlies van welvaart – de absolute vereiste voor een serieuze wetenschappelijke inspanning. Een ander probleem dat van invloed was op de westerse wetenschap was het verminderde contact met het Griekse oosten. Tegen het einde van de derde eeuw, en nogmaals in de vierde eeuw, werd het rijksbestuur opgesplitst in een oostelijke en westelijk deel. In toenemende mate gingen deze helften hun eigen weg en het Latijnse westen verloor langzamerhand het wezenlijke contact met het Griekse oosten.

Onder dergelijke omstandigheden kwam er een einde aan de intellectuele samenwerking tussen het westen en het oosten. De tweetaligheid in de westelijke regionen van het Romeinse rijk verdween, evenals de fundamentele geletterdheid, en het probleem van de ontoegankelijkheid van de Griekse wetenschap werd merkbaar. Hiermee wordt niet gesuggereerd dat er zich een absolute breuk zou hebben voorgedaan, maar het contact werd steeds minder en wisselvalliger. Diverse mensen, zich bewust van de groeiende dreiging, trachtten deze in de nadagen van het Romeinse rijk enigszins op te heffen door Latijnse vertalingen te maken van de voornaamste Griekse filosofische werken. Twee van deze mensen zijn met name van belang voor de geschiedenis van de wetenschap.[22]

Over de eerste van de twee, Calcidius, weten we vrijwel niets. Het is zelfs onduidelijk wanneer hij precies leefde, hoewel het is gesuggereerd dat hij in de tweede helft van de vierde eeuw leefde.[23] In ieder geval vertaalde hij Plato's *Timaios* van het Grieks naar het Latijn; en het was deze vertaling, en niet die van Cicero, die werd overgeleverd aan de middeleeuwen en in verband zou worden gebracht met het middeleeuwse platonisme. De vertaling ging gepaard met een uitvoerig commentaar, waarbij Calcidius voor zijn uitleg van en toelichting op Plato's kosmologische ideeën veel ontleende aan de doxografische traditie en diverse filosofen uit de late oudheid.

De andere vertaler, Boëthius (480-524), leefde meer dan een eeuw later, nadat Rome onder barbaars bewind was gekomen. Boëthius, die werd geboren in de Romeinse aristocratie, was actief in staatsaangelegenheden en werd benoemd op een hoge politieke functie onder het bestuur van Theodorus de Oostgoot; hij werd beschuldigd van verraad en ter dood veroordeeld. Van Boëthius' opleiding weten we niets, maar zijn loopbaan getuigt van het voortdurende bestaan van de laatste restanten van de Griekse intellectuele traditie binnen de Romeinse senatoriale stand. Zoals hij ons zelf vertelt, wilde Boëthius de Latijnen zoveel mogelijk werk van Plato en Aristoteles ter beschikking stellen en hun filosofieën met elkaar verzoenen. Het lukte hem vertalingen te maken van een aantal van Aristoteles' werken over de logica (die in hun geheel bekend werden als de 'oude logica'), van Euclides' *Elementen* en van Porphyrios' *Inleiding tot de logica van Aristoteles*. Daarenboven schreef Boëthius handboeken over verscheidene vrije kunsten, zoals rekenkunde en muziek, die waren gebaseerd op Griekse bronnen.[24]

Tegen de tijd dat Boëthius in 524 ter dood werd gebracht, was het westen grotendeels afgesneden van de oorspronkelijke Griekse wetenschap en natuurfilosofie. Het was in het bezit van Plato's *Timaios*, enkele van Aristoteles' werken over logica en fragmenten van andere werken – die waarschijnlijk geen van alle op grote schaal verspreid werden. De kennis van de Griekse verrichtingen beperkte zich verder tot commentaren, handboeken, compendia en encyclopedieën. Rome was er slechts in geslaagd een magere en beperkte versie van de Grieks intellectuele traditie te bewaren en over te dragen.

DE ROL VAN HET CHRISTENDOM

Er is één deel van het verhaal waar we tot nu toe nog geen aandacht aan hebben besteed. Het christendom groeide van een kleine joodse sekte in een verre hoek van het Romeinse rijk uit tot een religieuze macht in de derde eeuw en was tegen het einde van de vierde eeuw de officiële religie van het rijk. Dit boek is niet de juiste plek voor een nadere beschouwing van de details van deze buitengewone ontwikkeling. Belangrijk voor ons is het feit dat het christendom een enorme invloed had op het laat-Romeinse rijk. Hieruit volgt ook de vraag die ons zal bezighouden – namelijk, wat was de invloed van het christendom op de kennis van de natuur en op de houding die men ten opzichte van haar aannam? Het gebruikelijke antwoord, ontwikkeld in de achttiende en negentiende eeuw en wijd verbreid in de twintigste, stelt dat het christendom een serieus obstakel vormde voor de vooruitgang van de wetenschap en dat het de wetenschappelijke onderneming in feite meer dan duizend jaar kostte om van haar verwondingen te herstellen. Zoals we zullen zien, verliep dit in werkelijkheid geheel anders en veel ingewikkelder.[25]

Een van de aanklachten die vaak worden ingediend tegen de kerk is het idee dat deze duidelijk anti-intellectueel zou zijn – dat de kerkelijke leiders de voorkeur gaven aan geloof en onwetendheid in plaats van aan verstand en scholing. In feite is dit een behoorlijke vertekening van het beeld. Hoewel het christendom zich in eerste instantie lijkt te hebben gericht op de armlastigen en mensen zonder privileges, wendde het zich al snel tot de hogere standen, zoals de hoger opgeleiden. De christenen realiseerden zich al in een vroeg stadium dat als de bijbel gelezen moest worden, ook de geletterdheid moest worden gestimuleerd; en op den duur werd het christendom de voornaamste patroon van het Europese onderwijs en leende het hierbij in aanzienlijke mate van de klassieke intellectuele traditie. Uiteraard gaven de kerkvaders hierbij de voorkeur aan het soort en het niveau van onderwijs en intellectuele inspanning dat in dienst stond van de kerkelijke missie die zij voor ogen hadden.

Toen de kerk zich tot een intellectuele traditie ontwikkelde, zoals het dat deed in de derde en tweede eeuw, werd zij gestimuleerd door de wil het christelijke geloof te verdedigen tegen de wetenschappelijke tegenstanders (een onderneming die bekend staat als de 'apologetica') en een christelijke leer te ontwikkelen. Voor dergelijke doeleinden bleken de logische instrumenten die zich binnen de Griekse filosofie hadden ontwikkeld onontbeerlijk. Bovendien bleken bepaalde aspecten van de platonische filosofie goed aan te sluiten bij, en een helpende hand te bieden aan, het christelijke onderwijs. Plato had, bijvoorbeeld, de goddelijke voorzienigheid en de onsterfelijkheid van de ziel met verve verdedigd; sterker nog, Plato's Demiurg leek erg op een monotheïstisch antwoord op de vele goden van het heidense polytheïsme; en deze Demiurg kon, ruim opgevat, worden gezien als de christelijke schepper-God. In de tweede en derde eeuw is er dus een aantal christelijke apologeten dat gebruik maakt van de Griekse filosofie, en met name van het platonisme.[26]

Maar niet iedereen was gelukkig met deze ontwikkeling. Sommige christenen beschouwden de Griekse filosofische traditie niet zozeer als een bron van waarheid, maar als een bron van dwaling. Want tegenover iedere Plato, de auteur van een filosofie die verenigbaar was met de christelijke theologie, stond een Aristoteles en een Epicurus, wier wereldbeelden op essentiële punten lijnrecht tegenover de christelijk theologie stonden. Tertullianus (ca. 155 - ca. 230), geboren in het Romeins-Afrikaanse Carthago, hekelde de filosofie als bron van ketterij en waarschuwde voor degenen die een christelijke leer probeerden samen te stellen uit stoïcijnse en platonische elementen. Maar een meer typerende houding was die van Augustinus (354-430), een andere Noordafrikaan, die de Griekse filosofie aanvaardde als een nuttig doch niet geheel betrouwbaar instrument. In Augustinus' invloedrijke opvatting was de filosofie de dienstmaagd van de religie – zij moest niet worden vernietigd, maar worden gecultiveerd, gehoorzaamheid worden aangeleerd en worden gebruikt.

De natuurfilosofie kon niet worden gescheiden van de andere filosofie en onderging daarom hetzelfde lot als het geheel waarvan het deel uitmaakte. Zoals de filosofie in het algemeen, werd zij door de intellectuele leiders van de vroege kerk verschillend beoordeeld, variërend van wantrouwen en afkeer tot waardering en enthousiasme – dezelfde reeks opvattingen die we aantreffen in heidense kringen. Augustinus, die de middeleeuwse opvattingen vorm gaf, riep zijn lezers op hun harten te richten op het hemelse en eeuwige, in plaats van op het aardse en tijdelijke. Niettemin erkende hij dat het tijdelijke het eeuwige van dienst kon zijn door te voorzien in de kennis van de natuur, die zou kunnen bijdragen tot de juiste uitleg van de heilige schrift en de ontwikkeling van de christelijke leer. En in zijn eigen werken, zijn theologische werken inbegrepen, gaf Augustinus blijk van een zeer degelijke kennis van de Griekse natuurfilosofie. De natuurfilosofie, zoals de filosofie in het algemeen, zou hand- en spandiensten moeten verlenen.[27]

Of dit nu een klap in het gezicht van de wetenschappelijke onderneming was, of een vorm van gematigde maar welkome hulp was, hangt in sterke mate af van de opvattingen en verwachtingen die men hierbij betrekt. Als we de vroege kerk vergelijken met een modern onderzoekscentrum of de National Science Foundation, dan zal de kerk volledig blijken te hebben gefaald in het steunen van wetenschap en natuurfilosofie. Maar het is duidelijk dat dit een oneerlijke vergelijking is. Als we echter een vergelijking maken tussen de steun die de oude kerk gaf aan het onderzoek naar de natuur en de steun die hieraan werd gegeven door andere contemporaine maatschappelijke instanties, zal duidelijk worden dat de kerk een van de voornaamste patronen – en misschien wel de voornaamste – van de wetenschap was. Haar steun mag dan beperkt en selectief zijn geweest, maar dit is beter dan helemaal geen steun.

Maar een criticus die ernaar streeft de vroege kerk te bestempelen als een obstakel voor de wetenschappelijke vooruitgang, zou kunnen beweren dat het gebruik van de natuurfilosofie als dienstmaagd niet verenigbaar is met het bestaan van een echte wetenschap. De werkelijke wetenschap, zou hij zeggen, kan nooit in dienst staan van iets anders, maar moet volledig autonoom zijn; dientengevolge is de 'gehoorzame' wetenschap die Augustinus nastreefde helemaal geen wetenschap. De juiste reactie hierop is: een volledig autonome wetenschap is een aantrekkelijk ideaal, maar we leven niet in een ideale wereld. Vele van de meest invloedrijke ontwikkelingen in de geschiedenis van de wetenschap werden veroorzaakt door mensen die niet streefden naar een autonome wetenschap, maar naar een wetenschap die in dienst stond van een ideologie, een sociaal programma of een praktisch doel; voor een groot deel van haar geschiedenis geldt niet zozeer of de wetenschap in dienst stond van iets anders, maar in *wiens* dienst zij stond.

HET ROMEINSE EN VROEG-MIDDELEEUWSE ONDERWIJS

Een van de manieren waarop de kerk een patroon van de wetenschap werd, was door het oprichten en steunen van scholen. Het onderwijs in Rome hebben we reeds oppervlakkig behandeld; nu kunnen we dieper ingaan op de Romeinse scholen en de vroeg-middeleeuwse scholen die hen vervingen.[28]

Het basisonderwijs in Rome vond gewoonlijk thuis plaats, onder toezicht van een ouder of een privé-leraar die het kind (ongeveer vanaf zijn zevende jaar) leerde lezen, schrijven en rekenen. Voor degenen die daaraan behoefte hadden of dat prefereerden, waren er ook georganiseerde basisscholen. Aan de opleiding van meisjes kwam hierna een einde; als een jongen geschikt was voor verdere scholing, vervolgde hij rond zijn twaalfde jaar zijn opleiding met het bestuderen van de Latijnse grammatica en literatuur (in het bijzonder poëzie) onder begeleiding van een taalkundige. De bestudering van de literatuur leidde niet alleen tot schrijfvaardigheid en kennis van de literaire vormen, maar ook, door de inhoud van de bestudeerde werken, tot een brede culturele ontwikkeling. Voor verdere studie, op ongeveer vijftienjarige leeftijd, was de deskundigheid vereist van een retoricus, binnen een school voor retorica. Hier bereidde de student zich voor op een politieke of juridische loopbaan door zich te bekwamen in de theorie en de technieken van de redenaarskunst. Voor een opleiding van een nog hoger niveau moest men, onder begeleiding van een filosoof, deelnemen aan een studie voor gevorderen; dit was mogelijk voor diegenen met uitzonderlijke middelen of ambitie, maar werd uitsluitend in het Grieks gedaan. De natuurfilosofie en de exacte wetenschappen kregen bij deze opleidingen slechts geringe aandacht: waarschijnlijk werden ze verwerkt in de lessen van de taalkundige of de retoricus; wellicht waren ze in sterkere mate aanwezig in de lessen van de filosoof. Het onderricht steeg zelden uit boven het niveau van Martianus Capella's *De nuptiis philologiae et Mercurii*.

Het Romeinse onderwijs begon als een particuliere onderneming en was afhankelijk van de initiatieven van ouders of leraren. De scholen bevonden zich op uiteenlopende plaatsen, zoals huizen, gehuurde winkels, openbare gebouwen en buiten. Op den duur gingen de steden en het rijk hun steun verlenen, zodat in de meeste grote steden de leraren vaste aanstellingen kregen; niet alleen in Italië, maar ook in Spanje, Gallië en Noord-Afrika. Deze betaalde banen waren bestemd voor taalkundigen en retorici, en nu en dan ook voor filosofen. Op haar hoogtepunt kon Rome zich beroemen op het bezit van een onderwijsstelsel dat voorzag in een indrukwekkende hoeveelheid educatieve mogelijkheden voor de hoogste standen in het gehele rijk.

Toen het rijk in verval raakte, sleurde het zijn onderwijsstelsel mee. Invasies, maatschappelijke wanorde en economische instorting leidden tot de verslechtering van de omstandigheden die gunstig waren geweest voor de scholen en het onderwijs. Bijzonder cruciaal was het verlies van de stedelijke vitaliteit en de afname in omvang, welvaart en invloed van de hogere standen, die de scholen altijd hadden gesteund. De desinteresse en achteloosheid van de Germaanse stammen die het Romeinse rijk onder de voet liepen, waren factoren die ook van grote invloed waren. De instorting geschiedde echter geleidelijk, niet plotseling, en met name in de regionen rond de Middellandse Zee. Het Romeinse Britannië en Noord-Gallië verloren spoedig het contact met de klassieke traditie, maar de scholen en het intellectuele leven in Rome, Noord-Italië, Zuid-Gallië, Spanje en Noord-Afrika leefden voort (of gedijden zelfs).

De relatie tussen het christendom en het ter ziele gaan van de klassieke traditie vormt een ingewikkeld probleem. Zoals we hebben gezien, waren er kerkelijke leiders die zich ernstig zorgen maakten over de heidense inhoud van het klassieke onderwijs en de scholen beschouwden als een bedreiging. De literatuur die in de scholen werd bestudeerd, was veelal polytheïstisch en, naar christelijke maatstaven, immoreel; zij bezat zeker niet de stichtelijke kwaliteiten van, laten we zeggen, de Psalmen of Jezus' bergrede. We zouden daarom verwachten dat de kerk zich al spoedig zou richten op een ander, christelijk onderwijsstelsel; of, als dit niet het geval was, dat de heidense scholen op radicale wijze zouden worden veranderd in christelijke instituten op het moment dat het christendom de officiële religie werd.

Echter, geen van beide geschiedde. De waarheid is dat een meerderheid van de kerkvaders veel waarde hechtten aan hun eigen klassieke opleiding en dat zij, ofschoon zij haar gebreken en gevaren erkenden, geen aanvaardbaar alternatief konden bedenken; dus in plaats van de klassieke onderwijscultuur te verwerpen, eigenden zij zich deze toe en bouwden op haar voort. Grote aantallen christenen stuurden hun kinderen nog steeds naar Romeinse scholen; en ontwikkelde christenen maakten deel uit van deze scholen als docenten in de grammatica, de retorica en de filosofie (evenals religieuze mensen die deelnemen aan het hedendaagse seculiere onderwijs), waarbij hun christelijke overtuigingen en gevoelens tot op zekere hoogte ongetwijfeld van invloed waren op het leerplan, maar dit in hoofdzaak niet afweek van de klassieke traditie. De geestelijken werden gerecruteerd uit diegenen die hun grammaticale en wellicht ook retorische studie reeds hadden volbracht; hun studie in de theologie en de christelijke leer zou informeel van karakter zijn, door middel van een leerlingschap of mogelijk bij een episcopale school ten behoeve van de opleiding van bekeerlingen of toekomstige geestelijken, die door een bisschop werd bestuurd.

Maar medewerking aan de scholen was niet hetzelfde als onvoorwaardelijk enthousiasme en onverdeelde steun. De kerk bleef ambivalent en verdeeld in haar houding ten aanzien van de waarde en geschiktheid van een klassieke opleiding en, hoewel zij bereid was de scholen te gebruiken, was zij niet geneigd van haar weg af te wijken om de klassieke opleiding te redden uit de handen van hen die haar naar de afgrond dreven – vooral niet wanneer een aanvaardbaar alternatief zich zou aandienen. En een dergelijk alternatief kwam er, als nevenprodukt van het kloosterwezen, in de vijfde eeuw.

Het christelijke kloosterwezen kwam gedurende de vierde eeuw in de westerse wereld op. De kloosters verspreidden zich snel, als toevluchtsoorden voor christenen die zich, op zoek naar heiligheid, wensten terug te trekken uit de wereld. In de zesde eeuw stichtte Sint-Benedictus († ca. 550) een klooster op Monte Cassino, ten zuiden van Rome, en stelde leefregels op voor de monniken die zich daar vestigden – regels die algemeen werden aanvaard binnen het westerse kloosterwezen. De regel van Sint-Benedictus dicteerde alle aspecten van het leven van de monnik en de non, verplichtte hen de morgen grotendeels te wijden aan gebed, bezinning en fysieke arbeid. De erediensten bestonden uit het lezen van de bijbel en stichtelijke literatuur, hetgeen geletterdheid vereiste. De regel van Benedictus stelde voor alle monniken en nonnen ook boeken, tabletten en schrijfgerei verplicht. Omdat de kloosters ook jonge kinderen toelieten (door hun ouders verwezen naar het kloosterwezen), waren de kloosters verplicht hen het lezen bij te brengen – hoewel zich dit in de eerste eeuwen van het kloosterwezen zelden, en misschien wel nooit, voordeed binnen de officiële kloosterscholen. Binnen de kloosters ontstonden ook bibliotheken en scriptoria (ruimten waar door kopiisten boeken werden vervaardigd die de kloostergemeenschap nodig had).[29]

In eerste instantie waren de kloosterscholen alleen bedoeld om te voorzien in de

interne behoeften van de kloostergemeenschap. Aan het hoofd stond de abt of de
moederoverste, of een geschoolde monnik of non, en het streven was te voorzien
in de geletterdheid die nodig was voor het religieuze leven en zo uiteindelijk de
spiritualiteit te bevorderen. Vaak beweert men dat, toen de klassieke scholen verdwenen, de kloosters onder druk werden gezet door de lokale adel en welgestelden
om in het onderwijs van hun kinderen te voorzien – kinderen die dus niet waren
voorbestemd om monnik of non te worden – en dat de kloosters voor dit doel 'externe scholen' oprichtten. In feite zijn er geen bewijzen voor het bestaan van externe kloosterscholen vóór de negende eeuw; en daarna was het waarschijnlijk een
zeer zeldzaam fenomeen. Als we mensen aantreffen met een kloosterlijke scholing
die bestuurlijke posities bekleden binnen kerk en staat, dan is dit niet omdat de
kloosters het plan hadden opgevat om leken op te leiden in de externe scholen,
maar omdat lekenstudenten soms werden toegelaten tot de interne kloosterscholen
en meer in het bijzonder omdat de kloosters veel begaafde leerlingen hadden (opgeleid voor kloosterlijke functies) die uiteindelijk in een dienstverband buiten het
klooster terecht kwamen.[30]

De mate waarin de klassieke opleiding deel werd van het kloosterwezen is een
strijdpunt onder historici – een strijdpunt dat wellicht voortkomt uit verschillen
tussen de kloosters of tussen de middeleeuwse schrijvers die over de kloosterscholen schreven. Wat duidelijk lijkt, is dat de nadruk lag op de geestelijke ontwikkeling en datgene wat men daarvoor nodig achtte. In het onderwijsprogramma stond
de bijbel centraal; bijbelcommentaren en stichtelijke literatuur vulden de bijbeltek-
sten aan. De klassieke, heidense literatuur, algemeen beschouwd als irrelevant en
gevaarlijk, was niet prominent aanwezig. Maar er waren vele uitzonderingen; zo
vinden we vaak het gebruik van heidense bronnen bij diegenen die deze verwierpen. Augustinus' advies aan christenen om datgene uit de heidense literatuur te lenen wat waar en nuttig is, lijkt vaak te zijn opgevolgd, en een nadere beschouwing
van de werken die afkomstig zijn uit de kloosters toont aan dat er een verrassend
uitgebreide maar wel selectieve kennis van de klassieke bronnen bestond. De wiskundige vakken van het quadrivium werden zelden tot in de details bestudeerd,
maar er waren uizonderingen op deze generalisatie.

Een goede illustratie van het feit dat de klassieke wetenschap de kloosters binnendrong, doet zich vanaf de zesde eeuw in Ierland voor (een omstandigheid waarvoor we geen adequate historische verklaring hebben). We zien dat de klassieke,
heidense schrijvers hier aanzienlijke aandacht krijgen. Het Grieks beheerste men
enigszins en de wiskundige kunsten van het quadrivium (in het bijzonder zoals ze
op de kalender werden toegepast) waren van een goed niveau.[31]

Een andere, indrukwekkende uitzondering op de kloosterlijke apathie ten opzichte van de klassieke scholing was het klooster van Vivarium, dat werd gesticht
door een lid van de Romeinse senatoriale klasse, Cassiodorus (ca. 480-ca. 575),
toen deze zich uit het openbare leven terugtrok. Cassiodorus vestigde in zijn klooster een scriptorium, speciaal voor het vertalen van Griekse werken naar het Latijn,

Afbeelding 7.6
Een monnik in zijn studeervertrek.
Florence, Biblioteca Medicea
Laurenziana, Codex Amiatinus
(7de – 8ste eeuw).

en maakte het studeren tot een dagelijkse bezigheid van zijn monniken. Hij schreef ook een handboek voor kloosterlijke studies, waarin hij een verrassend grote collectie heidense auteurs aanraadde. Dit handboek bevatte beknopte besprekingen van de zeven vrije kunsten. Dat dit meer dan een lippendienst was, blijkt uit een verhandeling over de kalender (die bewaard is gebleven) die ten tijde van Cassiodorus in Vivarium lijkt te zijn geschreven. Duidelijk is dat Cassiodorus het eens was met de algemen monastieke opvatting dat de wereldlijke studies alleen konden worden geambieerd in zoverre deze heilige doelen dienden; wel verschilde hij van mening met de andere leiders binnen het kloosterwezen wat betreft de selectie van studies die een dergelijke bijdrage zouden kunnen leveren.[32]

Deze uitzonderingen zijn belangrijk; maar zij doen niets af aan de generalisatie dat de kloosters zich toelegden op spirituele doeleinden. De wetenschap werd ontwikkeld, maar alleen in zoverre zij bijdroeg aan de verwezenlijking van geestelijke ambities. Binnen deze onderneming waren de wetenschap en de natuurfilosofie slechts randverschijnselen – maar niet geheel afwezig. In welk opzicht is het kloosterleven dan van belang voor de geschiedenis van de wetenschap, en waarom besteden wij er hier aandacht aan? Waren dit niet de 'donkere dagen' in de wetenschapsgeschiedenis – de tijd waarin zich niets van belang voordeed?

Vaststaat dat de kennis van de Griekse natuurwetenschap en wiskunde in korte tijd snel afnam en dat er in West-Europa gedurende de vroege periode van de middeleeuwen (ruwweg tussen 400 en 1000) op deze gebieden slechts enkele bijdragen verschenen. Als we op zoek gaan naar nieuw waargenomen feiten of een veelzeggende kritiek op bestaande theorieën, dan zullen we er daarvan weinig tegenkomen. Er was geen gebrek aan creativiteit, maar deze diende andere doeleinden – overleving, het nastreven van religieuze waarden in een barbaarse en vijandige wereld, en (zo nu en dan) het onderzoeken van de mate waarin de kennis van de natuur toepasbaar was op bijbelstudies en het religieuze leven. De bijdrage van de vroeg-middeleeuwse religieuze cultuur aan de wetenschappelijke onderneming was er een van verduurzaming en overlevering. De kloosters fungeerden als overbrengers van de geletterdheid en een verwaterde versie van de klassieke traditie (inclusief de wetenschap of natuurfilosofie) in een periode gedurende welke de geletterdheid en geleerdheid sterk werden bedreigd. Zonder de kloosters zou West-Europa niet meer, maar minder wetenschap hebben gekend.

Twee vroeg-middeleeuwse natuurfilosofen

Het kan de moeite waard zijn dit hoofdstuk af te sluiten met twee voorbeelden van de vroeg-middeleeuwse bijdrage aan de wetenschap of natuurfilosofie – en dan met name om de aandacht te vestigen op twee mannen die in verband worden gebracht met vroeg-middeleeuwse natuurfilosofie en het middeleeuwse wereldbeeld.

Isidorus van Sevilla (ca. 560-636) groeide op in Spanje, in die tijd onder Westgotisch bewind, en werd opgeleid door zijn oudere broer (mogelijk in een episco-

Afbeelding 7.7 Een middeleeuwse kopiist. Oxford, Bodleian Library, MS Bodley 602, fol. 36r (13de eeuw).

pale of kloosterlijke school) voordat hij deze in 600 opvolgde als aartsbisschop van Sevilla. Hij was in de laatste periode van de zesde en de eerste periode van de zevende eeuw de meest opvallende geleerde en hij weerspiegelt het betrekkelijk hoge wetenschappelijke en culturele niveau dat Westgotisch Spanje gedurende zijn leven kende (maar dat zeker niet algemeen was). Isidorus' werken betreffen verscheidene onderwerpen, zoals bijbelstudie, theologie, liturgie en geschiedenis. Hij schreef twee werken die met name voor wetenschapshistorici interessant zijn: *Over de aard der dingen* en *Etymologieën*. Deze werken, die zowel op heidense als christelijke bronnen zijn gebaseerd (zoals Lucretius, Martianus Capella en Cassiodorus), vormen een beknopte, oppervlakkige versie van de Griekse natuurfilosofie. De *Etymologieën*, waarvan meer dan duizend manuscripten bestaan (een van de meeste populaire boeken in de gehele middeleeuwen), biedt een encyclopedische uiteenzetting van dingen aan de hand van een etymologische analyse van hun namen. Het behandelt de zeven vrije kunsten, de geneeskunde, het recht, de tijdwaarneming en de kalender, de theologie, de antropologie (waaronder de monsterlijke rassen), de geografie, de kosmologie, de mineralogie en de landbouwkunde. De kosmos van Isidorus is geocentrisch en samengesteld uit de vier elementen. Hij gelooft in een bolvormige aarde en geeft blijk van een fundamenteel inzicht in de planetaire bewegingen. Hij bespreekt de zones van de hemelse sfeer, de seizoenen, de aard en omvang van zon en maan en de oorzaak van verduisteringen. Een van de opmerkelijke eigenschappen van zijn natuurwetenschap is zijn felle aanval op de astrologie.[33]

Rond de intellectuele vorming van Isidorus bestaat een zekere onduidelijkheid, maar die van Beda Venerabilis (die in 735 stierf) is ons veel beter bekend. Op zevenjarige leeftijd deed Beda zijn intrede in het klooster van Wearmouth in Noord-Umbrië (Noordoost-Engeland, nabij het huidige Newcastle) en wijdde daar de rest van zijn leven aan studeren en doceren, eerst als student aan de kloosterschool en later als monastiek schoolmeester. De kloosters in Noord-Umbrië stamden direct af van het Ierse kloosterwezen en erfden dus de Ierse belangstelling voor de vier hogere vrije kunsten en de klassieken, maar waren ook bekend met de beste continentale wetenschap van die tijd. Beda, die ongetwijfeld de meeste talentvolle geleerde van de achtste eeuw was, schreef een hele reeks werken over monastieke aangelegenheden, waaronder een serie studieboeken voor monniken. Het meest bekend is zijn *Kerkgeschiedenis van het Engelse volk*. Ook schreef hij *Over de aard der dingen* (met name gebaseerd op Plinius en Isidorus) en twee handboeken over tijdwaarneming en de kalender. In de laatste, bedoeld om de dagelijkse routine van de monniken te reguleren en hen de indeling van de religeuze kalender bij te brengen, gebruikte Beda de meeste van de beperkte astronomische kennis die beschikbaar was, alsmede uitgebreide verhandelingen over de kalender om een stevige basis te leggen voor wat men later de wetenschap van de 'computus' zou noemen, de vaststelling van principes aangaande de tijdwaarneming en de regulering van de kalender die uiteindelijk een vaste plek zouden krijgen in de gehele christelijke cultuur.[34]

Isidorus en Beda zijn toepasselijke voorbeelden van de populariserende en conserverende traditie die we in dit hoofdstuk hebben geschetst – mannen die streden voor het behoud van de overblijfselen van de klassieke wetenschap en deze in bruikbare vorm wilden overdragen op de christelijke wereld van de middeleeuwen. Maar is deze traditie al die aandacht waard? Verdient zij een hoofdstuk in een boek over de vroege wetenschap? Als de wetenschapsgeschiedenis gewoonweg een kroniek van de grote wetenschappelijke ontdekkingen of de monumentale wetenschappelijke ideeën was, dan zouden Isidorus en Beda daarin niet voorkomen; hun namen zijn niet verbonden aan wetenschappelijke beginselen. Als de wetenschaps-geschiedenis echter het onderzoek is naar de historische stromen die gezamenlijk hebben geleid tot de wetenschap van dit moment – de lijnen die wij moeten zien om te kunnen begrijpen waar wij vandaan komen en hoe wij hier zijn gearriveerd – dan is de onderneming waarbij Isidorus en Beda waren betrokken een belangrijk deel van het verhaal. Isidorus en Beda waren geen van beiden scheppers van nieu-we wetenschappelijke kennis, maar voorzagen beiden in een herformulering van de bestaande wetenschappelijke kennis in een tijd waarin de bestudering van de na-tuur een marginale activiteit was. Zij gaven continuïteit aan een gevaarlijke en moeilijke periode; en zodoende waren zij eeuwenlang van grote invloed op de Europeanen ten aanzien van hun kennis en denken over de natuur. Een dergelijke prestatie mag dan niet het dramatisch gehalte hebben van, laten we zeggen, de ont-dekking van de wet van de zwaartekracht of de uitvinding van de theorie van de natuurlijke selectie, maar het is niet bepaald een geringe bijdrage om het verdere verloop van de geschiedenis van Europa te beïnvloeden.

8

De wetenschap in de islamitische wereld

KENNIS EN WETENSCHAP IN BYZANTIUM

Wat gebeurde er in het Griekstalige oosten gedurende de tijd dat de klassieke traditie in het West-Romeinse rijk langzaam aan het verdwijnen was en de natuurfilosofie werd omgevormd tot de dienstmaagd van theologie en religie? Hoewel het oosten veel van dezelfde rampspoed ervaarde die het westen trof – invasies, economische teruggang en sociale onrust – waren de gevolgen daar minder ernstig. Er was een grotere politieke stabiliteit, mede gezien de geleidelijke opsplitsing van het oude Romeinse rijk in een westelijk deel en een deel dat we nu Byzantium of het Byzantijnse rijk noemen, met zijn hoofdstad Constantinopel (het huidige Istanbul). Dat de stad Constantinopel tot aan 1203 niet werd aangetast door indringers, wat Rome reeds in de vijfde eeuw overkwam, zegt ons iets over de betrekkelijke stabiliteit aldaar. Grotere sociale en politieke stabiliteit betekende grotere continuïteit in de scholen; om die reden verwaterde de klassieke traditie in Byzantium veel trager en zou zij nooit in haar geheel verdwijnen; en uiteraard bestond er voor het oosten geen taalbarrière ten opzichte van de oorspronkelijke bronnen van de Griekse wetenschap.[1]

Maar dit betekende niet dat de natuurfilosofie en de wiskundige wetenschappen een bloeiperiode doormaakten. Het onderzoek naar de natuur was in het oosten net zo nutteloos als in het westen; de Griekse kerkvaders vertoonden hierin eenzelfde ambivalente houding als hun westerse tegenpolen en deelden met hen de overtuiging dat dit onderzoek in dienst moest staan van de theologie en het religieuze leven. In het oosten was de wetenschappelijke belangstelling in de meeste gevallen theologisch of literair. Schrijvers voelden zich verplicht zichzelf te beperken tot de structuur en het vocabulair van de klassieke tijd; het gevolg waren neigingen tot imitatie die (zoals vaak is beweerd) de creativiteit verstikten. En als er filosofische arbeid werd verricht, betrof het meestal commentaar op de klassieke schrijvers; een dergelijk commentaar ging onvermijdelijk gepaard met een kleine hoeveelheid natuurfilosofie, wiskunde en geneeskunde.

Dit zijn natuurlijk extreme generalisaties en we moeten dan ook op onze hoede zijn niet de indruk te geven dat wetenschappelijke prestaties afwezig of slechts in beperkte vorm aanwezig waren. De platonische traditie (de naam 'neoplatonische traditie' is correcter, omdat er op veel belangrijke gebieden werd uitgegaan van Plato) werd vertegenwoordigd door een reeks eminente geleerden. Ofschoon er niet langer een peripatetische traditie bestond, werden er pogingen ondernomen om de aristotelische en platonische filosofieën onder één dak te brengen; en bepaalde filosofen uit de Byzantijnse periode schreven belangrijke commentaren op het werk van Aristoteles, waarin ze zijn natuurfilosofie verklaarden, verfraaiden of bekritiseerden en de aristotelische teksten benaderden met een fijnzinnigheid die door geen enkele Latijn sprekende tijdgenoot geëvenaard werd.

Themistius († ca. 385), die filosofie doceerde in Constantinopel en als privé-leraar in dienst stond van de keizerlijke familie, schreef invloedrijke parafrasen en samenvattingen van diverse werken van Aristoteles, waaronder diens *Physica, Over de Hemel* en *Over de ziel.* Simplicius († na 533), een Atheense neoplatonist die ernaar streefde het platonisme en aristotelisme te verenigen, schreef intelligente commentaren op dezelfde drie werken. En Johannes Philoponus († ca. 570), een christelijke neoplatonist die les gaf in Alexandrië, schreef commentaren op Aristoteles' *Physica, Meteorologie, Over ontstaan en vergaan* en *Over de ziel.* In deze commentaren trachtte hij, in bewuste tegenstelling tot Simplicius, fundamentele fouten van Aristoteles aan te tonen, zoals de tweedeling aards-hemels en het idee van het eeuwigdurende universum. Tevens bood hij een systematische en oorspronkelijk weerlegging van Aristoteles' bewegingstheorie, waarbij hij zowel Aristoteles' verklaring van voortdrijvende beweging, als diens stelling dat zware lichamen vallen met een snelheid die evenredig is aan hun gewicht, ontkende. Doordat hun werken uiteindelijk naar het Latijn en Arabisch werden vertaald, zouden deze drie mannen – Themistius, Simplicius en Philoponus – de verdere weg van de aristotelische natuurfilosofie bepalen.[2]

De bewering is dus dat het Byzantijnse intellectuele leven zich, net als dat van het westen, op een hellend vlak bevond, maar hier minder snel vanaf gleed; en we vinden in het Byzantijnse rijk voorbeelden van verfijnde wetenschap die niet kunnen worden geëvenaard door de Latijnse wereld. Maar dit was niet het enige verschil. Het oosten nam ook deel aan het uiterst belangrijke proces van culturele verspreiding, waardoor de Griekse kennis werd overgedragen naar verafgelegen gebieden in Azië en Noord-Afrika en werd overgenomen door niet-Grieken. Dit proces van verspreiding en assimilatie is het werkelijke onderwerp van dit hoofdstuk.

DE OOSTWAARTSE VERSPREIDING VAN DE GRIEKSE WETENSCHAP

Hoewel de Griekse invloed reeds lange tijd buiten de grenzen van het Griekse thuisland was getreden, begon de culturele verspreiding als een bewust beleid met de veldtochten van Alexander de Grote.[3] Toen Alexander Azië en Noord-Afrika veroverde (334-323 v. Chr.), verwierf hij niet alleen territorium, maar vestigde hij ook bruggehoofden van de Griekse beschaving. Zijn veldtochten brachten hem tot in het zuidelijke Egypte, het oostelijke Bactrië (in Centraal-Azië, nabij het huidige Noord-Afghanistan), en voorbij de rivier de Indus in de noordwestelijke hoek van India (zie kaart 2). Hij liet vestingen en een hele reeks steden met de naam Alexandrië (minstens elf) achter zich; sucesvolle pogingen tot kolonisatie vergrootte de Griekse aanwezigheid en op den duur werden deze Griekse steden tot centra van Griekse cultuur, van waaruit het hellenisme zich over de omliggende regionen kon verspreiden. De meest opmerkelijke centra van Griekse cultuur die zo tot stand kwamen, waren Alexandrië in Egypte en het koninkrijk Bactrië in Centraal-Azië.

Maar verovering en kolonisatie waren niet de enige verspreidingsmechanismen. Ook de religie speelde een beslissende rol in de verspreiding van de Griekse kennis. Vele details zijn onduidelijk, maar voor ons moet een beknopt overzicht voldoende zijn. In het millenium na Alexanders veroveringen bleek zijn Aziatisch territorium (met name het huidige Syrië, Irak en Iran) een voedingsbodem te zijn voor diverse grote religieuze bewegingen. Gedurende deze tijd streden adepten van Zarathoestra, christenen en manicheïsten met elkaar om volgelingen te verwerven; alle drie waren ze gebaseerd op heilige boeken en zij droegen dus noodzakelijkerwijs bij tot een zekere mate van geleerdheid. Met name het christendom en het manicheïsme waren gefundeerd op de Griekse filosofie en droegen zo bij tot de hellenisering van de regio. Laten we een ogenblik stilstaan bij de bijdrage van het christendom.

In Syrië was er vanaf het begin een sterke christelijke invloed; in de eerste paar eeuwen van het christelijke tijdperk hadden de zendingsactiviteiten geleid tot de vestiging van christelijke kerken in een groot deel van westelijk Azië. In de vijfde en zesde eeuw arriveerden er versterkingen in de vorm van dissidente christelijke sekten die waren gevlucht voor de vervolging. De kerstening van het Byzantijnse rijk in de vierde eeuw had geleid tot een reeks scherpe twisten en breuken binnen de Byzantijnse kerk. Voor ons is het meningsverschil over de aard van Christus het belangrijkst – en dan in het bijzonder het meningsverschil over de relatie tussen Christus' menselijkheid en goddelijkheid. De radicale ideeën – die van de nestorianen, die meer nadruk legden op Christus' menselijkheid dan op zijn goddelijkheid, en die van de monofysieten, die naar het tegenovergestelde neigden – werden veroordeeld op de concilies van 432 en 451.[4] Tijdens het daarop volgende conflict vestigden de nestoriaanse leiders zich in de school van het Syrische Edessa (toen de oostgrens van Byzantijnse rijk). De strijd met de monofysieten (die in Syrië sterk waren vertegenwoordigd) en de uiteindelijke sluiting van de school in 489 op bevel van de keizer, veroorzaakten de vlucht van de nestorianen naar de stad Nisibis, in het oosten, net over de Perzische grens. Daar creëerden zij, met steun van de plaatselijke bisschop, een centrum van nestoriaans hoger onderwijs. Uiteraard stonden de bijbelstudies en de theologie in het middelpunt van de belangstelling, maar ook werd er, naast andere aspecten van de Griekse filosofie, lesgegeven in de aristotelische logica (noodzakelijk voor serieuze theologie). Mogelijkerwijs bestond er tevens een medisch onderwijsprogramma.

Vanuit deze vaste basis in Perzië slaagden de nestorianen er niet alleen in het Perzische christendom vorm te geven, maar ook een grote invloed uit te oefenen op het Perzische intellectuele leven. In fasen die wij slecht kunnen overzien, wisten de nestorianen zich bijna ongemerkt in invloedrijke en machtige posities te werken en binnen de heersende klassen van Perzië een voorkeur voor de Griekse cultuur te stimuleren. Het resultaat wordt zichtbaar als de Perzische koning Khusraw I rond 531 de filosofen van de Atheense Academie (die waren verbannen door een decreet van de Byzantijnse keizer Justinianus) uitnodigt zich in Perzië te komen vestigen. Over deze zelfde Khusraw wordt beweerd dat hij bekend was met de platonische en aristotelische filosofie en Griekse filosofische werken voor eigen gebruik liet vertalen; zijn nestoriaanse connecties blijken uit zijn behandeling door een nestoriaanse arts. Khusraw II (590-628) had twee christelijke vrouwen – van wie er in ieder geval één, vóór haar bekering tot het monofysitisme, nestoriaans was – en een invloedrijke arts-adviseur die ook aarzelde tussen de nestoriaanse en monofytische sekten.[5]

Rond de nestoriaanse activiteiten in de stad Jundishapur in Zuidwest-Perzië heeft zich een invloedrijke mythologie gevormd. Volgens de veelvuldig verhaalde legende veranderden de nestorianen Jundishapur in de zesde eeuw in een belangrijk intellectueel centrum en vestigden ze daar iets wat sommigen een universiteit noemen, waar men onderwijs kon krijgen in alle Griekse disciplines. Er is wel gesuggereerd dat er tevens een medische school zou zijn geweest, met een leerplan dat was gebaseerd op Alexandrijnse studieboeken alsmede een hospitaal dat was ontworpen naar het voorbeeld van de hospitalen die zich binnen het Byzantijnse rijk hadden ontwikkeld, die het rijk voorzagen van artsen die opgeleid waren in de Griekse geneeskunde. Bovendien zou Jundishapur een cruciale rol hebben gespeeld bij het vertalen van de Griekse kennis naar de talen van het Nabije Oosten en zeker het enige belangrijke kanaal zijn geweest waarlangs die Griekse wetenschap aan de Arabieren werd overgedragen.[6]

Recent onderzoek heeft een beduidend minder dramatische werkelijkheid aan het licht gebracht. Er zijn geen overtuigende bewijzen voor het bestaan van een medische school of een ziekenhuis in Jundishapur, hoewel er wel een theologische school lijkt te zijn geweest en misschien ook een daaraan verbonden ziekenzaal. Ongetwijfeld vormde Jundishapur de achtergrond voor serieuze intellectuele inspanningen en een zekere hoeveelheid medische praktijken – in de achtste eeuw leverde het verscheidene artsen aan het islamitische hof te Bagdad –, maar betwijfeld kan worden of het zich ooit ontwikkelde tot een belangrijk centrum voor geneeskundig onderwijs of vertaalactiviteiten. Ofschoon het verhaal van Jundishapur op bepaalde punten vaag is, kan er niettemin een waardevolle les uit worden getrokken. De nestoriaanse invloeden, hoewel niet enkel gericht op Jundishapur, speelden een wezenlijke rol in de overdracht van de Griekse kennis op Perzië en uiteindelijk op de Arabieren. Zonder twijfel waren de nestorianen toonaangevend onder de eerste vertalers; en nog tot in de negende eeuw, lang nadat de islamitische legers Perzië hadden bereikt, was de medische praktijk in Bagdad volledig in handen van christelijke (waarschijnlijk nestoriaanse) artsen.[7]

Maar tevens moeten we rekening houden met een linguïstische verschuiving die hier plaatsvond. Hoewel de inhoud van het beschikbare onderwijs in Nisibis,

Jundishapur en andere nestoriaanse bolwerken voornamelijk Grieks was, werd er niet in het Grieks gedoceerd. Het onderwijs werd gegeven in het Oudsyrisch, een Semitische taal (Aramees dialect) die in het Nabije Oosten wijdverbreid was; dit was, samen met het Grieks, de culturele taal van Perzië en werd door de nestorianen overgenomen als hun literaire en liturgische taal. Het onderwijs vereiste dus de vertaling van Griekse teksten naar het Oudsyrisch. Dergelijke vertalingen werden reeds vanaf 450 in Nisibis en op andere plaatsen vervaardigd. Weer ontbreken ons hier de details, maar de werken over logica van Aristoteles en Porphyrios lijken de eerste te zijn geweest die werden vertaald. De medische literatuur, de wiskundige en astronomische werken en diverse filosofische verhandelingen werden uiteindelijk ook vertaald.

Een aantal punten behoeven speciale aandacht. In de eerste plaats moet het duidelijk zijn dat dit een verhaal is over de *overdracht* van kennis. Ons onderwerp (in de eerste delen van dit hoofdstuk) is niet de originele bijdrage aan de natuurwetenschap, maar het behoud en de oostwaartse verspreiding van de Griekse nalatenschap over Azië, waar deze vervolgens werd opgenomen in de islamitische cultuur. In de tweede plaats voltrok dit proces van verspreiding zich nogal langzaam, maar ook gedurende een zeer lange periode – een periode van bijna duizend jaar, van de Aziatische veroveringen van Alexander de Grote (rond 325 v. Chr.) tot aan de stichting van de islam in de zevende eeuw na Chr. In de derde plaats moet deze geschiedenis niet in die mate worden vereenvoudigd dat men denkt dat de verbreiding van de Griekse kennis aan een dunne draad van nestoriaanse activiteiten in Judishupar of andere plaatsen hangt. We moeten het eerder beschouwen als een groots proces van culturele verstrooiing, waarbij de vruchten van de Griekse cultuur volledig, diepgaand en op velerlei wijzen werden opgenomen in de Westaziatische aristocratieën. Nu moeten we onze aandacht richten op de verdere overdracht van deze vruchten op de islam.

DE GEBOORTE, GROEI EN HELLENISERING VAN DE ISLAM

Het Arabische schiereiland, ingeklemd tussen Perzië in het oosten en noorden en Egypte in het zuiden, lag buiten het bereik van Alexanders veldtochten en was nauwelijks beïnvloed door de Byzantijnse territoriale ambities. Joodse en christelijke gemeenschappen hadden een korte bloeiperiode gekend, maar in de zevende eeuw was hun invloed op een bescheiden niveau gekomen. De bevolking bestond grotendeels uit nomaden, behalve in het uiterste noorden en zuiden, hoewel er steden waren gevestigd rond bedevaartsoorden en langs de belangrijkste handelsroutes. In een van deze steden, Mekka, werd in de zesde eeuw Mohammed geboren en verkondigde hij de nieuwe religie, de islam. Mohammed had een reeks visioenen waarin hem de koran (of Qur'an, het heilige boek van de islam) werd gedicteerd door de engel Gabriël. Het hoofdthema van deze openbaringen was het bestaan van één almachtige, alwetende god, Allah, de schepper van het universum, aan wie de gelovigen (die moslims of moslems werden genoemd) zich moesten onderwerpen. Dit boek zou alle aspecten van het islamitsche geloof en de praktische uitvoering daarvan definiëren; het was de bron van de islamitische theologie, ethiek, wet en kosmologie, en vormde dus het hoofdbestanddeel van het islamitische onderwijs; het zou bijdragen tot de systematisering van het Arabisch als een geschreven taal en is nog altijd het voornaamste model voor de Arabische literaire stijl.[8]

Mohammed praktiseerde en leerde de noodzakelijkheid van de heilige oorlog en de dwangmatige bekering. Voordat hij in 632 stierf, had zijn groep volgelingen het Arabische schiereiland onder de voet gelopen en succesvolle strooptochten naar het noorden georganiseerd; na zijn dood overschreden Moslim-legers de grenzen van hun thuisland en joegen zij zowel de Byzantijnse als de Perzische legers op de vlucht, zodat grote delen van het Nabije Oosten in hun handen kwamen. In twintig jaren van verbijsterend militair succes onderwierp de islam bijna alle Aziatische en Noordafrikaanse bezittingen van Alexander, zoals Syrië, Palestina, Perzië en Egypte. Binnen honderd jaar zouden ook de rest van Noord-Afrika en heel Spanje in handen van de moslims vallen.

Mohammed liet geen mannelijke erfgenaam of voorbestemde opvolger na, zodat het leiderschap van het groeiende islamitische rijk zwaar bevochten moest worden. De eerste kaliefen ('opvolgers' van Mohammed) werden gekozen uit Mohammeds eerste volgelingen. In 644 werd Uthman, van de Umayyad familie, kalief en in 661 zijn neef Mu'awiyah, die gouverneur van Syrië was geweest. Om veiligheidsredenen regeerden Mu'awiyah en zijn opvolgers vanuit het Syrische Damascus, waar de invloed van de Umayyad familie het grootst was. Hier kwam de Umayyad dynastie, die ongeveer een eeuw aan de macht bleef, in contact met ontwikkelde Syriërs en Perzen, die dienst konden doen als secretarissen en bureaucraten; en aldus begon, op kleine schaal, de hellenisering van de islam.

Dit proces van hellenisering kwam ná 749 in een stroomversnelling. In dat jaar kwam een nieuwe dynastie aan de macht, de Abbasiden (afstammelingen van Mohammeds oom al-Abbas). De Abbasid kaliefen waren niet van plan in Damascus te blijven: zoals de Umayyaden een eeuw eerder, wilden ze hun regeringscentrum vestigen op vriendschappelijk territorium. In 762 bouwde al-Mansur (754-75) een nieuwe hoofdstad, Bagdad, aan de rivier de Tigris. Het hof van al-Mansur in Bagdad stond niet bekend om zijn vroomheid, maar vormde een religieus klimaat dat betrekkelijk intellectueel, geseculariseerd en tolerant was. Van groter belang is dat het islamitische rijk veranderde van een aristocratie van krijgers in een gecentraliseerde staat, hetgeen een veel uitgebreidere bestuurlijk apparaat vereiste dan Mohammed, zijn directe opvolgers, of de eerste Umayyaden zich hadden voorgesteld. Het personeel voor deze bureaucratie kon nauwelijks worden gerecruteerd uit de krijgers van de veroveringslegers en de kaliefen konden weinig anders doen dan gebruik te maken van de geschoolde Perzen (meestal de recentelijk tot de islam bekeerden, hoewel men ook gebruik maakte van christenen).

De Perzische invloed manifesteert zich met name in de machtige adviseurs van

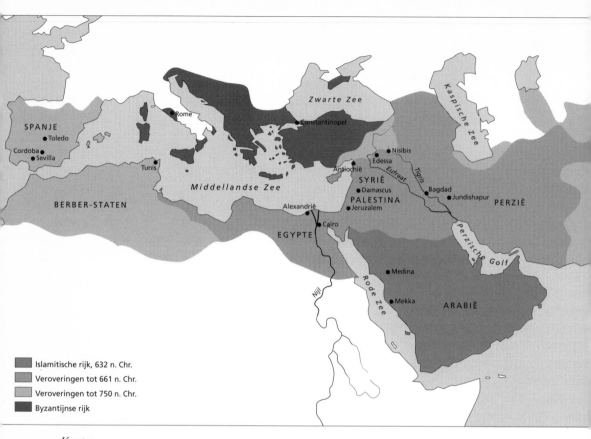

Islamitische rijk, 632 n. Chr.
Veroveringen tot 661 n. Chr.
Veroveringen tot 750 n. Chr.
Byzantijnse rijk

Kaart 4
De expansie
van de islam.

de Barmak familie – voorheen uit de provincie Bactrië en recente bekeerlingen tot de islam. Khalid ibn Barmak diende onder al-Mansur; en zijn zoon Yahya werd vizier (hoofdadviseur en privé-leraar van de kaliefs erfgenamen) onder al-Mansurs kleinzoon, Harun ar-Rashid (786-809). De christelijke invloed blijkt het duidelijkst uit de medische praktijk binnen het hof. In 765 werd al-Mansur behandeld door een nestoriaanse arts uit Jundishapur, Jurjis ibn Bakhtishu. Jurjis was klaarblijkelijk succesvol, want hij bleef in Bagdad als de lijfarts van de kalief en werd een invloedrijke afbeelding binnen het hof; zijn zoon volgde hem op en gedurende meerdere generaties zouden leden van de Bakhtishu familie dienst doen als lijfarts. Ten slotte is het van belang op te merken dat er tevens invloeden uitgingen van het oostelijke India; sommige van deze invloeden waren het lange-termijn effect van de eerdere hellenisering van India.

DE VERTALING VAN DE GRIEKSE WETENSCHAP NAAR HET ARABISCH

De vertaling van Griekse en Syrische werken naar het Arabisch begon reeds onder al-Mansur, maar werd een serieuze aangelegenheid onder Harun ar-Rashid, die vertegenwoordigers naar Byzantium stuurde om manuscripten op te sporen. Al-Ma'mun (813-1833), de zoon van Harun, stichtte in Bagdad een onderzoekscentrum, het Huis van de Wijsheid; en hier bereikten de vertaalactiviteiten hun hoogtepunt. Het Huis van de Wijsheid stond onder leiding van Hunayn ibn Ishaq (808-73) – een nestoriaanse christen en een Arabier, die afstamde van een Arabische stam die zich tot het christendom had bekeerd lang voordat het islamitische geloof tot stand kwam. Hunayn, die geneeskunde studeerde bij de eminente arts Ibn Masawaih, beheerste vanaf zijn jonge jaren zowel het Arabisch als het Oudsyrisch; als jongeman reisde hij naar 'het land van de Grieken' (wellicht Alexandrië), waar hij een grondige kennis van het Grieks verwierf. Terug in Bagdad werd hij opgemerkt door een lid van de Bakhtishu familie en een stel rijke broers (de 'zonen van Musa'), en deze patronen introduceerden hem bij al-Ma'mun. Op een gegeven moment gaat Hunayn, die op zoek is naar manuscripten, mee met een expeditie naar Byzantium. Als vertaler diende hij onder diverse kaliefen en hij beëindigde zijn loopbaan als de belangrijkste koninklijke arts, waarmee hij een lid van de Bakhtishu familie verving.[9]

De vertaalactiviteiten van Hunayn zijn van cruciaal belang en verdienen daarom onze speciale aandacht. Hunayn werd geholpen door zijn zoon Ishaq ibn Hunayn, zijn neef Hubaysh en anderen. Vele van hun vertalingen waren gezamenlijke inspanningen. Hunayn zou, bijvoorbeeld, een werk van het Grieks naar het Oudsyrisch kunnen vertalen, waarna zijn neef de Oudsyrische tekst naar het Arabisch zou vertalen. Hunayns zoon Ishaq vertaalde vanuit zowel het Grieks als het Oudsyrisch naar het Arabisch en reviseerde tevens de teksten van zijn collega's. En Hunayn lijkt, naast het vervaardigen van zijn eigen vertalingen vanuit het Grieks naar het Oudsyrisch of Arabisch, te hebben aangedrongen op zijn persoonlijke controle van de vertalingen van zijn pupillen. Hunayn en zijn medewerkers hanteerden uitermate verfijnde werkmethoden. Zij begrepen dat het, om fouten te vermijden, nodig was de manuscripten zoveel mogelijk met elkaar te vergelijken. En in plaats van de gebruikelijke mechanische vertaalmethode te hanteren, waarbij woord voor woord wordt omgezet (met het grote nadeel dat niet ieder Grieks woord zijn gelijke kent in het Arabisch of Oudsyrisch en er tevens geen rekening wordt gehouden met de syntactische verschillen tussen de talen), keek Hunayn naar de betekenis van een zin in het oorspronkelijke Grieks en vertaalde deze door een zin van gelijke betekenis in het Arabisch of Oudsyrisch.

Hunayn vertaalde bovenal veel geneeskundige werken, en dan vooral die van Galenus en Hippocrates. Hij vertaalde ongeveer negentig van Galenus' werken vanuit het Grieks naar het Oudsyrisch en ongeveer veertig vanuit het Grieks naar het Arabisch. Van Hippocrates vertaalde hij rond de vijftien werken. Ook vertaalde (of corrigeerde) Hunayn drie van Plato's dialogen, waaronder de *Timaios*, en diverse werken van Aristoteles (meestal vanuit het Grieks naar het Oudsyrisch), waaronder de *Metafysica*, *Over de ziel*, *Over ontstaan en vergaan* en een deel van de *Physica*; hij vertaalde een verscheidenheid aan werken over logica, wiskunde en astrologie, en produceerde een Oudsyrische versie van het Oude Testament. Hunayns zoon Ishaq vertaalde nog meer werken van Aristoteles, en tevens Euclides' *Elementen* en Ptolemaeus' *Almagest*. Hun medewerkers in Bagdad en hun tijdgenoten elders voegden hieraan nog andere vertalingen toe; zoals Thabit ibn Qurra (836-901), een drietalige heiden (met andere woorden, noch christen, noch moslim) die zijn carrière grotendeels in Bagdad maakte, vertaalde wiskundige en astronomische verhandelingen, waaronder werken van Archimedes. De vertaalactiviteiten duurden nog meer dan een eeuw na Hunayn en Thabit op een zeer hoog niveau voort. Rond 1000 n. Chr. waren bijna alle Griekse werken op het gebied van de geneeskunde, de natuurfilosofie en de wiskunde omgezet in bruikbare Arabische versies.

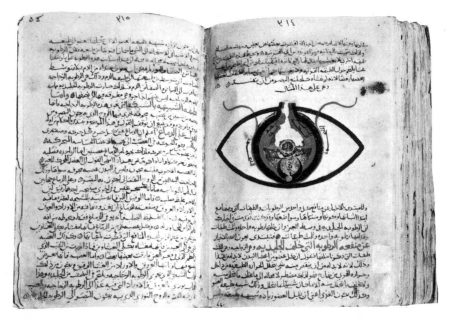

Afbeelding 8.1 De anatomie van het oog
volgens Hunayn ibn Ishaq, uit een dertiende-eeuwse
kopie van Hunayns *Boek van de tien verhandelingen over
het oog*, Caïro, National Library.

DE ISLAMITISCHE REACTIE OP DE GRIEKSE WETENSCHAP

Maar de vraag rijst: wat was het nut hiervan? Wat zagen de leden van de moslimse regerende kaste in de Griekse wetenschap dat zij bereid waren voor vertalingen te betalen en de scholing in de Griekse wetenschappelijke disciplines te bekostigen? Hoe werden de Griekse werken door deze patronen en door geletterde moslims in het algemeen ontvangen? Welke rol speelde de Griekse wetenschap in de islamitische wereld en hoe goed vermengde het zich met de andere aspecten van de islamitische cultuur? En in het bijzonder, moest er voor deze aanvaarding van de Griekse wetenschap een religieuze prijs worden betaald?

Over het algemeen weten we wat er vertaald was en wie we daarvoor dankbaar moeten zijn. Maar zelden weten we precies welke redenen er voor een bepaalde vertaling waren. Een factor die bijna algemeen moet zijn geweest, is dat de patronen geletterd waren, of geletterdheid ambieerden, of ten minste met geletterdheid in verband wilden worden gebracht (alleen al vanwege het prestige dat zij hiermee verwierven); zij waren mensen die op de een of andere manier deel wilden zijn van de meest ontwikkelde cultuur die beschikbaar was. Maar een verklaring aan de hand van het culturele niveau van de patronen lijkt ontoereikend. Deze ontwikkelde moslims waren bereid in de Griekse wetenschap te investeren omdat ze overtuigd waren (terecht of onterecht) van haar waarde – dat zij bijdroeg aan het bereiken van een bepaald waardevol doel. Het streven naar geleerdheid als doel op zich is nooit door de islamitische religieuze ideologie onderschreven, noch door enige andere draad in het culturele weefsel. Net als bij het middeleeuwse christendom werd de wetenschap door haar nut gerechtvaardigd.[10]

De geneeskunde is een wetenschap met een duidelijk nut, en mogelijkerwijs werden de islamitische patronen in eerste instantie door de geneeskunde aangetrokken; onder de eerste vertalingen bevonden zich in ieder geval ook de medische. Maar op haar beurt vereiste de geneeskunde weer filosofische werktuigen – Galenus' lezers zouden die indruk zeker krijgen. Inderdaad had Galenus zelf ook logische en natuurfilosofische elementen in zijn werken opgenomen, en voor de vertalers en hun patronen moet het duidelijk zijn geweest dat een volledig begrip van Galenus' medische filosofie een uitgebreide kennis van het Griekse denken vereiste, zoals van de platonische en aristotelische filosofie.[11] Het nut van astronomie, astrologie, wiskunde, alchemie en een zekere hoeveelheid natuurgeschiedenis moet ook evident zijn geweest. En, ten slotte, zijn er succesrijke islamistische pogingen gedaan een scholastiek te creëren die doordrenkt was met Griekse logica en metafysica. Klaarblijkelijk konden de vertalingen van bijna ieder Grieks werk betreffende geneeskunde, wiskunde of filosofie (met weinig moeite) worden gerechtvaardigd op grond van hun nut: sommige waren van cruciaal belang andere waren blijkbaar anderszins nuttig.

Er bestond geen noodzakelijk verband tussen de vertaling van een boek naar het Arabisch en de wijde verspreiding daarvan binnen de islam, of de assimilatie van de inhoud in de islamitische cultuur. Voor de vertaling waren immers alleen een vertaler en wellicht nog een patroon nodig, terwijl de verspreiding en assimilatie algemene culturele verschijnselen zijn. Als de taalbarrières eenmaal waren overwonnen, bleven er echter nog geduchte obstakels over. Een daarvan was de slepende kwestie van het praktische nut, die wat betreft een hele cultuur niet kon worden afgedaan met een enkel woord, zoals dat wellicht het geval was bij de patronen. Voor de strenge moslim was kennis altijd een middel en geen doel, ondergeschikt aan het bereiken van de persoonlijke verlossing, het verwerven van wijsheid (in religieuze termen omschreven), het besturen van het islamitische rijk, of een ander overduidelijk praktisch doel.

Een andere barrière die de Griekse wetenschap moest overwinnen, was haar vreemde afkomst en haar rationele aard. De moslims zelf verdeelden de wetenschap in twee categorieën: een traditionele en een buitenlandse of rationele. De traditionele disciplines waren gebaseerd op de koran: grammatica, poëzie, geschiedenis,

Afbeelding 8.2 De Ibn Tulun moskee (9de eeuw),
Caïro. Foto: Marburg/Art Resource N.Y.

theologie en recht. Deze berustten op goddelijke autoriteit en werden vaak mondeling gedoceerd (een weerspiegeling van Mohammeds openbaringen en zijn eigen doceren); de beoefenaar van dergelijke disciplines was verplicht volledig te zijn en te zorgen voor een betrouwbare overdracht. De vreemde disciplines die van de Grieken waren overgenomen, daarentegen, waren van menselijke oorsprong en niet van een goddelijke; men kon zich deze eigen maken door middel van de rede, in plaats van ze te aanvaarden op grond van autoriteit of traditie; hun overdracht geschiedde voornamelijk door het geschreven woord en ze waren het onderwerp van kritische commentaren en correcties. Iedere poging de methodologie van de vreemde wetenschappen toe te passen op de traditionele disciplines ging gepaard met voor de hand liggende risico's; daarom was het onvermijdbaar dat de vreemde wetenschappen door conservatief geaarde mensen beschouwd zouden worden als een bedreiging.

Wat was dan het lot van de vreemde wetenschappen in de islamitische cultuur? Op deze vraag is geen eenvoudig antwoord, geschikt voor alle tijden en plaatsen, mogelijk. De historische context is zo ingewikkeld dat de in de islam gespecialiseerde historici hier geen gemeenschappelijk oordeel over kunnen vellen. Momenteel bestaan er twee geheel verschillende verklaringen. De ene stelt dat de vreemde wetenschappen door het merendeel van de moslims altijd zijn beschouwd als nutteloos, oneigen en mogelijkerwijs gevaarlijk. Ze stonden lijnrecht tegenover het orthodoxe denken, kwamen niet voort uit fundamentele behoeften en werden niet opgenomen in het zich ontwikkelende onderwijsstelsel. Dientengevolge zouden de vreemde wetenschappen nooit volledig integreren in de islamitische cultuur, maar een randverschijnsel blijven. De onweerlegbaar grote prestaties van de islamitische wetenschappers en natuurfilosofen moeten dus zijn voortgekomen uit geïsoleerde enclaves van geleerden die werden beschermd tegen de orthodoxe pressie (zoals het geval was aan koninklijke hoven ten tijde van een periode van ongekende tolerantie) of bereid waren, om redenen die alleen zijzelf kennen, tegen de culturele stroom in te gaan. Dit heeft men wel de 'marginaliteitshypothese' genoemd, vanwege de bewering dat de islamitische wetenschap nooit meer dan een marginale inspanning zou zijn geweest.[12]

De andere theorie stelt de confrontatie met de Griekse wetenschap in een geheel ander daglicht. Ofschoon het bestaan van achterdocht en vijandigheid wordt erkend, beweert deze theorie tegelijkertijd dat de Griekse wetenschap en natuurfilosofie in de islamitische wereld over het algemeen redelijk gastvrij werden ontvangen. Tenslotte verwierp de islam de vruchten van de vreemde wetenschappen niet, maar werden er ondanks de conservatieve tegenstand opmerkelijke pogingen tot herstel en cultuuropbouw gedaan. Sterker nog, men kan verwijzen naar vele voorbeelden van de integratie van de Griekse disciplines in de traditionele wetenschap en de islamitische cultuur in het algemeen. Zo werd de logica een onderdeel van de theologie en het recht; de astronomie werd een onmisbaar werktuig van de *muwaqqit*, de man die verantwoordelijk was voor de bepaling van de gebedstijden in zijn gemeenschap; en de wiskunde was van groot belang voor een grote verscheidenheid aan commerciële, juridische en bestuurlijke doeleinden. Dat er in de meest ontwikkelde islamitische scholen, de *madrasahs* of juridische instituten, zo nu en dan les werd gegeven in de wiskunde en de astronomie getuigt van de hoge mate van acceptatie en integratie. Volgens deze verklaring zou de islam, ondanks de tegenstand, grote delen van de vreemde wetenschappen met succes hebben overgenomen; dit zullen we de 'toeëigeningshypothese' noemen. Zo gezien, werden de traditionele disciplines niet door de vreemde wetenschappen veroverd, maar sloten de laatste vrede door zich als 'dienstmaagd' te laten gebruiken.[13]

De kloof die deze twee interpretaties scheidt, is aanzienlijk; en, mede gezien de huidige staat van het wetenschappelijk onderzoek betreffende de islamitische wetenschapsgeschiedenis, lijkt er voorlopig nog geen einde aan deze discussie te zijn gekomen. Maar er is een aantal zaken die deze twee standpunten nader tot elkaar kunnen brengen. In de eerste plaats moet worden erkend dat de marginaliteitshypothese, althans in haar extreme vorm, niet verdedigbaar is. De cultuur van de Griekse natuurfilosofie en exacte wetenschappen was te wijdverbreid en succesrijk om gezien te kunnen worden als een bijprodukt van de islamitische cultuur. Hoewel dit in het voordeel spreekt van de aanhangers van de toeëigingshypothese, moet ook worden gewezen op het feit dat de wetenschap binnen de islamitische cultuur zeker niet in het middelpunt van de belangstelling stond en dat er binnen de islam krachten werkten die neigden naar een marginalisering van de vreemde wetenschappen – wat inhoudt dat de aanhangers van de marginaliteitshypothese een soort wezenlijk kenmerk van de islamitische cultuur op het oog hebben. Om precies te zijn, de Griekse wetenschap zou in de islamitische wereld nooit een veilige institutionele thuishaven krijgen, zoals het die in het middeleeuwse christendom in de vorm van de universiteiten uiteindelijke wel kreeg. Een reden hiervoor was dat de islamitische scholen niet in het bezit waren van de structuur en uniformiteit van de westerse scholen, met name niet op de hogere niveaus.[14] Dit gebrek aan structuur bood de afzonderlijke wetenschapper een vrije keuze wat betreft zijn specialiteit. Vrijheid garandeerde diversiteit en schiep ruimte voor de beoefenaars van de Griekse filosofie en wetenschap; maar het garandeerde tevens dat de islamitische scholen nooit een leerplan zouden ontwikkelen dat op systematische wijze onderricht gaf in de vreemde wetenschappen. Kortom, het islamitisch onderwijs verbood de vreemde wetenschappen geenszins; maar het deed niets om de ze te stimuleren. Dit feit kan ons de neergang van islamitische wetenschap in de dertiende en veertiende eeuw helpen begrijpen.

De verrichtingen van de islamitische wetenschap

Vroeg in de twintigste eeuw deed de eminente natuurkundige-filosoof-historicus Pierre Duhem een uitspraak die een uitdaging vormde voor de historici van de islamitische wetenschap: 'Er bestaat geen Arabische [lees 'islamitische'] wetenschap.

De wijze mannen van het mohammedanisme waren altijd de min of meer getrouwe volgelingen van de Grieken, maar henzelf ontbrak het aan iedere vorm van originaliteit'.[15] Duhem had duidelijk geen gelijk, maar niettemin is zijn uitspraak een nuttige, omdat het onze aandacht richt op een essentiële kwestie: door inzicht te krijgen in het ongelijk van Duhem, leren we iets belangrijks over de aard van de islamitische wetenschappelijke verrichtingen.

Het is eenvoudig niet waar dat het de islamitische beoefenaars van de Griekse wetenschap aan 'iedere vorm van originaliteit' ontbrak; een mogelijke reactie op Duhems uitspraak is dit te staven met een opsomming van de vele originele bijdragen van islamitische natuurkundigen, wiskundigen en natuurfilosofen. Om één voorbeeld te geven: de elfde-eeuwse moslim Ibn al-Haytham liet zijn kritisch oog over vrijwel alle Griekse wetenschappelijke verrichtingen gaan en deed uiterst belangrijke en originele bijdragen op het gebied van de astronomie, wiskunde en optica. Helaas zou deze opsomming van islamitische bijdragen aan de diverse wetenschappen een aantal boeken vullen en moeten we ons tevreden stellen met een meer bescheiden opzet – toch zullen we, hieronder en in de volgende hoofdstukken, aandacht schenken aan de islamitische bijdragen aan bepaalde gebieden van het wetenschappelijke denken.[16]

Maar Duhems bewering biedt ons een andere ingang tot deze kwestie, die ons naar het centrale probleem zou kunnen leiden. Duhem beweert dat de islamitische geleerden die belangstelling hadden voor de vreemde wetenschappen 'altijd de min of meer getrouwe volgelingen van de Grieken' waren. Dit is bedoeld als een vernedering, om te bewijzen dat de moslims geen echte wetenschappers waren; hetgeen wil zeggen dat hij het volgelingschap in verband brengt met onwetenschappelijk gedrag (wat iets zegt over zijn definitie van wetenschap). We kunnen Duhems argument echter ook omdraaien en beweren dat, juist omdat ze volgelingen van de Griekse wetenschap werden, de moslims binnentraden in de westerse wetenschappelijke traditie en wetenschappers of natuurfilosofen werden. Zo gezien, is het volgelingschap essentieel voor de wetenschappelijke onderneming en is het daar niet volkomen tegengesteld aan; de moslims werden geen wetenschappers door de bestaande wetenschappelijke traditie te verwerpen, maar door zich daarbij aan te sluiten – door volgelingen te worden van de meest hoogstaande wetenschappelijke traditie die ooit had bestaan.

Wat betekent het een volgeling te zijn? Voor een zogenaamde islamitische wetenschapper betekende het de overname van zowel de methodologie als de inhoud van de Griekse wetenschap. De islamitische wetenschap was voor het grootste deel gebouwd op Griekse fundamenten en werd uitgeoefend volgens de Griekse 'architectonische' beginselen; de moslims poogden niet het Griekse bouwwerk te slopen, maar streefden ernaar het project af te maken. Dit betekent echter niet dat originaliteit en vernieuwing zich niet voordeden; het betekent dat de islamitische wetenschappers in hun verbetering, uitbreiding, benadrukking en toepassing van het bestaande kader blijk gaven van originaliteit en vernieuwing, maar niet in de creatie van een volledig nieuw kader. Als dit een veroordelende erkenning mocht lijken, moet goed worden begrepen dat de moderne wetenschap grotendeels bestaat uit correctie, uitbreiding en toepassing van nagelaten wetenschappelijke beginselen; een radicale breuk met het verleden is tegenwoordig waarschijnlijk net zo uitzonderlijk als ten tijde van de middeleeuwse islam.

De islamitische wetenschappers waren zich bewust van deze relatie tot het verleden. Een van de eerste islamitische wetenschappers, al-Kindi († ca. 866), die zich onder diverse vroege Abassid kaliefen in Bagdad wijdde aan de exacte wetenschappen, erkende het belang van zijn klassieke voorgangers en zijn plek in een voortgaande traditie. Als we geen klassieken hadden gehad, schreef al-Kindi,

> zou het, ondanks al onze ijver, voor ons onmogelijk zijn geweest in de loop van ons gehele leven de beginselen van waarheid bijeen te brengen die de basis vormen van de uiteindelijke conclusies van ons onderzoek. Al deze elementen worden eeuw voor eeuw samengebracht, van voorbije tijden tot aan onze tijd.

Al-Kindi zag het als zijn plicht deze hoeveelheid klassieke kennis te vervolledigen, te verbeteren en over te dragen. Hij vervolgde:

> Het past [ons] daarom trouw te blijven aan het principe dat we in al onze werken hebben gevolgd: in de eerste plaats alles te noteren wat de klassieken over het onderwerp hebben gezegd, in de tweede plaats te vervolledigen wat de klassieken niet volledig hebben weergegeven, en wel volgens de gebruiken van onze Arabische taal, de gewoonten van onze tijd, en naar ons eigen vermogen.

Tweehonderd jaar later kon al-Biruni († na 1050) nog steeds beweren dat het de taak van de islamitische wetenschapper was 'ons te beperken tot hetgeen de klassieken hebben behandeld en te vervolmaken wat volmaakt kan worden'.[17]

De islamitische astronomie geeft de relatie tussen de islamistische en Griekse wetenschap goed weer. De islamitische astronomen produceerde een grote hoeveelheid zeer hoogstaand astronomische werk. Dit werk werd grotendeels uitgevoerd binnen een ptolemeïsch kader (hoewel de vroeg-hindoeïstische invloeden op de islamitische astronomie erkend moeten worden; deze zou komen te vervallen toen Ptolemaeus' *Almagest* en andere Griekse astronomische werken ter beschikking kwamen). De islamitische astronomen streefden naar een verheldering en verbetering van Ptolemaeus' stelsel, een verbeterde berekening van Ptolemaeus' constanten, de samenstelling van planetaire tabellen op basis van Ptolemaeus' modellen en het ontwerpen van instrumenten die konden worden gebruikt voor de uitbreiding en verbetering van de ptolemeïsche astronomie in het algemeen.

Om een paar voorbeelden te noemen; al-Farghani († na 861), een astronoom aan het hof van al-Mamun, schreef een niet-wiskundig basisboek over de ptolemeïsche astronomie dat een wijde verbreiding kende binnen de islamitische wereld en (na vertaald te zijn naar het Latijn) binnen het middeleeuwse christendom. De astronoom Thabit ibn Qurra († in 901), tevens werkzaam aan het hof in Bagdad, bestudeerde de schijnbare bewegingen van de zon en de maan op basis van ptolemeïsche principes; hij kwam tot de conclusie dat de precessie van de nacht-eveningspunten niet gelijkvormig was en ontwikkelde een theorie die rekenschap gaf van een variabele precessie (de zogenaamde 'trepidatie'). Al-Battani († in 929) bracht wiskundige verbeteringen aan in de ptolemeïsche astronomie, bestudeerde de bewegingen van zon en maan, berekende nieuwe waarden voor de zon- en maanbewegingen en het hellingspercentage van de ecliptica, ontdekte de absiden-lijn van de zonnebaan (de verschuiving van het perigeum van de zon, of het dichtst bij de aarde gelegen punt, in het heelal), maakte een correcte sterrencatalogus en gaf aanwijzingen voor de vervaardiging van astronomische instrumenten, zoals een zonnewijzer en een muurkwadrant. Het feit dat al-Battani tot in de zestiende en zeventiende eeuw werd geciteerd (onder anderen door Copernicus en Kepler) zegt iets over de kwaliteit van zijn astronomische werk. En tot slot, de islam kende een woordenstrijd tussen de verdedigers van de natuurkundig georiënteerde concentrische sferen van Aristoteles en het wiskundig georiënteerde stelsel van Ptolemaeus; deze strijd, die voornamelijk plaatsvond in het twaalfde-eeuwse Spanje, eindigde onbeslist.[18]

De optica is een ander voorbeeld waarin de islam voortreffelijke wetenschap verrichtte. Hier zien we vernieuwingen die minstens zo essentieel zijn als die in de astronomie – niettemin waren het vernieuwingen die voortkwamen uit de combinatie en consolidatie van diverse klassieke traditie. Om precies te zijn, Ibn al-Haytham († ca. 1040), die diende aan het hof in Caïro (waar een separatistische, islamitische dynastie haar eigen kalifaat had gevestigd), volgde Ptolemaeus' aanwijzingen en combineerde benaderingen van de optische verschijnselen die oorspronkelijk afzonderlijke Griekse benaderingen waren – de wiskundige, natuurkundige en medische benadering. In het geval van Ibn al-Haytham kwam uit deze synthese een nieuwe theorie over het oog voort, gebaseerd op het idee dat licht vanaf het zichtbare object naar het oog wordt overgebracht; een theorie die eerst in de islamitische wereld en daarna in het westen de overhand zou krijgen (zie hoofdstuk 12), totdat Kepler in de zeventiende eeuw de theorie van het retinabeeld ontwierp.[19]

DE NEERGANG VAN DE ISLAMITISCHE WETENSCHAP

De wetenschap in de islamitische wereld was zowel gerenommeerd als duurzaam. De vertaling van Griekse werken naar het Arabische begon in de tweede helft van de achtste eeuw; rond het einde van de negende eeuw hadden de vertaalactiviteiten hun hoogtepunt bereikt en deed de serieuze wetenschap haar eerste stappen. Vanaf het midden van de negende tot en met het grootste deel van de dertiende eeuw werd er in de gehele islamitische wereld indrukwekkend werk verricht in de voornaamste takken van de Griekse wetenschap. De islam zou vijfhonderd jaar lang uitblinken in de wetenschap – een langere periode dan die tussen Copernicus en onze tijd.

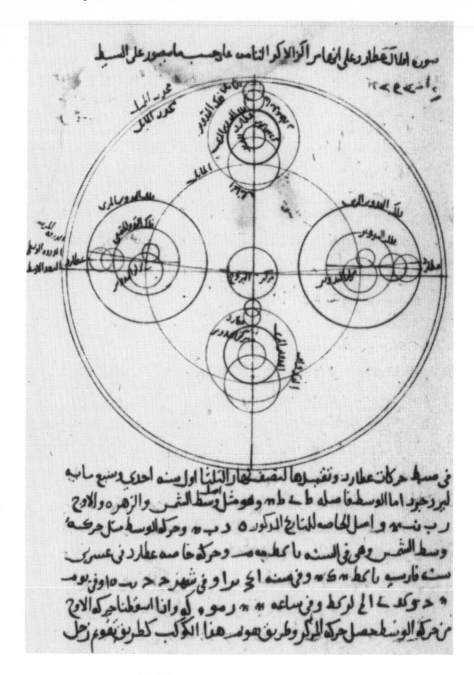

Afbeelding 8.3
De baan van Mercurius volgens Ibn ash-Shatir
(14de eeuw). Oxford, Bodleian Library,
MS Marsh 139, fol. 29r.

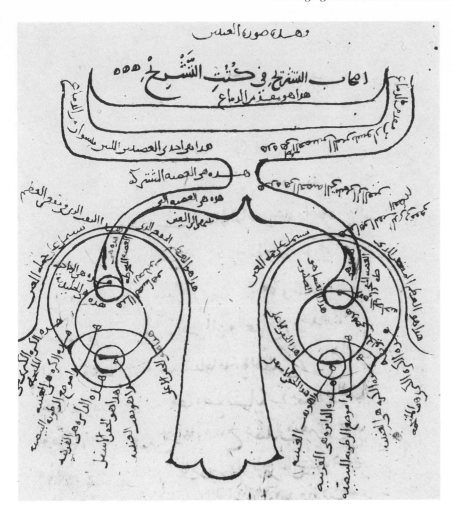

Afbeelding 8.4 De ogen en het visuele stelsel volgens
Ibn al-Haytham. Uit een kopie van al-Haythams
Boek van de optica, gemaakt in 1083 n. Chr., Instanbul,
Süleimaniye Library, MS Faith 3212, deel 1, fol. 81v.

De wetenschappelijke onderneming was van oorsprong om praktische redenen
gevestigd in het Bagdad van de Abbasiden, hoewel er in het Nabije Oosten vele
andere, beschermde wetenschappelijke centra zouden ontstaan. Vroeg in de elfde
eeuw zou Caïro, onder de Fatimid familie, een rivaal van Bagdad worden. Ondertussen hadden de vreemde wetenschappen hun weg naar Spanje gevonden, waar de
Umayyad familie, die door de Abbasid familie uit het Nabije Oosten waren verdrongen, een enorm hof in Cordoba had gebouwd. Onder de bescherming van de
Umayyad familie kende de wetenschap in de elfde en twaalfde eeuw een bloeipe-

Afbeelding 8.5
Het interieur van de Grote Moskee in Cordoba,
gebouwd in het midden van de 8ste eeuw.
Foto: Marburg/Art Resource N.Y.

riode. Deze ontwikkeling was mede mogelijk door al-Hakam († in 976), die in Cordoba een indrukwekkende bibliotheek bouwde en vulde. Een andere grote verzameling wetenschappelijke werken was aanwezig in Toledo.

Maar gedurende de dertiende en veertiende eeuw begon de neergang van de islamitische wetenschap; in de vijftiende eeuw zou er weing meer van over zijn. Hoe kon dit gebeuren? Hiernaar is onvoldoende onderzoek gedaan om deze ontwikkeling zonder onzekerheden weer te kunnen geven, of er een bevredigende verklaring voor te geven, maar wel kunnen er enkele oorzaken worden vastgesteld. Ten eerste was er de opkomst van conservatieve religieuze invloeden. Soms in de vorm van onverdeelde oppositie, zoals in Cordoba tegen het einde van de tiende eeuw bij de beruchte verbrandingen van boeken die de vreemde wetenschappen als onderwerp hadden. Maar in de meeste gevallen in subtielere vormen – geen verdelging van wetenschappelijke activiteiten, maar wijziging van hun aard door de invoering van een zeer strikte definitie van hun bruikbaarheid. Of met andere woorden, de wetenschap werd ingeburgerd in de islamitische wereld – het verloor haar vreemde kwaliteit en werd uiteindelijk een islamitische wetenschap, in plaats van Griekse wetenschap die werd beoefend op islamitische bodem – door de aanvaarding van een zeer beperkte rol als 'dienstmaagd'. Dit betekende dat er geen aandacht meer was voor vele kwesties die eens van groot belang hadden geleken.

Ten tweede behoeft een opbloeiende wetenschappelijke onderneming vrede, welvaart en bescherming. Deze drie voorwaarden zouden als gevolg van voortdurende, desastreuze oorlogen tussen facties en mini-staten binnen de islam en aanvallen van buitenaf niet langer in de laat-middeleeuwse islam aanwezig zijn. In het westen begon, al was het sporadisch, vanaf ongeveer 1065 de christelijke herovering van Spanje serieuze vormen aan te nemen, hetgeen voortduurde totdat het gehele schiereiland tweehonderd jaar later in christelijke handen zou zijn. Toledo viel in 1085, Cordoba in 1236 en Sevilla in 1248. In het oosten begonnen de Mongolen vroeg in de dertiende eeuw druk uit te oefenen op de grenzen van het islamitische rijk; in 1258 veroverden ze Bagdad, waardoor er een einde kwam aan het kalifaat van de Abbasid familie. Temidden van de uitputtende oorlogen, economische depressies en het hieruit voorvloeiende verlies van hun bescherming konden de wetenschappen zich niet staande houden. Bij de beoordeling van deze ineenstorting moeten we voor ogen houden dat de vreemde wetenschappen in de islamitische wereld geen enkele stabiele, institutionele basis van hoogontwikkeld niveau hadden gekend, dat ze in conservatieve religieuze kring steeds met achterdocht werden bekeken, en dat hun nut (met name als vooruitstrevende disciplines) schijnbaar niet overweldigend was. Gelukkig ontstond er, voordat de produkten van de islamitische wetenschap verloren konden gaan, een contact met het christendom en kreeg het proces van culturele overdracht een nieuwe aanvang.

9

De wetenschappelijke renaissance in het westen

De middeleeuwen

Tot nu toe heb ik gebruik gemaakt van het begrip 'middeleeuwen' zonder het te definiëren en zonder zijn precieze tijdgrenzen aan te geven. In dit geval kan onnauwkeurigheid een deugd zijn, gezien het feit dat de historici het zelf niet eens zijn over de betekenis van dit begrip; maar nu is het tijd om enige duidelijkheid te scheppen. Het idee van de middeleeuwen (of de middeleeuwse tijd) werd in de veertiende en vijftiende eeuw voor het eerst gebruikt door Italiaanse humanistische geleerden, die een duistere perioden bespeurden tussen de sprankelende prestaties van de oudheid en de verlichting van hun eigen tijd. Deze vernederende opvatting (samengevat door de bekende benaming 'donkere eeuwen') is nu door vrijwel alle historici vervangen door een meer objectieve zienswijze die de 'middeleeuwen' gewoonweg verbeeldt als een periode in de westerse geschiedenis gedurende welke uitmuntende en belanghebbende bijdragen werden geleverd aan de westerse cultuur – bijdragen die een oprecht en onbevooroordeeld onderzoek en waardering verdienden.

De tijdgrenzen van de middeleeuwen zijn noodzakelijkerwijs onduidelijk gemaakt, omdat de middeleeuwse cultuur (ongeacht wat deze precies inhield) geleidelijk opkwam en weer geleidelijk verdween, in verschillende perioden en in verschillende gebieden. Indien we data moeten hebben, kunnen we zeggen dat de middeleeuwen de periode bestrijkt tussen het einde van de Romeinse beschaving in het Latijns westen (500 is een mooi jaartal) en het jaar 1450, toen de eerste voortekenen van de artistieke en literaire opleving, die algemeen bekend staat als de renaissance, zich aandienden. In ons geval is het nuttig om deze periode te verdelen in de vroege middeleeuwen (ongeveer tussen 500 en 1000), een overgangsperiode (van 1000 tot 1200) en het hoogtepunt van de middeleeuwen of de late middeleeuwen (van 1200 tot ca. 1450). Dit is niet precies de standaardverdeling (het 'hoogtepunt' en de 'late middeleeuwen' worden in veel gevallen gescheiden), maar helpt wel onze doelstellingen te verwezenlijken.

De Karolingische hervormingen

De neergang van het westelijk deel van het Romeinse rijk en de opkomst van socio-religieuze structuren die we als typisch middeleeuws beschouwen, zoals het kloosterwezen, hebben we reeds (in hoofdstuk 7) behandeld. West-Europa onderging een proces van ontstedelijking; de klassieke scholen verslechterden en de promotie van de geletterdheid en wetenschap kwam in handen van de kloosters, waar een verzwakte versie van de klassieke traditie overleefde in dienst van de religie en de theologie. Hiermee wordt niet gezegd dat met het kloosteronderwijs de alternatieven volledig verdwenen. Nog altijd waren er enkele openbare scholen, met name in Italië; de scholen aan de hoven en de bisschoppelijke scholen zouden nooit volledig verdwijnen; en enkele van de grote huishoudens konden altijd zorgen voor privé-onderwijs. Het ligt eenvoudig zo dat de kloosters de voornaamste onderwijsinstanties werden.

Betekende dit het einde van de serieuze wetenschap? Sommigen, die 'wetenschappelijkheid' definiëren als een voortzetting van de Griekse en Romeinse wetenschappelijkheid, hebben dit beweerd. Maar dit lijkt een ernstige fout te zijn. Er bestaat geen twijfel over het feit dat de wetenschap in kwaliteit en kwantiteit verminderde; maar het idee dat het als produktieve onderneming verdween, is een illusie die wordt gevoed door het onvermogen te zoeken naar de juiste dingen, of ze te zoeken op de verkeerde plek. In feite ging de wetenschapsbeoefening door, maar in nieuwe gedaanten en met een andere intentie.

De aandacht werd gericht op het religieuze en het geestelijke: waar de beste geleerden zich mee bezighielden was bijbeluitleg, geschiedenis van de religie, kerkelijk bestuur en de ontwikkeling van een christelijke leer. Boëthius (480-524) vervaardigde niet alleen vertalingen van Aristoteles' logica en handboeken over de vrije kunsten, zoals we reeds hebben gezien; ook schreef hij een aantal korte verhandelingen betreffende actuele theologische strijdpunten. Isidorus van Sevilla (ca. 560-636) schreef niet alleen de *Etymologieën* en *Over de aard der dingen*, de encyclopedische werken die zijn natuurfilosofie omvatten, maar ook handleidingen voor de instructie van de geestelijken op het gebied van geschiedenis, theologie, bijbeluitleg en liturgie. Gregorius van Tours († in 595) schreef een *Geschiedenis van de Franken*, een verslag van de verbreiding van het christendom in Frankisch gebied. Gregorius de Grote (ca. 550-604), die in 590 paus werd, produceerde een invloedrijke reeks bijbelse commentaren. En Bede († 735) produceerde bijbelse commentaren, preken, lezingen, dialogen en hagiogafieën (levensbeschrijvingen van heiligen), evenals boeken over tijdbepaling en de kalender.

In deze religieuze en theologische werken treffen we vrijwel geen wetenschap of natuurfilosofie aan, maar wel enige Griekse logica en metafysica. Boëthius zette de toon met zijn vastberaden pogingen problemen als goddelijke voorkennis en de aard van de heilige drieëenheid te overdenken aan de hand van de aristotelische logica en de platonische en aristotelische metafysica. Isidorus trachtte de oorsprong van diverse christelijke dwaalleren te verklaren door overeenkomstige verschijnselen binnen de filosofische traditie. Zelfs Gregorius de Grote, een uitsproken tegenstander van de heidense wetenschappen, gaf in vele opzichten blijk van de impliciete of expliciete filosofische fundering van zijn theologie.[1]

Laat in de achtste eeuw deed zich een uitbarsting van wetenschappelijke activiteit voor die in verband stond met ontwikkelingen aan het hof van Karel de Grote. In 768 erfde Karel de Grote een Frankisch koninkrijk dat delen van het huidige Duitsland en het overgrote deel van Frankrijk, België en Holland omvatte. Toen Karel de Grote in 814 stierf, had hij het koninkrijk (dat bekend staat als het Karolingische rijk) uitgebreid met meer Duits grondgebied, Zwitserland, een deel van Oostenrijk en meer dan de helft van Italië – de eerste serieuze poging tot een gecentraliseerd bestuur van West-Europa sinds het Romeinse rijk (zie kaart 5). Als onderdeel van een beleid ter versterking van kerk en staat (en tegelijkertijd ter uitvoering van de keizerlijke functie) hervormde Karel de Grote het onderwijs, waarbij hij nieuwe, buitenlandse wetenschappers binnenhaalde ter aanvulling van het personeel van zijn paleiselijke school en de vestiging verordende van scholen in kloosters en kathedralen door het gehele rijk. Karel de Grote haalde Alcuin, hoofd van de kathedrale school in het Noordengelse York, over naar hem toe te komen en leiding te geven aan de uitvoering van zijn onderwijsprogramma.

Alcuin (ca. 730-804), een produkt van de Ierse wetenschappelijke traditie (zie hoofdstuk 7) wiens intellectuele afkomst direct terugvoerde naar Beda, creëerde aan het hof een welvarende school die het onderwijs verzorgde van de koninklijke familie en het rijk voorzag van opgeleide religieuze en politieke functionarissen. Over het leerplan weten we weinig, maar het is duidelijk dat de zeven vrije kunsten en, tot op zekere hoogte, zelfs de astronomie er deel van uitmaakten; Alcuin zelf schreef studieboeken over het trivium. Alcuins leerlingen werden benoemd tot bisschoppen en abten, en door zijn en hun inspanningen verbeterde het gemiddelde onwikkelingsniveau van de geestelijken. Rond Alcuin vormde zich een kring van geleerden die belangstelling hadden voor eigentijdse theologische strijdpunten en in staat waren een bijdrage daaraan te leveren. Onder zijn leiderschap werden er boeken verzameld, gecorrigeerd en gekopieerd – onder meer werken van de kerkvaders en zo nu dan een werk van een klassieke auteur. En, tot slot, een van de belangrijkste en duurzaamste acties van Karel de Grote en Alcuin was de uitvaardiging van het keizerlijk edict, waarbij de vestiging van kathedrale en monastieke scholen werd verordend, hetgeen bijdroeg aan een grotere verbreiding van het onderwijs (gericht, uiteraard, op de geestelijken) dan die het Latijnse westen sinds enige eeuwen had gekend en een basis legde voor de toekomstige ontwikkeling van de wetenschap.[2]

Het profijt van deze hervormingen blijkt uit de loopbanen van twee wetenschappers, één uit de negende en één uit de tiende eeuw. Johannes Scotus Eriugena (actief in de periode 850-75), een Ier die verbonden was aan het hof van Karel de Kale, kleinzoon van Karel de Grote, was ongetwijfeld de bekwaamste wetenschapper in het Latijnse westen van de negende eeuw. Eriugena had vele talenten, zoals een scherpe, originele geest en een zeldzame linguïstische gave. Zijn kennis van het Grieks was uitstekend, een kennis die hij waarschijnlijk in eerste instantie had verworven in een Ierse kloosterschool, maar later op het continent vergrootte en aan-

Noordzee

Oostzee

IERLAND

ENGELAND

SAKSEN

SLAVEN

Aken ●

Rijn

Seine

AUSTRIA

Donau

NEUSTRIË ● Parijs

*Atlantische
Oceaan*

Loire

Rhône

BOURGONDIË

Po

AQUITANIË

Adriatische Zee

ITALIË

● Rome

SPANJE

Middellandse Zee

AFRIKA

Karolingische rijk

Schatplichtige volken

Kaart 5
Het Karolingische
rijk rond 814.

wendde voor de vertaling naar het Latijn van diverse Griekse theologische verhandelingen: eerst, op verzoek van Karel de Kale, de werken van pseudo-Dionysius (een anonieme christelijke neoplatonist die leefde rond 500) en later de werken van diverse Griekse kerkvaders. Tevens schreef Eriugena diverse originele en hoogstaande theologische verhandelingen, waarin hij het neoplatonisme van pseudo-Dionysius ontwikkelde en een poging deed de christelijke theologie (met een Grieks tintje) te verenigen met de neoplatonistische filosofie; zijn *Over de natuur*, een poging tot een uitgebreide bespreking van alle bestaande dingen, bevat een duidelijke (en, natuurlijk, onvervalst christelijke) natuurfilosofie. En hij schreef, tot slot, een commentaar op Martianus Capella's zeer invloedrijke studieboek over de vrije kunsten, *De nuptiis philologiae et Mercurii*, waarschijnlijk in verband met zijn functie als docent. Eriugena had direct invloed op een groep volgelingen en door hen een voortdurende invloed op het westerse denken.[3]

Afbeelding 9.1 Personificatie van het quadrivium.
Van links naar rechts: muziek, rekenkunde, geometrie en
astronomie. Uit een negende-eeuwse kopie van Boëthius'
Aritmetica, Bamberg, MS Class. 5 (HJ.IV.12), fol. 9v.

Een eeuw later brachten de Karolingische onderwijshervormingen een andere
geleerde voort, uit de kloosterschool in het Zuid-Franse Aurillac. Gerbert (ca. 945-
1003) maakte een bliksemcarrière, die wordt verklaard door een combinatie van
intellectuele gaven en politiek opportunisme. Hij was afkomstig uit een eenvoudig

milieu, maar kreeg een indrukwekkende opleiding in Aurillac en later in Spanje, waar hij enige tijd studeerde. Vanuit Spanje vertrok hij naar de belangrijke school die was verbonden aan de kathedraal van Reims, in Noord-Frankrijk, waar hij logica studeerde en later schoolhoofd werd. Vanuit Reims ging hij naar Noord-Italië, waar hij abt van het klooster in Bobbio was, vervolgens werd hij aartsbisschop te Reims en vestigde zich daarna weer in Italië, als aartsbisschop van Ravenna. Uiteindelijk zorgde zijn patroon Otto III (een Saksische keizer) er voor dat hij werd verkozen als Paus Silvester II.

Gewoonlijk richt men zich op Gerberts rol als een van de aanstichters van het contact tussen de islam en het Latijnse christendom. Maar alvorens we dit deel van zijn verrichtingen gaan bespreken, moeten we opmerken dat hij tevens bijdroeg aan een oudere wetenschappelijke traditie – het herstel en de verbreiding van de klassieke vrije kunsten, in het bijzonder die van de aristotelische logica zoals die was overgeleverd door Boëthius en andere Latijnse bronnen. In Reims gaf Gerbert les over diverse logische werken van Aristoteles, Cicero, Porphyrius en Boëthius; ook schreef hij zelf minstens één verhandeling over de logica. Gerberts faam berust echter op zijn bijdrage aan het exacte quadrivium, waarbij zijn contact met de islam van cruciaal belang was. Toen Gerbert in 967 over de Pyreneeën naar het noordoosten van Spanje trok om daar te studeren met Atto, de bisschop van Vich wilde hij zich zonder twijfel bekwamen in de exacte wetenschappen, die daar op een hoger niveau stonden (vanwege de nabijheid van de islam) dan in het gebied ten noorden van de Pyreneeën.

De details van Gerberts studieactiviteiten kennen we niet, maar zijn daarop volgende loopbaan is een veelzeggende getuige van zijn kennis van de exacte wetenschappen – voor vele eeuwen ongeëvenaard in het Latijnse westen, maar niettemin bescheiden in vergelijking met het beste van de Griekse wiskunde – en van zijn vertrouwdheid met de islamitische verrichtingen op het gebied van de wiskunde en de astronomie. Zijn correspondentie is, ondanks de roerige politieke context waarin zij werd gevoerd, doorspekt met verwijzingen naar wiskunde, astronomie, te kopiëren of te corrigeren manuscripten (zoals Plinius' *Natuurgeschiedenis*), vertaalde boeken en te verwerven werken (zoals die van Boëthius en Cicero). In een van zijn brieven vraagt Gerbert om een boek over vermenigvuldiging en deling van Jozef de Spanjaard (een Arabisch sprekende christen); in een andere dingt hij naar een uit het Arabisch vertaald werk over astronomie van Lupitus (aartsdeken van de kathedraal van Barcelona); in weer een andere verkondigt hij de ontdekking van een astronomisch werk waarvan hij denkt dat het door Boëthius geschreven is. Hij prijst zijn patroon, Otto III, voor diens interesse in getallen. Hij instrueert vrienden en collega's over de oplossing van verschillende rekenkundige en geometrische vraagstukken. Hij geeft instructies betreffende de samenstelling van een astronomisch model (een halve bol waarop de de voornaamste hemelcirkels en sterrenbeelden zijn getekend) en het gebruik van het telraam voor vermenigvuldiging en deling (met Arabische getallen).

Afbeelding 9.2 Het klooster Santa Maria van Ripoll
in Noordoost-Spanje.

Het is, tot slot, mogelijk dat Gerbert gedurende zijn driejarig verblijf bij Atto in Vich enig contact heeft gehad met het nabijgelegen klooster van Santa Maria van Ripoll. Het is ons niet bekend hoe nauw dit contact precies was, maar in die tijd vormde Ripoll waarschijnlijk het centrum van de op Arabische bronnen gebaseerde vier hogere vrije kunsten. Een Latijns manuscript uit de kloosterbibliotheek dat bewaard is gebleven (en dateert uit de tijd van Gerberts bezoek aan Spanje), bevat de vertalingen van een aantal belanghebbende Arabische verhandelingen over wiskunde en het astrolabium (een instrument voor het uitvoeren van astronomische waarnemingen en berekeningen). Mogelijkerwijs had Gerbert een kopie van een of meerdere van deze verhandelingen bij zich toen hij aan de andere kant van de Pyreneeën terugkeerde; we weten dat een van deze werken vijftig jaar later aanwezig was in het klooster van het Zuidduitse Reichenau. Maar Gerbert zou ook zelf een verhandeling over het astrolabium hebben kunnen geschreven. In ieder geval is het duidelijk dat Gerbert zijn machtspositie als docent en kerkelijk hoogwaardigheidsbekleder aanwendde ter bevordering van de exacte wetenschap in het westen.[4]

De scholen van de elfde en twaalfde eeuw

Toen Gerbert in 1003 stierf, stond West-Europa op het punt een politieke, sociale en economische vernieuwing te ondergaan. De oorzaken van deze vernieuwing waren meervoudig en complex. Een van de oorzaken was de opkomst van sterkere monarchieën die in staat waren de rechterlijke macht te organiseren en het niveau van interne wanorde en geweldpleging omlaag te brengen. Tegelijkertijd werden de grenzen, na de invasies van Vikingen en Magyaren in de negende en tiende eeuw, weer veiliger. Na eeuwenlang onder agressie van buitenaf te hebben geleden, stond Europa op het punt zelf een agressor te worden, de moslims uit Spanje te verdrijven en hele legers van kruisvaarders op pad te sturen voor de redding het Heilige Land.

Politieke stabiliteit leidde tot de groei van de handel en een toename van de welvaart. De uitbreiding van de geldeconomie naar het platteland deed de handel in agrarische produkten toenemen. Technologische ontwikkelingen speelden een essentiële rol bij de levering van de eerste levensbehoeften en bij de produktie van bronnen van welvaart. De verbetering en verspreiding van het waterrad, bijvoorbeeld, gaf de impuls voor een kleine industriële revolutie; landbouwkundige vernieuwingen, zoals de wisselbouw en de uitvinding van het gareel en de rijdende ploeg, leidde (mogelijk in combinatie met verbeterde klimatologische omstandigheden) tot een belangrijke vergroting van de voedselproduktie.[5] Een van de meest dramatische gevolgen van deze veranderingen was de explosieve bevolkingsgroei; de exacte cijfers zijn ons niet bekend, maar het is mogelijk dat de bevolking van Europa tussen 1000 en 1200 twee, drie, of zelfs vier keer zo groot werd, terwijl de stadsbevolking in een nog hoger tempo toenam.[6] De urbanisatie zorgde echter ook voor economische kansen, gaf ruimte voor de convergentie van rijkdom en stimuleerde de ontwikkeling van het onderwijs en een intellectuele cultuur.

Men is het erover eens dat er een nauw verband bestaat tussen het onderwijs en de verstedelijking. Het verdwijnen van de klassieke scholen werd in verband gebracht met de ondergang van de klassieke stad; en al snel na de hernieuwde urbanisatie in de elfde en twaalfde eeuw kreeg ook het onderwijs een nieuwe impuls. Het type school dat kenmerkend was voor de vroege middeleeuwen was de kloosterschool – op het platteland, ver weg van de seculiere wereld en zich richtend op een beperkt aantal doelstellingen (zelfs als deze doeleinden zich verruimden onder druk van buitenaf). Toen in de elfde en twaalfde eeuw de bevolking naar de steden trok, ontstonden er in de schaduw van de kloosterscholen diverse soorten stedelijke scholen, die tot op dat moment slechts een kleine bijdrage hadden geleverd aan het onderwijsaanbod, maar nu een belangrijke rol binnen het onderwijs gingen vervullen. Deze ontwikkeling werd verder gestimuleerd door de hervormingsgezinde bewegingen binnen het kloosterwezen, die zich ten doel hadden gesteld de monastieke bemoeienis met de wereld te verminderen en zich richtten op de geestelijke aard van hun roeping. Onder de scholen die nu meer belang kregen, bevonden zich die van de kathedralen, de door parochiale geestelijken geleide scholen, en een grote verscheidenheid aan openbare scholen, zowel lagere als hogere, die niet direct waren verbonden met kerkelijke doelstellingen en toegankelijk waren voor iedereen die het zich kon permitteren.[7]

De educatieve doelstellingen van de stedelijke scholen bestreken een veel breder spectrum dan die van de kloosterscholen. De accenten binnen het onderwijsprogramma varieerden van school tot school, naargelang de opvatting en specialiteit van het schoolhoofd, maar over het algemeen werd het leerplan door de stedelijke scholen verruimd en opnieuw ingericht om te kunnen voldoen aan de praktische behoeften van een diverse en ambitieuze klantenkring, waarvan de leden later leidinggevende posities zouden krijgen binnen kerk en staat. Zelfs de kathedraalscholen, die leken op de kloosterscholen wat betreft de uitsluitend religieuze doeleinden, baseerden hun leerplan op een bredere opvatting van de vakken die tot deze religieuze doeleinden zouden bijdragen. En als de pedagogische ambities van de leraar verder reikten dan het kader van de kathedraalschool toestond, dan konden zij zichzelf losmaken van de kathedraal en onafhankelijk van haar autoriteit opereren. Het was zelfs mogelijk dat 'scholen' zwervend waren in plaats van een geografische binding te hebben met één plek en de reisroute volgden van een charismatische docent die, waar dan ook, de studenten bijeenhield.[8] Het resultaat van deze nieuwe structuren was een snelle verruiming van de studie-inhoud: logica, het quadrivium, theologie, recht en geneeskunde werden op een niveau gebracht dat binnen de monastieke traditie ongekend was. De nieuwe scholen vermenigvuldigden zich in grootte en aantal; op het hoogste niveau hadden ze een uitstraling van intellectuele prikkeling die grote aantrekkingskracht uitoefende op de meest bekwame docenten en studenten.

In Frankrijk waren enkele van de meest vrijzinnige scholen verbonden aan (of functioneerden in de schaduw van) kathedralen in gebieden die beïnvloed waren door de Karolingische hervormingen van de negende eeuw. Laon was een van de eerste, met in 850 een belanghebbende kathedraalschool en tot in de elfde en twaalfde eeuw een grote reputatie op het gebied van de theologie. In de tiende eeuw kwam Gerbert als student en leraar naar de kathedraalschool te Reims. In de twaalfde eeuw ontwikkelden scholen in Chartres, Orleans en Parijs zich tot toonaangevende centra voor de vrije kunsten. Van deze is de school in Chartres de beroemdste – hoewel de mate en duur van haar superioriteit recentelijk in twijfel getrokken is.[9] De scholen in het nabijgelegen Parijs kenden rond dezelfde tijd een bloeiperiode; deze boden onderwijs in een grote verscheidenheid aan onderwerpen, waaronder de vrije kunsten. Buiten Frankrijk lag het minder voor de hand dat toonaangevende scholen waren verbonden aan kathedralen: Bologna werd in de twaalfde eeuw beroemd vanwege haar hoogstaande juridische onderricht (door privé-leraren) en tegen het einde van de eeuw verkreeg Oxford (dat geen kathedraal had) een reputatie voor het onderricht in recht, theologie en de vrije kunsten.

Voor ons zijn diverse eigenschappen van deze scholen van belang. In de eerste

Afbeelding 9.3
Tafereel van een basisschool.
De meester dreigt zijn studenten
met een knuppel.
Parijs, Bibliothèque National,
MS Fr. 574, fol. 27r (14de eeuw).

plaats geven ze blijk van een vastberaden poging de Latijnse klassieken (of de Griekse klassieken in oude Latijnse vertalingen) opnieuw te ontdekken en te leren kennen, hetgeen niet eerder in de vroege middeleeuwen was voorgekomen. Bernard van Chartres verwoordde de tijdgeest toen hij zijn generatie verbeeldde als dwergen die, staande op de schouders van reuzen, niet zozeer vanwege hun individuele genialiteit verder konden zien alswel vanwege hun kennis van de klassieken. Onder de favoriete Romeinse schrijvers bevonden zich de dichters Vergilius, Ovidius, Lucanus en Horatius. Cicero en Seneca werden gewaardeerd als moralisten, Cicero en Quintilianus als voorbeelden van welsprekendheid. De logische werken van Aristoteles en diens commentatoren (in het bijzonder Boëthius) werden nauwkeurig bestudeerd en toegepast op de meest uiteenlopende onderwerpen. Voor de bestudering van het recht was de herontdekking van de *pandecten*, een samenvatting van het Romeinse recht, van cruciaal belang. En Martianus van Capella, Macrobius en Plato (door Calcidius' vertaling van de *Timaios* en de bijgaande commentaren) dienden als de voornaamste bronnen voor de kosmologie en de natuurfilosofie. Dit wil niet zeggen dat de christelijke bronnen, die het hart van het monastieke onderwijs vormden, verdrongen werden door de heidense klassieken; de opnieuw ontdekte bronnen kregen een plaats naast de bijbel en de geschriften van de kerkvaders; aangenomen werd dat deze literaturen goed op elkaar aansloten en dat de herontdekking van de klassieken niets meer was dan een uitbreiding van de bronnen waaruit men op rechtmatige wijze kennis kon verkrijgen.[10]

In de tweede plaats namen de stedelijke scholen, evenals de Europese samenleving in het algemeen, een opmerkelijke 'rationalistische' wending – dat wil zeggen, er werd gepoogd het intellect en de rede toe te passen op diverse gebieden van menselijke ondernemingen. Er werden, bijvoorbeeld, pogingen gedaan tot de rationalisering van de handel en kerk- en staatsbestuur door middel van registratie en de ontwikkeling van boekhoud- en controlemethoden. Een historicus heeft dit omschreven als een 'bestuurlijke revolutie'.[11] Een gelijk vertrouwen in het menselijke intellectuele vermogen drong door tot in de scholen, waar de filosofische methoden met toenemend enthousiasme werden toegepast op het gehele vakkenpakket, ook op de bijbelstudies en de theologie.

De toepassing van de rede op de theologie was niet nieuw. Zoals we reeds hebben gezien, trachtten de eerste christelijke apologeten een rationele verdediging van het geloof te formuleren; en vroeg-middeleeuwse geleerden (geïnspireerd door het voorbeeld van Boëthius) deden een hardnekkige poging de aristotelische logica toe te passen op lastige theologische vraagstukken. Het verschil met de elfde en twaalfde eeuw was de mate waarin theologen bereid waren de filosofische methode toe te passen. Anselmus van Bec en Canterbury (1033-1109) is een uitstekend voorbeeld.[12] Hoewel hij volledig orthodox was in zijn theologische overtuigingen, was Anselmus bereid om de perspectieven van de theologische methoden te verruimen: te ontdekken wat de rede zonder enige hulp zou kunnen bereiken op het gebied van de theologie, de vraag te stellen of bepaalde theologische basisprincipes op grond van rationele of van filosofische maatstaven als 'waar' konden worden bestempeld. Zijn meest bekende werk op het gebied van theologische bewijsvoering is een bewijs voor het bestaan van God, bekend als het 'ontologische bewijs'), waarbij hij zich niet beroept op de autoriteit van de bijbel. Anselmus' bedoelingen waren volledig constructief; hij paste de filosofische methode toe op theorieën over het bestaan en de eigenschappen van God omdat hij die wilde onderbouwen en voor de ongelovigen wilde verduidelijken, en niet omdat hij ze in twijfel trok. Op het eerste gezicht mag dit niet bepaald een waagstuk lijken, maar in feite waren er grote risico's aan verbonden: als de rede theologische stellingen kan onderbouwen, kan zij deze ook ondermijnen. Dit vormt geen probleem zolang de rede leidt tot het 'juiste' antwoord; maar wat te doen als de rede lijnrecht tegenover het geloof komt te staan, juist nadat we de rede hebben aanvaard als de gids in onze zoektocht naar de waarheid?[13]

Een generatie na Anselmus was het Abélard (ca. 1079-ca. 1141), een geniale, rusteloze en scherpzinnige student en docent aan de scholen van Noord-Frankrijk (waaronder die van Parijs en Laon), die het rationalistische programma, dat door Anselmus was begonnen, uitbreidde. In diverse werken verdedigde hij de theologische posities die door zijn tijdgenoten als gevaarlijk werden beschouwd en tweemaal werd hij door de kerkelijke autoriteiten veroordeeld. Het meest bekende

Afbeelding 9.4
De westelijke gevel (12de eeuw)
van de kathedraal van Chartres.

Afbeelding 9.5
De geketende boeken in de
bibliotheek van de kathedraal
van Hereford.

werk van Abélard was getiteld *Sic et non* (ruwweg te vertalen door *Ja en nee* of *Pro en contra*); in dit bronnenboek voor studenten verzamelde hij de tegenstrijdige opvattingen van de kerkvaders ten aanzien van een reeks theologische vraagstukken. Hij gebruikte tegenstrijdige opvattingen om problemen naar voren te brengen die het onderwerp van het filosofisch onderzoek moesten worden; in deze opvatting loopt de weg naar geloof door het land van de twijfel. Zonder twijfel was het Abélards bedoeling te redeneren over het geloof en het op die wijze te ondersteunen: hij schreef ergens dat hij geen 'filosoof wilde zijn als dat inhield dat hij in opstand moest komen tegen [de apostel] Paulus, noch een Aristoteles als dat betekende dat hij [zichzelf] moest scheiden van Christus'.[14] Ongetwijfeld werd hij opgemerkt door diegenen met een meer conservatieve zienswijze, zoals de monastieke hervormer Bernard van Clairvaux, die tegen hem tekeer ging en hem beschouwde als een gevaarlijke kampioen van de filosofische methode. Het feit dat Abélard een schare van enthousiaste studenten om zich heen vergaarde, moet Bernards grootste vrees hebben bevestigd.

In het werk van Anselmus, Abélard en gelijkgezinde tijdgenoten zien we de totstandkoming van een confrontatie tussen het geloof en de rede. Op onweerstaanbare wijze stelden Anselmus en Abélard vragen als: Hoe kan men op theologisch gebied iets 'weten'? Zijn de rationele methoden die bij andere vakken worden ge-

Afbeelding 9.6
Hugo van St. Victor,
docerend in Parijs.
Oxford, Bodleian Library,
MS Laud. Misc. 409, fol. 3v
(eind 12de eeuw).

bruikt (logica, natuurfilosofie en recht) ook toepasbaar op de theologie, of moet de
theologie een andere meester dienen? Hoe kan de strijd tussen de rede (Griekse filosofie) en de goddelijke openbaring (de waarheden zoals die geopenbaard worden
in de bijbel) worden beëindigd? De ongerustheid over dit soort vragen bracht de
intellectuele opleving in gevaar, zodat de filosofen en theologen van de dertiende
en veertiende eeuw hier wel op moesten reageren. De massale vertaling van filosofische en natuurwetenschappelijke werken uit het Grieks en Arabisch, die op het
punt stond aan te vangen, zou het probleem alleen maar groter maken. In hoofdstuk 10 zullen we op dit onderwerp terugkomen.

De natuurfilosofie in de twaalfde-eeuwse scholen

De natuurfilosofie speelde geen hoofdrol binnen de twaalfde-eeuwse scholen, maar
profiteerde wel van de algemene intellectuele bloei. De vastberadenheid van de geleerden om de Latijnse klassieken onder de knie te krijgen, was ook van toepassing
op de natuurfilosofische klassieken – Plato's *Timaios* met de commentaren van
Calcidius, Martianus Capella's *De nuptiis philologiae et Mercurii*, Macrobius' *Commentaar op de droom van Scipio*, Seneca's *Vragen over de natuur*, Cicero's *Over de aard van de
goden*, en de werken van Augustinus, Boëthius en Johannes Scotus Eriugena. De
meeste van deze teksten zijn platonisch van karakter, en de geleerden die ze lazen
en analyseerden, werden sterk aangetrokken door de platonische zienswijze van de
kosmos. Plato's *Timaios*, de duidelijkste bespreking van kosmologische en fysische
vraagstukken die toen voorradig was, en tevens het museum voor Plato's eigen
woorden is, werd de centrale tekst. Deze centrale positie gaf de *Timaios* de macht
om de agenda en inhoud van de twaalfde-eeuwse natuurfilosofie samen te stellen.
Dit betekent echter niet dat het twaalfde-eeuwse platonisme helemaal geen rivalen
had: bepaalde stoïcijnse ideeën wisten de platonische wereld binnen te dringen; tegen het einde van de eeuw werd de invloed van Aristoteles' fysisch en metafysisch
werk merkbaar; en in de dertiende eeuw zou de platonische filosofie zich voor een
aristotelische aanval terugtrekken. Maar voorlopig speelde Plato de hoofdrol.[15]

Maar Plato was een wispelturige speler en zijn hoofdrol kon vele vormen aannemen. De *Timaios* is vooral en in de eerste plaats een verslag van de creatie van de
kosmos door de goddelijke handwerksman. Om die reden was de meest voor de
hand liggende en urgente taak de vereniging van de platonische kosmologie (of die
aspecten van de kosmologie die de oorsprongen betreffen, de zogeheten 'kosmogonie') en het scheppingsverhaal in Genesis, zoals dat al eeuwen werd uitgelegd
door de kerkvaders. Of, om het iets anders te zeggen, het was de taak van de gehele kosmologie en fysica, zoals men die van Plato en de andere klassieken kon leren,
het scheppingsverhaal van Genesis te verduidelijken. Duidelijk is dat de wetenschap nog altijd als dienstmaagd moest fungeren.

Een aantal voortreffelijke wetenschappers stelden zich in de twaalfde eeuw in
dienst van dit project. Een van hen was Thierry van Chartres († na 1156), een leraar

in Chartres en (wellicht) Parijs met internationale faam. Thierry schreef een commentaar op de zes scheppingsdagen, waarin het hem lukte de inhoud van de platonische kosmologie (samen met delen van de aristotelische en stoïcijnse natuurfilosofie) in te passen in de bijbelse tekst. Een van de grootste behoeften was een verklaring te geven voor de specifieke volgorde van Gods scheppingsactiviteiten zoals die in Genesis wordt beschreven. Volgens Thierry werden de vier elementen in het vroegste begin door God gecreëerd; alles wat daarop volgde was een natuurlijke openbaring van de orde die in die eerste creatieve handeling lag ingesloten. Eenmaal gecreëerd, begon het vuur onmiddellijk te draaien (door zijn lichtheid, die het hem verbiedt stil te staan) en de hemel te verlichten, waardoor dag en nacht werden verklaard (de eerste dag van de schepping). Tijdens de tweede rotatie van de brandende hemel verhitte het vuur de wateren beneden, waardoor deze als dampen opstegen totdat ze boven de lucht suspendeerden en, zoals de bijbeltekst het vermeld, 'de wateren die boven het uitspansel waren' vormden (de tweede dag). De vermindering van de hoeveelheid water beneden, door de verdamping daarvan, leidde tot het verschijnen van droog land uit de zeeën (de derde dag). Verdere verhitting van de wateren boven het uitspansel leidde tot de vorming van de hemellichamen, samengesteld uit water (de vierde dag). Ten slotte bracht de verhitting van het land en de wateren beneden de planten, dieren en het menselijk leven voort (de vijfde en zesde dag).[16]

Dit is een zeer beknopte en onvolledige samenvatting van het commentaar van Thierry, maar het is voldoende om te laten zien met welk filosofisch programma, geïnspireerd door Plato, hij en diverse tijdgenoten zich hadden ingelaten. Naar moderne maatstaven lijkt Thierry's kosmologie misschien niet erg verfijnd. Maar van belang is dat, evenals bij Plato, de directe bemoeienis van de goden beperkt blijft tot het moment waarop de schepping aanvangt; wat er daarna gebeurt, is het gevolg van natuurlijke oorzaken – elementen die bewegen en op elkaar inwerken op de wijze die hun eigen is, zoals de zaden (de 'kiemkrachtige oorzaken' van de stoïcijnse filosofie, via Augustinus overgeleverd) die in de gecreëerde dingen zijn aangebracht en een natuurlijk ontwikkelingsproces doorlopen. Zelfs de totstandkoming van Adam, Eva en de andere mensen die volgden, vereiste geen wonderbaarlijke interventie.

Dit naturalisme is een van de meest in het oog springende eigenschappen van de twaalfde-eeuwse natuurfilosofie. We treffen het aan in de commentaren op de scheppingsdagen (misschien wel het beste aanknopingspunt voor de natuurfilosoof die blijk wil geven van zijn naturalistische opvattingen), maar ook in meer algemene verhandelingen over de natuurfilosofie van geleerden als Willem van Conches, Adelard van Bath, Honorius van Autun, Bernard Sylvester en Clarembaldus van Arras (van wie de meesten waren verbonden aan Noordfranse scholen). Deze mannen verschilden uiteraard van mening ten aanzien van kosmologische en fysische details, maar deelden de opvatting van de natuur als een autonome, rationele entiteit die volgens haar eigen principes en zonder inmenging functioneert. Er bestond

Afbeelding 9.7
God als de architect van het universum.
Wenen, Österreichische Nationalbibliotheek,
MS 2554, fol. Iv (13de eeuw).

een groeiend bewustzijn van een natuurlijke orde, of van natuurwetten, en een vast voornemen te ontdekken in hoeverre de natuurlijke causaliteitsprincipes een bevredigende verklaring van de wereld konden geven.[17]

Een uitgesproken aanhanger van het nieuwe naturalisme was Willem van Conches († na 1154), die studeerde en doceerde in Chartres of Parijs, of beide, voordat hij zich aansloot bij de huishouding van Geoffrey Plantagenet, waar hij de privé-leraar was van de toekomstige koning van Engeland, Hendrik II. Willem van Conches ontwikkelde een uitgebreide kosmologie en fysica op basis van platonische beginselen (met belangrijke toevoegingen uit pas vertaalde bronnen). In zijn *Filosofie van de wereld* trok hij van leer tegen diegenen die te makkelijk een beroep deden op de rechtstreekse goddelijke bemoeienis:

> Omdat zij zelf onbekend zijn met de natuurkrachten en willen dat iedereen hen vergezelt in hun onwetendheid, willen ze niet dat iemand deze onderzoekt, maar zien ze liever dat wij als boeren geloven en niet vragen naar de [natuurlijke] oorzaak [der dingen]. Wij zeggen dat naar de oorzaak van alle dingen moet worden gezocht ... Maar deze mensen, ... als ze iemand kennen die zo denkt, dan roepen ze hem uit tot ketter.

Zoals hij elders duidelijk stelt, was het doel van Willem van Conches niet de goddelijke macht te ontkennen, maar te verklaren dat God gewoonlijk door natuurkrachten werkt en dat het de taak van de filosoof is een zo diep en breed mogelijk inzicht in deze krachten te krijgen. Adelard van Bath (actief 1116-42) kwam rond dezelfde tijd met een gelijke opvatting en stelde met nadruk dat alleen als de natuurlijke verklaringen 'zeer duidelijk falen, wij ons tot de wonderen moeten wenden'. En Andreus van St. Victor besprak de interpretatie van bijbelse gebeurtenissen en stelde voor, dat 'we bij het uitleggen van de Schrift alleen dan onze toevlucht moeten nemen tot wonderen als er voor de beschreven gebeurtenis geen natuurlijke verklaring is'.[18]

Dit is mogelijkerwijs een verstandig standpunt, maar ook een gevaarlijk. Kon een sterk geloof in de zoektocht naar natuurlijke oorzaken (de positie van de twaalfde-eeuwse natuurfilosofen) niet gemakkelijk leiden tot een absolute ontkenning van het wonder (voor de christelijke geleerde een volledig onacceptabel resultaat)? Zouden de geleerden in staat zijn het gevoelige evenwicht tussen geloof en ongeloof, dat dit standpunt met zich meebracht, te bewaren? Willem van Conches zag dit probleem en wees op het verschil tussen de erkenning dat het in de macht van God lag een bepaalde handeling te verrichten en de bewering dat God die handeling daadwerkelijk had verricht; God deed natuurlijk niet alles waartoe hij in staat was. Aan dit filosofische standpunt (en dat van zijn collega-'naturalisten') voegde hij toe dat het geen tekort deed aan de goddelijke kracht en grootsheid, want alles is uiteindelijk van goddelijke oorsprong: 'Ik ontneem God niets; alle dingen in de wereld zijn door God gemaakt, behalve het kwaad; maar hij maakte andere dingen door de werkingen van de natuur, die het instrument is van het goddelijk bestuur'. Juist de bestudering van de stoffelijke wereld stelt ons in staat waardering te hebben voor 'goddelijke macht, wijsheid en goedheid'.[19] Het zoeken naar secundaire oorzaken is geen ontkenning, maar een bevestiging van het bestaan en de grootsheid van de eerste oorzaak.

Diverse andere filosofische kunstgrepen konden helpen de spanning te verlichten. Het was mogelijk de realiteit van wonderen te verenigen met de stabiliteit van de natuur door te erkennen dat wonderen een weergave zijn van de werkelijke verstoringen van de normale, natuurlijke gang van zaken, en tegelijkertijd te stellen dat deze verstoringen vanaf de eerste schepping door God zijn beraamd en in het kosmisch apparaat zijn ingebouwd, zodat ze in een breder verband volkomen natuurlijk blijven. Bovendien kon men spreken van een vaste natuurlijke orde zonder schending van de goddelijke almacht en vrijheid door te beweren (a) dat God onbeperkt was in zijn vrijheid elke soort van wereld te creëren die hij zich wenste, maar (b) dat hij in feite koos voor de schepping van deze wereld en, nu hij daarmee klaar was, zich niet met het eindproduct zou gaan bemoeien. Dit laatste onderscheid zou van essentieel belang zijn voor de ontwikkeling van het denken over dit onderwerp in de dertiende en veertiende eeuw.[20]

Een deel van het huidige lezerspubliek zal geneigd zijn dit alles te beschouwen als een onaanvaardbare theologische invasie van het wetenschappelijk domein. Indien wij echter inzicht in de twaalfde eeuw willen hebben, is het van belang ons te realiseren dat twaalfde-eeuwse toeschouwers geneigd zouden zijn deze ontwikkeling in precies een tegenovergesteld daglicht te plaatsen – als een mogelijk gevaarlijke filosofische invasie van het theologisch domein. Wat nieuw en bedreigend was, was niet zozeer de theologische aanwezigheid op filosofisch grondgebied, waar het zich altijd goed thuis voelde, maar het spannen van de filosofische spier in een lichaam waarover de theologie tot op dat moment zonder tegenstand geheerst had. Voor de critici van de twaalfde-eeuwse naturalisten leek het alsof de filosofie op het punt stond zich te ontdoen van haar status van dienstmaagd.

Laten we een korte samenvatting geven van diverse andere aspecten van de twaalfde-eeuwse natuurfilosofie. De *Timaios* en ondersteunende bronnen propageerden niet alleen het idee van een vaste, natuurlijke orde; tevens maakten ze de mens tot een deel van die orde, bestuurd door dezelfde wetten en principes, zodat een verkenning van de menselijke aard gepaard ging met de verkenning van het universum in zijn algemeenheid. Vaak stelde men dit nog krachtiger aan de hand van de macrokosmos-microkosmos analogie: mensen zijn niet alleen een onderdeel van de kosmos, maar zijn daar in feite miniaturen van. Hieruit volgt dat de kosmos en de individuele persoon verbonden zijn door structurele en functionele overeenkomsten, die hun een hechte band geven. Net zoals de kosmos bestaat uit de vier elementen die leven krijgen ingeblazen door de wereldziel (waarvan de precieze aard in de twaalfde eeuw reden gaf tot een uitgebreide discussie), zo is de mens samengesteld uit lichaam (de vier elementen) en ziel.

Nu de mensheid tot een deel van de natuurlijke orde was gemaakt, kregen de twaalfde-eeuwse geleerden meer belangstelling voor de 'natuurlijke mens' en zijn capaciteiten – dat wil zeggen, de mens die onafhankelijk is van de goddelijke gratie. (Daarom spreken historici soms van het twaalfde-eeuwse 'humanisme'.) In dit verband bestond er een sterke neiging de waarde van de menselijke rede te bevestigen; de rede, deel van de natuurlijke orde en daarom gevoelig voor haar ritmen en harmonieën, werd gezien als een bijzonder geschikt instrument voor de verkenning van de kosmos.[21]

De wetenschap van de astrologie was nauw verbonden met de macrokosmosmicrokosmos analogie. Tijdens de vroege middeleeuwen had de astrologie, als gevolg van de tegenstand van de kerkvaders, een slechte naam gekregen. Augustinus beschuldigde haar van afgoderij (omdat zij van oudsher in verband werd gebracht met de verering van hemelse goden) en van haar neiging tot fatalisme en ontkenning van de vrije wil. Maar onder invloed van het twaalfde-eeuwse platonisme en een toevloed van reeds vertaalde Arabische literatuur over astronomie en astrologie, werd de astrologie in ieder geval in een pseudo-ere hersteld. In de *Timaios* wordt de Demiurg bestempeld als de maker van de planeten of hemelse goden, die hij vervolgens de opdracht geeft verdere vormen van leven tot stand te brengen in de lager gelegen gebieden. Deze gewaagde gedachtengang, die werd gekoppeld aan het idee van de kosmische eenheid, de macrokosmos-microkosmos analogie en bepaalde, reeds lang bekende correlaties tussen hemelse en aardse verschijnselen (de seizoenen en getijden), en meer leven kreeg ingeblazen door de nieuw vertalingen van Arabische astrologische werken, leidde tot een herrijzenis van de astrologische belangstelling en overtuiging. Dit is niet de juiste plek om een gedetailleerde analyse van de astrologische theorie of praktijk te beginnen (die in hoofdstuk elf zullen worden behandeld). Voor ons is het nu van belang op te merken dat de twaalfdeeeuwse astrologie niets te maken had met het bovennatuurlijke; integendeel, zij was zo populair bij de twaalfde-eeuwse *naturalisten* omdat zij stond voor de verkenning van de *natuurlijke* krachten die de hemel en de aarde verbinden.[22]

En, tot slot, waren de wiskundige tendensen van de platonische filosofie van invloed op het twaalfde-eeuwse denken, zoals we zouden kunnen verwachten? Jazeker, maar in een vorm die de moderne lezer zal verrassen. De wiskunde werd in de eerste helft van de twaalfde eeuw niet gebruikt om de natuurwetten in getallen uit te drukken of voor een geometrische verbeelding van natuurverschijnelen, maar om vragen te beantwoorden die wij als metafysisch of theologisch zouden beschouwen. Dit is een buitengewoon ingewikkeld onderwerp waar we niet uitgebreid op in kunnen gaan, maar één voorbeeld kan ons in de juiste richting sturen. In navolging van Boëthius zagen twaalfde-eeuwse geleerden de getallentheorie (in het bijzonder de relatie van het getal 1 met de resterende getallen) als een middel om inzicht te krijgen in de verhouding tussen de goddelijke eenheid en de veelvoudigheid van de gecreëerde dingen.

Dit laatste was hetgeen Thierry van Chartres bedoelde toen hij schreef dat 'de schepping van het getal de schepping van dingen is'. De wiskunde diende in de twaalfde eeuw ook als model voor de axiomatische methode van bewijsvoering. Voor een ruimere opvatting van de wetenschappelijke toepassing van de wiskunde zou moeten worden gewacht op de vertaling en assimilatie, later in deze eeuw, van de Griekse en Arabische exacte wetenschap.[23]

DE VERTALINGEN

De renaissance begon als een poging de traditionele Latijnse bronnen te leren kennen en gebruiken. Maar voor het einde van de twaalfde eeuw veranderde dit als gevolg van de toevloed van nieuwe, pas uit het Grieks en Arabisch vertaalde boeken met nieuwe ideeën. Dit nieuwe materiaal, in eerste instantie een druppel en later een vloed, bracht een radicale verandering van het westerse intellectuele leven teweeg. Tot op dat moment had West-Europa gevochten voor de beperking van haar intellectuele verliezen; daarna zou het met een geheel ander probleem worden geconfronteerd, namelijk de assimilatie van een stortvloed van nieuwe ideeën.[24]

De scheiding tussen het westen en het oosten was, uiteraard, nooit volkomen geweest. Altijd waren er reizigers en kooplieden, en aan de grenzen leefde een groot aantal tweetalige (of meertalige) mensen. Ook waren er diplomatieke contacten tussen de Byzantijnse, Arabische en Latijnse hoven: een vroeg en veelzeggend voorbeeld is de uitwisseling van ambassadeurs (beiden wetenschappers) tussen het hof van Otto de Grote in Frankfurt en dat van Abd al-Rahman in Cordoba, rond 950. Een ander soort van contact wordt weergegeven door Gerberts pelgrimstocht in de jaren zestig van de tiende eeuw naar Noord-Spanje, waar hij de Arabische exacte wetenschappen ging bestuderen. Afzonderlijk beschouwd, hadden deze gebeurtenissen wellicht weinig betekenis, maar tezamen creëerden ze in het westen geleidelijk aan het idee van de islam en (in mindere mate) Byzantium als verzamelplaatsen van grote intellectuele rijkdommen. Het werd de westerse geleerden, die de hoeveelheid kennis in het Latijnse christendom wilden vergroten, duidelijk dat ze niets beters konden doen dan contact te leggen met de intellectueel superieure culturen.

De eerste vertalingen uit het Arabisch – diverse verhandelingen over de wiskunde en het astrolabium – werden in de tiende eeuw in Spanje gemaakt. Een eeuw later zou een Noordafrikaan, die een monnik werd met de naam Constantijn (actief 1065-85), naar het Zuiditaliaanse klooster Monte Cassino afreizen. Daar begon hij medische verhandelingen naar het Latijn te vertalen, onder meer de werken van Galenus en Hippocrates, die de basis legden voor de medische literatuur waarop Europa nog eeuwenlang zou voortbouwen.[25]

Deze eerste vertalingen prikkelden de Europese honger naar meer. Het vertalen werd een belangrijke wetenschappelijke activiteit, beginnend in de eerste helft van de twaalfde eeuw, en met Spanje als geografisch middelpunt. (De contacten met het Midden-Oosten als gevolg van de kruistochten hadden nauwelijks effect op de vertalingen.) Spanje had het voordeel van een schitterende Arabische cultuur, een grote hoeveelheid Arabische boeken, en gemeenschappen van christenen (de zogeheten

Mozarabieren) die hun geloof onder islamitische heerschappij mochten praktiseren en vanzelfsprekend bemiddelaars waren tussen de twee culturen. Als gevolg van de christelijke herovering van Spanje kwamen de centra van Arabische cultuur en de bibliotheken met Arabische boeken in christelijke handen; Toledo, het belangrijkste cultuurcentrum, viel in 1085, en in de loop van de twaalfde eeuw werd er een begin gemaakt met de serieuze uitbuiting van de rijkdommen aldaar, voor een deel dankzij de vrijgevigheid van de lokale bisschoppen die als beschermheren optraden.

Sommige vertalers waren geboren en getogen in Spanje en spraken als kind al vloeiend Arabisch: dit gold ook voor Johannes van Sevilla (actief 1133-42), waarschijnlijk een Mozarabier die een groot aantal astrologische werken vertaalde; een ander was Hugo van Santalla (actief rond 1145), afkomstig uit een van de christelijke staten in Noord-Spanje, die teksten over astrologie en waarzegging vertaalde; weer een ander, en een van de bekwaamste, was Marcus van Toledo (actief 1191-1216), die verscheidene teksten van Galenus vertaalde. Maar anderen kwamen uit het buitenland: Robert van Chester (actief 1141-1150) kwam uit Wales; Herman de Dalmatiër (actief 1138-43) was een Slaaf; en Plato van Tivoli (actief 1132-46) was een Italiaan. Deze mannen kwamen waarschijnlijk zonder enige kennis van het Arabisch naar Spanje. Eenmaal gearriveerd dan zochten ze een leraar, leerden Arabisch en gingen vertalen. En zo nu en dan werkten ze samen met een tweetalige autochtoon (misschien een Mozarabier of een jood, die zowel het Arabisch als de landstaal beheerste).

Zonder twijfel was Gerard van Cremona (ca. 1114-87) de grootste onder diegenen die van het Arabisch naar het Latijn vertaalden.[26] Gerard van Cremona, afkomstig uit Noord-Italië, kwam rond 1130 naar Spanje en was op zoek naar Ptolemaeus' *Almagest*, een werk dat hij nergens anders kon vinden. Hij vond een kopie in Toledo, bleef daar om Arabisch te leren en vertaalde het werk uiteindelijk naar het Latijn. Maar ook ontdekte hij teksten over diverse andere onderwerpen en gedurende de vijfendertig of veertig jaar die volgden, vertaalde hij (mogelijk met hulp van een groep assistenten)[27] vele van deze teksten. Zijn produktie is verbijsterend: ten minste een dozijn astronomische teksten, waaronder de *Almagest*; zeventien werken over de wiskunde en de optica, waaronder Euclides' *Elementen* en al-Khwarizmi's *Algebra*; veertien werken over de logica en de natuurfilosofie, waaronder Aristoteles' *Physica, Over de hemel, Meteorologie* en *Over ontstaan en vergaan*; en vierentwintig medische werken, waaronder Avicenna's grootse *Leerdicht der geneeskunst*, en negen verhandelingen van Galenus. Het totaal komt op zeventig of tachtig boeken, die alle zorgvuldig en letterlijk zijn vertaald door een man die in het bezit was van een degelijke kennis van zowel de talen als de onderwerpen.

De vertaling van Griekse teksten was nooit geheel opgehouden: denk aan Boëthius in de zesde en Eriugena in de negende eeuw. Maar de vertaling vanuit het Grieks werd in de twaalfde eeuw met nieuw elan hervat. Voornamelijk in Italië, en dan met name in het zuiden (ook op Sicilië), waar altijd Griekstalige gemeenschappen en bibliotheken met Griekse boeken waren geweest. Italië had ook profijt van

het voortgaande contact met het Byzantijnse rijk. Een van de eerste belanghebbende vertalers was Jacobus van Venetië (actief 1136-48), een jurist die in contact stond
met Byzantijnse filosofen en een verzameling van Aristoteles' werken vertaalde.
Een reeks belangrijke werken op het gebied van de wiskunde en de exacte wetenschappen verscheen in Latijnse vertaling rond het midden van de eeuw: Ptolemaeus' *Almagest* (niet bepaald kan worden of dit voor of na Gerards vertaling uit
het Arabisch was) en Euclides' *Elementen*, *Optica* en *Terugkaatsingsleer*.

De Grieks-Latijnse vertaalactiviteiten werden in de dertiende eeuw vervolgd,
hetgeen duidelijk blijkt uit het werk van Willem van Moerbeke (actief 1260-86).
Moerbeke voorzag het Latijnse christendom van een volledige en betrouwbare
versie van het werk van Aristoteles, reviseerde de bestaande vertalingen voor zover
dat mogelijk was en maakte, indien noodzakelijk, nieuwe vertalingen uit het
Grieks. Moerbeke vertaalde ook enkele van de voornaamste aristotelische commentaren van diverse neoplatonische schrijvers en een aantal wiskundige werken
van Archimedes.[28]

Tot slot nog enkele woorden over de beweegredenen van deze vertaalactiviteiten en de keuze van het te vertalen materiaal. Het doel was duidelijk de bruikbaarheid, die ruim werd gezien. In de tiende en elfde eeuw gold dit vooral voor de geneeskunde en de astrologie; in het begin van de twaalfde eeuw lijkt de nadruk
vooral te hebben gelegen op de astrologische werken, naast de wiskundige verhandelingen die nodig waren voor een succesvolle uitoefening van de astronomie en
de astrologie. De geneeskunde en de astrologie waren beide op de filosofie gebaseerd; en het was in ieder geval ten dele op het terugvinden en vaststellen van die
basis dat de aandacht werd gericht, beginnend in de tweede helft van de twaalfde
eeuw en voortdurend in de dertiende eeuw, op de fysische en metafysische werken
van Aristoteles en zijn commentatoren (onder wie de moslims Avicenna en
Averroës). Toen het werk van Aristoteles in zijn gehele omvang bekend werd,
bleek uiteraard dat zijn filosofisch stelsel toegepast kon worden op een enorme
reeks wetenschappelijke kwesties die in de scholen werden behandeld.[29]

Tegen het einde van de twaalfde eeuw had het Latijns christendom weer ingang
tot grote delen van de Griekse en Arabische filosofische en natuurwetenschappelijke verrichtingen; in de loop van de dertiende eeuw zouden de resterende leemten
worden gedicht. Deze boeken verspreidden zich snel over de belangrijke educatieve centra, waar ze bijdroegen tot de onderwijskundige revolutie. In het volgende
hoofdstuk zullen we enkele van de twisten die de nieuw vertaalde werken teweeg
brachten nader onderzoeken.

DE OPKOMST VAN DE UNIVERSITEITEN

De typische stadsschool in het jaar 1100 was klein, en bestond uit één leraar of
meester en misschien tien of twintig leerlingen. Honderd jaar later waren de scholen enorm gegroeid, in aantal en in omvang. We bezitten vrijwel geen kwantitatie-

ve gegevens, maar in toonaangevende centra als Parijs, Bologna en Oxford waren er ongetwijfeld honderden studenten. Enig idee van de explosieve groei van het aantal leerlingen krijgt men uit het feit dat er tussen 1190 en 1209 in Oxford meer dan zeventig docenten waren.[30] Men stond aan de vooravond van een onderwijskundige revolutie die was aangezwengeld door de welvaart, de vele kansen van de opgeleiden op een succesrijke loopbaan en de intellectuele prikkelingen die docenten als Abélard gaven. Vanuit deze revolutie verscheen er een nieuwe instelling, de Europese universiteit, die een vitale rol zou spelen in de bevordering van de natuurwetenschappen. Nu volgt een beknopt overzicht van dit proces.

Omdat er geen documentaire bewijzen zijn, is het voor ons onmogelijk de ontstaansgeschiedenis van de universiteiten stap voor stap na te gaan. Maar duidelijk is dat de enorme groei van de educatieve mogelijkheden op basisniveau (Latijnse grammatica, zang en elementaire rekenkunde) leidde tot een vraag naar hoger onderwijs voor diegenen met intellectuele ambities. Bepaalde steden, zoals Bologna, Parijs en Oxford, werden bekend om hun hogere studies in de vrije kunsten, geneeskunde, theologie en recht, en deze steden oefenden aantrekkingskracht uit op een groot aantal leerlingen en leraren. Eenmaal gearriveerd, zou een leraar gaan werken onder de auspiciën van een bestaande school of als een onafhankelijke, freelance-leraar – waarbij hij adverteerde om leerlingen te krijgen en deze voor een bepaald bedrag onderricht gaf, individueel of in groepen (zoals een tegenwoordige dans- of muziekleraar.

Door de numerieke groei ontstond er een behoefte naar organisatie, het vaststellen van rechten, privileges en juridische bescherming (veel leraren en studenten waren vreemdelingen, zonder de rechten van de lokale bevolking), het verwerven van beheer over de educatieve onderneming, en het bevorderen van hun gemeenschappelijke welzijn in algemene zin. Gelukkig was er een organisatorisch model voorhanden, namelijk dat van de gilden van de diverse branches en ambachten die zich in diezelfde periode ontwikkelden; het was daarom vanzelfsprekend dat docenten en studenten zich op gelijke wijze organiseerden in genootschappen en gilden waarvan men uit eigen beweging lid kon worden. Een dergelijk gilde werd een 'universiteit [*universitas*]' genoemd – een term die oorspronkelijk geen wetenschappelijke of educatieve connotaties had, maar gewoonweg verwees naar een genootschap van mensen die dezelfde doelen nastreefden. Daarom is het van belang op te merken dat een universiteit geen stuk land of een verzameling gebouwen of zelfs een firma was, maar een vereniging of genootschap van leraren (de zogeheten 'leermeesters') of leerlingen. Het feit dat een universiteit niet in het bezit was van onroerende goederen maakte haar bijzonder mobiel en de eerste universteiten konden dan ook druk uitoefenen met het dreigement hun spullen te pakken en naar een andere stad te vertrekken, waarmee ze gunsten afdwongen van de lokale autoriteiten.

Het is onmogelijk om de stichting van de eerste universiteiten te dateren om de eenvoudige reden dat ze niet werden gesticht, maar geleidelijk aan uit de reeds be-

Kaart 6
De middeleeuwse
universiteiten

staande scholen voortkwamen – hun statuten volgden na hun feitelijk bestaan. Gewoonlijk stelt men echter dat de meesters uit Bologna de universitaire status in het jaar 1150 hadden bereikt, die uit Parijs rond 1200 en die uit Oxford in 1220. Over het algemeen waren de latere universiteiten gemodelleerd naar een van deze drie.[31]

Tot de doelstellingen van deze genootschappen behoorden autonomie en monopolie – hetgeen neerkomt op de beheersing van de onderwijsactiviteiten. Geleidelijk verwierven de universteiten zich enige onafhankelijkheid van externe bemoeienis en daarmee dus tevens het recht op bepaalde normen en methoden, vaststelling van een leerplan, bepaling van schoolgelden en beloningen, en het vaststellen van criteria voor de toelating van leraren en leerlingen. Dit lukte met behulp van patronen van hoog niveau; pauzen, keizers en koningen die bescherming boden, privileges verzekerden, vrijstelling van lokale rechtspraak en belastingen verleenden en bij conflicten meestal de kant van de universteiten kozen. De universteiten werden als waardevolle goederen beschouwd, die zorgvuldig moesten worden gekoesterd en (indien de omstandigheden daar aanleiding toe gaven) op voorzichtige wijze moesten worden gedrild. Het is zeer bijzonder hoe effectief de koestering bleek te zijn, en hoe zelden en goedgunstig er gegrepen werd naar disciplinaire maatregelen. Wel waren er, zoals we zullen zien, bepaalde perioden waarin de kerk zich op stellige wijze met de universiteiten bemoeide; maar meestal waren de universiteiten in staat hun steun en bescherming zonder enige vorm van bemoeienis te behouden – een zeldzaam en opmerkelijk wapenfeit.[32]

Toen de universteiten in omvang toenamen, werd interne organisatie noodzakelijk. Er bestonden natuurlijk verschillende vormen, maar als voorbeeld nemen we Parijs (de voornaamste universiteit van Noord-Europa). In Parijs ontstonden vier vakgroepen of gilden: een faculteit van de vrije kunsten voor niet afgestudeerden (verreweg de grootste van de vier) en drie faculteiten voor afgestudeerden – rechten, geneeskunde en theologie. De vrije kunsten werden gezien als een voorbereiding op verdere studie aan de andere faculteiten, waartoe men in de meeste gevallen werd toegelaten als de letterenstudie was afgemaakt. Omdat er binnen de letterenfaculteit meer leermeesters waren dan binnen de andere faculteiten kregen zij de meeste zeggenschap over de universiteit.

Een jongen kwam rond zijn veertiende jaar naar de universiteit, nadat hij eerst Latijn had geleerd op een middelbare school. In Noord-Europa kreeg de universitaire student meestal de status van een geestelijke; wat niet betekent dat zij priesters of monniken waren, maar eenvoudig dat ze onder het gezag en de bescherming van de kerk vielen en bepaalde kerkelijke privileges hadden. De student schreef zich bij een bepaalde leermeester in (denk aan het model van het leerlingschap), wiens lessen hij gedurende drie of vier jaar volgde alvorens hij zich meldde bij het examen voor zijn baccalaureaat (jongemannen-graad). Haalde hij dit examen, dan was hij een baccalaureus in de letteren met de status van leerling-meester en mocht hij onder toezicht van een meester bepaalde lessen geven (vergelijkbaar met de tegenwoordige assistent in opleiding), terwijl hij tegelijkertijd zijn studie voortzette. Rond zijn eenentwintigste, nadat hij les had gehad in alle vereiste vakken, kon hij zijn doctoraalexamen in de letteren doen. Als hij voor dit examen slaagde, was hij een volwaardig lid van de letterenfaculteit en mocht hij les geven in alle vakken die werden aangeboden.

In vergelijking met de Griekse, Romeinse en vroeg-middeleeuwse scholen waren de universiteiten enorm groot, maar zeker niet zo groot als de gigantische openbare universiteiten van tegenwoordig. Natuurlijk bestond er een grote verscheidenheid, maar de typisch middeleeuwse universiteit was qua omvang vergelijkbaar met een kleine Amerikaanse academie voor de vrije kunsten – met een studentenaantal van tussen de 200 en 800. De belangrijkste universiteiten waren veel groter: Oxford had in de veertiende eeuw waarschijnlijk tussen de 1.000 en 1.500 studenten; voor Bologna gold hetzelfde; en Parijs zou maximaal tussen de 2.500 en

2.700 studenten hebben gehad.[33] Deze cijfers geven duidelijk aan dat het aantal mensen met een universitaire opleiding slechts een zeer klein deel van de Europese bevolking betrof, maar de invloed die deze groep uiteindelijk zou hebben, moet niet worden onderschat; zo lijkt het onbetwistbaar dat de Duitse cultuur op grondige wijze vorm werd gegeven door de meer dan 200.000 studenten die tussen 1377 en 1520 de Duitse universiteiten doorliepen.[34]

Het zou fout zijn te veronderstellen dat de meeste studenten de universiteiten met een diploma in hun zak verlieten; de overgrote meerderheid verliet na ongeveer twee jaar de universiteit omdat ze geen geld meer hadden of omdat ze hadden ontdekt dat ze ongeschikt waren voor het academische leven. Een aanzienlijk aantal studenten stierf voordat ze hun opleiding konden afronden – denk hierbij aan de hoge sterftecijfers in de middeleeuwen.[35] De student die wel afstudeerde werd vaak verplicht twee jaar les te geven (vanwege een chronisch tekort aan leraren binnen de letterenfaculteit); tegelijkertijd probeerde hij wellicht een van de post-doctorale diploma's te halen, die uitzicht gaven op een beter betaalde baan. Weinig meesters in de letteren maakten carrière als leraar bij de letterenfaculteit. Het studieprogramma van de geneeskunde (dat leidde tot een doctoraal of doctoraat – er was geen verschil) duurde na de volledige letterenstudie nog eens vijf tot zes jaar; een rechtenstudie nog eens zeven of acht jaar; de theologie nog eens tussen de acht en zestien jaar studie. Dit was een lang en veeleisend studieprogramma en diegenen die een doctoraat behaalden, behoorden tot een kleine wetenschappelijke elite.

En dan nu het vakkenaanbod. Natuurlijk ontwikkelde zich dit in de loop van de middeleeuwen, maar bepaalde generalisaties zijn mogelijk.[36] Ten eerste zou blijken dat de zeven vrije kunsten niet langer voorzagen in een kader dat geschikt was voor de weergave van de doelstellingen van de school. De grammatica werd minder belangrijk en moest in het vakkenaanbod wijken voor een grotere nadruk op de logica. De exacte onderwerpen van het quadrivium, binnen de middeleeuwse scholen nooit erg belangrijk, behielden hun bescheiden positie (enkele uitzonderingen daargelaten, die hieronder worden behandeld). De alfawetenschappen werden vervolledigd door de drie filosofieën: ethiek, natuurfilosofie en metafysica. En geneeskunde, recht en theologie werden, uiteraard, beschouwd als de gevorderde onderwerpen waarmee de post-doctorale faculteiten zich bezighielden en waarvoor een afgeronde letterenstudie een noodzakelijke voorwaarde was.

Ten tweede, welke plaats namen de vakken in die we als wetenschappelijk beschouwen? In de volgende hoofdstukken zullen we ingaan op de inhoud van de diverse wetenschappen; hier gaat het om hun positie binnen het vakkenaanbod. De vier hogere vrije kunsten werden over het algemeen wel gedoceerd, maar zelden geaccentueerd. De rekenkunde en de geometrie namen samen misschien acht tot tien weken in beslag in het leerplan van de typische middeleeuwse student; maar degenen die meer wilden, konden dit meestal wel krijgen, in ieder geval aan de grotere universiteiten. De astronomie nam een belangrijkere positie in dan de kunst van de tijdbepaling en de vaststelling van de religieuze kalender (in het bijzonder de

Afbeelding 9.8
Mob Quad, Merton College,
Oxford. Daterend uit de
veertiende eeuw en de oudste
vierhoekige binnenplaats
die nog compleet is.

Afbeelding 9.9
De ingang van een van de
laat-middeleeuwse scholen,
momenteel deel uitmakend
van de Bodleian Library,
University of Oxford.

vaststelling van de veranderlijke datum van Pasen) of dan de theoretische onderbouw voor de uitoefening van de astrologie (veelal in verband met de geneeskunde). De studieteksten waren vertalingen van Griekse en Arabische boeken (waaronder zo nu en dan ook Ptolemaeus' *Almagest*) of nieuwe boeken die speciaal voor dit doel waren geschreven. Het gemiddelde peil van de astronomische kennis moet vrij laag zijn geweest, maar op zijn tijd werd dit vak bekwaam en vakkundig gedoceerd; ongetwijfeld brachten de universiteiten enkele zeer bekwame astronomen voort (zie hoofdstuk 11).

De exacte wetenschappen mochten dan in de meeste gevallen niet erg in het oog springen, maar de aristotelische natuurfilosofie stond in het vakkenaanbod centraal. Vanuit een bescheiden positie laat in de twaalfde eeuw groeide Aristoteles' invloed, totdat zijn werken over metafysica, kosmologie, fysica, meteorologie, psychologie en natuurgeschiedenis in de tweede helft van de dertiende eeuw verplichte vakken werden. Er was geen student die de universiteit verliet zonder een degelijke kennis van de aristotelische natuurfilsofie. En tot slot moeten we opmerken dat de geneeskunde het geluk had zich te kunnen ontwikkelen binnen haar eigen faculteit.[37]

Ten derde, een van de meeste opvallendste eigenschappen van dit leerplan was de hoge mate van uniformiteit onder de verschillende universiteiten. Tot op dat moment hadden de verschillende scholen meestal ook verschillende denkrichtingen vertegenwoordigd. In het klassieke Athene, bijvoorbeeld, stonden de Academie, het Lyceum, de Stoa en de tuin van Epicurus voor de verbreiding van rivaliserende en (tot op bepaalde hoogte) onverenigbare filosofieën. Maar de middeleeuwse universiteiten, hoewel enigszins verschillend in accent en specialiteit, ontwikkelden een algemeen leerplan dat bestond uit dezelfde vakken die met behulp van dezelfde teksten werden onderwezen.[38] Dit was deels een reactie op de onverhoedse toevloed van Griekse en Arabische kennis door middel van de twaalfde-eeuwse vertalingen, die de Europese geleerden een standaardverzameling van bronnen en een gemeenschappelijke reeks problemen verschafte. Ook was het verbonden, als oorzaak en als gevolg, met de hoge mate van mobiliteit onder de middeleeuwse studenten en docenten. De mobiliteit van de docenten werd bevorderd door het *ius ubique docendi* (het recht overal te doceren) dat aan de meester verleend werd nadat hij zijn studie had volbracht. Zo kon een geleerde die in Parijs was afgestudeerd zonder belemmering en, wat misschien wel belangrijker was, zonder last te krijgen van intellectuele indigestie in Oxford les gaan geven; dit was mogelijk omdat de inhoud en de vorm van de vakken aan de ene universiteit niet veel verschilden van die aan de andere. Dit was de eerste internationele inspanning op het gebied van het onderwijs in de geschiedenis, gedaan door geleerden die zich bewust waren van hun intellectuele en beroepsmatige eenheid en gestandaardiseerd hoger onderwijs boden aan een hele generatie studenten.

Ten vierde, dit gestandaardiseerde onderwijs droeg een methodologie en een wereldbeeld over dat voornamelijk gebaseerd was op de intellectuele tradities die we in de eerste hoofdstukken van dit boek hebben behandeld. Wat methodologie betreft, streefden de universiteiten naar een kritische beschouwing van de gestelde kennis aan de hand van de aristotelische logica. En het stelsel van overtuigingen dat uit de toepassing van deze methode voortkwam, verenigde de inhoud van de Griekse en Arabische wetenschapen met de beweringen van de christelijke theologie. Hieronder (met name in hoofdstuk 10) zullen we verder ingaan op de conflicten over de opname van de nieuwe kennis en de vorm en inhoud van de hieruit voortkomende synthese; nu is het voldoende er op te wijzen dat deze conflicten werden gewonnen door de ruimdenkende partij die de kennis van Europa wilde vergroten door de vruchten van de Griekse en Arabische wetenschap op te nemen. Aldus kregen de Griekse en Arabische wetenschap (vrijwel in hun geheel) in de vorm van de middeleeuwse universiteiten eindelijk een veilige institutionele thuishaven .

Tot slot moet er duidelijk worden gesteld dat de middeleeuwse leermeester binnen dit onderwijsstelsel een grote vrijheid genoot. In het stereotype beeld van de middeleeuwen heeft de leraar geen ruggegraat en stelt hij zich onderdanig op, is hij een slaafse volgeling van Aristoteles en de kerkvaders (hoe hij een slaafse volgeling van beide partijen kan zijn, wordt door dit sterotiepe beeld niet verklaard) en is hij bang om ook maar een greintje af te wijken van de eisen van de autoriteiten. Natuurlijk kende de theologie *duidelijke* grenzen, maar binnen deze grenzen genoot de middeleeuwse meester een opmerkelijke vrijheid van denken en van meningsuiting: er was vrijwel geen enkele leer, een filosofische of theologische, die niet werd onderworpen aan een nauwkeurig en kritisch onderzoek van de wetenschappers in de middeleeuwse universiteit. Zeker de middeleeuwse leermeester, en in het bijzonder de meester die zich specialiseerde in de natuurwetenschappen, zou niet van zichzelf denken dat hij beperkt of onderdrukt werd door klassieke of kerkelijke autoriteiten.

De herwinning en assimilatie van de Griekse en Arabische wetenschap

De nieuwe kennis

De opleving van het onderwijs in de elfde en twaalfde eeuw werd in de loop van de twaalfde eeuw verbreed en veranderd door de verwerving van nieuwe bronnen. In 1100 kon de opleving nog altijd worden opgevat als een poging tot het herwinnen en leren kennen van de Latijnse klassieken: Romeinse en vroeg-middeleeuwse schrijvers, de Latijnse kerkvaders inbegrepen, en enkele Griekse bronnen die in het Latijn waren vertaald (zoals Plato's *Timaios* en delen van Aristoteles' logica). Het sijpelen van de nieuwe vertalingen uit het Grieks en Arabisch was een stroom geworden, maar hun invloed was nog altijd bescheiden. Honderd jaar later was dit sijpelen een stortvloed geworden en voerden de wetenschappers een dappere strijd voor de organisatie en assimilatie van een hoeveelheid kennis die overweldigend was qua bereik en grootte.

Het bestaan van deze nieuwe kennis was het hoofdkenmerk van het dertiende-eeuwse intellectuele leven en bepaalde het programma van de beste wetenschappers van deze eeuw. De taak was te leren omgaan met de nieuw vertaalde teksten – de nieuwe kennis te beheersen, te organiseren, haar belang vast te stellen, haar onderverdeling te ontdekken, haar interne tegenstrijdigheden te doorgronden en haar (zoveel als mogelijk) toe te passen op de bestaande intellectuele zaken. De nieuwe teksten waren zeer aantrekkelijk vanwege hun onbekrompen inhoud, hun intellectuele kracht en hun bruikbaarheid. Maar tevens waren ze van heidense oorsprong; en, zoals de geleerden geleidelijk aan ontdekten, bevatten ze materiaal dat theologisch gezien dubieus was. De dertiende-eeuwse geleerden zagen zich dus voor een serieuze taak gesteld; hun benadering van het nieuwe materiaal en hun vakkundigheid bij de behandeling daarvan zouden van blijvende invloed zijn op de vormgeving van het westerse denken.

De meeste vertaalde werken waren goedaardig. Het feit dat een tekst vertaald werd, zegt ons dat iemand het nut van de tekst belangrijker vond dan zijn mogelijke gevaren. Technische verhandelingen over allerlei onderwerpen (wiskunde, astronomie, statica, meteorologie en geneeskunde) werden in feite met onverdeeld enthousiasme ontvangen: ze waren duidelijk beter dan al het reeds beschikbare materiaal over deze onderwerpen; in vele gevallen vulden ze een intellectuele leemte; en ze bevatten geen onplezierige filosofische en theologische verrassingen. Dus Euclides' *Elementen*, Ptolemaeus' *Almagest*, al-Khwarizmi's *Algebra*, Ibn al-Haytmas

Optica en Avicenna's *Leerdicht der Geneeskunst* werden zonder strijd toegevoegd aan de westerse kennis. De wijze waarop deze en andere technische verhandelingen werden eigen gemaakt en opgenomen, zal in de volgende hoofdstukken worden behandeld.

Als er moeilijkheden waren, dan deden deze zich voor bij de bredere onderwerpen die van invloed waren op het wereldbeeld en de theologie – onderwerpen als kosmologie, fysica, metafysica, epistemologie en psychologie. Van hoofdbelang voor deze onderwerpen waren de werken van Aristoteles en diens commentatoren, die zich met goed gevolg richtten op vele essentiële filosofische vraagstukken en tevens beloften deden van mateloos toekomstig profijt bij de juiste toepassing van hun methodologie. Het verklarende vermogen van de aristotelische methode was duidelijk en deze methode bleek buitengewoon aantrekkelijk te zijn voor westerse geleerden. Maar haar voordelen gaf zij niet zonder meer prijs, want de aristotelische filosofie ging onvermijdelijk in op vele zaken die reeds waren behandeld door het samenraapsel van platonische filosofie en christelijke theologie dat zich gedurende het vorige millenium stevig had ingegraven. In tegenstelling tot de verhandelingen over meer beperkte, technische onderwerpen, vulde de aristotelische filosofie geen intellectuele vacuüm, maar drong zij binnen in reeds bezet gebied. Dit leidde tot diverse schermutselingen, die na onderhandelingen eindigden (zoals we zullen zien) in een akkoord. Laten we eens nader onderzoeken hoe dit tot stand zou komen.

ARISTOTELES IN HET UNIVERSITAIRE LEERPLAN

De meeste van Aristoteles' werken en enkele van de hem betreffende commentaren (in het bijzonder die van de elfde-eeuwse moslim Avicenna) waren in 1200 in vertaling verkrijgbaar. We weten erg weinig over hun eerste verspreiding of hun rol binnen de scholen, maar schijnbaar maakten ze gedurende het eerste decennium van de dertiende eeuw hun opwachting in Oxford en Parijs. In Oxford kon tijdens de jaren die volgden de invloed van Aristoteles zonder belemmering traag maar gestaag groeien.[1] In Parijs raakte Aristoteles echter al snel in moeilijkheden: men beweerde dat het pantheïsme (ruwweg: de indentificatie van God met het universum) werd onderwezen door leermeesters in de letteren die door Aristoteles waren beïnvloed. Het resultaat van deze aantijgingen was een decreet, uitgevaardigd door een concilie van bisschoppen in Parijs in 1210, die de conservatieve opvattingen binnen de theologische faculteit weergeeft en waarmee het onderricht van de aristotelische natuurfilosofie binnen de letterenfaculteit werd verboden. Dit decreet werd in 1215 door de pauselijke gezant Robert de Courçon vernieuwd, maar was nog altijd slechts op Parijs van toepassing.[2]

Paus Gregorius IX werd hier direct bij betrokken toen hij de regels voor het besturen van de Parijse universiteit afkondigde. Gregorius erkende de legitimiteit van het verbod van 1210 en vernieuwde het, waarbij hij stelde dat Aristoteles' boeken niet mochten worden gelezen aan de letterenfaculteit totdat ze 'waren onderzocht en alle vermoedelijke fouten waren verwijderd'. Tien dagen later verklaarde Gregorius zich nader in een brief waarin een commissie werd aangesteld die deze zaak moest behandelen: 'Omdat de andere wetenschappen de wijsheid van de Heilige Schrift moeten dienen, moeten de gelovigen zich deze toeëigenen in zoverre ze zich schikken naar het welbehagen van de Schenker'. Echter, het was Gregorius opgevallen dat 'de natuurfilosofische werken die op een provinciaal concilie in Parijs werden verboden ... zowel nuttige als nutteloze zaken bevatten'. Om die reden, 'om het nuttige niet aangetast te laten worden door het nutteloze', spoorde Gregorius zijn pas aangestelde commissie aan 'alles te schrappen wat onjuist is of schandalen zou kunnen veroorzaken of de lezer zou kunnen verontwaardigen, zodat, na de verwijdering van dubieuze zaken, het restant zonder oponthoud of verontwaardiging bestudeerd kan worden'.[3]

Het is opmerkelijk dat Gregorius zowel het nut als het gevaar van de aristotelische natuurfilosofie erkende. Aristoteles bleef in de ban totdat alle fouten verwijderd waren; maar toen dit gedaan was, werden de geleerden aangemoedigd hem te gebruiken. Tevens is het van belang op te merken dat de commissie van Gregorius blijkbaar nooit bijeen is gekomen, misschien wel omdat een van haar voornaamste leden, de theoloog Willem van Auxerre, binnen een jaar stierf, en dat er nooit een gezuiverde versie van Aristoteles gevonden is. De latere aanvaarding van Aristoteles was gegrond op een complete, ongecensureerde versie van zijn werken.

Er zijn diverse documenten betreffende het lot van Aristoteles' werken gedurende de vijfentwintig jaar die volgden. Ze tonen aan dat de decreten van 1210, 1215 en 1231 voor een bepaalde tijd deels succesvol waren, maar rond 1240 hun werkzaamheid begonnen te verliezen. Een mogelijk reden hiervoor is de dood van Gregorius IX in 1241, waarna zijn voorschriften van een decennium eerder hun overredingskracht verloren; een mogelijke andere reden is het groeiende bewustzijn onder de Parijse leermeesters van hun verlies van terrein (en reputatie) ten opzichte van hun tegenpolen in Oxford en andere universiteiten. Ook moeten we rekening houden met de mogelijkheid dat het onderricht in de aristotelische logica (die niet onder de ban viel), de eenvoudige verkrijgbaarheid van Aristoteles' natuurfilosofische werken (ondanks het verbod deze te laten bestuderen) en de ontdekking van nieuwe aristotelische commentatoren (in het bijzonder Averroës) Aristoteles' ster in die mate deden rijzen dat de aristotelische filosofie zich onafwendbaar tot een moloch ontwikkelde. En we moeten natuurlijk niet vergeten dat de theologen altijd rechtmatig, en op een wijze die zij geschikt achtten, gebruik hadden kunnen maken van Aristoteles.

Wat de oorzaken dan ook waren, in de jaren veertig van de twaalfde eeuw, of kort daarvoor, waren Aristoteles' natuurfilosofische werken het onderwerp geworden van colleges aan de letterenfaculteit; onder de eersten die deze colleges gaven, bevond zich Roger Bacon.[4] Rond diezelfde tijd versoepelde ook de theologische faculteit in Parijs haar houding ten opzichte van Aristoteles en laat men de aristotelische filosofie een steeds grotere rol spelen in de vorming van het theologische denken en overdenken. In 1255 komen de kaarten geheel anders te liggen, want in dat jaar maakt de letterenfaculteit nieuwe statuten op die datgene verplicht stellen wat in de praktijk blijkbaar al geschiedde – namelijk, het onderricht in alle werken van Aristoteles die bekend waren. Niet alleen had Aristoteles' natuurfilosofie voor zichzelf een plek gecreëerd binnen het leerplan van de letterenfaculteit, maar het was een van zijn voornaamste onderdelen geworden.

DE STRIJDPUNTEN

Het is tijd voor de vaststelling van de kenmerken van de aristotelische filosofie die zorgwekkend of een aanleiding tot conflicten zouden kunnen zijn. Maar eerst moeten we stilstaan bij het feit dat de inhoud van de aristotelische filosofie, zoals die door de westerse lezers werd opgevat, in ontwikkeling was. Omdat Aristoteles bijzonder moeilijk te volgen was, namen de lezers alle middelen ter hand die hen bij de uitleg zouden kunnen helpen; gelukkig hadden de commentatoren in de late oudheid en de middeleeuwse islam Aristoteles vrij weergegeven of de diverse inge-wikkelde kwesties in de aristotelische teksten nader uitgelegd, en de werken van deze commentatoren werden in toenemende mate samen met Aristoteles' eigen werk vertaald en gebruikt waar Aristoteles serieus werd bestudeerd. In de laatste decennia van de twaalfde eeuw en de eerste van de dertiende was de moslim Avicenna (Ibn Sina, 980-1037) de belangrijkste commentator, die een op Plato geïnspireerde versie van de aristotelische filosofie presenteerde.[5] De aanklacht tegen het Parijse pantheïsme in 1210 vormt zonder twijfel een weerspiegeling van de aan-slag van Avicenna's neoplatonische lezing op Aristoteles. Vanaf ongeveer 1230 worden Avicenna's commentaren echter verdrongen door die van de Spaanse mos-lim Averroës (Ibn Rushd, 1126-98).[6] Ook Averroës was ongetwijfeld in staat om Aristoteles' denken uit te breiden of te vervormen en deed dat zo nu en dan ook, maar over het algemeen genomen betekende de overgang van Avicenna's begelei-ding naar die van Averroës een terugkeer naar een meer authentieke en minder platonische versie van de aristotelische filosofie. Averroës werd in het westen zo belangrijk dat hij bekend werd als niemand minder dan 'de Commentator'.

Wat vormde er in de Averroëtische (of meer authentieke) lezing van Aristoteles een probleem? Er waren afzonderlijke beweringen (in diverse mate van duidelijk-heid) die de orthodoxe christelijke leer geweld aandeden; en achter deze bewerin-gen bevond zich een algemene zienswijze, rationalistisch en naturalistisch van ka-rakter, die enkele lezers trof als zijnde in strijd met het traditionele christelijke den-ken. De eenvoudigste manier om deze zaken te bespreken is te beginnen met de afzonderlijke beweringen.

Een belangrijk kenmerk van de aristotelische kosmos was zijn eeuwigheid, die in diverse werken van Aristoteles werd met verschillende argumenten verdedigd. Omdat dit betrekking had op de scheppingsleer, lag het voor de hand dat het niet

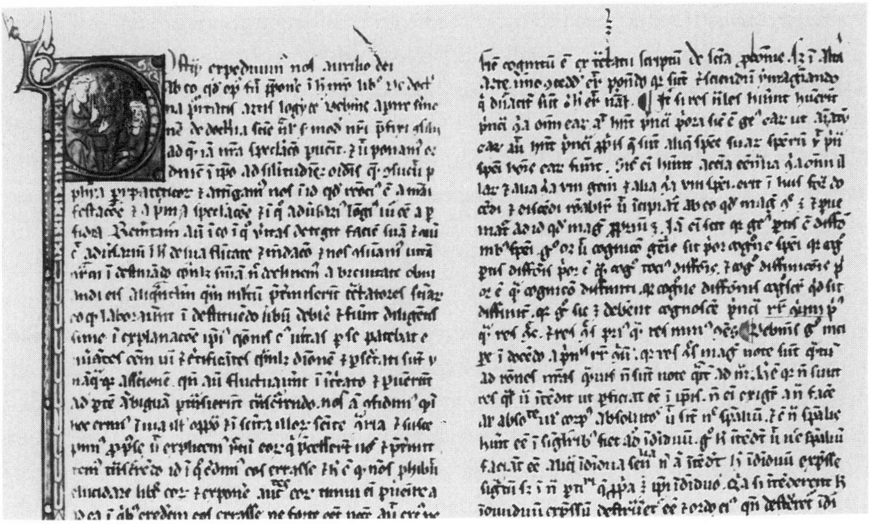

Afbeelding 10.1 Het begin van Avicenna's
Physica (*Sufficientia*, dl. II) Graz, Universitäts-
bibliothek, MS II. 482, fol. 111r (13de eeuw).

aan de aandacht van de christelijke lezers zou ontsnappen. Aristoteles was van mening dat de kosmos niet tot stand was gekomen en niet kon ophouden te bestaan.
Hij beweerde dat de elementen zich altijd naar hun aard hebben gedragen; daarom
kon er geen moment zijn geweest waarop de ons bekende kosmos zou zijn ontstaan, en zal er geen moment komen waarin hij ophoudt te bestaan; hieruit volgt
dat de kosmos eeuwigdurend is. Hiermee verwierp Aristoteles de evolutionistische
kosmologie van de pre-socratische filosofen.[7]

Voor de christenen was dit echter een onaanvaardbare conclusie. Niet alleen
doet de bijbel in de eerste hoofdstukken van het boek Genesis verslag van de
schepping, maar tevens was de voor de creatie absolute noodzakelijkheid van de
Schepper van fundamenteel belang voor de christelijke voorstelling van God en de
wereld. Als gevolg hiervan vinden we bij de dertiende-eeuwse christelijke commentatoren van Aristoteles een ononderbroken reeks pogingen dit probleem op te
lossen.[8] Enkele van de argumenten zullen we hieronder nader beschouwen.

Een ander probleem, dat ook betrekking had op de relatie Schepper-schepping,
is dat van het determinisme. De deterministische tendensen in de aristotelische natuurfilosofie vormen een zeer netelige kwestie. Er moet duidelijk worden gesteld
dat het door hem omschreven universum onveranderlijke fenomenen bevat die de
basis vormen van een gewone opeenvolging van oorzaak en gevolg. Dit is in het
bijzonder duidelijk in het uitspansel, waar datgene wat is altijd zijn zal. Bovendien
beschouwde Aristoteles de godheid, de Eerste Beweger, als eeuwig onveranderlijk
en daarom niet bij machte zich met de werking van de kosmos te bemoeien; het

kosmische apparaat werkt om die reden onveranderlijke voort, en brengt een keten van oorzaak en gevolg teweeg die afdaalt naar, en zich verspreidt in, het ondermaanse gebied. Het gevaar schuilt in het feit dat er binnen dit aristotelische kader geen ruimte is voor wonderen.[9] En, tot slot, aan de aristotelische filosofie waren enkele astrologische theorieën verbonden die een bedreiging zouden vormen voor de vrijheid van de menselijke wil (essentieel voor de christelijke leer over zonde en verlossing) als aangetoond kon worden dat de hemelse machten op die wil van invloed waren.

Al deze deterministische tendensen of elementen werden in de dertiende eeuw beschouwd als aanvechtingen van de christelijke leer – met name van de goddelijke vrijheid en almacht, de goddelijke voorzienigheid en de wonderen. Aristoteles' Eerste Beweger, die niet eens weet van het bestaan van mensen, laat staan zich namens hen met iets bemoeit, is ver verwijderd van de christelijke God die weet wanneer de bladeren vallen en die de haren op ons hoofd telt.[10]

Een laatste voorbeeld van de complexiteit van de aristotelische ideeën betreft de aard van de ziel. Volgens Aristoteles was de ziel de vorm of het structurerende beginsel van het lichaam – de volledige verwezenlijking van de potenties die inherent waren aan de individuele materie. Om die reden kan de ziel niet onafhankelijk bestaan, want vorm kan, zelfs als deze zou kunnen worden onderscheiden van materie, niet onafhankelijk van materie bestaan. Te veronderstellen dat de ziel gescheiden kan worden van het lichaam is even dom als te veronderstellen dat de scherpte van een bijl kan worden gescheiden van de materie van de bijl. Dus bij het sterven, als het individu verdwijnt, houdt zijn vorm of ziel gewoonweg op te bestaan.[11] Een dergelijke conclusie is uiteraard niet verenigbaar met de christelijke leer aangaande de onsterfelijkheid van de ziel.

De onsterfelijkheid van de afzonderlijke ziel werd ook in twijfel getrokken door een andere psychologische leer die Averroës ontwikkelde toen hij trachtte bepaalde moeilijkheden in Aristoteles' epistemologie te doorgronden. De volledige theorie van Averroës, bekend als het 'monopsychisme', is bijzonder complex. Belangrijk voor ons is zijn bewering dat het immateriële en onsterfelijke deel van de menselijke ziel, de 'verstandelijke ziel', niet individueel of persoonlijk is, maar één verstand is dat door alle mensen wordt gedeeld. Hieruit lijkt te volgen dat alles wat de dood overleeft niet persoonlijk is, maar gemeenschappelijk; onsterfelijkheid wordt in stand gehouden, maar niet de persoonlijke onsterfelijkheid. Opnieuw wordt duidelijk dat de christelijke leer met voeten wordt getreden.[12]

Beweringen als deze vormden geen losstaande delen filosofie, maar waren manifestaties van fundamentele houdingen ten opzichte van de rede en haar werkelijke verhouding tot het geloof en de theologie; ze kwamen West-Europa binnen als duidelijke illustraties van een visie en een methodologie. De kampioenen van het nieuwe aristotelisme wensten een uitbreiding van de menselijke verstandelijke activiteit, het naturalistische verklaren en de aristotelische bewijsvoering; de filosofie was hun spel en ze wilden haar deugden op ieder mogelijk terrein tentoonspreiden.

Toen de filosofie haar intrede deed in de theologische faculteit en de theologische methode ging beïnvloeden door met de bijbelstudies te wedijveren om het middelpunt van het theologische onderwijs, reageerden de traditiegetrouwen met woede en frustratie. Beschuldigingen van arrogantie en zinloze weetlust werden een alledaagse zaak. Zouden de geloofsartikelen op de proef moeten worden gesteld door de inhoud en methoden van een heidense filosofie? Was de leer van Christus, de apostel Paulus en de kerkvaders ondergeschikt aan die van Aristoteles?

Een sprekend voorbeeld van deze visie op de natuurfilosofie was de tendens om analyse te beperken tot de causaliteitsbeginselen die door middel van de menselijke waarneming en rede waren aan te tonen, zonder enig belang te hechten aan de leer van bijbelse openbaringen of de kerkelijk tradities. Goddelijke of bovennatuurlijke oorzaken werden nooit ontkend, maar werden (door de meer agressieve tegenstanders van de nieuwe methodologie) buiten het gebied van de natuurfilosofie geplaatst. De opbloei van dit naturalisme, waarvan de kiem reeds zichtbaar is in een twaalfde-eeuwse denker als Willem van Conches (zie hoofdstuk 9), werd door Aristoteles en diens commentatoren gestimuleerd. De meest dreigende uiting van deze naturalistische neigingen was de toenemende tendens onder bepaalde filosofen om onderscheid te maken tussen het 'filosofisch spreken' en het 'theologische spreken' en, wat veel erger is, te erkennen dat de filosofische en theologische methoden kunnen leiden tot onverenigbare conclusies.

De aanhangers van de nieuwe methoden zagen de invoering van de filosofische gestrengheid zonder twijfel als een grote stap voorwaarts. Maar voor de traditionalisten was dit een serieus geval van opstandigheid en een inbreuk op het onderscheid tussen de filosofische en theologische ondernemingen. Op zijn sterkst gezegd, leek het erop dat Jeruzalem werd gevraagd zich aan de autoriteit van Athene te onderwerpen.

Voordat we onze aandacht richten op de dertiende-eeuwse pogingen deze problemen op te lossen, moeten we een vluchtige blik werpen op het institutionele kader waarin deze pogingen werden ondernomen. De discussies over de nieuwe Aristoteles waren academisch van karakter en alle deelnemers kwamen voort uit de universiteiten. Velen waren actief als docent, anderen waren voormalige studenten aan de universiteit die zich hadden opgewerkt naar toonaangevende, gezaghebbende posities binnen de kerk. Een goed inzicht in de loopbaanontwikkeling van de academici zal ons helpen de voortdurende neiging tot vermenging van filosofie en theologie te begrijpen: vrijwel alle theologen hadden, voordat ze begonnen aan hun studie theologie, aan de letterenfaculteit filosofie gestudeerd; bovendien doceerden de theologiestudenten in veel gevallen tegelijkertijd aan de letterenfaculteit om in hun levensbehoeften te voorzien. Dientengevolge waren enkele van de meest invloedrijke filosofische verhandelingen van de middeleeuwen geschreven door geleerden die filosofie doceerden en tegelijkertijd theologie studeerden.[13]

Enkele van de toonaangevende figuren, rond het midden van de eeuw, waren franciscanen of dominicanen – leden van de bedelorden die vroeg in de dertiende

Afbeelding 10.2 De basiliek van Sint-Franciscus in Assisi. De bouw werd enkele jaren na Franciscus' overlijden in 1226 begonnen. De kerk zou zijn graf gaan bevatten, waarmee deze 'hoofd en moeder' van de orde der franciscanen en een belangrijk bedevaartsoort zou worden. Met toestemming van Christopher Kleinhenz.

eeuw waren gesticht. De bedelbroeders waren 'gewone geestelijken' omdat ze leefden naar een *regula* of regel (onder meer een gelofte van armoede), wat niet het geval was bij de 'seculiere geestelijken' (zoals de parochiepriesters). In tegenstelling tot de kloosterorden, die nadruk legden op de terugtrekking uit de wereld en persoonlijke heiligheid nastreefden, richtten de bedelorden zich op een actief geestelijk ambt in een stedelijke omgeving; hierdoor kwamen ze al snel terecht in het onderwijs, ook binnen de universiteiten, waar ze betrokken raakten bij alle belangrijke filosofische en theologische controversen.

Deze institutionele details droegen op subtiele wijze bij aan de intellectuele ontwikkelingen waar wij ons mee bezighouden. De conflicten rond het nieuwe leren waren niet zuiver ideologisch, maar werden gecompliceerd door vakmatige en institutionele verwantschap en rivaliteit. Filosofen en theologen werden verenigd door hun beider onderwijs aan de letterenfaculteit; maar dit weerhield hen er niet van zo nu en dan te redetwisten over de grenzen van hun vakgebieden. Binnen de theologische vakgroep aan de Universteit van Parijs waren de bedelbroeders enige tijd verwikkeld in een machtsstrijd met de seculiere theologen over de bezetting van de leerstoelen. En binnen de bedelorden ontwikkelden de franciscanen en dominicanen enigszins afwijkende filosofische voorkeuren en kenmerkende benaderingen van het probleem van geloof en rede. Als we een genuanceerd inzicht willen hebben in de loop der gebeurtenissen, moeten we oog hebben voor deze vakmatige en institutionele onderstromen.

De oplossing: wetenschap als dienstmaagd

Ondanks de reeds genoemde gevaren bleek de aristotelische filosofie te aantrekkelijk om te blijven negeren of onderdrukken. Sinds de vertalingen van Boëthius uit het begin van de zesde eeuw stond Aristoteles' naam gelijk aan de logica en het feit dat de logica zichzelf ongemerkt had weten binnen te dringen in vrijwel elk wetenschappelijk gebied; nu was een nog groter deel van Aristoteles' logica voorhanden en klaar om gebruikt te worden. Delen van de aristotelische metafysica waren ook langzaam de vroeg-middeleeuwse literatuur binnengedrongen en nu de aristotelische tekst volledig toegankelijk was, hadden de westerse geleerden een machtig instrument voor het begrijpen en analyseren van hun universum. Vorm, materie en substantie, actualiteit en potentie, de vier oorzaken, de vier elementen, tegenstelling, natuur, verandering, doel, kwantiteit, kwaliteit, tijd en ruimte – Aristoteles' behandeling van al deze onderwerpen, en meer, vormde een overtuigend conceptueel kader waarbinnen de wereld kon worden ervaren en besproken. In zijn diverse psychologische werken behandelt Aristoteles de ziel en haar vermogens, zoals zintuiglijke waarneming, herinnering, verbeelding en het kennen. Ook bood hij een kosmologie waarin het universum op overtuigende wijze in kaart was gebracht en zijn werkingen werden verklaard, van de buitenste hemel tot aan de centraal geplaatste aarde. Aristoteles gaf een uitleg van beweging, van wat wij de theorie van de materie zouden noemen en van meteorologische verschijnselen die veel verder ging dan datgene wat voorheen beschikbaar was. En tot slot, hij bood een biologisch werk dat qua omvang en qua beschrijvende en verklarende gedetailleerdheid zijn gelijke niet kende. Het was ondenkbaar dat deze intellectuele schatten gewoonweg weggegooid zouden worden; er was nooit een serieuze beweging die dit beoogde. Het probleem was niet de wijze waarop de aristotelische invloed kon worden verdelgd, maar de wijze waarop deze eigen kon worden gemaakt – hoe met de strijdpunten om te gaan en over de grenslijnen te onderhandelen, zodat de aristotelische filosofie in dienst van het christendom zou kunnen functioneren.

De verzoening begon zodra de werken van Aristoteles en diens commentatoren beschikbaar waren. Een van de eerste pogingen werd gedaan door Robert Grosseteste (ca. 1168-1253), een voortreffelijk geleerd uit Oxford en hoofd van de universiteit; hoewel zelf geen franciscaan, was Grosseteste de eerste docent van de franciscaanse school in Oxford, waardoor hij van invloed was op de vorming van het intellectuele leven van de bedelorde. Grossetestes commentaar op Aristoteles' *Analytica Posterior*, waarschijnlijk geschreven in de jaren twintig van de dertiende eeuw, was een van de eerste pogingen om Aristoteles' wetenschappelijke methode op serieuze wijze te behandelen.[14] Grosseteste was tevens bekend met Aristoteles' *Physica, Metaphysica, Meteorologie* en zijn biologische werken; hij geeft blijk van hun invloed in zijn commentaar op de *Physica* en in een reeks korte verhandelingen over verschillende natuurkundige onderwerpen. Grossetestes intellectuele vorming werd echter sterk beïnvloed door het platonisme en neoplatonisme en ook door enkele van de nieuw vertaalde werken over de exacte wetenschap, en in zijn natuurkundige werken zien we een enigszins ongemakkelijk aandoende vermenging van aristotelische en niet-aristotelische elementen. Grossetestes kosmogonie (zijn verklaring voor het ontstaan van de aarde), bijvoorbeeld, is geplaatst binnen een voornamelijk Aristotelisch kader, maar moet toch in de eerste plaats worden gezien als een poging de neoplatonische emanatieleer (de opvatting dat het gecreëerde universum door God werd uitgestraald, zoals de zon licht uitstraalt) te verzoenen met het bijbelse scheppingsverhaal *ex nihilo*.[15]

Belanghebbende aspecten van Grossetestes onderneming werden voortgezet door een jongere Engelsman, Roger Bacon (ca. 1220-ca. 1292). Bacon, een bewonderaar van Grosseteste (maar waarschijnlijk nooit zijn leerling), werd door Grossetestes wetenschappelijk voorbeeld geïnspireerd, met name door zijn beheersing van de exacte wetenschappen. De details van Bacons scholing zijn onduidelijk, maar zeker is dat hij zowel in Oxford als in Parijs studeerde. Hij begon in de jaren veertig van de dertiende eeuw te doceren aan de letterenfaculteit in Parijs, waar hij een van de eersten was die les gaven over de natuurfilosofische werken van Aristoteles – in het bijzonder de *Metaphysica, Physica, Over het zintuiglijk vermogen en het waarneembare*; waarschijnlijk *Over ontstaan en vergaan* (dat de theorieën over materie behandelt), *Over de ziel* en *Over dieren*; en misschien *Over de hemelen*.[16] Later zou hij lid worden van de orde van Sint-Franciscus en wijdde zijn verdere leven aan studeren en schrijven.

In de volgende hoofdstukken zullen we nader ingaan op de verschillende aspecten van Bacons wetenschappelijke denken; voorlopig is alleen zijn campagne voor de bescherming van de nieuwe wetenschap tegen haar critici van belang. Bacons voornaamste wetenschappelijke geschriften waren geen 'zuivere' filosofie of wetenschap, maar geestdriftige pogingen de kerkelijke gezagsdragers (deze werken waren gericht aan de paus) te overtuigen van het nut van de nieuwe wetenschap – niet alleen de aristotelische filosofie, maar de gehele nieuwe literatuur over de natuurfilosofie, de exacte wetenschap en de geneeskunde. Bacon beweerde dat de nieuwe filosofie een goddelijke gift is die in staat is de geloofsartikelen te bewijzen en de onbekeerden te overtuigen, dat de wetenschappelijke kennis een vitale bijdrage levert aan de uitleg van de Schrift, dat de astronomie essentieel is voor de vaststelling van de religieuze kalender, dat de astrologie ons in staat stelt de toe-

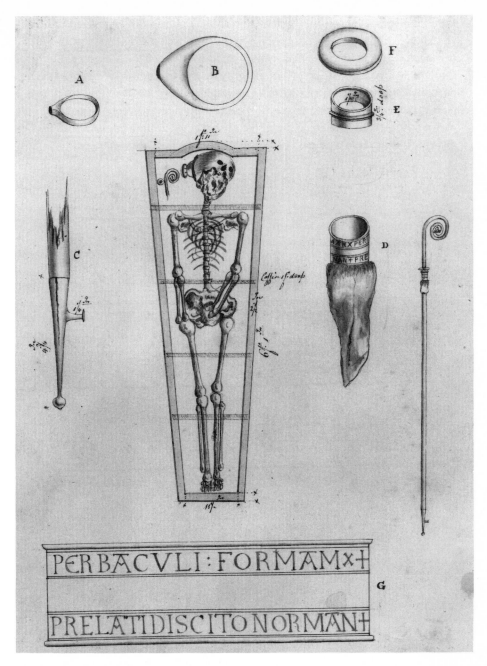

Afbeelding 10.3 Het skelet van Robert Grosseteste. Dit is een van de zeer weinige tekeningen van een middeleeuwse geleerde die, zo gezegd, 'levensecht' is; getekend toen de graftombe van Grosseteste in Lincoln Cathedral in 1782 geopend werd. Naast het skelet zien we enkele andere dingen die in de lijkkist weden aangetroffen, zoals de bisschopsring en de restanten van de bisschopsstaf. Voor een uitgebreidere beschrijving, zie D.A. Callus, ed., *Robert Grosseteste, Scholar en Bishop*, pp. 246-50. Met toestemming van The Natural History Museum, Londen.

komst te voorspellen, dat de 'experimentele wetenschap' ons leert hoe wij het leven kunnen verlengen, en dat de optica ons in staat stelt instrumenten te maken die de ongelovigen angst zullen aanjagen en zullen leiden tot hun bekering. Het doel van Bacons campagne was de dienstmaagd-theorie van Augustinus toe te passen op de nieuwe omstandigheden, waarin de hoeveelheid gestelde kennis die wachtte om de functie van dienstmaagd te vervullen veel groter en gecompliceerder was.[17] De natuurwetenschappen werden dus gerechtvaardigd door hun religieuze nut. Er bestaan 'één volmaakte wijsheid', beweerde Bacon in zijn *Opus maius,*

> en die bevindt zich in de Heilige Schrift, waarin alle wijsheid is geworteld. Ik zeg, daarom, dat één discipline de meesteres is van de andere – namelijk de theologie, waarvoor de andere geheel noodzakelijk zijn en die haar doelen zonder hen niet kan verwezenlijken. En zij maakt aanspraak op hun deugden en maakt hen ondergeschikt aan haar wensen en bevelen.[18]

Naar de mening van Bacon worden de wetenschappen niet door de theologie onderdrukt, maar zet zij deze aan het werk en stuurt hen in de goede richting.

De zogenaamde geschillen met het christelijke geloof veegde Bacon van tafel als zijnde problemen die voortkwamen uit onjuiste vertaling of onkundige interpretatie; als de filosofie werkelijk een geschenk van God was, kon er tussen haar en de geloofsartikelen geen wezenlijk geschil zijn. Om dit argument te versterken, schakelde Bacon de autoriteit van Augustinus en andere kerkvaders in, die er bij de christenen op aandrongen dat ze de filosofie van haar heidense bezitters moest terugwinnen. En in het geval dat deze argumenten niet werkten, overschreeuwde hij de critici met een bombastische rede over de wonderen van de wetenschap.

Ondanks het enthousiasme van Bacon werd de orde van Sint-Franciscus rond het midden van de eeuw gekenmerkt door een behoedzame houding ten opzichte van de nieuwe filosofie, in het bijzonder de nieuwe aristotelische filosofie. Een van de mensen die zeer hulpvaardig waren bij de vormgeving van deze houding was de Italiaanse franciscaan Bonaventura (ca. 1217-74). Bonaventura bestudeerde aan de Universiteit van Parijs zowel de vrije kunsten als de theologie, doceerde daar theologie van 1254 tot 1257, en nam vervolgens ontslag om overste van de franciscaanse orde te worden. Zonder twijfel kan worden gezegd dat Bonaventura de aristotelische filosofie respecteerde, want zijn logica en een groot deel van zijn metafysica waren daarop gebaseerd; maar evenals Grosseteste en Bacon was hij sterk beïnvloed door Augustinus en de neoplatonische traditie, en in zijn denken vinden we dan ook een rijk mengsel van aristotelische en niet-aristotelische elementen.

Bonaventura was het betreffende de geldigheid en toepasbaarheid van Augustinus' dienstmaagd-formule zeker met Bacon eens: de heidense filosofie was een instrument dat gebruikt moest worden ten gunste van de theologie en de religie. Maar ten aanzien van de bruikbaarheid van de filosofie was hij veel voorzichtiger dan Bacon en was hij zich meer bewust van de gevaren die de bevordering daarvan in zich droeg. Hij was pessimistisch over het vermogen van de rede om alleen, zonder hulp van goddelijke verlichting, de waarheid te ontdekken; daarom was hij geneigd de filosofie kort te houden en Aristoteles of zijn commentatoren snel los te laten zodra deze een mening hadden die afweek van de leer van de goddelijke openbaring. Zo verwierp hij ronduit de mogelijkheid van een eeuwigdurende wereld; verdedigde hij de onsterfelijkheid van de individuele ziel, waarbij hij het monopsychisme afwees en beweerde dat iedere ziel een substantie is (samengesteld uit een geestelijke vorm en een geestelijke materie) die de ontbinding van het lichaam overleeft; en bestreed hij op heftige wijze iedere zinspeling op een astrologisch determinisme. En, tot slot, in tegenstelling tot het aristotelische naturalisme benadrukte Bonaventura Gods ingrijpen in alle gevallen van oorzaak en gevolg.[19]

In de loopbanen van Grosseteste, Bacon en Bonaventura worden diverse belangrijke tendensen in de eerste helft van de dertiende eeuw weerspiegeld: een toenemende kennis van Aristoteles' werk, een samengaan van bewondering en achterdocht ten aanzien van de inhoud daarvan, en een tendens om verschillende ideeën van Augustinus en Plato in de aristotelische teksten te leggen. Twee dominicanen die in de tweede helft van de eeuw actief waren, Albertus Magnus en Thomas van Aquino, droegen bij tot een meer volledige kennis van de aristotelische filosofie en een meer open houding ten opzichte van haar beweringen.

Albertus Magnus (ca. 1200-1280) werd geboren in Duitsland en opgeleid in Padua en aan de dominicaanse school in Keulen. In de vroege jaren veertig werd hij naar Parijs gestuurd om daar theologie te studeren en in 1245 werd hij leermeester in de theologie. De drie jaren daarna bezette hij een van de twee dominicaanse leerstoelen in Parijs. In de deze periode studeerde Thomas van Aquino bij hem, en toen Albertus in 1248 gevraagd werd terug te keren naar Keulen om daar de dominicaanse school te reorganiseren, ging Thomas met hem mee. De meeste van Albertus' aristotelische commentaren zijn geschreven na zijn vertrek uit Parijs; ze zijn niet (met uitzondering van zijn commentaar op Aristoteles' *Ethica*) het resultaat van Albertus' colleges, maar stonden los van de school en werden ten bate van de dominicaanse broeders geschreven.[20]

Albertus was de eerste binnen het westerse christendom die poogde een uitgebreide interpretatie van Aristoteles' filosofie te geven; op basis hiervan wordt hij vaak beschouwd als de werkelijke stichter van het christelijke aristotelisme. Dit wil niet zeggen dat Albertus filosofische zuiverheid bereikte; enkele van zijn eerste commentaren waren gewijd aan neoplatonische schrijvers en tot aan het einde van zijn leven bleef hij trouw aan delen van de platonische filosofie; sterker nog, hij draaide er zijn hand er niet voor om bepaalde aristotelische stellingen te verbeteren of terzijde te schuiven als hij deze als onjuist beschouwde, en vervolgens juistheden in te voegen die hij elders had aangetroffen. Niettemin was Albertus zich bewust van het grote belang van Aristoteles' filosofie en nam hij zich voor deze in haar geheel uit te leggen aan zijn dominicaanse broeders. In het voorwoord van zijn commentaar op Aristoteles' *Physica* verklaarde hij het volgende:

> Ons doel ... is een zo groot mogelijke voldoening te schenken aan die broeders van
> onze orde die ons zo vele jaren gesmeekt hebben een boek over de fysica voor hen te
> vervaardigen, waarin ze een volledige uiteenzetting van de natuurwetenschap kun-
> nen vinden en waarmee ze tevens een goed inzicht kunnen krijgen in de boeken van
> Aristoteles.[21]

Albertus reageerde niet alleen met een commentaar op de *Physica*, maar ook met
commentaren op, of parafraseringen van, alle aristotelische boeken die beschikbaar
waren – een produktie die in de negentiende-eeuwse uitgave van Albertus' werken
twaalf dikke delen omvat (meer dan 8.000 bladzijden). Deze commentaren bevatten onder meer lange uitwijdingen betreffende de resultaten van Albertus' eigen
onderzoekingen en overdenkingen. Vóór Albertus was er niemand geweest die op
zulke nauwgezette wijze aandacht had geschonken aan het werk van Aristoteles, en
weinigen hebben dat sindsdien gedaan.

Het was zijn bedoeling de verklarende kracht van de aristotelische filosofie, die hij beschouwde als de noodzakelijke voorbereiding op de theologische studies, aanschouwelijk te maken en ter beschikking te stellen. Het lag niet in zijn bedoeling de aristotelische filosofie te ontdoen van haar status van dienstmaagd, maar wel wilde hij haar aanzienlijk meer verantwoordelijkheid geven. Van Albertus' tijdgenoten was Roger Bacon de enige die de betekenis van de nieuwe wetenschap voor de theologische praktijk even groot achtte; maar afgezien van de Parijse colleges over Aristoteles in zijn jonge jaren wijdde Bacon zijn meeste succesvolle pogingen aan de exacte wetenschappen (in het bijzonder de optica) en het schrijven van propagandistisch materiaal voor de nieuwe wetenschap in het algemeen, terwijl Albertus zich wijdde aan het machtig worden en interpreteren van de aristotelische werken. De historici zijn geneigd geweest diegenen te prijzen die met de aristotelische traditie *braken*, maar Albertus verdient onze aandacht en ons respect als de man die het westerse christendom in contact bracht met de aristotelische traditie.

Tegelijkertijd erkende Albertus het als zijn plicht de aristotelische tekst aan te vullen op de gebieden die Aristoteles over het hoofd had gezien of slechts oppervlakkig had behandeld en Aristoteles te corrigeren als deze het niet bij het rechte eind had; hoewel hij enorm onder de indruk van Aristoteles' prestatie was, werd Albertus nooit in de verleiding gebracht diens slaaf te worden. Om dit zo te houden, las Albertus alles wat los en vast zat: in sterke mate verlaatte hij zich op Avicenna; tevens kende hij de werken van Plato, Euclides, Galenus (in beperkt mate), al-Kindi, Averroës, Constantijn de Afrikaan en een groot aantal andere Griekse, Arabische en Latijnse schrijvers. En hij liet deze andere bronnen, indien ze relevant waren, een bijdrage leveren aan de oplossing van de problemen waar hij bij de interpretatie van de aristotelische tekst op stuitte.[22]

Albertus was ook een opmerkelijk scherpzinnig waarnemer van het dieren- en plantenleven: zo corrigeerde hij op grond van zijn eigen waarneming Avicenna betreffende de paringsgewoonten van patrijzen en deed hij verslag van zijn bezoek, in zes opeenvolgende jaren, aan een bepaald arendsnest; en wellicht was hij de grootste plantenkenner van de gehele middeleeuwen.[23] Zijn intellectuele energie kende geen grenzen en zijn niet-theologische geschriften (minder dan de helft van zijn gehele werk) bevatten werken over de fysica, astronomie, astrologie, alchemie, mineralogie, fysiologie, psychologie, geneeskunde, natuurgeschiedenis, logica en wiskunde. De autoriteit waarmee hij zich op al deze terreinen bewoog, verklaart waarom Albertus al tijdens zijn leven 'de Grote' genoemd werd; tevens verklaart het waarom Roger Bacon (die weinig tolerant was ten aanzien van zijn intellectuele rivalen) hem met zoveel vijandigheid beschouwde.

Wat had Albertus te melden over de delicate aristotelische leerstellingen die vroeg in de eeuw hadden geleid tot de verwerping van Aristoteles en die de acceptatie van zijn werk nog steeds bedreigden? Wat betreft het cruciale probleem van de eeuwigheid van de wereld twijfelde Albertus geen moment aan de christelijke scheppingsleer. Al vroeg was het zijn opvatting dat de filosofie niet in staat is deze

kwestie afdoende te behandelen, zodat men wel verplicht is de leer van de goddelijke openbaring te accepteren. Later raakte hij ervan overtuigd dat het idee van een
eeuwigdurend universum filosofisch gezien absurd is, zodat de filosofie deze zaak
kon afhandelen zonder hulp van de theologie. In geen van beide gevallen bestond
er enige onenigheid tussen de filosofie (op de juiste wijze beoefend) en de theologie.

Albertus besteedde aanzienlijk meer aandacht aan de aard van de menselijke ziel
en haar vermogens. De truc was de ziel voor te stellen als een afzonderlijke, onsterfelijke substantie die onafhankelijk van het lichaam bestond en de dood daarvan
zou kunnen overleven, terwijl tegelijkertijd rekenschap moest worden gegeven
van de vereniging van de ziel met het lichaam, als instrument van waarneming en
vitaliteit. Albertus zag geen manier om de onsterfelijkheid van de ziel te verdedigen
zonder ontkenning van Aristoteles' stelling dat de ziel de vorm is van het lichaam;
deze stelling verving hij door de opvatting van Plato en Avicenna dat de ziel een
geestelijke en onsterfelijke substantie is die van het lichaam kan worden gescheiden. Het was echter niet noodzakelijk Aristoteles geheel terzijde te schuiven:
Albertus beweerde dat de ziel, hoewel die niet de werkelijke vorm van het lichaam
is, wel als zodanig functioneert.[24]

Hoe reageerde Albertus, tot slot, op het 'rationalisme' van de aristotelische filosofie – dat wil zeggen, op de nagestreefde toepassing van de filosofische methode
op al de terreinen van menselijk inspanning? Door het te beschouwen als zijn taak
zijn collega's te laten zien hoe de wereld door de ogen van Aristoteles te bezien,
dwong Albertus zichzelf een redelijk sterke vorm van het aristotelisch programma
te hanteren. Hij stelde voor om op basis van methodologie een onderscheid te maken tussen de filosofie en de theologie en uit te zoeken wat de filosofie zelf, dus
zonder enige hulp van de theologie, over de werkelijkheid te zeggen heeft.
Daarenboven deed Albertus geen enkele poging de 'naturalistische' tendensen van
de aristotelische filosofie te verzwakken of te verhullen. Hij erkende (evenals iedere andere middeleeuwse denker) dat God de uiteindelijke oorzaak van alles is, maar
stelde dat God zich gewoonlijk door middel van natuurlijke oorzaken laat gelden
en dat het de taak is van de natuurfilosoof deze oorzaken tot aan hun uiterste grenzen te brengen. Wat opvalt is Albertus' bereidheid dit methodologische voorschrift
na te leven, zelfs in zijn bespreking van het bijbelse wonder van de zondvloed.
Albertus merkt op dat sommige mensen de bespreking van overstromingen (de
zondvloed inbegrepen) willen beperken tot een uiteenzetting van de goddelijke wil
en geeft vervolgens aan dat God natuurlijke oorzaken gebruikt om zijn doeleinden
te bereiken; de taak van de filosoof is niet de oorzaken van Gods wil te onderzoeken, maar informatie te verkrijgen over de natuurlijke oorzaken waardoor Gods
wil effectief wordt. De goddelijke causaliteit deel uit te laten maken van een filosofische bespreking van de zondvloed zou een inbreuk zijn op het wezenlijke onderscheid tussen de filosofie en de theologie.[25]

Het programma van Albertus, gericht op het begrijpen en verspreiden van de aristotelische filosofie met inachtneming van haar nut voor de theologie en de religie, werd voortgezet door diens leerling Thomas van Aquino (ca. 1224-74). Thomas, wiens ouders deel uitmaakten van de lagere adel in zuidelijk Midden-Italië, kreeg zijn eerste onderwijs aan de oude benedictijnse abdij van Monte-Cassino (in de zesde eeuw gesticht door Benedictus van Nursia); hij vervolgde zijn studie aan de letterenfaculteit van de Universiteit van Napels, waar hij kennis maakte met de aristotelische filosofie. Nadat hij lid was geworden van de dominicaanse orde werd Thomas naar Parijs gestuurd, waar hij in 1256 het theologische doctoraat ontving. De rest van zijn leven besteedde hij aan doceren en schrijven, zoals gedurende de twee perioden (1257-59 en 1269-72) dat hij theologie doceerde in Parijs.

Evenals Albertus hoopte Thomas een oplossing te vinden voor het probleem van geloof en rede door de vaststelling van de werkelijke relatie tussen de heidense wetenschap en de christelijke theologie.[26] Tot degenen die de filosofie wilden verwerpen omdat ze zou botsen met het geloof, zei hij:

> Hoewel het natuurlijke licht van de menselijke geest (bedoeld wordt: de filosofie) niet in staat is kenbaar te maken wat door het geloof wordt geopenbaard, kan datgene wat ons op goddelijke wijze door het geloof wordt geleerd niet in strijd zijn met datgene wat ons door de natuur wordt geschonken. Een van de twee moet onwaar zijn, en aangezien beide ons door God zijn gegeven, zou hij de oorzaak van deze onwaarheid zijn, hetgeen onmogelijk is.[27]

Hoewel de aristotelische filosofie en de christelijke theologie gebruik maken van verschillende methoden, zijn zij verenigbare wegen naar de waarheid. De filosofie gebruikt de natuurlijke, menselijke vermogens van waarneming en rede om tot de voor haar bereikbare waarheden te komen. De theologie biedt toegang tot de waarheden van de goddelijke openbaring, die ons natuurlijke vermogen tot ontdekking en begrip te boven gaan. Deze twee wegen mogen zo nu en dan leiden tot verschillende waarheden, maar nooit tot waarheden die in strijd zijn met elkaar.

Betekent dit dat filosofie en theologie elkaars gelijke zijn? Zeker niet. Thomas geeft aan dat de theologie zich tot de filosofie verhoudt als het volledige tot het onvolledige, als het volmaakte tot het onvolmaakte. Als dit het geval is, waarom zouden we dan de moeizame weg van de filosofie bewandelen? Omdat het essentiële diensten aan het geloof verleent. Ten eerste kan de filosofie aanschouwelijk maken wat Thomas 'de inleiding tot het geloof' noemt – bepaalde stellingen die het geloof als vanzelfsprekende uitgangspunten beschouwt, zoals het bestaan van God of zijn eenheid. Ten tweede kan zij de geloofswaarheden verduidelijken door het gebruiken van analogieën uit de wereld van de natuur; Thomas verwijst naar de leer van de drieëenheid als een goed voorbeeld daarvan. En ten derde kan de filosofie het ongelijk aantonen van bezwaren tegen het geloof.[28]

Dit zou een eenvoudige bevestiging van Augustinus' dienstmaagd-formule kun-

nen lijken, maar in wezen heeft Thomas haar inhoud op een subtiele doch signifi-
cante wijze veranderd. De dienstmaagd 'filosofie' is nog altijd de ondergeschikte
van de theologie en daarom nog steeds een dienstmaagd, maar in Thomas' opvatting heeft zij ruimschoots blijk gegeven van haar nut en betrouwbaarheid, en om
die reden geeft hij haar meer verantwoordelijkheid en status. Thomas is ook van
mening dat zij haar werk beter kan verrichten als zij wordt verlost van de buitengewoon strenge supervisie van de theologie. De filosofie en de theologie hebben
ieder hun eigen gebieden van deskundigheid, beweert hij, en kunnen op die gebieden worden vertrouwd; als we, bijvoorbeeld, de details of de oorzaken van de planetaire beweging willen weten, moeten we ons wenden tot de filosofen; anderzijds, als we inzicht willen hebben in de goddelijke eigenschappen of de details van
de verlossing moeten we bereid zijn ons te wenden tot de theologie. Thomas heeft
waardering voor de filosofische onderneming en streeft ernaar deze wanneer mogelijk toe te passen, waarmee hij verder gaat dan Augustinus en plaatsneemt in het
voorste gelid van de liberale of progressieve groep theologen die in de tweede helft
van dertiende eeuw actief was.

Ondanks de methodologische verschillen tussen de filosofie en de theologie zijn
er toch gebieden die ze gemeenschappelijk hebben. Zo wordt het bestaan van de
Schepper zowel door de rede als door de goddelijke openbaring gekend; de filosoof
kan de bewijzen leveren, maar tevens wordt het ons vermeld door de Heilige
Schrift zoals die door de theoloog wordt uitgelegd. Welke regels bepalen in dergelijke gevallen de relatie tussen de theologie en de filosofie? Het basisprincipe is dat
er tussen de theologie en de filosofie geen echte onenigheid kan bestaan, omdat zowel de openbaring als onze rationele vermogens hun oorsprong vinden in God.
Daarom moet elke onenigheid schijnbaar zijn en niet werkelijk – het resultaat van
slechte filosofie of theologie. Dergelijke gevallen kunnen worden hersteld door zowel het filosofische als het theologische argument in heroverweging te nemen.

Hoe werkte bij Thomas dit recept in de praktijk? Meer in het bijzonder, met
hoeveel succes werd het toegepast op de ingewikkelde aristotelische stellingen die
in het voorgaande deel van dit hoofdstuk werden opgesomd? Het korte antwoord
hierop is dat Thomas alle problemen aanpakte die voortkwamen uit de aristotelische filosofie en dat hij dit op buitengewoon nauwkeurige wijze deed. In twee
boeken behandelt hij op een openhartige manier de aristotelische controversen: in
Over de eeuwigheid van de wereld en *Over de eenheid van het intellect tegen de averroïsten*
(betreffende het monopsychisme en de aard van de ziel). Zijn opvatting over de
eeuwigheid van de wereld was dat we dankzij de goddelijke openbaring weten dat
de wereld op een bepaald moment is gecreëerd, maar dat de filosofie hierover geen
uitsluitsel kan geven. Degenen (zoals Bonaventura) die beweerden dat de eeuwigheid van de wereld een filosofische absurditeit is, hadden geen gelijk, want het is
niet tegenstrijdig om te stellen dat de wereld geschapen is (en voor haar bestaan dus
afhankelijk is van de goddelijke creatieve kracht) maar toch altijd heeft bestaan.
Wat betreft de aard van de ziel deelde Thomas de mening van Aristoteles dat de

ziel de substantiële vorm van het lichaam is (datgene wat in combinatie met de materie van het lichaam de individuele mens voortbrengt), maar hij beweerde dat deze vorm een speciaal soort vorm is die in staat is onafhankelijk van het lichaam te bestaan en dus onvergankelijk is. Tevens stelde hij dat deze oplossing aansloot bij Aristoteles' eigen opvattingen.[29]

Dit is dus Thomas' oplossing van het probleem van geloof en rede. Hij heeft voor beide ruimte gemaakt en op subtiele wijze de christelijke theologie en de aristotelische filosofie bijeengebracht in wat we een 'christelijk aristotelisme' zouden kunnen noemen. Voor Thomas was het noodzakelijk Aristoteles hierbij te kerstenen door het hoofd te bieden aan, en te worstelen met, de aristotelische beweringen die in strijd leken te zijn met de leer van de goddelijke openbaring en door Aristoteles' onjuiste argumenten te verbeteren; tegelijkertijd 'aristoteliseerde' hij het christendom door aanzienlijke delen van de aristotelische metafysica en natuurfilosofie in te voeren in de christelijke theologie. Op den duur (in de negentiende eeuw) zou het thomisme de officiële opvatting van de rooms-katholieke kerk worden; maar voorlopig zou Thomas, zoals we zullen zien, door de meer conservatief denkende theologen als een gevaarlijke radicaal worden beschouwd.

HET RADICALE ARISTOTELISME EN DE VEROORDELINGEN VAN 1270 EN 1277

Albertus Magnus en Thomas van Aquino waren de leiders van een progressieve beweging die een krachtige filosofie voorstond. Maar hoe krachtig deze filosofie ook zou worden, naar hun mening zou zij altijd een dienstmaagd blijven; het verstand zou nooit mogen zegevieren over de goddelijke openbaring. Albertus en Thomas brachten de filosofie tot aan haar uiterste grenzen, maar waren pas tevreden over de oplossing van een filosofisch probleem als de rede en het geloof in harmonie waren verenigd.

Maar hoe sterk kan een dienstmaagd worden, en wanneer gaat ze denken aan ongehoorzaamheid en rebellie?[30] Wanneer bijbelse wonderen worden herleid tot natuurlijke oorzaken, zoals in Albertus' bespreking van de zondvloed, loopt het dan al niet uit de hand? Voor conservatieve theologen, die de ontwikkelingen in Parijs volgden, waren dit redenen tot ongerustheid. En zoals zou blijken, waren hun angsten niet geheel ongegrond. Het bewijsmateriaal is schaars, maar duidelijk is wel dat, terwijl Albertus en Thomas de filosofie en theologie nader tot elkaar brachten, bepaalde leermeesters gevaarlijke filosofische leerstellingen doceerden zonder rekening te houden met de consequenties daarvan. Zij waren toegewijde filosofen die op agressieve wijze hun vak uitoefenden en het niet nodig achtten zich te schikken naar, of zelfs maar aandacht te schenken aan, enige externe autoriteit. De verzoening van de filosofie met de theologie was niet hún probleem.

Van deze factie was Siger van Brabant (ca. 1240-84) het bekendst en tevens de leider. Siger, een vrijpostige jonge leermeester in de letteren, begon zijn loopbaan als docent en als verdediger van het idee van de eeuwige wereld en van het averroïstische monopsychisme, met zijn gevaarlijke implicaties voor de individuele onsterfelijkheid. Het was zijn bedoeling de filosofie te beoefenen zonder bij de behandeling van ieder willekeurig onderwerp enige rekening te houden met de theologische leer en hij stelde dat de conclusies die hij uiteindelijk bereikte de noodzakelijke en onvermijdbare conclusies van de filosofie waren indien deze op de juiste wijze werd beoefend. Na de verschijning van Thomas' verhandeling *Over de eenheid van het intellect*, die in het bijzonder op zijn leer was gericht, matigde Siger zijn opvatting over de aard van de ziel door die in overeenstemming te brengen met de orthodoxe christelijke leer.[31] Ouder en wijzer geworden na zijn geschillen met de theologen zou Siger nadien omzichtig duidelijk maken dat, hoewel zijn filosofische conclusies niet onjuist waren maar in feite bestonden uit noodzakelijke filosofische gevolgtrekkingen, ze desalniettemin niet altijd waar hoefden te zijn. Wat de *waarheid* betreft, bevestigde hij de geloofsartikelen. De historici zijn verdeeld geweest over de vraag of deze geloofsbelijdenis kritiekloos geaccepteerd moet worden, of dat er uit geconcludeerd moet worden dat Siger slechts een poging deed de kerkelijke macht gunstig te stemmen. Hoe dan ook, de gevaarlijke implicaties van Sigers openbare standpunten mogen duidelijk zijn: het op de juiste wijze uitgevoerde filosofisch onderzoek kan leiden tot conclusies die in strijd zijn met die van de theologie.

Het standpunt van de radicalen wordt op fraaie wijze weergegeven door de korte verhandeling *Over de eeuwigheid van de wereld* van Boëthius van Dacia (actief rond 1270), een lid van de kring rond Siger. Een van de meest in het oog springende kenmerken van dit werk is de rigoreuze scheiding van de filosofische en theologische redenering. Op systematische wijze verzamelt en verwerpt Boëthius de filosofische argumenten die worden gebruikt bij de verdediging van de christelijke leer tegen de aanhangers van Aristoteles. Vervolgens toont hij aan dat de filosoof, als filosoof, weinig anders kan doen dan de eeuwigheid van de wereld te verdedigen. Hij maakt echter duidelijk dat hij zelf, naar de voorschriften van de theologie en het geloof, de scheppingsleer heeft geaccepteerd zoals iedere christen dat uiteindelijk zal moeten doen.

Zo zwicht Boëthius ten slotte voor de geloofsartikelen, maar vertoont hij tegelijkertijd een sterk rationalistische neiging. Hij beweerde dat er geen enkel tot rationeel onderzoek leidend vraagstuk is dat de filosoof niet zou mogen onderzoeken en oplossen. 'Het is de taak van de filosoof', schreef hij,

> vast te stellen welke vragen door de rede kunnen worden besproken; want elke vraag die aan de hand van rationele redeneringen kan worden besproken, maakt op een of andere manier deel uit van het bestaan – het natuurlijke, wiskundige en goddelijke. Daarom is het de filosoof die moet bepalen welke vragen aan de hand van de rationele redenering kunnen worden besproken.

Vervolgens beweerde Boëthius dat de natuurwetenschapper de mogelijkheid van de schepping niet eens in overweging kan nemen, want in dat geval zou hij gebruik maken van bovennatuurlijke principes die niet in het filosofische rijk thuishoren. Evenzo ontkent de filosoof de opstanding der doden, omdat iets dergelijks volgens de natuurlijke oorzaken (waartoe de filosoof zich beperkt) onmogelijk is.[32]

Dit is een poging, die wat betreft gestrengheid respect afdwingt, de filosofische redenering tot en met haar logische conclusies te volgen zonder rekening te houden met het geloof, terwijl de uiteindelijk autoriteit van de theologie nog altijd wordt erkend. Het zou echter niemand verrassen als bleek dat de theologische faculteit en de kerkelijke autoriteiten hiervan niet overtuigd waren of er zich over verblijdden, maar Siger, Boëthius en hun groep beschouwden als een groeiend gevaar. Als de filosofie vrijwel altijd tot conclusies zou komen die onverenigbaar waren met het geloof kon zij niet langer worden gezien als een loyale dienstmaagd; eerder nog begon zij de gedaante aan te nemen van een vijandelijke macht en een bedreiging waarop gedecideerd gereageerd moest worden.

Deze gedecideerde actie bestond uit twee veroordelingen die in 1270 en 1277 werden uitgesproken door de bisschop van Parijs, Etienne Tempier. De eerste veroordeelde dertien filosofische stellingen die, naar men beweerde, door Siger en zijn

Afbeelding 10.5
Kathedraal van Notre Dame, Parijs,
gebouwd in de twaalfde en dertiende eeuw.

collega's aan de letterenfaculteit werden gedoceerd. Deze veroordeling, die schijnbaar aangemoedigd werd door zowel Bonaventura als Thomas van Aquino, zou kunnen worden gezien als een reactie van de theologische gevestigde orde op de activiteiten van de radicale groep binnen de letterenfaculteit. In 1277 leek de dreiging groter en serieuzer te zijn geworden: toen werd duidelijk dat de eerdere veroordeling het radicale aristotelisme niet had uitgeroeid, en de conservatieven binnen de letterenfaculteit gingen met steeds meer precisie te werk om deze volgens hen groeiende dreiging het hoofd te bieden. Onder de conservatieven bestond er zeker de neiging iedereen die beduidend vrijzinniger was dan zijzelf als gevaarlijk te betitelen; dit leidde tot de publicatie (precies drie jaar na Aquino's dood) van een verlengde lijst van in totaal 219 verboden stellingen, die, als men zich zou toeleggen op het doceren daarvan, zouden leiden tot excommunicatie. Op deze lijst bevonden zich zo'n vijftien tot twintig stellingen die waren gebaseerd op het werk van Aquino. Nu zullen we nader ingaan op de inhoud van enkele van deze veroordeelde stellingen en het belang van Tempiers handelen.[33]

De aantoonbaar gevaarlijke elementen van de aristotelische filosofie zijn alle aanwezig op Tempiers lijst van verboden stellingen: de eeuwigheid van de wereld, het monopsychisme, de ontkenning van de persoonlijke sterfelijkheid, het determinisme, de ontkenning van de goddelijke voorzienigheid... en de ontkenning van de vrije wil. Ook de rationalistische neigingen van Siger en de zijnen worden uitdrukkelijk onder vuur genomen: zo is het na 1277 verboden te verkondigen dat de filosofen het recht hebben uitsluitsel te geven inzake onderwerpen waarop de rationele methoden toepasbaar waren; of te beweren dat het vertrouwen op autoriteit nooit leidt tot zekerheid. In de veroordeling van 1277 speelde ook het naturalisme van de aristotelische traditie een belangrijke rol: Tempier veroordeelde de opvatting dat de secundaire oorzaken autonoom zijn en zouden blijven functioneren in het geval dat de eerste oorzaak (God) niet langer deelnam; alsmede de bewering dat God alleen door middel van een ander mens een mens zou hebben kunnen gemaakt (een overduidelijke verwijzing naar Adam) en het methodologische principe dat de natuurfilosofen het recht hebben de schepping van de wereld te ontkennen omdat zij zich strikt richten op de natuurlijke oorzaken.

Dit is een lijst van verboden stellingen die we zouden hebben kunnen verwachten. Maar de veroordeling van 1277 bevatte tevens verscheidene andere stellingen die op verschillende manieren van invloed waren op de natuurwetenschap. Diverse astrologische stellingen werden veroordeeld: dat het uitspansel van invloed is op zowel de ziel als het lichaam en dat gebeurtenissen zich iedere 36.000 jaar herhalen wanneer de hemellichamen weer in hun actuele samenstelling terugkeren. Ook de bewering dat de hemelse sferen worden bewogen door zielen werd verboden. Een bijzonder belangrijke reeks veroordeelde stellingen – belangrijk omdat die gevolgen had voor de discussies in de veertiende eeuw – betrof de dingen die God niet zou kunnen doen omdat de aristotelische filosofie hun onmogelijkheid had bewezen. Klaarblijkelijk beweerden de filosofen dat God geen andere universums zou hebben kunnen geschapen (Aristoteles had beweerd dat het bestaan van meerdere universums onmogelijk was); dat God de buitenste hemel van dit universum niet in een rechte lijn kon doen bewegen (omdat er dan in de lege ruimte een vacuüm zou ontstaan, hetgeen in de aristotelische filosofie niet mogelijk was);[34] en dat God zonder subject geen toevallige eigenschap kon creëren (bijvoorbeeld roodheid zonder iets dat rood is). Al deze stellingen werden in 1277 veroordeeld op grond van het feit dat zij lijnrecht in zouden gaan tegen het idee van de goddelijke vrijheid en almacht. Het was de opvatting van Tempier, of van degenen die de lijst van stellingen namens hem samenstelden, dat Aristoteles en de filosofen niet moest worden toegestaan Gods vrijheid of macht van handelen te beperken; God kan alles doen wat geen logische contradictie met zich meebrengt, zoals het scheppen van meerdere universums of toevallige eigenschappen zonder subject.

Wat leren deze gebeurtenissen ons? De veroordelingen zijn al vele malen besproken en hun belang al vaak opgeblazen of verkeerd begrepen. Pierre Duhem, schrijvend in de eerste jaren van de twintigste eeuw, zag de veroordeling van 1277 als een aanval op het diep gewortelde aristotelisme, in het bijzonder de aristotelische fysica, en daarom tevens als het geboortebewijs van de moderne wetenschap. Dit is een intelligente interpretatie, die niet geheel onjuist is: ongetwijfeld (zoals we hieronder zullen zien) vormden de veroordelingen een stimulans voor geleerden om de niet-aristotelische natuurkundige en kosmologische alternatieven te onderzoeken.[35] Maar als hierop een te grote nadruk wordt gelegd, miskent men het primaire belang van de veroordelingen. Duhem beschouwde de veroordelingen als een cruciaal onderdeel van de complete vergruizing van de aristotelische orthodoxie, maar in 1277 bestond een dergelijke orthodoxie niet; de grenzen en de machtsverhouding tussen de aristotelische filosofie en de christelijke theologie stonden nog altijd niet vast, en het was nog niet duidelijk in welke mate het aristotelisme de status van gevestigd idee zou verwerven.

Of om hetzelfde in enigszins andere woorden uit te drukken, de veroordelingen waren niet zozeer van belang vanwege het effect dat zij hadden op de ontwikkeling van de natuurwetenschap, alswel vanwege datgene wat zij ons duidelijk maken over de ontwikkelingen die zich reeds hadden voorgedaan. Na bijna een eeuw van strijd over de nieuwe wetenschap vormden de veroordelingen een conservatieve reactie op de vrijzinnige en radicale pogingen het bereik van de filosofie te vergroten en haar autonomie veilig te stellen, en dan met name wat betreft de filosofie vn Aristoteles. Zij geven blijk van de grootte van dit bereik en de kracht van de oppositie – het feit dat een vrij grote en invloedrijke groep traditionalisten nog niet bereid was de schitterende nieuwe wereld van de vrijzinnige, en in het bijzonder de radicale, volgelingen van Aristoteles te aanvaarden. Dus, als we de gebeurtenissen in het juiste daglicht stellen, betekenen de veroordelingen geen overwinning voor de moderne wetenschap, maar voor de conservatieve dertiende-eeuwse theologie. De veroordelingen waren een welluidende verklaring van de ondergeschikte positie die de filosofie ten op zichte van de theologie innam.

De veroordelingen waren tevens een aanval op het aristotelische determinisme en een verklaring van de goddelijke vrijheid en almacht. We hebben gezien dat een aantal stellingen die in 1277 werden veroordeeld betrekking hadden op de dingen die God niet doen kon – zoals het uitspansel te bedelen met een rechtlijnige beweging (op basis van het idee dat er een vacuüm zou onstaan in de ruimte die achtergelaten wordt, hetgeen in de aristotelische filosofie niet mogelijk is). Met de veroordeling van deze stelling wilde Tempier in geen geval met Aristoteles in discussie gaan over deze natuurwetenschappelijke kwestie, maar wilde hij verklaren dat, ongeacht de natuurlijke staat van de dingen (en we mogen aannemen dat hij Aristoteles in deze volgde), God de macht heeft in te grijpen wanneer hij dat wenselijk acht; een vacuüm zou dan niet op een natuurlijke wijze kunnen bestaan, maar toch zeker wel op een bovennatuurlijke; het mag dan niet in dit universum bestaan, maar een vrije en almachtige God zou nog een ander universum hebben kunnen gecreëerd.[36] Aristoteles had geprobeerd de wereld niet eenvoudig te beschrijven zoals zij is, maar zoals zij moet zijn. En in tegenstelling tot Aristoteles verklaarde Tempier in 1277 dat de wereld is zoals haar almachtige Schepper gewild heeft dat zij is.[37]

Welke gevolgen hadden deze theologische kwesties voor de beoefening van de natuurwetenschap? In de eerste plaats gaven bepaalde artikelen van de veroordelingen aanleiding tot nieuwe en urgente vragen, die een verdere analyse vereisten. Zo was de stelling dat God op bovennatuurlijke wijze toevallige eigenschappen zonder subject kon creëren (van belang omdat het van invloed was op de leer van transsubstantiatie)[38] de aanleiding voor een ernstige discussie over een essentieel onderdeel van de aristotelische metafysica – de aard en de onderlinge verhouding van toevallige eigenschappen en hun subjecten. Het anti-astrologische artikel dat een vonnis uitsprak over het idee dat de geschiedenis zich iedere 36.000 jaar zou herhalen, wanneer de planetaire lichamen in hun oorspronkelijke configuratie terugkeren, deed Nicolaas van Oresme (ca. 1320-82) een volledige wiskundige verhandeling schrijven waarin hij kwesties van vergelijkbaarheid en onvergelijkbaarheid onderzocht en aantoonde dat het onwaarschijnlijk was dat alle planetaire lichamen binnen een eindige periode in hun oorspronkelijke configuratie terugkeren. De artikelen betreffende de hemelse bewegers vormden de aanleiding voor levendige discussies over dit belangrijke aspect van de kosmische werkingen. En de artikelen die Gods grenzeloze scheppende macht benadrukten, waren een vrijbrief voor allerlei speculaties over mogelijke andere werelden en denkbeeldige situaties die God zonder twijfel zou kunnen creëren. Dit leidde in de veertiende eeuw tot een vloedgolf van speculatieve en hypothetische natuurwetenschap die diverse beginselen van de aristotelische natuurwetenschap zou verhelderen, bekritiseren of verwerpen.[39]

Ten tweede kwamen vele van de artikelen van de veroordelingen voort uit de ongerustheid over het aspect van noodzakelijkheid dat Aristoteles in zijn natuurfilosofie had verwerkt – de stelling dat de dingen niet anders kunnen zijn dan zij zijn.

Toen de aristotelische noodzakelijkheid moest wijken voor de goddelijke almacht, werden tegelijkertijd ook andere aristotelische beginselen kwetsbaar. Zo gaat de mogelijkheid dat God een ander universum dan ons eigen zou kunnen creëren gepaard met het idee dat er een ruimte buiten ons universum bestaat. Dientengevolge werden gedurende de nasleep van de veroordelingen vele geleerden het eens over het feit dat er buiten de kosmos een lege ruimte moest bestaan, misschien zelfs wel een oneindige lege ruimte, die de mogelijke andere universums zou kunnen bevatten. Evenzeer kan er uit de bovennatuurlijke mogelijkheid dat de buitenste hemel of misschien zelfs de gehele kosmos in een rechte lijn wordt bewogen, volgen dat beweging iets moet zijn dat op zinvolle wijze kan worden toegepast op de buitenste hemel of de gehele kosmos. Maar Aristoteles had beweging gedefinieerd in termen van omringende lichamen, en buiten de buitenste hemel bevindt zich niets wat deze kan omringen. Dus was het evident dat Aristoteles' definitie van beweging moest worden herzien of verbeterd.[40]

DE VERHOUDING TUSSEN DE FILOSOFIE EN DE THEOLOGIE NA 1277

De veroordelingen zijn belangrijk als meetpunten in de geleidelijke assimilatie van de aristotelische filosofie door het middeleeuwse christendom. Zij geven blijk van de kracht van de conservatieve opvattingen in de jaren zeventig van de dertiende eeuw en zijn een teken van een voorlopige conservatieve overwinning. Maar het zou goed zijn in overweging te nemen wat er nu precies gewonnen was.

Ten eerste waren zelfs de meest conservatieve onder degenen die betrokken waren bij afkondiging van de veroordelingen niet van zins de aristotelische filosofie uit te schakelen. Hun doel was slechts de filosofie een gezonde dosis discipline op te leggen die haar op indringende wijze zou herinneren aan haar status van dienstmaagd en tegelijkertijd een einde zou maken aan bepaalde geschillen. Ten tweede was hun invloed veel groter dan het, strikt genomen, lokale karakter zou doen vermoeden (officieel gold het decreet van Tempier alleen voor Parijs). Niet alleen was Parijs wat betreft theologisch onderwijs de belangrijkste universiteit (in die tijd de enige op het continent) en had een dergelijk decreet onvermijdelijk zijn weerslag op het gehele christendom. Ook was de paus, ongerust over de gevaren van het radicale aristotelisme, op de hoogte van de ontwikkelingen in Parijs en was hij mogelijk bereid namens de conservatieven in te grijpen. Daarenboven zou de aartsbisschop van Canterbury, Robert Kilwardby, elf dagen nadat Tempier zijn decreet van 1277 afkondigde een kleinere maar in vele opzichten gelijksoortige veroordeling afkondigen die gold voor heel Engeland. En in 1284 werd het decreet van Kilwardby vernieuwd door zijn opvolger, de franciscaan John Pecham, een vroegere tegenstander van Aquino en een van de toonaangevende mensen onder de traditionalisten.

We zijn niet precies op de hoogte van de invloed die de veroordelingen hadden in de laatste jaren van de dertiende eeuw of de eerste jaren van de veertiende eeuw;

we mogen veronderstellen dat hun macht om gehoorzaamheid af te dwingen en het filosofische denken te vormen grote verschillen kende. Rond 1323 had Thomas van Aquino's faam weer zulke vormen aangenomen dat paus Johannes XXII hem tot heilige kon verklaren; en in 1325 herriep de bisschop van Parijs alle artikelen van de veroordeling van 1277 die op Thomas' leer van toepassing waren. Niettemin is de schaduw van de veroordelingen een eeuw na hun afkondiging nog altijd waarneembaar. Jean Buridan, een Parijse leermeester in de letteren en tweemaal rector van de universiteit die rond het midden van de veertiende eeuw actief was, was een van de velen die worstelden met de moeilijkheden die de veroordelingen met zich mee brachten. In verscheidene gevallen is het duidelijk dat Buridan zich zeer bewust was van de dreiging van de theologische censuur (die met name reëel was voor de leermeesters in de letteren) zodra zijn wetenschappelijke arbeid zich op theologisch terrein begaf. Zijn *Vragen over Aristoteles' fysica*, waarin hij het nodig achtte commentaar te leveren op de bewegers van de hemelse sferen, besluit hij met de verklaring bereid te zijn zich neer te leggen bij de theologische autoriteit: 'dit zeg ik niet met zekerheid, maar [met twijfel], zodat ik datgene van de theologische meesters kan (verlangen) wat zij mij op deze gebieden kunnen leren'. En in 1377, honderd jaar na de veroordeling, verdedigde de eminente Parijse theoloog Nicolaas van Oresme zijn idee dat de kosmos wordt omgeven door een oneindige lege ruimte door zijn mogelijke critici mee te geven dat 'het verkondigen van de tegenovergestelde bewering door een van de artikelen van 1277 wordt veroordeeld'.[41]

Ondertussen had de aristotelische filosofie zich definitief gevestigd. Het was een vast onderdeel geworden van de letterenstudie en was het doctoraalprogramma meer en meer gaan domineren. In 1341 moesten de kersverse leermeesters in de letteren zweren dat zij 'het systeem van Aristoteles en diens commentator Averroës, en dat van de andere klassieke commentatoren en uitleggers van de voorgenoemde Aristoteles' zouden onderwijzen, 'behalve wanneer dit in strijd zou zijn met het geloof'. Tevens was de aristotelische filosofie een onmisbaar instrument geworden in de handen van de beoefenaars van gevorderde studies als geneeskunde, recht en theologie, en diende zij in toenemende mate als de basis van elke serieuze intellectuele inspanning.[42]

Dit betekent echter niet dat er een blijvende oplossing was gevonden voor het probleem van geloof en rede. Er bestaat geen adequate historische analyse van de veertiende-eeuwse ontwikkelingen en het is zelfs niet mogelijk een beknopte doch adequate beschrijving te geven. Enkele bescheiden generalisaties zijn echter wel mogelijk.

Ten eerste nam de epistemologische verfijning in snel tempo toe en werden vele van de ambiteuze beweringen van de filosofie (gedaan door de vrijzinnige en radicale volgelingen van Aristoteles) in de dertiende eeuw weer ingetrokken. Het vermogen van de filosofie te voldoen aan de traditionele aristotelische maatstaven voor zekerheid of bepaalde onderwerpen afdoende te behandelen werd steeds meer in twijfel getrokken toen de sceptische stemmen zich lieten horen. Met name het vermogen van de filosofie om de theologische leer te becommentariëren, werd op drastische wijze beknot. Johannes Duns Scotus (ca. 1266-1308) en Willem van Ockham (ca. 1285-1347), bijvoorbeeld, verlangden geen totale scheiding van de filosofie en de theologie, maar verkleinde het gemeenschappelijk terrein aanzienlijk door zeer duidelijke vraagtekens te zetten bij het vermogen van de filosofie de geloofsartikelen te behandelen. Ontdaan van haar vermogen tot zekere conclusies te komen, vormde de filosofie niet langer een bedreiging voor de theologie, althans niet in dezelfde mate als voorheen; de geloofsartikelen waren niet ontvankelijk voor filosofische argumentatie, maar moesten alleen door het geloof worden aanvaard. Kortom, men was tot een hanteerbare vrede gekomen door de filosofie en theologie te dwingen elkander los te laten – hun methodologische verschillen te erkennen en op grond daarvan te aanvaarden dat zij verschillende invloedssferen hadden. En in het geval van de natuurwetenschap was die sfeer duidelijker kleiner geworden.[43]

Ten tweede werden de veertiende-eeuwse theologen en natuurfilosofen volledig in beslag genomen door het thema van de goddelijke almacht – een traditioneel thema binnen de christelijke theologie, dat door de veroordelingen nog meer aandacht kreeg. Als God absoluut vrij en almachtig is, betekent dit dat de materiële wereld eerder incidenteel dan noodzakelijk is; het is niet noodzakelijk dat zij zou moeten zijn wat zij is, want de wereld is volledig afhankelijk van Gods wil wat betreft haar vorm, haar werking en haar bestaan. De waargenomen orde van oorzaak en gevolg is niet noodzakelijk, maar vrijelijk opgelegd door de goddelijke wil. Een vuur heeft het vermogen te verhitten, bijvoorbeeld, niet zozeer omdat vuur en warmte noodzakelijkerwijs verbonden zijn, maar omdat God er voor koos hen te verbinden, het vuur van dit vermogen te voorzien en hen voortdurend te laten samenvallen als ze fungeren als hittebron. God is echter vrij om uitzonderingen in het leven te roepen: toen Sadrach, Mesach en Abednego in de brandende vuuroven werden geworpen en zij geen enkel letsel opliepen, zoals in het boek Daniël (hoofdstuk 3) wordt vermeld, weerspiegelde dit wonder een volkomen gerechtvaardige beslissing van God om de gebruikelijke gang van zaken te onderbreken.[44]

Dit alles wordt door vrijwel alle historici aangenomen, maar vanaf dit punt hebben zich twee uiteenlopende redeneringen ontwikkeld. Volgens de ene redenering wordt het idee van vaststaande natuurlijke orde ernstig aangetast als de natuur niet haar eigen, voortdurend werkende krachten heeft, maar haar gedrag altijd het gevolg is van de (mogelijk grillige) wil van God en de serieuze beoefening van de natuurwetenschap dus onmogelijk wordt. Volgens de andere redenering leidde de erkenning van het idee dat God elke wereld had kunnen maken die hij zich wenste tot de opvatting van de veertiende-eeuwse natuurwetenschappers dat onderzoek en observatie de enige manieren zijn om te ontdekken welke wereld hij dan werkelijk had gemaakt – met andere woorden, de ontwikkeling van een empirische natuurwetenschap die de moderne wetenschap zou helpen haar eerste schreden te doen. Beide redeneringen behoeven enige toelichting.

De eerstgenoemde, die de leer van de goddelijke almacht beschouwt als een destructieve invloed op de natuurwetenschap, overdrijft het niveau dat de middeleeuwse natuurwetenschappers aan het goddelijk ingrijpen gaven – geen van hen geloofde dat God zich vaak en op willekeurige wijze met het gecreëerde universum bemoeide. Een formule die regelmatig gebruikt werd, maakte onderscheid tussen de absolute en de voorbestemde macht van God. Als we Gods macht beschouwen als absoluut en abstract, erkennen we dat God almachtig is en hij kan doen en laten wat hij wil; op het moment van schepping waren er geen andere factoren dan de onmogelijkheid van tegenstrijdigheid die van invloed waren op zijn schepping van de wereld. Maar in feite erkennen we dat God koos uit het oneindige aantal mogelijkheden die hij tot zijn beschikking had en *deze* wereld maakte; en omdat hij een consistente God is, kunnen we er van uitgaan dat hij (op een enkele uitzondering na)[45] zich bij deze gevestigde orde zal neerleggen en behoeven we ons geen zorgen te maken over blijvende goddelijke herstelwerkzaamheden. Kortom, het oneindige bereik van Gods activiteiten zoals die door de leer van de goddelijk almacht wordt gegarandeerd, beperkte zich om praktische redenen tot de eerste actie van de schepping; daarna was er slechts sprake van Gods activiteiten binnen de bestaande orde (zijn voorbestemde macht). Dit was een aantrekkelijke formule juist omdat het de absolute goddelijke almacht veilig stelde *zonder* afstand te doen van het soort regelmaat dat nodig was voor een serieuze natuurwetenschap.[46]

De tweede redenering, die in de leer van de goddelijke almacht de oorsprongen van de experimentele wetenschap ziet, is redelijk plausibel. We mogen van de middeleeuwse natuurwetenschappers verwachten dat ze erkenden dat de gedragingen van een toevallige wereld niet met zekerheid kunnen worden afgeleid uit een of andere reeks primaire beginselen en dat daarom een begin moest worden gemaakt met de ontwikkeling van empirische methoden. Het enige probleem van deze conclusie is dat het historische bewijsmateriaal dit niet lijkt te bevestigen. De luide verkondiging van de goddelijke almacht en het toevallige karakter van de natuur in de veroordelingen of in de geschriften van filosofen en theologen ging niet gepaard met, of werd niet spoedig gevolgd door, een dramatische toename van het aantal observaties en experimenten. De natuurwetenschappers en theologen bleven geloven dat zowel de wereld als de juiste methoden om deze te onderzoeken min of meer waren zoals Aristoteles ze beschreven had – hoewel ze wel bereid waren, zoals ze dat altijd al waren geweest, om Aristoteles kritisch te lezen en diverse *details* van de aristotelische natuurfilosofie of methodologie nader te beschouwen. De moderne experimentele wetenschap zou nog eeuwen op zich laten wachten; en toen ze uiteindelijk kwam, was dit ongetwijfeld deels te danken aan de theologische leer van de goddelijke almacht, maar het zou uitermate roekeloos zijn om een eenvoudig causaal verband te leggen.[47] Dit is een probleem dat verdere analyse vereist; en wil zij enig nut hebben, dan moet die analyse beantwoorden aan de subtiliteit en complexiteit van de historische werkelijkheid.

11

De middeleeuwse kosmos

In de voorgaande hoofdstukken hebben we de ontvangst van de nieuwe wetenschap en de strijd rond haar assimilatie in de dertiende en veertiende eeuw bestudeerd. Hier en in de volgende twee hoofdstukken moeten we een meer systematisch overzicht geven van de natuurwetenschap die uit deze twisten tevoorschijn
kwam. Om dit materiaal enigszins een structuur te geven, zullen we van boven
naar beneden werken, van de buitenste rand van de kosmos tot de aarde in het
midden. Ook zullen we gebruik maken van het onderscheid (bekend aan Aristoteles en diens middeleeuwse volgelingen) tussen het organische en anorganische
rijk. In dit hoofdstuk beginnen we met de fundamentele opbouw van de kosmos,
met een nadruk op het uitspansel, maar ook met enige aandacht voor de aardse regionen. In het hoofdstuk daarna zullen we het gedrag van de levenloze dingen in
het ondermaanse gebied behandelen. En in het daarop volgende hoofdstuk zullen
we ons richten op de levende wezens.[1]

DE SAMENSTELLING VAN DE KOSMOS

De vroeg-middeleeuwse en twaalfde-eeuwse kosmologieën hebben we reeds oppervlakkig behandeld.[2] We zagen dat de encyclopedische schrijvers van de vroege
middeleeuwen een bescheiden verzameling van elementaire kosmologische informatie verstrekten, gebaseerd op diverse oude bronnen, in het bijzonder platonische
en stoïcijnse. Deze schrijvers verkondigden de bolvormigheid van de aarde, bespraken haar cirkelomtrek en bepaalden haar klimaatgordels en haar opsplitsing in continenten. Ze beschreven de hemelse sfeer en de cirkels waarmee ze die in kaart
brachten; velen gaven blijk van ten minste een elementair begrip van de bewegingen van de maan, de zon en de andere planeten. Ze bespraken de aard en de omvang van zon en maan, de oorzaak van verduisteringen en een verscheidenheid van
meteorologische verschijnselen.

Dit beeld werd in de twaalfde eeuw uitgebreid door de hernieuwde aandacht
voor de inhoud van Plato's *Timaios* (en Calcidius' commentaar daarop) en door de
eerste contacten met de vertaalde Griekse en Arabische boeken. Een van de gevolgen hiervan was de toenemende nadruk (sterker dan die van de eerste kerkvaders)
op de verzoening van de platonische kosmologie en het bijbelse scheppingsverhaal.
Ook nieuw was de veelgebruikte redenering van twaalfde-eeuwse schrijvers dat

God zijn scheppende activiteit had beperkt tot het moment van schepping zelf; daarna, stelden ze, werd de gang van zaken gestuurd door de natuurlijke oorzaken die hij had gecreëerd. Twaalfde-eeuwse kosmologen beklemtoonden het verenigde, organische karakter van de kosmos, bestuurd door een wereldziel en bijeengehouden door astrologische krachten en de verhouding tussen de micro- en macrokosmos. In een belangrijk vervolg op het vroeg-middeleeuws denken beschreven twaalfde-eeuwse geleerden een kosmos die fundamenteel homogeen was, van boven tot onder uit gelijke elementen samengesteld: Aristoteles' vijfde substantie of ether alsmede zijn radicale scheiding van de hemelse en aardse regionen waren nog niet ten tonele verschenen.[3]

In hoofdstuk 9 introduceerde ik Thierry van Chartres om enkele van deze kenmerken van de twaalfde-eeuwse kosmologie te illustreren. Een andere vertegenwoordiger van diezelfde traditie, en voor ons van meer nut vanwege de grotere omvang van zijn werk, is Robert Grosseteste (ca. 1168-1253), een van de befaamste middeleeuwse wetenschappers.[4] Grosseteste is tevens van belang als een vertegenwoordiger van de voortgang van de platonische tendensen gedurende de dertiende eeuw; want hoewel hij in de laatste jaren van de twaalfde eeuw werd opgeleid, dateren zijn belangrijkste geschriften uit de eerste helft van de dertiende eeuw.

Centraal in Grossetestes kosmologie stond het licht: de kosmos ontstond toen God een dimensieloos materieel punt en zijn vorm creëerde, een dimensieloos lichtpunt.[5] Dit lichtpunt verspreidde zichzelf onmiddellijk over een grote sfeer, nam de materie met zich mee en bracht zo de lichamelijke kosmos voort. De daarop volgende straling (van de buitenste rand van de kosmos terug naar het midden) en differentiatie brachten de hemelse sferen en de kenmerkende eigenschappen van het ondermaanse gebied voort. In zijn eerste geschriften lijkt Grosseteste het idee van een wereldziel te hebben aanvaard – een idee waar hij later afstand van deed. Het thema van de micro- en macrokosmos is essentieel voor het werk van Grosseteste: de mens vertegenwoordigt het hoogtepunt van Gods scheppende activiteiten en is tegelijkertijd een weerspiegeling van de goddelijke aard en van de structurele beginselen van de gecreëerde kosmos. Grosseteste deelde, tot slot, het vroeg-middeleeuwse en twaalfde-eeuwse geloof in een homogene kosmos: in zijn kosmologie bestaat het uitspansel uit een fijner (om preciezer te zijn, meer verheven) materiaal dan onze aardse substanties, maar het verschil is eerder kwantitatief dan kwalitatief.[6]

De kosmologie veranderde, net als vele andere onderwerpen, door de massale vertaling van Griekse en Arabische bronnen in de twaalfde en dertiende eeuw. Om preciezer te zijn, de aristotelische traditie kwam in de dertiende eeuw in het middelpunt van de aandacht te staan en haar weergave van de kosmos nam geleidelijk de plaats in van die van Plato en de vroege middeleeuwen. Dit wil niet zeggen dat Plato en Aristoteles het op alle belangrijke punten oneens waren; op vele fundamentele kwesties waren zij het volledig met elkaar eens. Evenals de platonisten zagen de aanhangers van Aristoteles de kosmos als een grote (maar zeker een eindige) sfeer, met het uitspansel boven en de aarde in het midden. Allen waren het er over eens dat er een begin in de tijd was – hoewel sommige aanhangers van Aristoteles, zoals we hebben gezien, bereid waren te beweren dat dit niet kon worden bevestigd door een filosofische redenering. En hoewel niemand uit een van deze twee scholen er aan twijfelde dat God meerdere werelden had kunnen creëren, geloofde niemand dat hij dit werkelijk gedaan had.

Maar wat betreft de punten waarop Aristoteles en Plato van mening verschilden, werd het platonische wereldbeeld geleidelijk aan vervangen door het aristotelische. Een van de voornaamste verschillen betrof de kwestie van de homogeniteit. Aristoteles verdeelde de kosmische sfeer in twee afzonderlijke gebieden, die uit verschillende materialen bestonden en volgens verschillende principes werkten. Onder de maan is het aardse gebied, bestaande uit de vier elementen. Dit gebied is het toneel van het ontstaan en vergaan, van geboorte en dood, en van voorbijgaande (uiteraard rechtlijnige) bewegingen. Boven de maan bevinden zich de hemelse sferen, waaraan de vaste sterren, de zon en de resterende planeten zijn verbonden. Dit hemelse gebied, samengesteld uit ether of het vijfde element, wordt gekenmerkt door onveranderlijke volmaaktheid en eenparige cirkelvormige beweging. Andere aristotelische bijdragen aan het kosmologische beeld waren zijn uitgebreide stelsel van planetaire sferen en de causaliteitsbeginselen waardoor de hemelse bewegingen in de aardse gebieden het ontstaan en vergaan teweeg brengen.

Diverse van de aristotelische elementen vermengden zich met de traditionele kosmologische overtuigingen en bepaalden op deze manier de essentiële aspecten van de laat-middeleeuwse kosmologie – een kosmologie die in de loop van de dertiende eeuw het gemeenschappelijk bezit zou worden van de geschoolde Europeanen. Een universele overeenkomst van dergelijke omvang ontstond niet omdat de opgeleide bevolking zich gedwongen voelde de autoriteit van Aristoteles te aanvaarden, maar omdat zijn kosmologisch beeld op overtuigende en bevredigende wijze rekenschap gaf van de wereld zoals zij die zagen. Niettemin werden bepaalde elementen van de aristotelische kosmologie het onderwerp van kritiek en discussie, en juist deze pogingen de aristotelische kosmologie verder uit te werken, te verfijnen en in overeenstemming te brengen met de opvattingen van andere autoriteiten en de bijbelse leer vormden de kosmologische bijdrage van de middeleeuwse wetenschappers. Het is onmogelijk in één hoofdstuk, of zelfs in één boek het middeleeuwse kosmologische denken volledig te behandelen (Pierre Duhem wijdde tien werken aan dit onderwerp) en we moeten ons beperken tot de voornaamste en meest fel bediscussieerde kwesties.[7]

HET UITSPANSEL

Laten we, voordat we de kosmos binnengaan, net daarbuiten even pauzeren: als daar iets bestaat, wat is dat dan? Iedereen was het er over eens dat er zich buiten de kosmos geen materiële substanties bevinden; in het geval dat de kosmos alle materiële substantie bevat die God gemaakt heeft, is deze conclusie onvermijdelijk. Aristoteles had de mogelijkheid dat er buiten de wereld plaats, ruimte of vacuüm bestond uitdrukkelijk ontkend, en deze conclusie werd algemeen aanvaard tot op het moment dat de veroordeling van 1277 een heroverweging van deze kwestie te weeg bracht. Twee artikelen van de veroordeling waren direct van toepassing op dit probleem. Een van deze verklaarde dat God de macht bezat om meerdere werelden te creëren, en in de andere werd gesteld dat God in staat is om de buitenste hemel met rechtlijnige beweging te bedelen. En als een tweede kosmos buiten die van ons kon worden geplaatst, dan moet het tevens mogelijk zijn dat daar een ruimte bestaat waarin die kosmos kan bestaan; evenzo zou een hemelse sfeer in rechtlijnige beweging onvermijdelijk een lege ruimte achterlaten op het moment dat een andere zou worden binnengegaan. Voor de meeste schrijvers was het toereikend de mogelijkheid te erkennen dat God een lege ruimte buiten de kosmos zou *kunnen* creëren; sommigen, zoals Thomas Bradwardine († in 1349) en Nicolaas van Oresme (ca. 1320-82), beweerden dat hij dit ook werkelijk gedaan had. Bradwardine bracht deze lege ruimte in verband met Gods alomtegenwoordigheid en beweerde dat de ruimte buiten de kosmos oneindig moest zijn omdat God oneindig is.

Christelijke overtuigingen lijken bij deze heroverweging van de aristotelische kosmologie een overheersende rol te hebben gespeeld, maar ook zijn er bewijzen van stoïcijnse invloeden. Het idee van een ruimte buiten de kosmos kwam naar het westen vanuit een stoïcijnse achtergrond. Westerse geleerden leenden zelfs bepaalde stoïcijnse redeneringen, zoals de vaak herhaalde experimentele gedachte over wat er zou gebeuren als iemand aan de *uiterste rand* van het materiële universum, aan de buitenste grens van de materiële substantie, een arm buiten die rand zou steken. Het leek voor de hand te liggen dat die arm terecht zou komen in een ruimte die tot dan toe leeg was geweest. Door een combinatie van christelijke en stoïcijnse invloeden werd de aristotelische kosmologie dus een belangrijke wijziging opgelegd – een wijziging die een voorname rol zou spelen in de kosmologische speculaties van het einde van de zeventiende eeuw en daarna.[8]

Wanneer we de kosmos binnengaan, stuiten we direct op de hemelse sferen. Hoeveel bestaan er, wat is hun aard en wat zijn hun functies? Men kende zeven planeten – de maan, Mercurius, Venus, de zon, Mars, Jupiter en Saturnus, waarvan men over het algemeen dacht dat ze in die volgorde waren gerangschikt. In de vereenvoudigde versie van de kosmos, waaraan de middeleeuwse schrijvers over de kosmos de voorkeur gaven en die de meeste van de astronomische details verontachtzaamde, had iedere planeet een eigen sfeer nodig voor haar bewegingen. Daarenboven bevindt zich, volgens Aristoteles, buiten de planetaire sferen nog de sfeer van de vaste sterren of het *primum mobile*, de buitenste rand van de kosmos. Er deden zich diverse problemen voor toen de middeleeuwse geleerden deze buitenste sfeer in overweging namen.

Een van die problemen was de plaatsbepaling. De plaats van een ding wordt volgens Aristoteles bepaald door het lichaam of de lichamen die het bevat. Maar als

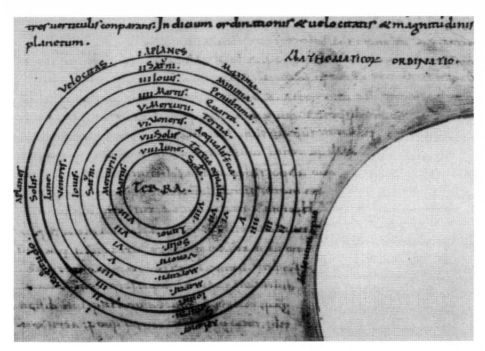

Afbeelding 11.1 De vereenvoudigde aristotelische kosmologie die in de middeleeuwen populair was. Parijs, Bibliothèque National, MS Lat. 6280, fol. 20r. (12de eeuw).

de sfeer van de vaste sterren zelf het buitenste lichaam is, is er daarbuiten niets wat deze kan omvatten. De vanzelfsprekende conclusie van deze redenering – dat het *primum mobile* geen plaats is – was te paradoxaal om door iedereen te worden aanvaard, met uitzondering van enkele van de koppigste denkers. Verscheidene oplossingen werden voorgesteld, zoals een poging om 'plaats' opnieuw te definiëren, zodat die kon worden bepaald door het lichaam dat wordt omvat in plaats van door het lichaam dat zelf omvat.[9]

Een ander probleem voor Aristoteles' buitenste sfeer kwam voort uit het scheppingsverhaal in Genesis, waar een onderscheid werd gemaakt tussen de 'hemel (*caelum*)', die op de eerste dag werd geschapen, en het 'uitspansel (*firmamentum*)', dat op de tweede dag werd geschapen – duidelijk twee verschillende dingen, want op twee verschillende dagen geschapen. Bovendien stelt de bijbelse tekst dat het uitspansel de wateren daaronder scheidt van de wateren daarboven; de wateren daaronder konden worden gelijkgesteld met de sfeer van water in het aardse gebied, maar de wateren boven het uitspansel vormden klaarblijkelijk nog een andere hemelse sfeer. De bespreking van dit probleem leidde ertoe dat enkele christelijke commentatoren drie sferen buiten de planetaire sferen plaatsten: de buitenste van deze, het onzichtbare en bewegingloze *empyreum*, diende als verblijfplaats voor de engelen; dan kwam de aquatische sfeer of kristallijne hemel, volkomen transparant, bestaande uit water (mogelijk in een vaste of gekristalliseerde vorm, maar waarschijnlijk vloeibaar, en waarschijnlijk alleen in een figuurlijke zin water); en dan het uitspansel, met de vaste sterren. Voor degenen die deze redenering volgden, kwam het totaal aantal hemelse sferen op tien. Op den duur kregen alle drie de buitenste sferen kosmologische en astrologische functies; sommige geleerden, die rekenschap wilden geven van een aanvullende sterrenbeweging, beweerden het bestaan van nog een elfde sfeer. Het is van belang de aandacht te vestigen op de wisselwerking tussen de kosmologie en de theologie die zich tijdens deze discussies voordeed: de aristotelische kosmologie werd aangepast aan de eisen van de bijbeluitleg; tegelijkertijd namen de bijbelverklaringen de elementaire aspecten van de aristotelische kosmologie in zich op, inclusief de middeleeuwse wijzigingen, en ontleende aanzienlijke delen van hun betekenis aan de contemporaine kosmologische theorieën.[10]

Middeleeuwse kosmologen waren, uiteraard, geïnteresseerd in de substantie of de materiële oorzaak van het hemelse gebied. Veel schrijvers uit de vroege middeleeuwen, puttend uit de stoïcijnse traditie, veronderstelden dat het uitspansel bestond uit een brandende substantie. Na de herontdekking van Aristoteles' werken werd een bepaalde versie van Aristoteles' idee dat het uitspansel bestond uit het vijfde element of ether (een volmaakte, transparante substantie niet onderhevig aan verandering) algemeen aanvaard. Er waren discussies over de aard van deze ether – bijvoorbeeld, of die was samengesteld uit vorm of uit materie. Onder degenen die het bestaan erkenden van vorm en materie in het uitspansel waren enkelen die beweerden dat de materie van het uitspansel van eenzelfde soort was als de aardse materie, terwijl anderen van mening waren dat deze twee materies totaal verschillend moesten zijn. Wat de aard van de ether dan ook mocht zijn, iedereen was het erover eens dat deze verdeeld was in afzonderlijke sferen die volledig verbonden waren (want anders zouden er lege ruimten bestaan) en alle wrijvingsloos roteerden in hun eigen richting en met hun eigen snelheid. De afzonderlijke sferen werden geacht continu te zijn – dat wil zeggen, zonder breuken en spleten. Zelden vroeg een schrijver zich af of ze vloeibaar waren of hard; beide werden door de enkeling die zich met deze kwestie bezig hield mogelijk geacht. Van de planeten werd verondersteld dat ze kleine sferische gebieden met een grotere dichtheid of helderheid in de transparante, heldere ether waren.[11]

Een kwestie die veel heviger discussies teweeg bracht, was de aard van de hemelse bewegers. Aristoteles had een reeks Onbewogen Bewegers benoemd tot de oorzaken van de hemelse bewegingen – de grote voorbeelden van de planetaire sferen, die de onveranderlijke volmaaktheid van de Onbewogen Bewegers wilde imiteren door te draaien met een eeuwige, eenparige cirkelvormige beweging. De Onbewogen Bewegers zijn dus eerder doeloorzaken dan werkoorzaken. De Onbewogen Beweger van de bovenste beweegbare sfeer (de 'Eerste Beweger') werd gewoonlijk met de christelijke God geïndentificeerd; maar de identiteit van de andere Onbewogen Bewegers gaf meer aanleiding tot problemen. Het zou makkelijk zijn geweest deze te identificeren met de planetaire goden die in Plato's *Timaios* worden beschreven; maar om naast het bestaan van de Schepper ook het bestaan van andere goden te erkennen, zou een duidelijk geval van ketterij binnen de christelijke traditie zijn geweest en daarom was het voor christelijke geleerden van belang zich verre te houden van dergelijke ideeën door de Onbewogen Bewegers een status te verlenen die verre van goddelijk was. Een gebruikelijk oplossing was hen te zien als engelen of een ander soort van afzonderlijke onstoffelijke wezens (geesten zonder lichaam). Er waren echter ook andere oplossingen, die volledig afstand deden van het idee van engelen of onstoffelijke wezens. Robert Kilwardby (ca. 1215-79) bedeelde de hemelse sferen met een actieve aard of een aangeboren neiging om in cirkels te bewegen. Jean Buridan (ca. 1295- ca. 1358) beweerde dat het niet nodig is het bestaan van hemelse geesten te veronderstellen, want hiervoor bestaan geen bijbelse redenen; het is dus mogelijk dat de oorzaak van de hemelse bewegingen een stuwkracht of beweegkracht is, analoog aan de stuwende kracht die een projectiel doet bewegen (zie hoofdstruk 12 voor de bespreking hiervan) en die elke hemelse sfeer op het moment van de schepping door God opgelegd had gekregen.[12]

Tot nu toe is er bij deze analyse verondersteld dat het uitspansel bestaat uit een eenvoudige reeks dicht bij elkaar liggende concentrische sferen. Dit was schijnbaar Aristoteles' opvatting; in het islamistische Spanje werd deze opvatting uiteengezet en fel verdedigd door Ibn Rushd (Averroës) en gedeeld door een aantal belangrijke westerse geleerden. Maar sommige middeleeuwse kosmologen wijzigden hun kosmologie om rekening te kunnen houden met de excentrische draagcirkels en epicykels van de ptolemeïsche astronomie – een duidelijke poging om de kosmologie en de planetaire astronomie met elkaar te verenigen. Later in dit hoofdstuk zullen we dieper op deze ontwikkelingen ingaan; vooralsnog is het voldoende op te merken dat het werd opgelost door elk van Aristoteles' planetaire sferen te bedelen met een laag die dik genoeg was om de ptolemeïsche draagcirkel en epicykel van die planeet te bevatten (zie afb. 11.10, p00). De straal van de binnenzijde van een bepaalde planetaire sfeer zou dan gelijk zijn aan de minimale afstand tussen de aarde en die planeet in het ptolemeïsche model; de straal van de buitenzijde van die planetaire sfeer zou gelijk zijn aan de maximale afstand van de planeet tot de aarde.

De methode van 'inpakken' die op dit stelsel werd toegepast – dikke, aaneengesloten planetaire sferen, zo gerangschikt dat er geen ruimte verspild werd – maakte het mogelijk berekeningen te maken voor de omvang van de diverse planetaire banen en uiteindelijk ook voor de dimensies van de kosmos. Om met deze berekening te kunnen beginnen, moest de omvang van de binnenste sfeer, die van de maan, worden ingeschat. Diverse islamitische astronomen, zoals al-Farghani en Thabit ibn Qurra in de negende en al-Battani in de negende of de tiende eeuw, voerden de bereking uit, waarbij ze de benodigde gegevens (enigszins gewijzigd) ontleenden aan Ptolemaeus' *Almagest*. In het westen kwam Campanus van Novara

(† in 1296) met zijn versie van de berekening, die uitkwam op ca. 173.000 km voor de straal tot aan de binnenzijde van de sfeer van de maan (de minimale afstand tussen de aarde en de maan) en ca. 334.706 km voor de straal tot aan de buitenzijde van de sfeer van de maan (de maximale afstand tussen de aarde en de maan). Soortgelijke berekeningen voor Mercurius en Venus gaven een 'theoretische' afstand tot de zon die ruwweg overeenkwam met de parallax die de klassieke astronomen voor de zon hadden berekend. Verdere berekeningen voor de buitenplaneten resulteerden in een straal van ca. 117.420.395 km voor de buitenzijde van de sfeer van Saturnus en de binnenzijde van de stellaire sfeer. Deze uitkomsten, of de uitkomsten die daar niet veel van afweken, zouden gangbaar blijven totdat Copernicus ze in de zestiende eeuw zou herzien.[13]

HET AARDSE GEBIED

Een gedetailleerde uiteenzetting van de natuurlijke werkingen in het aardse rijk zal in het volgende hoofdstuk worden gegeven. Maar nu moeten we een ogenblik stilstaan bij diverse macroscopische eigenschappen van het ondermaanse gebied die van invloed zijn op de grotere kosmologische kwesties waaraan dit hoofdstuk is gewijd.

We gaan het aardse gebied binnen door af te dalen naar het gebied onder de sfeer van de maan. Dit is het gebied van de vier elementen, die (in het geïdealiseerde model) zijn gerangschikt in concentrische sferen, ieder met hun eigen plaats: eerst vuur, dan lucht, gevolgd door water en ten slotte in het midden de aarde. Twee van de elementen – vuur en lucht – zijn wezenlijk licht en stijgen van nature op; de andere twee – water en aarde – zijn wezenlijk zwaar en dalen van nature neer. De elementen veranderen voortdurend in elkanders gedaante onder invloed van de zon en andere hemellichamen. Zo wordt water omgevormd tot lucht in het proces dat we kennen als verdamping, en kan lucht weer worden omgevormd tot water, zodat er regen ontstaat.

De hoge, brandende sferen werden ook toebedeeld met diverse andere meteorologische verschijnelen, zoals kometen, vallende sterren, regenbogen, bliksem en donder. Kometen werden beschouwd als atmosferische verschijnselen, het branden van een hete en droge verdamping die van de aarde is opgestegen tot in de sfeer van het vuur; regenbogen, dacht men over het algemeen, ontstaan wanneer het zonlicht wordt weerkaatst door de druppels water in een wolk; diverse schrijvers voegden het breken van licht aan het proces toe; en vroeg in de veertiende eeuw bood Theodorus van Freiberg († ca. 1310) een verklaring die de moderne dicht benaderde, waarbij hij gebruik maakte van de weerkaatsing en breking van licht in afzonderlijke druppels (zie afb. 11.2).[14]

Het middelpunt van alles is de sfeer van de aarde. Alle middeleeuwse geleerden uit die periode waren het eens over haar bolvormigheid en de oude inschattingen van haar omtrek (ongeveer 252.000 stadiën) waren algemeen bekend en aanvaard.[15]

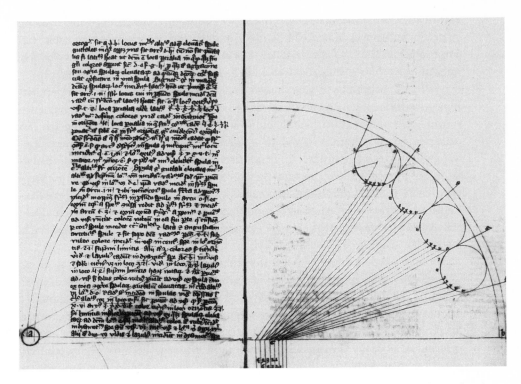

Afbeelding 11.2 De theorie van de regenboog volgens Theodorus
van Freiberg. Linksonder bevindt zich de zon, rechtsboven een
aantal regendruppels, en de waarnemer bevindt zich onder in het
midden. De tekening wil duidelijk maken hoe twee brekingen en
een interne weerkaatsing in afzonderlijke druppels kan leiden tot
het waargenomen kleurenpatroon. Bazel, Öffentlichte Bibliothek
der Universität, MS F.IV.30, fols. 33v-34r (14de eeuw).

Typerend was dat de aardse landmassa verdeeld werd in drie continenten – Europa,
Azië en Afrika – die omgeven werden door de zee. Soms werd een vierde continent toegevoegd. Afgezien van deze fundamentele gegevens waren er grote verschillen wat betreft de kennis aangaande de eigenschappen van het aardoppervlak
en hun ruimtelijke verhoudingen, afhankelijk van tijd, plaats en persoonlijke omstandigheden. Nu volgt een beknopt overzicht van de middeleeuwse geografische
kennis.

Gedurend de middeleeuwen bestonden er vele vormen van geografische kennis
en we moeten dan ook op onze hoede zijn niet toe te geven aan de moderne neiging deze kennis uitsluitend te associëren met kaarten of op kaarten gelijkende
denkbeelden.[16] Natuurlijk had de middeleeuwse mens door zijn ervaringen een directe kennis van hun gebied van herkomst. De kennis van verder gelegen plekken
kon verkregen worden van reizigers, van wie er vele soorten waren: kooplui, am-

bachtslieden, arbeiders, pelgrims, zendelingen, soldaten, troubadours, rondtrekkende geleerden, civiele en kerkelijke ambtenaren, en ook vluchtelingen en daklozen.
Voor degenen die het geluk hadden toegang te hebben tot bibliotheken boden
boeken als Plinius' *Natuurgeschiedenis* of Isidorus van Sevilla's *Etymologieën* meer
exotische en uitgebreidere gegevens in de vorm van schriftelijke omschrijvingen.
Plinius en Isidorus boden een aanzienlijke verzameling van geografische overleve-
ringen (deels mythologisch) met behulp van de 'periplus' – een geordende lijst van
de steden, rivieren, bergen en andere topografische kenmerken waar men al varen-
de langs een kustlijn op stuitte. Deze informatie ging veelal gepaard met interessante historische, culturele en antropologische details. Uitgaande van eerdere bundels
voerden Plinius en Isidorus hun lezers mee op een snelle rondgang langs de periferie van de Europese en Afrikaanse continenten.[17] Tegen het einde van de middeleeuwen bracht nieuwe reisliteratuur een verrijking van dit soort kennis met zich
mee.

De traditionele literaire bronnen stonden ook stil bij het klimaat, waarbij ze de
aardbol verdeelden in klimaatgordels of 'klimaten'. Gewoonlijk waren er vijf: twee
koude gordels (de Arctica en Antartica) rond de polen, twee aan de polen grenzen-
de gematigde luchtstreken en een tropische gordel aan weerszijden van de evenaar
die (volgens sommigen) was verdeeld in twee, door een grote equatoriale oceaan
gescheiden, gordels. De tropische gordel werd vanwege de hitte onbewoonbaar
geacht – hoewel enkele geleerden dit bestreden. De middeleeuwse Europeanen
plaatsten zichzelf uiteraard in de noordelijke gematigde luchtstreek. Aan de andere
zijde van de aarde, in de zuidelijke gematigde luchtstreek, bevinden zich de landen
van de tegenvoeters. De vraag of deze landen werden bewoond door de zogeheten
tegenvoeters (mensen die ondersteboven lopen) leidde toendertijd tot menig meningsverschil.

Degenen onder ons die bekend zijn met de moderne kaarten hebben de neiging
onze geografische kennis in ruimtelijke zin te ordenen door middel van coördinaten, zodat de geografie tot geometrie wordt gereduceerd. Maar dit gold niet voor
de middeleeuwse mensen, van wie de meesten nog nooit een kaart gezien hadden,
laat staan een kaart die op geometrische principes gebaseerd was. De kaarten die
men in de middeleeuwen vervaardigde, waren niet noodzakelijkerwijs bedoeld om
in precieze geometrische termen een beeld te geven van de ruimtelijke verhoudingen tussen de aangegeven topografische kenmerken en er was nauwelijks sprake
van de zogeheten schaalverdeling. Mogelijk was hun functie symbolisch, metafo-
risch, historisch, decoratief of didactisch. Op de dertiende-eeuwse Ebstorf-kaart
bijvoorbeeld, staat de wereld symbool voor het lichaam van Christus. En een weergave van de aardbol in een vijftiende-eeuws manuscript geeft aan dat de aarde verdeeld is in drie continenten, elk door een van Noachs zonen geregeerd.[18] Indien we
dus willen vermijden dat de middeleeuwse ambities en prestaties verkeerd worden
uitgelegd, dan moeten we er voor waken dat we middeleeuwse kaarten niet zien
als mislukte pogingen om een moderne kaart te maken.

Tot de meest voorkomende, meest boeiende en meest bestudeerde middel-eeuwse kaarten behoren de *mappaemundi*, of wereldkaarten. De meest gebruikelijke vorm van *mappaemundi* was de T-O kaart, wel in verband gebracht met Isidorus van Sevilla, die een schematische weergave gaf van de drie continenten Europa, Afrika en Azië. In afbeelding 11.3 staat de 'T' in de 'O' voor de waterwegen (de Donau, de Nijl en de Middellandse Zee), waarvan men geloofde dat ze het land in zijn voornaamste delen verdeelden: Azië aan de bovenzijde van de kaart, Europa linksonder en Afrika rechtsonder. Tevens werden er niet-schematische versies van de T-O kaart vervaardigd, die de strikte T-O voorstelling losdieten om verscheide-ne geografische details toe te kunnen voegen (zie afb. 11.4). Een ander veelvoorko-mend type kaart was ingedeeld naar de klimaatgordels.[19]

De middeleeuwse cartografie werd in een wiskundig (en daardoor tevens in een modern) daglicht gesteld door de opkomst van de portulaankaarten, waarin de praktische kennis van zeelieden werd verwerkt en die ontworpen waren om de rei-

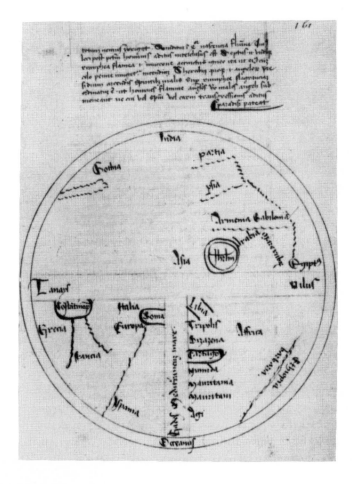

Afbeelding 11.3
Een T-O kaart. Parijs, Bibliothèque National, MS Lat. 7676, fol. 161r (15de eeuw).

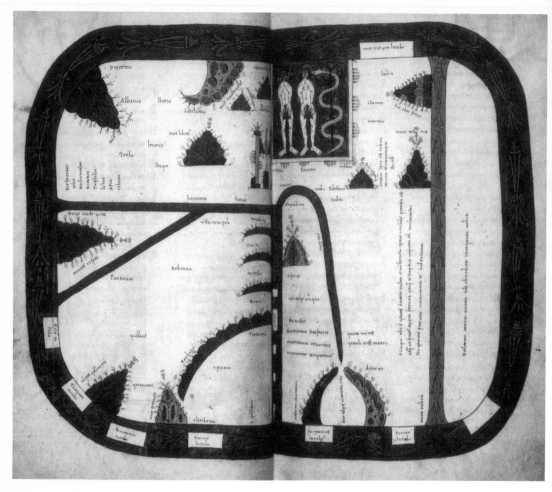

Afbeelding 11.4 Een aangepaste T-O kaart, de Beatus-kaart (1109 n. Chr.). Een vierde continent staat uiterst rechts aangegeven. Londen, British Library, MS Add. 11695, fols. 39v-40r. Met toestemming van de British Library. Voor een nadere bespreking, zie J.B. Harley en David Woodward, eds., *The History of Cartography*, deel 1, afbeelding 13.

zen over de zee te vergemakkelijken. Deze kaarten, die wellicht in de tweede helft van de dertiende eeuw werden uitgevonden, boden een 'realistische' weergave van de kustlijn en konden iedere willekeurige afstand tussen twee punten weergeven door middel van een netwerk van 'kompaslijnen' die rond een kompasroos waren gerangschikt (zie afb. 11.5). Portulaankaarten werden in eerste instantie van de Middellandse Zee gemaakt, maar later ook van de Zwarte Zee en de kustlijn van Europa. Het gebruik van de portulaankaarten maakte meer avontuurlijke ontdek-kingsreizen mogelijk, die op hun beurt de Europese geografische kennis enorm de-

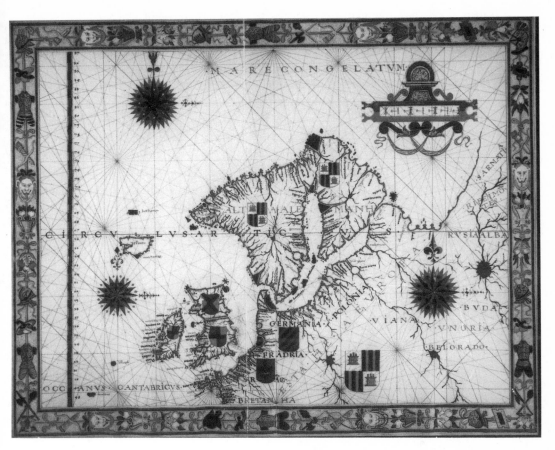

Afbeelding 11.5 Een portulaankaart; gemaakt door
Fernão Vaz Dourado (ca. 1570). De Huntington
Library, HM 41(5).

den toenemen. De cartografie onderging ten slotte doorslaggevende veranderingen
onder invloed van Ptolemaeus' *Geografie*, vroeg in de vijftiende eeuw vertaald naar
het Latijn, die de Europeanen wiskundige technieken leerde waarmee ze een bolvormig lichaam op een tweedimensionaal vlak konden weergeven.[20]

Mocht de cartografie vanwege haar praktische nut grote indruk maken, dan is
het wellicht goed om het evenwicht te herstellen door te besluiten met de nadere
beschouwing van een kwestie die (althans oppervlakkig bezien) geen enkel praktisch nut lijkt te hebben – namelijk, of de aarde om haar as draait en wat er zou gebeuren als dit het geval was. Aristoteles had op overtuigende wijze beweerd dat de
aarde stationair was; en hoewel alle middeleeuwse geleerden dit geloofden, dachten
verscheidene geleerden dat het de moeite waard was de mogelijkheid van een
draaiende aarde nader te onderzoeken. Door zich met dit vraagstuk bezig te hou-

den, kwamen ze in oud en goed gezelschap, want deze mogelijkheid was nooit geheel uit de klassieke kosmologische en astronomische literatuur verdwenen: zowel Aristoteles als Ptolemaeus en Seneca bespraken deze kwestie. De meeste grondige onderzoeken naar de implicaties van een draaiende aarde werden in de veertiende eeuw uitgevoerd door Jean Buridan en Nicolaas van Oresme.

De verwijdering van de aarde uit het middelpunt van de kosmos kwam niet ter sprake; waar Buridan en Oresme aan dachten was gewoonweg een dagelijkse draaiing van de aarde rond haar as. Het invoeren van een dergelijke draaiing had tot duidelijk voordeel dat het een dagelijkse draaiing van de afzonderlijke hemelse sferen niet langer noodzakelijk maakte; vele bewegingen met een hoge snelheid werden vervangen door een enkele langzame beweging, een besparing die vrijwel iedereen kon waarderen.[21] Buridan maakte duidelijk dat astronomen geen absolute, maar betrekkelijke bewegingen observeren, en dat de dagelijkse draaiing van de aarde geen gevolgen zou hebben voor de astronomische berekeningen. Dientengevolge kon het vraagstuk van een draaiende aarde niet worden opgelost door de astronomie, maar was het daarbij afhankelijk van een fysische redenering. Buridan kwam zelf met een dergelijke redenering en stelde dat een pijl die loodrecht omhoog wordt geschoten (op een dag zonder wind) vanaf het oppervlak van een draaiende aarde niet terecht zou komen op hetzelfde punt als vanwaar hij geschoten was, omdat de aarde zou bewegen terwijl de pijl in de lucht was; maar gezien het feit dat een recht omhoog geschoten pijl *wel* terugkeert op het punt vanwaar hij geschoten werd, kunnen we er zeker van zijn dat de aarde stilstaat.

Een uitgebreider onderzoek naar dit probleem werd enkele jaren later uitgevoerd door Oresme. Oresme, een van de meest nauwkeurige natuurwetenschappers van de middeleeuwen, begon met een reactie op de standaardbezwaren tegen een draaiende aarde. Hij beweerde dat de betrekkelijke beweging de enige beweging is die we zullen bemerken en dat deze kwestie dus niet afdoende kan worden afgehandeld door de waarneming. Ook reageerde hij op de redenering van Buridan door te stellen dat op een draaiende aarde een pijl, die loodrecht omhoog en vervolgens loodrecht omlaag gaat, zich tevens horizontaal verplaatst; daarom zou de pijl boven het punt op de aarde blijven vanwaar hij omhoog werd geschoten en zou hij uiteindelijk ook op dit punt terugkeren. Hij versterkte deze bewering met een voorbeeld van een schip, zoals ook Galileï dat in de zeventiende eeuw zou doen om de betrekkelijkheid van beweging te verdedigen:

> Iets dergelijks lijkt op deze manier mogelijk te zijn, want als iemand zich bevindt op een schip dat zich met grote snelheid oostwaarts verplaatst en hij zijn hand in een rechte lijn langs de scheepsmast naar beneden zou bewegen, zou hij denken dat zijn hand zich rechtlijnig [naar beneden] bewoog; zo gezien lijkt hetzelfde te gebeuren met de pijl die loodrecht omlaag of omhoog wordt geschoten. In de boot die op deze wijze beweegt, kunnen zich allerlei bewegingen voordoen – horizontaal, kruiselings, omhoog, omlaag, in alle richtingen – en ze lijken precies dezelfde te zijn als de bewegingen die zich voordoen als het schip stilligt. Dus, als iemand op dit schip min-

Afbeelding 11.6 Nicolaas van Oresme. Parijs, Bibliothèque Nationale, MS Fr. 565, fol. 1r (15de eeuw). Het grote apparaat is een armillarium, een instrument dat een materiële weergave geeft van de ecliptica, de hemelse evenaar en andere hemelse cirkels.

der snel naar het westen zou lopen als het schip zich naar het oosten verplaatst, zou hij denken dat hij zich in westelijke richting verplaatste, terwijl hij zich in feite naar het oosten verplaatste; en evenals in het voorgaande geval, zouden alle bewegingen hier beneden zo lijken te zijn alsof de aarde stil stond.

Oresme beweert verder dat de passages in de bijbel die lijken te wijzen op de stabiliteit van de aarde gezien kunnen worden als een aanpassing van de bijbeltekst, 'die zich conformeert naar het dagelijks taalgebruik'.[22] Na op deze wijze de bezwaren tegen een draaiende aarde te hebben verworpen, besluit hij zijn redenering met de realiteit – een reeks bewijzen voor het efficiënte idee van een draaiende aarde in plaats van draaiende sferen.

Dit is een sterke en (voor ons, volgelingen van Copernicus) overtuigende verdediging van de draaiing van de aarde rond haar as. Waren de tijdgenoten van Oresme overtuigd? Nee, en klaarblijkelijk had Oresme ook zichzelf niet kunnen overtuigen. Zijn betoog bevatte de beste filosofische of rationele argumenten voor de beweeglijkheid van de aarde die Oresme kon bedenken. Maar de leer van de goddelijke almacht garandeerde dat het hoogstens een waarschijnlijkheid was, die Gods scheppende vrijheid in geen geval mocht beperken; want wellicht dat God de voorkeur gaf aan een inefficiënte wereld. Daarom zou Oresme uiteindelijk toch zwichten voor het traditionele idee van een onbeweeglijk aarde, dat hij ondersteunde met het citeren van Psalm 93:1: 'Vast staat nu de wereld, zij wankelt niet'.[23] Klaarblijkelijk was deze bijbeltekst niet gezwicht (zoals de andere) voor het principe dat de Schrift zich aanpast aan het dagelijks taalgebruik.

Historici wisten niet goed hoe ze Oresme's plotselinge omslag moesten verklaren. Velen hebben geneigd tot de veronderstelling dat hij zich bewust was van een mogelijke confrontatie met de theologie en zijn vege lijf redde met een ontkenning. In werkelijkheid nam Oresme de moeite om uit te leggen wat hij deed, en we moeten zijn eigen verantwoording zeker serieus nemen. Zijn doel, onthulde hij, was het geven van een les in het maken van bezwaren aan diegenen die het geloof zouden betwisten met rationele argumenten. Zijn succes in het formuleren van overtuigende filosofische argumenten voor een idee als de draaiing van de aarde, dat zo 'in tegenstrijd was met de natuurlijke rede', toonde volgens hem aan dat het rationele argument onbetrouwbaar is en daarom met alle voorzichtigheid moet worden gebruikt wanneer het raakt aan het geloof, zoals in dit geval. Zijn doel was vanaf het begin zowel kosmologisch als theologisch.[24]

DE GRIEKSE EN ISLAMITISCHE ACHTERGROND VAN DE WESTERSE ASTRONOMIE

Behandeld zijn reeds de algehele structuur van de kosmos en enkele van de beginselen waarvan men dacht dat die zijn werking bepaalden. Nu zullen we ons richten op het streven precieze waarnemingen van de planeten te doen en modellen te ontwikkelen die de planetaire gegevens op kwantitatieve wijze verantwoorden. We moeten beginnen met het van de hand doen van een bepaald interpretatief systeem dat een zeer grote invloed had. Pierre Duhem baseerde zijn interpretatie op het onderscheid tussen twee mogelijke beschouwingen van de astronomische modellen. Volgens de 'realistische' zienswijze zouden de astronomische modellen een fysische werkelijkheid moeten weergeven en aan de fysische criteria van de natuurkundige of natuurwetenschapper moeten beantwoorden. Volgens de 'instrumenta-listische' zienswijze zijn astronomische modellen niets meer dan handige verzinsels – nuttige wiskundige instrumenten om de posities van de planeten te bepalen, maar zonder enige natuurkundige waarheidswaarde.

Volgens Duhem was de klassieke astronomie voornamelijk een instrumentalisti-sche onderneming. De astronomie en fysica werden steeds meer gezien, dacht Duhem, als twee geheel afzonderlijke inspanningen. Het onderzoek naar de struc-tuur en de aard van de dingen zoals die werkelijk bestaan, werd beschouwd als de taak van de natuurkundige (of natuurwetenschapper), terwijl de ontwikkeling van wiskundige modellen op basis waarvan voorspellingen konden worden gedaan, ge-zien werd als het werk van de astronoom. De astronoom die natuurkundige over-wegingen bij zijn wiskundige werkzaamheden betrok, maakte zich schuldig aan de schending van de grenzen tussen de twee disciplines. Duhem gebruikte hetzelfde conceptuele kader en dezelfde categorieën om inzicht te krijgen in de middel-eeuwse ontwikkelingen en ging op zoek naar de lotgevallen van de realistische en instrumentalistische opvattingen.[25]

Er zijn redenen om aan te nemen dat Duhem de instrumentalistische tendensen binnen het klassieke astronomische denken ernstig overdreef. In slechts een of twee bronnen uit de late oudheid worden de realistische en instrumentalistische opvat-tingen gedefinieerd, en zelden of nooit verdedigde iemand het instrumentalisme als een astronomische methode.[26] Hiermee wordt niet ontkend dat de Grieken een onderscheid maakten tussen een natuurkundige en een wiskundige benadering; dat Ptolemaeus (bijvoorbeeld) zich aan een programma wijdde dat voornamelijk wis-kundig was, of dat het streven naar wiskundig succes bij Ptolemaeus en andere astronomen tot gevolg kon hebben dat zij over de natuurkundige belangen heen-walsten. Het is alleen om te benadrukken dat het maken van een onderscheid tus-sen de natuurkunde en de wiskunde, of het constateren van een incidenteel me-ningsverschil tussen deze twee, niet hetzelfde is als het aanvragen van een officiële scheiding; en tevens om te stellen dat het lange-termijn doeleinde van de wiskun-dige astronomen, ook wanneer ze dat in de praktijk niet konden bereiken, de cre-atie van een wiskundige astronomie was die zich wijdde aan, en in overeenstem-ming was met, de algemeen aanvaarde beginselen van de natuurwetenschap. We moeten niet vergeten dat Ptolemaeus zowel de uiterst wiskundige *Almagest* als de meer natuurkundige *Planetaire Hypothesen* schreef; sterker nog, zelfs op de momen-ten dat hij zich in de *Almagest* zeer nauwgezet bezighoudt met de gestelde wiskun-dige doeleinden schuift hij de natuurkundige realiteiten niet geheel terzijde.

Wanneer we de middeleeuwse astronomie beschouwen, zullen we zien dat het een voornamelijk wiskundige onderneming bleef; vanaf de Romeinse tijd was zij een onderdeel van het exacte quadrivium en verloor zij het contact met de wiskun-de niet. Maar het is niet vanzelfsprekend dat haar wiskundige doeleinden uitdruk-king gaven aan een wiskundig instrumentalisme. Middeleeuwse wiskundige astro-nomen waren, evenals hun klassieke voorgangers, geïnteresseerd in geometrische modellen en zelfs in kwantitatieve voorspellingen, maar geen van hen leidde hieruit af dat de astronomie zou moeten worden afgescheiden van de fysieke werkelijkheid. Hieruit volgt dat de astronomie en kosmologie gedurende de middeleeuwen elkander niet bezagen over een methodologische kloof, maar zich schouder aan schouder door een methodologisch continuüm bewogen.

Als we op methodologische gronden geen scherp onderscheid kunnen maken tussen de astronomie en de kosmologie, is het dan gerechtvaardigd om hen als afzonderlijke ondernemingen of disciplines te behandelen? Ja. Een van de beste manieren om de middeleeuwse disciplines te onderscheiden is hun formele afgrenzingen te vergeten en hen als tekstuele tradities te behandelen. De kosmologische vraagstukken die ons in de eerste delen van dit hoofdstuk hebben beziggehouden, verschenen meestal in commentaren op bepaalde teksten – Aristoteles' natuurkundige werken (met name *Over de hemel* en *Metafysica*), Johannes van Sacrobosco's *Sfeer*, Petrus Lombardus' *Sententiën* en het scheppingsverhaal in Genesis.[27] De wiskundige analyse van het uitspansel was onderdeel van een andere tekstuele traditie, die voortkwam uit Ptolemaeus' *Almagest* en andere werken op het gebied van de wiskundige astronomie die in de hellenistische periode werden geschreven. Dat esoterische vaardigheden een vereiste waren voor diegenen die de wiskundige astronomie wilden beoefenen (of slechts wilden begrijpen), droeg zeker bij tot de ontmoediging van iedere poging deze twee tradities samen te brengen in een algemene 'wetenschap van de hemellichamen'.

De islamitische astronomie is in dit boek reeds ter sprake gekomen. Om ons voor te bereiden op de bespreking van de astronomische ontwikkelingen in het westen, moeten we nu nog een aantal details toevoegen. De vroegste invloeden op de islamitische astronomie waren die van Indische en Perzische versies van de Griekse astronomie. In de negende eeuw kregen de Arabische astronomen echter direct toegang tot de Griekse bronnen, waarvan de belangrijkste Ptolemaeus' *Almagest* was, een werk dat in de negende eeuw diverse malen vertaald werd – de laatste en tevens beste versie was die van Ishaq ibn Hunayn, vervaardigd in het Huis van de Wijsheid te Bagdad. Gedurende de daarop volgende eeuwen ontwikkelde zich een sterke islamitische traditie die grotendeels was gebaseerd op ptolemeïsche beginselen. Vraagstukken op het gebied van de tijdrekenkunde, tijdbepaling en de kalender waren belangrijke stimulerende factoren bij deze astronomische inspanningen: de behoefte om de verhouding tussen de maankalender en het zonnejaar vast te stellen, alsmede de bepaling van de gebedstijden, waren dringende problemen die voor hun oplossing vroegen om astronomische kennis. Een andere stimulerende factor was ongetwijfeld de hechte band tussen de astronomie en de beoefening van de astrologie – de laatste een zeer beschermde activiteit aan de islamitische hoven.[28]

Het is onmogelijk de grote waarde van de islamitische astronomische verrichtingen in een beknopt overzicht vast te leggen. We boeken echter enig succes door de categorieën aan te geven onder welke deze astronomische verrichtingen vielen.

Ten eerste was een groot deel van de inspanning gericht op het beheersen, verbeteren en verspreiden van de ptolemeïsche astronomische theorie. De astronomische studieboeken van al-Farghani en al-Battani (achtereenvolgens beide naar het Latijn vertaald) vormen een goed voorbeeld van deze verrichtingen. Ten tweede werd het rekenkundige aspect van de ptolemeïsche astronomie verbeterd door de ontwikkeling van de boldriehoeksmeting, onder meer het gebruik van alle drie de moderne trigonometrische functies (in tegenstelling tot de ene functie, de 'koorde', die Ptolemaeus gebruikte).[29]

Ten derde werd er belangrijke vooruitgang geboekt bij de astronomische waarneming en de ontwikkeling van instrumenten. Op Arabische bodem werden vele observatoria of observatieposten gevestigd – sommige blijvend en andere tijdelijk – om de gegevens van Ptolemaeus te verbeteren en aan te vullen. Tabellen met numerieke gegevens en gebruiksaanwijzingen werden vervaardigd en wijd verspreid. Er werden instrumenten gebouwd, zoals grote onbeweegbare kwadranten of sextanten voor het berekenen van de standen van sterren en planeten: de kwadrant in het Maragha Observatorium, gebouwd in de tweede helft van de dertiende eeuw, had een straal van meer dan vier meter; de gigantische meridiaanboog in Samarkand, in de vijftiende eeuw gebouwd door Ulugh Beg en voornamelijk gebruikt voor de observatie van de zon, had een straal van meer dan veertig meter.[30]

Vanuit wiskundig standpunt gezien, was het meest indrukwekkende en nuttige astronomische instrument het astrolabium, dat werd uitgevonden in de hellenistische periode maar in de islamitische tijd werd geperfectioneerd. Het astrolabium was een handinstrument bestaande uit een gegradueerde cirkel en een vizier-liniaal

(de alhidade), die rond een pin draaide en de waarneming van de stand van een ster of een planeet mogelijk maakte, en een stel ronde, koperen platen die in een koperen ring of 'moeder' pasten en het astrolabium tot een astronomische rekenmachine maakte (zie afb. 11.7 en 11.8). Het wiskundige principe dat het astrolabium tot een rekenmachine maakte was de stereografische projectie, waarmee het bolvormige uitspansel (voor

Afbeelding 11.7 Een Italiaans Astrolabium, ca. 1500. Diameter: 10,8 cm. Londen, Science Museum, Inv. no. 1938-428. Met toestemming van de regenten van het Science Museum.

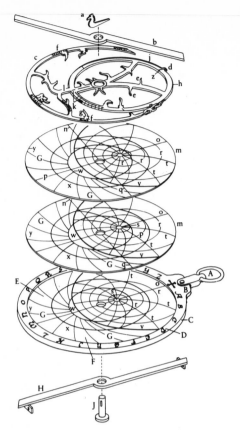

Afbeelding 11.8
Een 'uiteengevallen' beeld van het astrolabium.
Met dank aan J.D. North.
Oorspronkelijk gepubliceerd in J.D. North,
Chaucer's Universe, p. 41.

a. Paard (een wigvormig einde,
   als een paardehoofd)
b. Liniaal
c. Net
e. Sterrenwijzers
h. Ecliptische cirkel
k. Lijnen die de zodiakale tekenen aangeven
m. Klimaten
r. Almucantarats (hoogtecirkels)
s. Zenit
t. Lijnen van gelijke azimut
v. Lijn van de horizon
w. Kreeftskeerkring
x. Evenaar
y. Steenbokskeerkring
C. Moeder
G. Uurhoekslijnen
H. Alhidade
J. Pin

het gemak) op een stel platte platen kon worden geprojecteerd (zie afb. 11.9) De bovenste plaat (het 'net'), ontworpen om het draaiende uitspansel weer te geven, bevatte een sterrenkaart (met slechts de meest opvallende sterren) en een excentrische cirkel die een weergave was van de ecliptica (zie afb. 11.7 en 11.8); in deze plaat zaten grote gaten, zodat de gebruiker de plaat daaronder kon zien, die de 'klimaat' heette. Op de 'klimaat' bevond zich de projectie van een vast coördinatenstelsel dat was afgesteld op de positie van gebruiker, bestaande uit een horizon, cirkels van gelijke hoogte en lijnen met gelijke azimut, alsmede de hemelse evenaar, de Kreeftskeerkring en de Steenbokskeerkring (afb. 11.8). De rete kon over de klimaat worden gedraaid om de draaiing van het uitspansel te simuleren met betrekking tot de waarnemer op de aarde; de positie van de zon op de ecliptica kon worden aangegeven, zodat er vervolgens diverse nuttige berekeningen mogelijk werden.[31]

Ten vierde had de islamitische wereld substantiële kritiek op de ptolemeïsche astronomische theorie en deed zij pogingen deze te verbeteren of te corrigeren. Een van de eerste critici was Ibn al-Haytam († ca. 1040, in het westen bekend als Alhazen), die zich verzette tegen Ptolemaeus' gebruik van de equans omdat deze

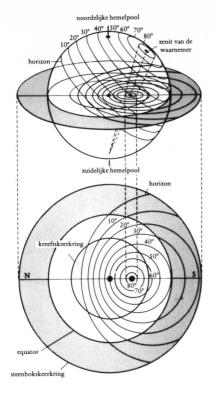

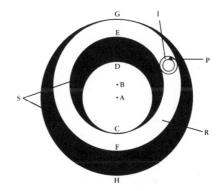

Afbeelding 11.9
Stereografische projectie van de hoogtecirkels.
De hoogtecirkels (bovenaan) worden geprojecteerd
op een horizontaal vlak die door de hemelse evenaar
loopt, zoals ze zouden worden gezien door een
waarnemer op de zuidelijke hemelpool.
Deze hoogtecirkels of almucantarats waren, samen
met de lijnen van gelijke azimut, belangrijke
kenmerken van de 'klimaat' of het astrolabium.
Met dank aan J.D. North. Oorspronkelijk gepubliceerd
in North, *Chaucer's Universe*, p. 53.

Afbeelding 11.10
Ibn al-Haytams model van de massieve sferen
van de ptolemeïsche draagcirkel en epicykel.

zou breken met het beginsel van de eenparige beweging. Ook probeerde Ibn al-Haytam een fysische interpretatie te geven van Ptolemaeus' excentrische cirkels en epicykels op een manier die door Ptolemaeus zelf was onwikkeld in zijn *Planetaire Hypothesen*. Dit was een poging de wiskundige technieken van de *Almagest* te verenigen met het fysische stelsel van de *Planetaire Hypothesen*, maar dan vollediger en met meer succes dan de poging van Ptolemaeus zelf. Het fundamentele idee was de planetaire sferen zo groot te maken dat ze ieder een excentrische baan of ring konden bevatten waardoor de epicykel kon lopen.

In afbeelding 11.10 wordt de verbrede ruimte S begrensd door de sferische oppervlakten CD en GH. A is het middelpunt van het universum, waar zich de aarde bevindt. Door de sfeer snijdt de excentrische ring R, die gecentreerd is rond B en wordt begrensd door de oppervlakten CE en FG. In de ring bevindt zich de epicykel I, waarlangs de planeet P loopt. De gehele sfeer draait op een dagelijkse basis rond het middelpunt A, waarbij de ring wordt meegenomen; ondertussen 'rolt' de epicykel door de ring in de siderische periode van de planeet (de tijd die de planeet gebruikt voor een volledige omloop langs de ecliptica), en door dit alles heen wordt de planeet rond de draaiende epicykel gevoerd. Soortgelijke verbrede ruimten zijn nodig voor de resterende planeten. Als al deze sferen stevig in elkaar genesteld zijn, hebben we een fysisch model van het planetenstelsel dat de essentiële elementen van de planetaire astronomie van Ptolemaeus heeft ingelijfd en tevens een aanvaardbare weergave biedt van Aristoteles' stelsel van concentrische sferen.[32]

De aanval op Ptolemaeus was met name fel in het twaalfde-eeuwse Spanje, waar een aantal geleerden, onder wie Ibn Bajja (Avempace), Ibn Tufayl, Ibn Rushd (Averroës) en al-Bittruji (Alpetragius), de ptolemeïsche planetaire modellen bekritiseerden op grond van hun fysische onmogelijkheid; deze geleerden eisten vervolgens een astronomie die in overeenstemming was met de aristotelische fysica. Ibn Rushd (1126-98) bekritiseerde het gebruik van excentrische cirkels, epicykels en in het bijzonder van de equans, omdat deze volgens hem niets zeiden over de fysische werkelijkheid; in plaats daarvan drong hij aan op een terugkeer naar de excentrische cirkels van Aristoteles. Al-Bitruji (actief rond 1190) ging veel verder dan Ibn Rushd met zijn (uiteindelijk niet geslaagde) poging te laten zien hoe een eenvoudig stelsel van concentrische cirkels kan leiden tot voorspellingen die vergelijkbaar zijn met die van de ptolemeïsche astronomie. In al-Bitruji's stelsel zien we een stel eenvoudige concentrische sferen, één voor elke planeet; deze draaien alle eenparig van oost naar west met een beweging die zich van binnenuit het *primum mobile* verspreidt en allengs minder wordt (zodat zowel de oost-west als de west-oost beweging, een aspect van de aristotelische kosmologie waarmee vele natuurfilosofen het niet eens waren, niet langer nodig zou zijn). Om de waargenomen onregelmatigheid van de planetaire bewegingen te verklaren, liet al-Bitruji elke planeet over het oppervlak van haar eigen sfeer kruipen (met een beweging die wordt gestuurd door wat wel beschreven is als een draagcirkel en epicykel die wordt getrokken op het oppervlak van de sfeer).[33]

DE ASTRONOMIE IN HET WESTEN

Gedurende de vroege middeleeuwen had het westen geen toegang tot de Griekse wiskundige astronomische bronnen – de werken van Hipparchos, Ptolemaeus en anderen. In ieder geval werd de astronomie beschouwd als een wiskundig onderwerp en maakte het deel uit van het exacte quadrivium, maar de hoeveelheid wiskundige astronomie die aan de vroeg-middeleeuwse geleerden bekend was, was erg klein. Schrijvers als Plinius, Martianus Capella en Isidorus van Sevilla boden een elementaire beschrijving van de hemelse sfeer en haar voornaamste cirkels; van de zeven planeten en hun west-oost beweging door de zodiakale ring, inclusief de retrogade beweging; en van de beweging van Mercurius en Venus, die verband hield met de zon. Het vermogen dieper in te gaan op vraagstukken betreffende de tijdrekenkunde en de kalender was ook goed ontwikkeld. Maar enige kennis van de ptolemeïsche modellen of een andere methode voor de serieuze beoefening van wiskundige astronomie had men niet.[34]

In de tiende en elfde eeuw veranderde de staat van de westerse astronomische kennis wezenlijk door het contact met de islamitische wereld, dat voornamelijk via Spanje liep. Het is zeker dat Gerbert van Aurillac (ca. 945-1003) hiermee te maken had; het is mogelijk dat hij astronomische verhandelingen meebracht uit Noord-Spanje, waar hij gestudeerd had. Wat de inhoud van de details ook waren, zeker is dat deze eerste contacten het christendom een veelzijdig astronomisch instrument opleverden, het astrolabium, dat vergezeld ging van de wiskundige kennis die men voor het gebruik daarvan nodig had. Diverse verhandelingen over de vervaardiging en het gebruik van het astrolabium, vertaald vanuit het Arabische naar het Latijn, waren in de elfde eeuw beschikbaar. Het astrolabium was op zijn beurt weer ver-antwoordelijk voor een heroriëntatie binnen de westerse astronomie, van een kwa-litatieve naar een kwantitatieve gerichtheid.[35]

De serieuze beoefening van kwantitatieve astronomie vereiste echter een aan-zienlijke hoeveelheid gegevens die door waarneming waren verzameld. We weten dat de westerse geleerden dergelijke gegevens rond het begin van de twaalfde eeuw begonnen te vergaren. Maar een veel grotere en meer waardevolle hoeveelheid ge-gevens werd verkregen door de vertaling van Arabische bronnen. De astronomi-sche tabellen van al-Khwarizmi († na 847), samen met richtlijnen (*canons*) voor hun gebruik, werden in 1126 door Adelard van Bath vertaald. De *Toledaanse Tabellen* (in de elfde eeuw te Toledo samengesteld door al-Zarqali) werden kort daarna ver-taald.[36] Deze vertaalde tabellen waren schatten van kwantitatieve astronomische in-formatie, maar waren vervaardigd voor vroegere tijden en voor andere lokaties dan die waarvoor ze gebruikt zouden gaan worden. Dientengevolge moesten ze wor-den aangepast – een taak die werd uitgevoerd door een aantal twaalfde-eeuwse ge-leerden, onder wie Raymond van Marseilles en Robert van Chester. In hun werk ligt de oorsprong van een echte westerse traditie van wiskundige astronomie.

Hoewel de astronomische instrumenten en tabellen van astronomische gege-vens noodzakelijk waren voor de beoefening van de wiskundige astronomie, waren ze niet toereikend. Een derde vereiste was de astronomische theorie. De instructies bij een stel astronomische tabellen gaven wellicht een indruk van hun theoretische grondslagen, maar in zeer beperkte mate, en zij konden tot verwarring leiden. Nodig waren verhandelingen over theoretische astronomie die een uiteenzetting boden van de wiskundige modellen die ten grondslag lagen aan de gegevens en de berekeningen; en wederom werden deze in vertaling geleverd, in dit geval vanuit zowel het Grieks als het Arabisch. Al-Farghani's basisboek over de ptolemeïsche astronomie werd in 1137 door Johannes van Sevilla vertaald als *De grondslagen van de astronomie*. In de tweede helft van de twaalfde eeuw kwamen de meer technische astronomische werken van Thabit ibn Qurra, Ptolemaeus en anderen beschikbaar: Ptolemaeus' *Almagest* werd tweemaal naar het Latijn vertaald, eenmaal vanuit het Grieks en vervolgens (door Gerard van Cremona) vanuit het Arabisch. De astrolo-gische teksten die rond dezelfde tijd verschenen, droegen bij aan de belangstelling voor de astronomische theorieën en berekeningen. De behoefte van de astroloog

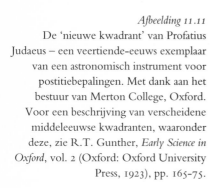

Afbeelding 11.11
De 'nieuwe kwadrant' van Profatius
Judaeus – een veertiende-eeuws exemplaar
van een astronomisch instrument voor
postitiebepalingen. Met dank aan het
bestuur van Merton College, Oxford.
Voor een beschrijving van verscheidene
middeleeuwse kwadranten, waaronder
deze, zie R.T. Gunther, *Early Science in
Oxford*, vol. 2 (Oxford: Oxford University
Press, 1923), pp. 165-75.

aan astronomische berekeningen vormt, samen met de hechter wordende band tussen de astrologie en de geneeskunde, een duidelijke verklaring voor de opbloei van
het astronomisch onderzoek.

Tegen het einde van de twaalfde eeuw waren de meeste van de belangrijkste astronomische teksten in het Latijn voorradig. Vanaf dat moment is de geschiedenis
van de westerse astronomie een relaas van de toenemende beheersing en verspreiding van astronomische wetenschap, en dan voornamelijk binnen de universiteiten.
Bij de universiteiten bestond er onder meer grote behoefte aan studieboeken die de
ingewikkelde ptolemeïsche astronomie voor studenten toegankelijk zouden maken. Natuurlijk kon een inleidende verhandeling als al-Farghani's *Grondslagen van
de astronomie* hiervoor worden gebruikt; maar de universiteitsdocenten schreven al
spoedig hun eigen werken. Een van de eerste en meest populaire was *De sfeer* van
Johannes van Sacrobosco, geschreven in Parijs rond het midden van de dertiende
eeuw. Dit werk, dat tot aan de zeventiende eeuw werd besproken en als studieboek binnen de universiteiten werd gebruikt, bevatte een elementair overzicht van
de sferische astronomie en een aantal korte commentaren op de planetaire bewegingen. Sacrobosco beschreef, bijvoorbeeld, de west-oost beweging van de zon
rond de ecliptica, die een snelheid had van $1°$ per dag; hij merkte op dat, afgezien
van de zon, elke planeet zich langs een epicykel beweegt, die zich op zijn beurt
weer langs een draagcirkel beweegt, en hij legde uit hoe dit model van 'epicykel op
draagcirkel' de retrograde beweging verklaart; en hij verklaarde de zons- en maansverduisteringen aan de hand van de schaduwen die respectievelijk door de maan en
de aarde worden geworpen. Verder dan dit ging deze astronomie niet.[37]

Afbeelding 11.12
Een astronoom die
waarneemt met een
astrolabium. Parijs,
Bibliothèque de l'Arsenal,
MS 1186, fol. 1v
(13de eeuw).

Sacrobosco's *Sfeer* was duidelijk bedoeld om alleen de meest elementaire astronomische kennis over te brengen, wellicht ten gunste van studenten die belangstelling
hadden voor tijdrekenkunde, tijdbepaling en het vervaardigen van kalenders
('computus'). Een andere verhandeling, de *Theorica planetarum* (*Theorie van de planeten*), die enige tijd later door een anonieme schrijver, mogelijk een leraar uit Parijs,
werd geschreven, bracht de discussie rond de planetaire astronomie op een aanzienlijk hoger niveau. De *Theorica* gaf een beknopt overzicht van de grondslagen
van de ptolemeïsche theorie betreffende alle planeten, aangevuld door geometrische diagrammen. Zo werd de beweging van de zon langs de ecliptica uitgelegd als
het gevolg van de eenparige west-oost beweging rond een excentrische draagcirkel
met een snelheid van 59'8' (bijna 1°) per dag; ondertussen verplaatst deze excentrische cirkel zich eenparig van oost naar west met een snelheid van een volledige
omloop per dag door de 'universele' of stellaire sfeer. In het model voor de buitenplaneten – Mars, Jupiter en Saturnus – maakt de planeet P (zie afb. 11.13) een eenparige west-oost beweging langs de epicykel, terwijl het middelpunt van de epicykel op dezelfde wijze langs de draagcirkel loopt. De beweging van de epicykel rond
de draagcirkel is eenparig ten opzichte van het punctum aequans Q; het middelpunt van de draagcirkel ligt halverwege tussen het punctum aequans en het middelpunt van de aarde.[38] De *Theorica* lijkt al spoedig na publikatie het standaard studie-

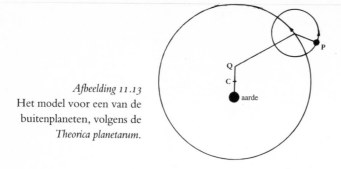

Afbeelding 11.13
Het model voor een van de
buitenplaneten, volgens de
Theorica planetarum.

boek van de astronomische theorie te zijn geworden, waarmee de ptolemeïsche
modellen goed werden beschermd tegen mogelijke rivalen en de astronomische
terminologie voor een aantal eeuwen werd bepaald.

Een serieus probleem bij de vestiging van de ptolemeïsche theorie was de manier waarop deze verenigd kon worden met de aristotelische kosmologie. Het leek
de geleerden dat de excentrische cirkels en epicykels van de ptolemeïsche astronomie niet op eenvoudige wijze in overeenstemming konden worden gebracht met
de aristotelische concentrische sferen of de beginselen van de aristotelische natuurwetenschap; iedereen die wilde zien hoe groot dit probleem was, kon zich wenden
tot Averroës' aanval op de parafernalia van de ptolemeïsche astronomie. Het enige
systeem waarmee vanuit een kwantitatief standpunt succes kon worden bereikt,
leek vanuit een fysisch of filosofisch standpunt twijfelachtig te zijn. In de dertiende
en veertiende eeuw werd er heftig over deze kwestie gediscussieerd door de geleerden die onderzoek deden naar de hoedanigheid van de theoretische stellingen of
zochten naar compromissen. De astronomen, die de kwantitatieve resultaten absoluut nodig hadden, konden weinig anders doen dan de ptolemeïsche modellen te
handhaven. Voor degenen die meer neigden naar de filosofie bleef de creatie van
een op aristotelische leest geschoeide, kwantitatief exacte astronomie een ongrijp-
bare droom.[39]

De versie van het ptolemeïsche stelsel met de verbrede sferen, dat door Ibn al-
Haytham werd ontwikkeld, maakte in de dertiende eeuw haar opwachting. Roger
Bacon, schrijvend in de jaren zestig van de dertiende eeuw, lijkt de eerste geleerde
te zijn geweest die dit stelsel grondig behandelt; en na hem lijkt er korte tijd belangstelling te zijn geweest in franciscaanse kringen, gezien het feit dat Bernard van
Verdun en Guido van Marchia (beiden franciscanen) het stelsel beschreven. Het
idee lijkt impliciet aanwezig te zijn in bepaalde astronomische werken uit die tijd,
zoals dat van Campanus van Novara, maar werd pas weer serieus besproken door
Georg Peuerbach, een van de Weense geleerden die bijdroegen aan de vijftiende-
eeuwse opleving van de astronomie.[40]

De *Theorica* besteedde geen enkele aandacht aan de kwantitatieve context van
de ptolemeïsche astronomie of aan de wijze waarop de berekeningen werden ge-

maakt. Dit werd wel gedaan door de *Toledaanse Tabellen* en, vanaf circa 1275, door de *Alfonsijnse Tabellen* (vervaardigd aan het hof van Alfons X van Castilië), die de *Theorica* veelal vergezelde. De *Alfonsijnse Tabellen* (afb. 11.14) diende als een standaardgids voor de beoefening van de wiskundige astronomie totdat er in de zestiende eeuw nieuwe concurrenten verschenen.[41]

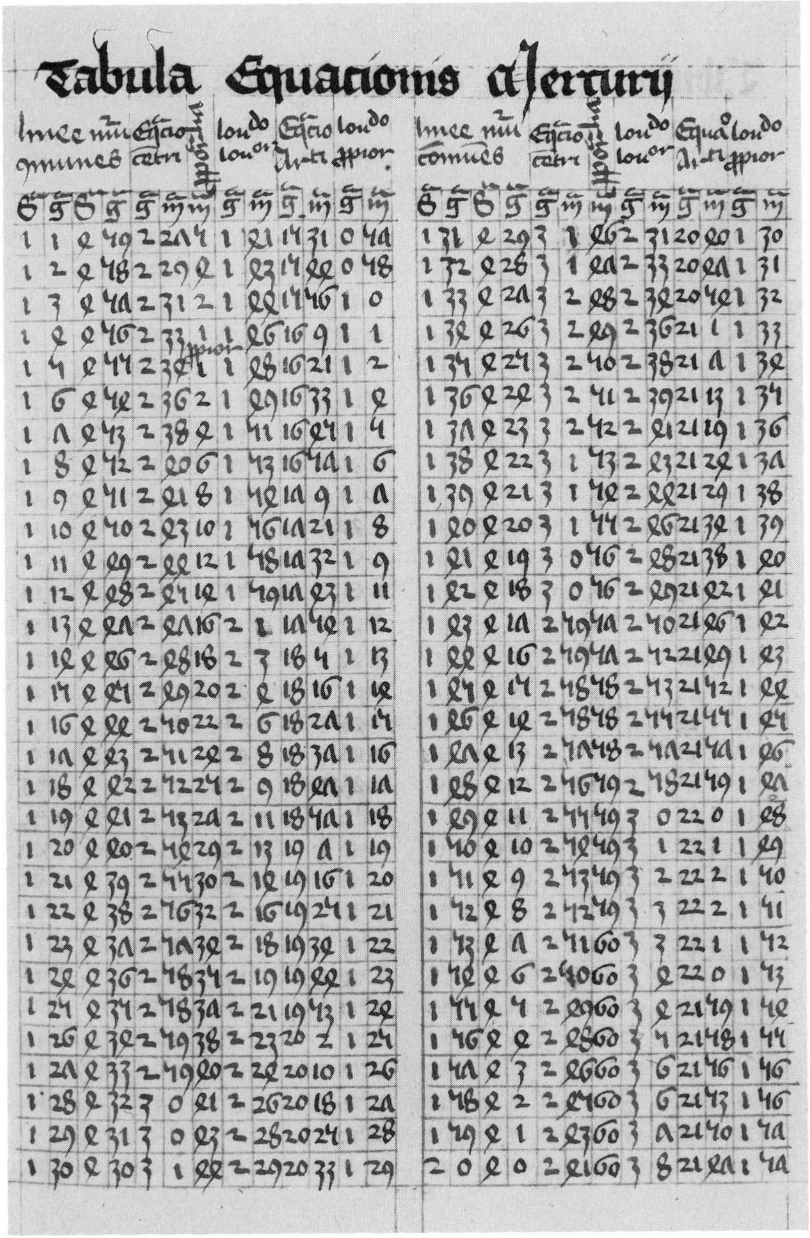

Afbeelding 11.14
De *Alfonsijnse Tabellen*.
Een bladzijde van de tabel voor Mercurius.
Houghton Library, Harvard University, fMS Typ 43, fol. 46r (ca. 1425).
Met toestemming van de Houghton Library.

Hoewel een bescheiden hoeveelheid van astronomische basiskennis waarschijnlijk vrij algemeen was onder diegenen met een universitaire opleiding, was de gevorderde kennis die de *Toledaanse* of *Alfonsijnse Tabellen* of zelfs de *Theorica* ons laten zien ongetwijfeld vrij zeldzaam. Zelden werd er door de universiteiten voor een graad in de letteren enige mate van astronomische kennis geëist, hoewel er wel enig onderwijs in de astronomie (meestal in de vorm van lessen over de *Theorica* en zo nu en dan over Ptolemaeus' *Almagest*) kon worden gevolgd. Uit deze bescheiden positie van de astronomie in het universitaire leerplan moeten we echter niet concluderen dat de astronomie zich niet ontwikkelde. In feite, en ondanks de betrekkelijk gering hoeveelheid beoefenaars, verfijnde de wiskundig astronomische kennis van de beoefenaars gestaag. Deze middeleeuwse traditie zou in de vijftiende en zestiende eeuw grote astronomen als Johannes Regiomontanus en Nicolaus Copernicus voortbrengen.[42]

DE ASTROLOGIE

De geschiedenis van de astrologie heeft geleden onder een neiging van historici om de astrologische praktijken op wrange wijze te bestempelen als een voorbeeld van een primitief, irrationeel, of bijgelovig idee dat door kwakzalvers en dwazen wordt gepropageerd. En er *waren* uiteraard ook kwakzalvers − een punt waar middeleeuwse critici altijd weer op wezen. Maar de middeleeuwse astrologie had ook een serieuze, wetenschappelijke kant en we moeten onze houding niet laten beïnvloeden door het lage aanzien dat de astrologie heden ten dage heeft. De middeleeuwse geleerden beoordeelden de astrologische theorie en praktijk op grond van *middeleeuwse* maatstaven van rationaliteit en het *contemporaine* bewijsmateriaal waarover ze beschikten; en alleen door hetzelfde te doen, kunnen we misschien inzicht krijgen in het belang en de wisselende lotgevallen van de astrologie gedurende de middeleeuwen.[43]

De eerste stap die hierbij helpt, is het onderscheid te maken tussen (1) de astrologie als een serie overtuigingen betreffende de fysische invloeden binnen de kosmos en (2) de astrologie als de kunst van het trekken van horoscopen, het bepalen van goedgunstige momenten, en dergelijke. De eerste soort van astrologie was een respectabele tak van de natuurwetenschap, waarvan de bevindingen zelden in twijfel werden getrokken. De tweede, daarentegen, stond bloot aan diverse tegenwerpingen (empirische, filosofische en theologische) en bleef gedurende de gehele middeleeuwen het onderwerp van geschillen. Hoewel we een ogenblik stil zullen staan bij de astrologie in deze tweede betekenis van het woord, zullen we ons voornamelijk richten op de astrologie als een aspect van de kosmische fysica.

Er bestonden zeer innemende redenen om te geloven dat het uitspansel en de aarde op lichamelijke wijze met elkaar waren verbonden. Ten eerste waren er waarnemingsresultaten die deze verbinding duidelijk maakten: niemand kon er aan twijfelen dat het uitspansel de voornaamste licht- en warmtebron in het aardse gebied was; de seizoenen waren zonder meer verbonden met de beweging van de zon langs de ecliptica; de getijden waren klaarblijkelijk verbonden met de beweging van de maan; en het leek na de invoering van het kompas (laat in de twaalfde eeuw) duidelijk genoeg dat de polen van de hemelse sfeer een magnetische invloed uitoefenden op bepaalde mineralen.

Dergelijke op waarnemingen gebaseerde argumenten werden versterkt door traditionele religieuze overtuigingen. Het in verband brengen van het uitspansel met de goden en de opvatting dat de goden invloed uitoefenden op het aardse gebied waren belangrijke kenmerken van de oude religies. Het geloof dat de stellaire en planetaire gebeurtenissen voortekens (meer tekens dan oorzaken) van aardse gebeurtenissen waren, was wijdverbreid in Mesopotamië, waar het lezen van de voortekens een gespecialieerde kunst werd die een bepaalde hoeveelheid astronomische kennis vereiste. Dergelijke overtuigingen werden geleidelijk aan uitgebreid en veranderd door de toevoeging van nieuwe elementen, zoals het idee dat de hemelse configuratie ten tijde van een conceptie of de geboorte van een persoon gebruikt kon worden als een middel voor het voorspellen van bepaalde details in het leven van die persoon (zie ook hoofdstuk 1).[44]

Binnen de Griekse cultuur kregen astrologische ideeën steun van diverse filosofische stelsels. In de *Timaios* geeft Plato's Demiurg de planeten of planetaire goden uitdrukkelijk de opdracht dingen tot stand te brengen in het ondermaanse gebied; en dit suggereerde de mogelijkheid van een voortdurende relatie. Plato legde ook nadruk op de eenheid van de kosmos, zoals overeenkomsten tussen de kosmos in zijn geheel en de individuele mens (de macrokosmos-microkosmos analogie). In Aristoteles' kosmos was de Onbewogen Beweger niet alleen de bron van de bewegingen van de hemelse sferen, maar ook van de beweging en verandering in het ondermaanse rijk. Bij zijn bespreking van de meteorologische verschijnselen beweerde Aristoteles dat het aardse gebied 'en de hogere [hemelse] bewegingen een zekere samenhang hebben; derhalve vinden al zijn krachten daarin hun oorsprong'. Elders schreef hij zowel de seizoengebonden veranderingen als het ontstaan in vergaan in het het aards gebied toe aan de beweging van de zon langs de ecliptica. En de stoïcijnen, ten slotte, met hun idee van een actieve, organische kosmos die zich kenmerkt door eenheid en continuïteit, lijken de wetenschap van de astrologie in hun armen te hebben gesloten en te hebben verdedigd. Het is dus duidelijk dat de astrologie, in haar fysische of kosmologische vorm, een empirisch en rationeel onderzoek naar de causale verbanden tussen het uitspansel en de aarde uitvoerde. Vrijwel iedere klassiek filosoof zou het bijzonder dom hebben gevonden om het bestaan van dergelijke verbanden te ontkennen.[45]

Ptolemaeus is een uitstekend voorbeeld – niet alleen omdat hij de kweste volledig en op duidelijke wijze behandelde, maar ook omdat hij een grote invloed had op zowel de islamitische als de westerse astrologische tradities. In zijn astrologisch handboek, de *Tetrabiblos*, erkende Ptolemaeus dat de astrologische voorspelling niet kan tippen aan de zekerheid van de astronomische bewijsvoering; niettemin beves-

tigde hij het bestaan van hemelse machten en de geldigheid van algemene astrologische voorspellingen. Het is iedereen duidelijk, beweerde hij,

> dat er een bepaalde kracht uitgaat van de eeuwige etherische substantie ... die zich
> over het gehele aardse gebied verspreidt ... Want de zon ... oefent op enigerlei wijze
> altijd invloed uit op alle dingen der aarde, niet slechts door de veranderingen die ge-
> paard gaan met de seizoenen van het jaar en zo het ontstaan van de dieren teweeg
> brengen, alsmede de vruchtbaarheid van planten, het stromen der wateren en het
> veranderen van lichamen, maar ook door haar dagelijkse wentelingen die warmte,
> vochtigheid, droogheid en koude verschaffen in een vaste orde en in overeenstem-
> ming met hun postities ten opzichte van het zenit. En ook de maan ... schenkt haar
> uitstraling in grote overvloed aan de aardse dingen, want de meeste, levend of leven-
> loos, zijn haar welgevallig en veranderen met haar. Daarenboven, de banen van de
> vaste sterren en de planeten door de lucht zijn vaak een teken van warme, winderige
> en sneeuwige omstandigheden van de lucht, en dienovereenkomstig worden de
> aardse dingen beïnvloed.

De beoefenaar die deze invloeden begrijpt en die tevens kennis heeft van de hemelse bewegingen en configuraties zou een grote verscheidenheid van natuurverschijnselen moeten kunnen voorspellen:

> Dus, als iemand de bewegingen van alle sterren, de zon en de maan precies kent ... en
> als hij, na eerdere uitgebreide bestudering, een algemeen onderscheid heeft gemaakt
> tussen hun natuurlijke eigenschappen ...; en als hij met behulp van al deze gegevens
> op zowel wetenschappelijke als succesrijke speculatieve wijze kan bepalen welke ei-
> genschappen uit de combinatie van al deze factoren voortvloeien, waarom zou hij
> dan niet bij elke gelegenheid die zich voordoet in staat zijn op grond van de actuele
> verhoudingen tussen de verschijnselen de kenmerkende eigenschappen van de lucht
> vast te stellen, bijvoorbeeld, dat het warmer of natter zal worden? Waarom kan hij
> niet ook, wat betreft de individuele mens, de algemene staat van zijn natuur vaststel-
> len op grond van de atmosferische omstandigheden ten tijde van zijn geboorte, bij-
> voorbeeld dat hij dat en dat lichaam en die en die ziel bezit, en waarom kan hij niet
> toevallige gebeurtenissen voorspellen door gebruik te maken van het feit dat die en
> die atmosfeer samengaat met die en die natuur die de voorspoed bevordert, terwijl
> een ander niet zo harmonieert en bijdraagt tot tegenslag?[46]

Een bepaalde hoeveelheid anti-astrologische gevoelens stak binnen de hellenistische filosofie de kop op en vervolgens ook binnen zowel de islamitische als de
christelijke traditie. De kritiek was echter niet gericht op het geloof in het bestaan
van hemelse invloeden, maar op de dreiging van het determinisme en (onder de
kerkvaders) op de zogenaamde goddelijke status van de sterren en planeten. De
meest krachtige stem binnen het christendom was die van Augustinus (354-430).
Augustinus beschuldigde de volksastrologie van frauduleus en misleidend gedrag;
maar zijn grootste zorg waren de volgens hem fatalistische en deterministische ten-

densen binnen de astrologie. De wilsvrijheid moest ten koste van alles worden beschermd, want anders zou er geen menselijke verantwoordelijkheid bestaan. Augustinus deed regelmatig een beroep op het 'tweelingen-vraagstuk' (niet door hemzelf in het leven geroepen), waarbij hij opmerkte dat tweelingen die op hetzelfde moment zijn verwekt en vrijwel tegelijkertijd worden geboren vaak een totaal verschillend lot ondergaan. Maar Augustinus maakte de weg vrij voor de mogelijkheid van fysische invloed, althans inzoverre deze alleen het lichaam betrof, toen hij het volgende schreef:

> Het is niet geheel onzinnig om te zeggen, alleen met betrekking tot de lichamelijke verschillen, dat er bepaalde siderische (dat wil zeggen, stellaire) invloeden bestaan. We zien dat de seizoenen van het jaar veranderen als gevolg van het naderbij komen en langzaam verdwijnen van de zon. En met het wassen en verminderen van de maan zien we bepaald dingen groeien en kleiner worden, zoals zeeëgels en oesters, en de grandioze getijden van de oceaan. Maar de keuzen van de wil zijn niet afhankelijk van de posities van de sterren.[47]

De anti-astrologische polemiek van Augustinus en ander kerkvaders bevorderde de creatie van een publieke opinie die gedurende de middeleeuwen vijandig was ten opzichte van de astrologie. In de vroeg-middeleeuwse literatuur zien we met regelmaat dat de beoefening van de horoscopische astrologie wordt veroordeeld – hoewel dit vaak gepaard ging met de erkenning van het bestaan van de hemelse machten en hun invloed op diverse aardse verschijnselen.[48]

De opbloei van de platonische filosofie en de ontdekking van de Griekse en Arabische astrologische geschriften leidde in de twaalfde eeuw tot een heropleving van de astrologische belangstelling en tot een meer goedgunstige houding ten opzichte van haar leerstellingen. Iedere suggestie van een astrologisch determinisme bleef natuurlijk uit den boze, maar bevestiging van de realiteit van stellaire of planetaire invloeden en van de mogelijkheid van succesvolle astrologische voorspellingen werd nu algemeen. Zo gaf Hugo van St. Victor († in 1141) in zijn invloedrijke *Didascalicon* (geschreven tussen 1125 en 1130) uitdrukking aan zijn goedkeuring van het 'natuurlijke' deel van de astrologie, dat zich bezighoudt met de 'geaardheid of het "voorkomen" van fysische dingen als gezondheid, ziekte, storm, stilte, vruchtbaarheid en onvruchtbaarheid, die naargelang de onderlinge groeperingen van de astraallichamen variëren'. Een anonieme auteur, schrijvend tegen het einde van de twaalfde of aan het begin van de dertiende eeuw, merkte op dat 'we niet geloven in de goddelijkheid van de sterren en planeten, en hen niet vereren, maar dat we de Schepper, de almachtige God, geloven en vereren. Echter, we geloven wel dat de almachtige God de planeten bedeelde met de macht waarvan de mensen uit de oudheid geloofden dat die oorspronkelijk aan de sterren toebehoorde'. Een andere auteur uit de twaalfde eeuw, zich richtend op de kwestie van het determinisme, schreef dat 'de sterren ... geschikt kunnen lijken voor het bezitten van een groot vermogen, maar dat in feite nooit hebben'.[49]

De vertaling van astrologische verhandelingen uit het Grieks en Arabisch was van cruciaal belang bij de vorming van deze nieuwe opvattingen. De voornaamste werken waren Ptolemaeus' *Tetrabiblos*, vertaald tussen 1130 en 1140, en Albumasars *Inleiding tot de wetenschap van de astrologie*, dat tussen 1130 en 1150 tweemaal werd vertaald; deze werken werden vergezeld door diverse kortere pamfletten en uiteindelijk werden ook Aristoteles' werken die handelden over de kwestie van de hemelse invloed hieraan toegevoegd. De *Tetrabiblos* bood de lezer een verdediging van de astrologische overtuiging en enkele technische beginselen van deze kunst. Zo werd vastgesteld welke specifieke invloeden bepaalde planeten uitoefenden op het aards gebied: de zon die verwarmt en droogt, de maan die voornamelijk bevochtigt, Saturnus die hoofdzakelijk verkoelt, maar ook droogt, en Jupiter die verwarmt en in bescheiden mate bevochtigt; bepaalde planeten hebben een gunstige invloed, andere een ongunstige; bepaalde planeten zijn mannelijk, andere zijn vrouwelijk. De *Tetrabiblos* verklaarde tevens hoe de krachten van de planeten toe- of afnemen naargelang hun geometrische verhouding tot de zon (hun 'aspect'). Het schreef specifieke kwaliteiten toe aan de tekens van de dierenriem. En het verklaarde de algemene kenmerken van mensen in de verschillende regionen van de aardbol op basis van de 'vertrouwdheid' of sympathie tussen die regionen en de planeten en tekens van de dierenriem die over hen regeren.

De bijdrage van Albumasars inleiding was gelegen in zijn uiteenzetting van de astrologische beginselen uit Ptolemaeus' *Tetrabiblos* en andere astrologische literatuur (waaronder Perzische en Indische bronnen), maar meer in het bijzonder het geven van een stevige filosofische basis aan de astrologie door de traditionele astrologische kennis te verenigen met de aristotelische natuurwetenschap. In praktische zin betekende dit de aanvaarding van zowel de aristotelische metafysica van vorm, materie en substantie als Aristoteles' bewering dat de hemellichamen de bron zijn van alle beweging in het aardse gebied en de instrumenten van ontstaan en vergaan. Door de invloed van de planeten worden de vormen opgelegd aan de vier elementen om zo de fysieke substanties van de dagelijkse ervaring voort te brengen; veranderingen in de formatie van de planeten veroorzaken een onafgebroken cyclus van transmutaties, geboorte en dood, totstandkoming en teloorgang. Aristoteles' verklaring van ontstaan en vergaan had zich voornamelijk gericht op de beweging van de zon langs de ecliptica; en hoewel hij de zon voor alles stelde, voegde Albumasar (in de lijn van een lange astrologische traditie) de resterende planeten aan het causale spectrum toe, alsmede hun geometrische verhouding tot de zon en de tekens van de dierenriem.[50]

De invloed van Aristoteles kreeg in de twaalfde eeuw een vervolg met de verwerving van diens eigen werken. In de dertiende eeuw vestigde de astrologische overtuiging zich steviger en werd zij een vast onderdeel van het middeleeuwse wereldbeeld. Ook kreeg de astrologische praktijk nauwe banden met de beoefening van de geneeskunde: geen enkele respectabele arts uit de late middeleeuwen zou zich hebben verbeeld dat de geneeskunde met succes kon worden beoefend zonder

Afbeelding 11.15
De Arabische astroloog Albumasar
of Abu Ma'shar, met in zijn hand
waarschijnlijk zijn *Inleiding tot de
wetenschap van de astrologie*. Parijs,
Bibliothèque Nationale, MS. Lat.7330,
fol. 41v (14de eeuw).

de astrologie.[51] De filosofen en theologen bleven zich zorgen maken over het astrologische determinisme – een onderwerp dat zijdelings ter sprake kwam in de veroordeling van 1277 – en de beoefenaars van de astrologie werden regelmatig beschuldigd van kwakzalverij. Maar zelfs de meest fanatieke tegenstanders van de astrologie waren bereid de hemelse invloeden te erkennen. Nicolaas van Oresme, die hele boeken vulde met kritiek op de astrologie, gaf toe dat het deel van de astrologie dat zich bezighoudt met grootschalige gebeurtenissen, zoals 'plagen, sterfte, honger, overstromingen, grote oorlogen, de opkomst en ondergang van koninkrijken, het verschijnen van profeten, nieuwe religies en soortgelijke veranderingen, ... voldoende bekend kan zijn en dat ook is, maar slechts in algemene zin. Wat we niet kunnen weten is in welk land, in welke maand, door welke mensen of onder welke omstandigheden dergelijke dingen zullen gebeuren'. Wat betreft de invloed van het uitspansel op gezondheid en ziekte, hebben we een bepaalde hoeveelheid kennis aangaande de effecten die voortvloeien uit de baan van de zon en de maan, maar verder weinig of niets'.[52] De astrologie die een onderdeel vormde van de natuurwetenschap zou nog tot na de zeventiende eeuw gedijen.

De fysica van het ondermaanse gebied

De beslissing om in de titel van dit hoofdstuk de term 'fysica' te gebruiken, is niet geheel zonder risico. Het risico is dat lezers de middeleeuwse fysica gelijk zullen stellen aan de moderne fysica omdat ze hun naam gemeenschappelijk hebben. Deze lezers zouden dan van nature geneigd zijn te denken dat de middeleeuwse natuurkundigen probeerden te zijn als moderne natuurkundigen, maar daar slechts in beperkte mate in slaagden, en dat de middeleeuwse fysica een primitieve of mislukte versie van de moderne fysica was. En zolang we de middeleeuwse fysica beschouwen als gebrekkige moderne fysica, sluiten we ons af voor het mogelijke inzicht in haar eigen doelen en opmerkelijke verrichtingen.

Het feit is dat de middeleeuwse fysica een opmerkelijk coherent theoretisch systeem op zich vormde dat in niet geringe mate succesvol was in het beantwoorden van de vragen waarop het zich richtte. En die vragen waren over het algemeen breder dan die waarmee de moderne natuurkundige zich bezighoudt. Het grote bereik van de middeleeuwse fysica wordt duidelijk wanneer we de relevante middeleeuwse terminologie nader beschouwen. De Latijnse naamwoorden *physica* en *physicus* (respectievelijk 'natuurkunde' en 'natuurkundige') stammen af van het Griekse woord *physis*, dat gewoonlijk wordt vertaald met 'natuur'. Voor Aristoteles (wiens invloed wat dit betreft groot was) was de *physis* of natuur van een ding de innerlijke bron van zijn karakter of gedrag en verantwoordelijk voor alle natuurlijke veranderingen die het ondergaat. De natuur in algemene zin omvat alle dingen die een dergelijke aard bezitten. En de natuurkundige was de persoon die de natuurlijke dingen en de veranderingen in hen onderzocht – eenvoudig gezegd, de kenner of onderzoeker van de natuur in al haar aspecten.[1]

Dit betekent niet dat er geen enkele overeenkomst bestaat tussen de middeleeuwse en moderne natuurkunde. Sommige van de vragen die middeleeuwse geleerden bezighielden zouden, met weinig of geen verschillen, in de zestiende en zeventiende eeuw en ook daarna nog hun opvolgers bezighouden, en de middeleeuwen voorzagen in een belangrijk deel van het vocabulair en het conceptuele kader van de vroeg-moderne natuurkunde. Deze continuïteit vormt een legitiem en belangrijk onderwerp van historisch onderzoek en we zullen haar in dit hoofdstuk dan ook niet geheel negeren; maar zij kan geen hoofdzaak vormen als het ons doel is inzicht te verkrijgen in de doelstellingen en verrichtingen van het *middeleeuwse* denken over de natuur.[2] We moeten ons niet laten verleiden te veronder-

stellen dat, wanneer we hebben vastgesteld welke delen van de middeleeuwse natuurkunde de latere tijden zich hebben toegeëigend, we dan tevens hebben vastgesteld wat de middeleeuwse natuurkundigen zelf beschouwden als de essentiële kenmerken van hun vak.

MATERIE, VORM EN SUBSTANTIE

Wat waren de verklarende basisprincipes van de middeleeuwse natuurkunde of natuurwetenschap? Na de aanvaarding en assimilatie van Aristoteles' filosofie in de
twaalfde en dertiende eeuw waren de betreffende principes voornamelijk aristotelisch van aard – hoewel vaagheid, onvolledigheid en inconsistentie in de verschillende aristotelische teksten waarin deze principes uiteen werden gezet genoeg
ruimte lieten voor het verder uitdiepen van de theorie en voor het behandelen en
bediscussiëren van de details. Laten we beginnen met een kort overzicht van enkele van de basisbeginselen van de aristotelische natuurwetenschap.[3]

Volgens Aristoteles zijn alle dingen in het aardse rijk (hij noemde ze 'substanties') samengesteld uit vorm en materie. Vorm, het actieve principe of middel en
drager van de eigenschappen van het afzonderlijke ding, is onafscheidelijk verbonden met materie, de passieve ontvanger van de vorm, en zij samen brengen het
concrete lichamelijke object voort. Als het betreffende object een 'natuurlijk' object is (in tegenstelling tot een object dat kunstmatig vervaardigd is, door een am-
bachtsman), heeft het tevens een natuur (voornamelijk bepaald door zijn vorm,
maar mede door zijn materie) waardoor het zich op een bepaalde wijze gedraagt.
Zo brengt vuur van nature warmte voort, zullen stenen van nature vallen (wanneer
ze van hun natuurlijke plek worden gehaald), zullen baby's van nature groeien en
ontwikkelen, en eikels van nature uitgroeien tot eikebomen. Deze naturen worden
we door langdurige en hardnekkige observatie gewaar: wat onmogelijk het produkt kan zijn van toeval (vanwege de regelmaat waarmee het zich voordoet) of van
kunstmatigheid (omdat een handwerksman er niets mee van doen had) moet wel
het gevolg van de natuur zijn. Omdat de naturen in alle gevallen van natuurlijke
verandering de bepalende factoren zijn, moeten ze wel van groot belang zijn voor
de natuurkundige of de natuurwetenschapper.

De middeleeuwse volgelingen van Aristoteles die deze ideeën overdachten, stelden twee soorten van vorm vast – de ene werd in verband gebracht met de essentiële eigenschappen, de andere met de incidentele eigenschappen. De bepalende
kenmerken van een ding, die het maken tot wat het is, worden uitgedrukt door
wat men zijn 'wezenlijke vorm' zou gaan noemen. De wezenlijke vorm verenigt
zich met de oorspronkelijke materie, die volledig zonder eigenschappen is, om leven of bestaan te geven aan een substantie en deze te bedelen met de eigenschappen dit het maken tot het ding dat het is. Naast de essentiële eigenschappen is ieder
ding echter ook in het bezit van incidentele of toevallige eigenschappen, verbonden met zijn 'toevallige vorm'. Zo kan een hond kortharig of langharig zijn, mager

of dik, zachtaardig of woest, zindelijk of niet zindelijk, zonder dat hij de kenmerken (hem door zijn wezenlijke vorm gegeven) verliest die ons in staat stellen hem
onmiskenbaar als hond te identificeren.

Aristoteles' theorie van vorm, materie en substantie wordt fraai weergegeven
door zijn theorie van de elementen. Aristoteles aanvaardde de opvattingen van zijn
voorgangers, Plato en de pre-socratici, dat de bekende materiën of substanties uit
het alledaagse leven niet eenvoudig maar ingewikkeld zijn. Dat wil zeggen dat de
waarneembare dingen in de ondermaanse wereld samenstelsels of mengsels zijn, die
herleid kunnen worden tot een kleine hoeveelheid wortels of beginselen, de 'elementen'. Aristoteles nam van Empedocles en Plato de vier elementen over – aarde,
water, lucht en vuur – en beweerde dat deze zich in verschillende verhoudingen
vermengen en op die wijze de alledaagse substanties voortbrengen. Aristoteles was
het eens met Plato's bewering dat de vier elementen niet vast en onveranderlijk
zijn, maar onderhevig zijn aan transmutaties; en het stelsel dat verklaarde hoe dit
mogelijk was, was zijn theorie van vorm en materie.

Elk van de elementen, beweerde hij, is samengesteld uit vorm en materie; omdat de betreffende materie in staat is een opeenvolging van vormen aan te nemen,
kan het ene element worden omgevormd tot het andere. De vormen die bij de
vervaardiging van de elementen een rol spelen, zijn die elementen die in verband
worden gebracht met de vier primaire of 'elementaire' kwaliteiten: warm, koud,
nat en droog. De primaire materie die wordt gevormd door koude en droogte
brengt het element aarde voort; de primaire materie gevormd door koude en natheid brengt water voort; enzovoorts. Maar deze primaire materie kan elk van de
vier elementaire kwaliteiten ontvangen. Dus, als de kwaliteit van droogte in een
stuk van het element aarde door de invloed van een geschikt middel leidt tot natheid, zal dat stuk aarde ophouden te bestaan en zal een toepasselijke hoeveelheid
van het element water diens plaats innemen. Aristoteles beweerde dat dergelijke
omzettingen zich voortdurend voordoen en dat de elementen dus constant in elkaar worden veranderd. Dit soort veranderingen bleken een verklaring te kunnen
geven voor vele van de bekende verschijnselen die we tegenwoordig in verband
brengen met de scheikunde en de meteorologie.[4]

De fundamentele vorm-materie theorie werd zonder problemen begrepen,
maar haar toepassing op de werkelijkheid gaf aanleiding tot diverse problemen. Het
leek alsof de wereld een hiërarchie van vormen en materiën bevatte, en de aristotelische vaststellingen die hierboven uiteen zijn gezet, werkten voor het ene niveau
beter dan voor het andere. Aristoteles' definitie van de materie als de volledig on-
geschikte ontvanger van vormen is goed toepasbaar op de samenstelling van de elementen: de materie die de elementaire vormen van de primaire kwaliteiten (warm,
koud, nat en droog) in ontvangst neemt, is zelf volledig zonder eigenschappen, afgezien van het vermogen ontvankelijk te zijn voor de elementaire vormen. De materie zelf is onwaarneembaar, onkenbaar en zonder feitelijk bestaan. Aristoteles
noemde dit de 'primaire materie'. Maar de materie krijgt toevallige vormen opge-

legd die reeds een onafhankelijk, substantieel bestaan leiden: het marmer waaruit een standbeeld wordt vervaardigd, bestaat als een concreet ding met diverse eigenschappen (omvang, vorm, kleur, dichtheid en hardheid) voordat de beeldhouwer het de toevallige vormen geeft die het in een bepaald standbeeld veranderen. Op dezelfde wijze was het haar dat grijs wordt (zo dienend als de materie voor de toevallige vorm van grijsheid) voordat het van kleur veranderde reeds een substantieel ding met specifieke, aanwijsbare kenmerken. Aristoteles' klassieke en middeleeuwse volgelingen dachten over dergelijke problemen na en verbeterde Aristoteles' definities en verduidelijkte het onderscheid tussen de onwerkelijke primaire materie van de elementen en de wezenlijke secundaire materie die men aantreft in gevallen van toevallige verandering.[5]

In de islamitische wereld werd de vorm-materie theorie uitgewerkt door Avicenna (Ibn Sina, 980-1037) en Averroës (Ibn Rushd, 1126-98) op manieren die van grote invloed zouden zijn op het westen. De twee islamitische commentatoren dachten dat het onmogelijk was om elementen te verkrijgen uit de directe oplegging van de elementaire vormen aan de primaire materie. Dit zou een tussenstap vereisen, waarbij de primaire materie eerst een driedimensionale vorm kreeg. Met dit doel voor ogen ontwikkelden zij het idee van een 'lichamelijke vorm' die aan de primaire materie moet worden opgelegd om een driedimensionaal lichaam te krijgen. De elementen komen dus tot stand als dit driedimensionale lichaam (een soort secundaire materie) de elementaire vormen ontvangt. Het idee van een lichamelijke vorm werd overgeleverd aan het christendom, waarbinnen het invloedrijk maar controversieel zou blijken te zijn. We hebben gezien dat dit idee werd overgenomen door Robert Grosseteste, die vorm in verband bracht met licht.[6]

Aristoteles had vorm en materie op wezenlijk gelijke hoogte gesteld – geen van beide was ondergeschikt aan de ander en elk had een eigen functie – maar dit evenwicht bleek moeilijk te handhaven. Binnen de neoplatonische traditie (een goed voorbeeld is Avicenna) bestond er de neiging de materie in een ondergeschikte positie te plaatsen, te beschouwen als een virtueel niets, terwijl de vorm een status van semi-autonomie kreeg toegeschreven. Avicenna's jongere tijdgenoot Avicebron († in 1058) koos voor een geheel andere koers en bracht de materie ten koste van de vorm op een hoger plan. Avicebrons invloed zou een verklaring kunnen zijn voor de bereidheid van westerse geleerden (in het bijzonder franciscanen als Richard van Middleton en Duns Scotus) te beweren dat God vormeloze materie kan scheppen.[7]

Verbinding en vermenging

Een zeer belangrijke groep verschijnselen waarop de theorie van vorm, materie en substantie van toepassing was, was welke we tegenwoordig in verband brengen met 'chemische verbinding'. De centrale positie van deze groep wordt duidelijk wanneer we ons herinneren dat volgens Aristoteles alle substanties die we in de echte wereld aantreffen, het organische weefsel inbegrepen, zijn samengesteld uit de vier elementen. Daarom komt het ook niet als een verrassing dat Aristoteles onderzoek zou hebben gedaan naar de aard van chemische verbindingen en de hoedanigheid van de oorspronkelijke ingrediënten van een mengsel. Hij maakte onderscheid tussen een mechanisch samenstel, waarin de deeltjes van twee substanties naast elkaar bestaan zonder hun afzonderlijke identiteit te hebben verloren, en een waarlijke vermenging van de ingrediënten in een homogene verbinding waarbij hun oorspronkelijke aard verdwijnt; deze laatste noemde hij een 'vermenging' of 'mengsel' (wij zullen voor het proces de Latijnse term *mixtio* gebruiken en voor het produkt de term *mixtum* [meervoud: *mixta*], om de technische betekenis te handhaven die Aristoteles in gedachten had) en het is dit soort verbinding dat hij toepasbaar achtte op het vermengen van de elementen.

Volgens Aristoteles worden in een *mixtum* de afzonderlijke eigenschappen van de ingrediënten vervangen door een nieuwe eigenschap die tot in de kleinste delen van het samenstel doordringt. De eigenschappen van het *mixtum* zijn een gemiddelde van de eigenschappen van de ingrediënten. Dus als we een nat element combineren met een droog element (bijvoorbeeld water met aarde) zullen de natheid of de droogte van het hieruit voortvloeiende samenstel ergens liggen tussen de twee uitersten van natheid en droogte, op een punt dat bepaald wordt door de relatieve hoeveelheid van die twee kwaliteiten. Hoewel de oorspronkelijke elementen in het *mixtum* in wezen niet meer bestaan, heeft Aristoteles opmerkingen gemaakt die suggereren dat zij in virtuele of potentiële zin blijven bestaan, zodat zij een soort van blijvende invloed kunnen uitoefenen.[8]

Aristoteles' verhandeling gaf zijn commentatoren een aantal problemen. Een van die problemen was de vormgeving van de theorie van verbinding of *mixtio* in de taal en het conceptuele kader van materie en vorm, want die termen komen in Aristoteles' verhaal niet voor. Tijdens die inspanning was het noodzakelijk om onderzoek te doen naar de wijze waarop de nieuwe substantiële vorm van het *mixtum* voortkomt uit de vormen van de samengestelde elementen. Een ander probleem van cruciaal belang was de bepaling van de wijze waarop de vormen van de oorspronkelijke elementen in het *mixtum* voortbestaan; erkend was immers dat, wanneer het *mixtum* wordt vernietigd, de elementen waaruit het was samengesteld opnieuw tevoorschijn komen, en het leek dus duidelijk dat zij op een bepaalde manier in het *mixtum* voortbestaan. De discussies over deze kwesties zouden uiterst ingewikkeld worden en we moeten ons hier beperken tot enkele inleidende opmerkingen.

Iedereen erkende dat de wezenlijke vormen van de samengestelde elementen worden vervangen door een nieuwe wezenlijke vorm van het *mixtum*. Maar hoe verloopt dit proces? Het werd algemeen aanvaard dat door de vermenging van de elementen, de wisselwerking tussen hun verschillende eigenschappen en mogelijkerwijs door het vergaan van hun wezenlijke vormen de weg werd vrijgemaakt voor de nieuwe wezenlijke vorm. Er bestonden echter ook goede redenen (ontleend aan Aristotoles) om te denken dat de nieuwe wezenlijke vorm niet kon voortkomen uit deze voorafgaande wezenlijke vormen of uit de kwaliteiten van de oorspronkelijke elementen; een externe bemoeienis leek noodzakelijk. De gebruikelijke oplossing was een beroep te doen op hogere machten – hemelse krachten of hemelse geesten, mogelijkerwijs God zelf – en hen verantwoordelijk te achten voor de toevoeging van de nieuwe wezenlijke vorm aan de primaire materie als aan alle voorwaarden was voldaan.

Wat betreft de elementen van het *mixtum* erkende iedereen dat het noodzakelijk was om een manier te vinden waarop de elementen latent of virtueel aanwezig konden zijn in het *mixtum* en daar konden wachten op de geschikte gelegenheid om van zich te laten spreken. Avicenna beweerde dat de vormen van de elementen onaangeroerd blijven, maar dat de eigenschappen zodanig verzwakken dat ze nauwelijks meer waarneembaar zijn. Averroës stelde dat de kracht en intensiteit van zowel de vormen als de eigenschappen van de elementen afnemen en als potentie in het *mixtum* voortbestaan. Omdat de wezenlijke vormen volgens Aristoteles geen gradaties kennen – wat betekent dat ze niet versterkt of verzwakt kunnen worden (immers, een vierbenig zoogdier is een hond of geen hond; het is onzinnig om in dit verband te spreken van meer of minder) – kwam Averroës tot de conclusie dat de vormen van de oorspronkelijke elementen geen wezenlijke vormen zijn, maar een hoedanigheid hebben die tussen de wezenlijke en toevallige vorm in ligt. Thomas van Aquino (ca. 1124-74) beweerde dat de vormen van de elementen tijdens het proces van *mixtio* worden vernietigd, maar dat hun eigenschappen een soort van virtuele invloed op het *mixtum* uitoefenen. Deze en andere opvattingen vormden de basis van een levendige discussie onder de laat-middeleeuwse natuurwetenschappers.[9]

Een laatste kwestie waarop we onze aandacht moeten vestigen, heeft te maken met de fysische deelbaarheid van lichamelijke substanties – zoals hout, steen of organisch weefsel. Kent dit deelproces bepaalde grenzen, en wat zijn de eigenschappen van de kleinste delen? Lijken ze op atomen? Aristoteles had reeds gewezen op de kleinste delen van de ingrediënten van een *mixtum*, die zich vermengen en op elkaar inwerken, en op basis van deze opmerkingen hebben latere commentatoren een theorie ontwikkeld die *minima* of *minima naturalia* (de kleinste natuurlijke delen) zou worden genoemd. Deze theorie erkende dat deelbaarheid in principe eindeloos zou moeten zijn; hoe klein een deeltje ook is, er bestaat geen fysische reden waarom het niet nogmaals gedeeld zou kunnen worden. Maar er werd ook gesteld dat er niettemin een minimale hoeveelheid van iedere substantie bestaat, en dat in die hoeveelheid de substantie niet meer dezelfde is omdat haar vorm dan niet langer kan worden gehandhaafd.

In de middeleeuwen zijn er pogingen gedaan de theorie van de *minima* te construeren als een variant van het atomisme. Het is waar dat beide theorieën de corpusculaire structuur van de materie erkenden, maar op andere vlakken lagen ze ver uit elkaar. De deeltjes van de atomisten waren ondeelbare kleinste delen; de *minima* van de middeleeuwen waren deelbaar, maar verloren hun identiteit als ze gedeeld werden. Alle atomen bestonden uit dezelfde stof en verschilden alleen in omvang en vorm; de *minima* waren net zo verschillend als de substanties waartoe ze behoorden. De atomisten dachten dat de eigenschappen in de macroscopische wereld over het algemeen geen tegenhangers kenden in de microscopische wereld: zo verklaarden de atomisten de roodheid van een bloem niet aan de hand van de roodheid van haar samengestelde delen. In plaats daarvan reduceerden de atomisten de kwalitatieve rijkdom van de wereld van de zintuiglijke waarneming tot sobere atomen zonder specifieke eigenschappen (alleen gekenmerkt door omvang, vorm, beweging en mogelijkerwijs gewicht). De aanhangers van de theorie van *minima*, daarentegen, vervolgden het aristotelische programma en bedeelden die kleinste delen juist met de eigenschappen van het geheel waartoe ze volledig behoorden: de *minima* van hout zijn dan nog altijd hout.[10]

DE ALCHEMIE

De kunst of wetenschap van de alchemie had nauwe banden met de middeleeuwse theorieën van stoffelijke substantie, verbinding en vermenging. Niettemin is dit een van de minst bestudeerde en minst begrepen aspecten van de middeleeuwse wetenschap, en we kunnen hier niet meer doen dan een kort en eenvoudig overzicht geven van haar doelstellingen, verrichtingen en theoretische grondslagen.[11]

De alchemie was zowel de empirische kunst die streefde naar de omzetting van de onedele metalen in goud (of een ander edelmetaal) als de theoretische wetenschap die dit streven verklaarde en richting gaf. Er was niet de geringste twijfel over het feit dat de substanties verwisselden van identiteit. Denk bijvoorbeeld aan een plant of een boom, waarin water en grondstoffen worden omgevormd tot een broze bloem of een sappige vrucht; of aan het bijzondere geval van het lam, dat in staat lijkt te zijn water en gras om te zetten in wol en vlees. Volgens de alchemische theorie wordt dit mogelijk gemaakt door de fundamentele eenheid van alle stoffelijke substanties. Aristoteles' natuurwetenschap bood een verklaring voor deze eenheid door de vier elementen te verbeelden als de produkten van de primaire materie en als paren van de vier elementaire eigenschappen: warm, koud, nat en droog. Verander de eigenschappen, en de elementen wisselen van identiteit. Verander de verhoudingen van de elementen in een *mixtum*, en het *mixtum* wordt omgezet in een andere substantie.

Maar de alchemisten waren voornamelijk geïnteresseerd in de metalen. Volgens een algemeen aanvaardde theorie die ontleend was aan Aristoteles waren alle metalen samenstellingen of *mixta* van zwavel en kwik.[12] Het *mixtio* van zwavel en kwik werd opgevat als een ontwikkelings- of rijpingsproces dat op natuurlijke wijze en onder invloed van warmte in de aarde plaatsvindt. Welk metaal hieruit voortkomt, is afhankelijk van alle factoren die bij dit rijpingsproces komen kijken, zoals de zuiverheid en homogeniteit van het zwavel en het kwik, hun verhouding in het *mix-*

tum en de mate van warmte. Het doel van de alchemist was dit rijpingsproces te verkorten of te versnellen – in korte tijd en op kunstmatige wijze datgene te reproduceren wat de natuur, in het binnenste van de aarde, misschien wel duizend jaar kostte. Het streven en doeleinde van dit proces, indien het op perfecte wijze werd uitgevoerd, was de produktie van goud; onvolmaaktheid of gebrekkigheid resulteerde in een van de andere metalen.

In praktische termen streefde de alchemist naar het reduceren van een onedel metaal tot primaire materie door het te ontdoen van al zijn wezenlijke en toevallige vormen; en vervolgens de vormen toe te voegen door het juiste alchemische recept zo toe te passen dat het metaal werd omgezet in een van de edele metalen. Tevens wilden de alchemisten het recept van de 'elixer' of 'steen der wijzen', vinden, een substantie die werd geacht het vermogen te hebben de onedele metalen binnen te dringen en deze in goud te veranderen. Tijdens hun pogingen daartoe ontwikkelden de alchemisten een groot aantal chemische processen, zoals oplossing, verassing, versmelting, distillatie, rotting, gisting en sublimatie. Daarnaast vervaardigden ze ook nog de hiervoor vereiste apparatuur, zoals een grote verscheidenheid aan ovens voor het verhitten en smelten, de distilleerkolf voor het distilleren en diverse kolven, reservoirs en andere vaten voor het smelten, mengen, verpulveren en verzamelen van alchemische substanties.[13]

De alchemie lijkt Griekse oorsprongen te hebben en stamt wellicht uit het hellenistische Egypte. Later werden de Griekse teksten naar het Arabisch vertaald en veroorzaakten ze de opkomst van een veelzijdige islamitische alchemische traditie. Onder de opzienbarende Arabische alchemische geschriften bevonden zich onder meer het werk dat wordt toegeschreven aan Geber (Jabir ibn Hayyan, actief in de negende of tiende eeuw) en het *Boek van het geheim der geheimen* van Mohammed ibn Zakariyya al-Razi († rond 925). Vanaf ongeveer het midden van de twaalfde eeuw werden deze alchemische werken naar het Latijn vertaald, waardoor een krachtige Latijnse alchemische traditie tot stand kwam. Het geloof in de waarheid van de alchemische theorieën en de geldigheid van de alchemische doeleinden was wijdverbreid maar verre van universeel; beginnend bij Avicenna, ontwikkelde zich een sterke kritische traditie en werd er veel inkt gebruikt voor de woordenstrijd over de theoretische en praktische mogelijkheden van de alchemie. In de loop van haar lange geschiedenis werd er een verband gelegd tussen de alchemie en vele andere technische kunsten (zoals de metaalkunde en de vervaardiging van kleurstoffen) en methoden van denken. Zij kreeg theologische, magische en allegorische ondertonen en werd geleidelijk aan omgevormd tot een alomvattende mystieke filosofie; zo werd de alchemische omzetting tegen het einde van de middeleeuwen vaak in verband gebracht met de geestelijke omzetting van de uitvoerder van alchemische experimenten en geloofden sommige mensen dat het elixer niet alleen onedele metalen omzette in goud, maar tevens onsterfelijkheid schonk.[14]

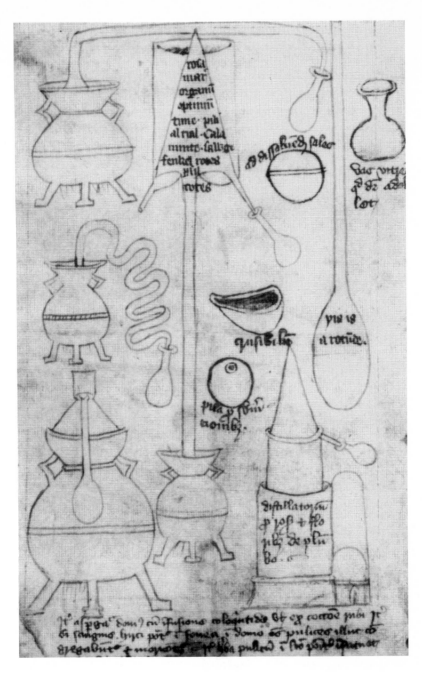

Afbeelding 12.1 Alchemische apparaten,
waaronder ovens en distilleertoestellen.
British Library, MS SLoane 3548, fol. 25r
(15de eeuw). Met toestemming van de
British Library.

Verandering en beweging

De historici stellen het statische karakter van het aristotelische universum vaak tegenover het dynamische aspect van de atomistische filosofie. Het laat zich makkelijk raden wat zij hierbij in gedachten hebben. In het ondermaanse gebied van Aristoteles houdt de natuurlijke beweging op zodra het bewegende object zijn natuurlijke plek bereikt en komt er een einde aan de gedwongen beweging zodra de externe kracht niet langer opereert. Als we alles op zijn natuurlijke plek plaatsen en ons ontdoen van de externe bewegers, zou de wereld van Aristoteles abrupt ophouden te bestaan. De wereld van de atomisten, daarentegen, verkeert in een voortdurende staat van beweging – atomen die bewegen, botsen en zich tijdelijk groeperen in een eeuwigdurende maalstroom.

Maar het idee van Aristoteles' statische kosmos wordt gestimuleerd door onze aandacht te beperken tot één soort verandering – verandering van plaats of 'lokale beweging'. Als we dieper kijken, niet naar de plaats van een object maar naar de aard van het object, dan komt het ware dynamische karakter van de aristotelische kosmos aan het licht. Volgens Aristoteles verkeerden de natuurlijke dingen altijd in een staat van beweging en is het een deel van hun wezenlijke aard om altijd in staat van overgang te zijn, van potentialiteit naar actualiteit. Dit blijkt ongetwijfeld nog het duidelijkst uit het biologische rijk, waar groei en ontwikkeling onontkoombaar zijn, maar het waren vooral de biologische onderzoekingen van Aristoteles die vorm gaven aan zijn gehele natuurfilosofie. Zijn definitie van de aard, als de innerlijke bron van verandering die in alle natuurlijke lichamen aanwezig is, is wellicht van biologische oorsprong, maar toepasbaar op zowel de organische als de anorganische wereld. Het voornaamste onderwerp van Aristoteles' natuurwetenschap is dan ook de verandering, in al haar vormen en uitingen. Aristoteles stelde in zijn *Physica* (boek 3) zonder omhaal van woorden dat als wij ons niet bewust zijn van verandering, wij dat ook niet zijn van de natuur.[15] Al lijkt het merendeel van de objecten in de aristotelische kosmos de voorkeur te geven aan stilstand in plaats van aan beweging, onder hun oppervlakte zijn de dingen in de greep van de verandering.

Aristoteles en zijn middeleeuwse volgelingen stelden vast dat er vier soorten van verandering waren: (1) ontstaan en vergaan, (2) wijziging, (3) vergroting en verkleining en (4) plaatselijke beweging. Ontstaan en vergaan doen zich voor wanneer afzonderlijke dingen (dat wil zeggen, substanties) beginnen te bestaan en ophouden te bestaan. Wijziging is een verandering van kwaliteit, bijvoorbeeld wanneer een koud ding warm wordt. Vergroting en verkleining verwijzen naar kwantitatieve verandering – dat wil zeggen, verandering van omvang, zoals bij verdunning en verdichting. En plaatselijke verandering is verandering van plek – het soort verandering waaraan de zeventiende-eeuwse wetenschappers het belang gaven dat het in de aristotelische fysica niet had.

Wanneer we Aristoteles' theorie van beweging nader beschouwen, kijken we dus naar één aspect van zijn theorie van verandering. Het was de verandering in het algemeen die de belangstelling had van Aristoteles en zijn commentatoren, en de plaatselijke beweging was slechts een van de vele soorten en in geen geval de meest fundamentele. We besparen ons veel verwarring als we dit voor ogen houden. De eigenschappen van de aristotelische en middeleeuwse theorieën van beweging die ons vreemd en eigenaardig lijken wanneer we ze bezien vanuit het standpunt van de moderne bewegingsleer, krijgen vaak een heel ander aanzien wanneer we ze be-schouwen in het licht van de vragen die ze beoogden te beantwoorden.

Dit leidt ons direct tot een belangrijke en ingewikkelde methodologische kwes-tie. De gebruikelijke manier om middeleeuwse bewegingstheorieën te benaderen, is het conceptuele kader van de moderne bewegingsleer terug te voeren naar de middeleeuwen en het te gebruiken als een bril waardoor de middeleeuwse ontwik-kelingen kunnen worden bezien. Deze methode heeft het enorme voordeel dat we op intellectueel bekend terrein blijven; als nadeel heeft het dat we slechts aandacht schenken aan de middeleeuwse ontwikkelingen die gelijkenis vertonen met een stuk moderne theorie. Het alternatief is een middeleeuws perpectief te hanteren – een benadering die het duidelijke voordeel heeft dat ze trouw is aan het stelsel van ideeën dat we willen begrijpen, maar moeilijk uit te voeren is. Het intellectuele ka-der van de middeleeuwse bewegingstheorieën is een conceptueel doolhof, alleen geschikt voor geharde veteranen en zeker niet voor een kort bezoek vanuit de twintigste eeuw. Geconfronteerd met de keuze dit doolhof te bezien vanaf de vei-lige afstand van de zeventiende of twintigste eeuw, of om het helemaal niet te bezien, hebben de meeste middeleeuwse wetenschapshistorici begrijpelijkerwijs gekozen voor de eerste mogelijkheid. Mijn eigen standpunt is dat we bepaalde praktische compromissen moeten sluiten om op een middenweg te komen. In de bladzijden die volgen zullen we verschillende korte uitstapjes maken naar de regio-nen van dit middeleeuwse doolhof die veilig zijn voor toeristen, zodat we enig idee krijgen van de stand van zaken in die gebieden. Ook zullen we bepaalde middel-eeuwse ontwikkelingen beschouwen die van belang zijn vanwege hun latere in-vloeden en zullen we trachten die ontwikkelingen te beschrijven op een wijze die de lezer zal helpen te begrijpen uit welk middeleeuws kader ze voortkwamen.

De aard van beweging

Wanneer een klassieke of middeleeuwse natuurwetenschapper zich richtte op een bepaald onderzoeksgebied wilde hij als eerste weten: welke dingen (die relevant zijn voor het onderzoek) bestaan er? Dit is een vraag over de entiteiten die het uni-versum bevolken. Als hij deze vraag had beantwoord, kon hij zich vervolgens rich-ten op andere, zoals: Wat is de aard van de dingen die bestaan? Hoe veranderen ze? Op welke wijze beïnvloeden ze elkaar? En hoe kennen wij ze? Was de beweging het onderwerp van onderzoek dan was het eerst zaak uit te zoeken of beweging be-staat, en zo ja, wat zij dan precies inhoudt.

Aristoteles had deze kwestie met voldoende ambiguïteit behandeld om zijn commentatoren meer dan genoeg stof tot nadenken te geven. In de islamitische wereld mengden de twee grote commentatoren van Aristoteles, Avicenna en Averroës, zich beiden in de strijd. En in het westen werd de kwestie aangesneden door Albertus Magnus. We kunnen niet tot in het detail ingaan op deze uitermate technische discussie, maar het is mogelijk de hoofdpunten weer te geven door ons te richten op twee belanghebbende standpunten die tegen het einde van de dertiende eeuw naar voren kwamen en op enkele van de redeneringen die werden gebruikt om een oordeel over ze uit te spreken. Volgens de ene opvatting, die gekenmerkt werd door de woorden *forma fluens* (stromende vorm), was beweging niet te scheiden of onderscheiden van het bewegende lichaam, maar *was* ze gewoonweg het bewegende lichaam en zijn opeenvolgende plaatsen. Als Achilles een wedstrijd rent, zijn Achilles en de objecten die de plaatsen benoemen welke hij achtereenvolgens in beslag neemt de dingen die bestaan; geen enkele andere entiteit is aanwezig; het woord 'beweging' verwijst niet naar een bestaand *ding*, maar slechts naar het *proces* waardoor Achilles achtereenvolgens verschillende plaatsen in beslag neemt. Dit standpunt werd ontwikkeld door Averroës en Albertus Magnus. Volgens de andere opvatting, bekend onder de naam *fluxus formae* (stroom van een vorm), was er behalve het bewegende lichaam en de plaatsen die het achtereenvolgens in beslag neemt ook een *ding* dat inherent aan het bewegende lichaam is, dat we 'beweging' kunnen noemen.[16]

We kunnen wellicht enig inzicht krijgen in de beweegredenen van deze discussie door de nadere beschouwing van een stel beroemde redeneringen, voor iedere opvatting één. Willem van Ockham (ca. 1285-1347) verdedigde het idee van de *forma fluens* met kenmerkende logische gestrengheid. Naar Ockhams opvatting is 'beweging' een abstracte, fictieve term – een naamwoord dat niet verwijst naar een werkelijk bestaande entiteit. Hiermee probeerde Ockham niet te ontkennen dat dingen bewegen, maar beweerde hij eenvoudig dat *beweging* geen *ding* is. Om dit duidelijk te maken, zei Ockham, moeten we een zin als de volgende overwegen: 'Elke beweging wordt voortgebracht door een beweger'. Een naïeve lezer zou kunnen denken dat het naamwoord 'beweging' voor een echt ding staat (een substantie of een eigenschap) omdat naamwoorden veelal die functie hebben. We kunnen deze zin echter vervangen door een zin met dezelfde dynamische inhoud, maar met andere implicaties voor de *aard* van beweging: 'Elk ding dat wordt bewogen, wordt bewogen door een beweger'. Nu is het naamwoord 'beweging' verdwenen en daarmee tevens de implicatie dat beweging een ding zou kunnen zijn. Maar wat bepaalt onze keuze tussen deze twee mogelijkheden en de twee werelden die ze omschrijven? De efficiëntie. Hoewel de twee zinnen dezelfde dynamische stelling poneren (dingen bewegen alleen wanneer ze door bewegers worden bewogen), is de wereld waarin beweging geen bestaand ding is een meer efficiënte wereld omdat daarin minder dingen bestaan; dientengevolge moeten we deze wereld als de echte wereld beschouwen, tenzij het tegendeel op overtuigende wijze kan worden aangetoond.[17]

Jean Buridan (ca. 1295-ca. 1385) gebruikte geheel andere argumenten bij de verdediging van het idee van de *fluxus formae*. In zijn commentaar op Aristoteles' *Physica* beantwoordde Buridan de nu bekende vraag – of de plaatselijke beweging een ding is dat losstaat van het bewogen object en de plaatsen die het achtereenvolgens in beslag neemt – door te verwijzen naar de theologische leer. Het theologisch uitgangspunt van Buridans redenering was de veronderstelling dat God, met zijn absolute macht, de kosmos in zijn geheel zou hebben uitgerust met een draaiende beweging. Deze kennis van Buridan was gebaseerd op het beginsel dat God alles doen kan wat zichzelf niet tegenspreekt; bovendien bevestigde een van de artikelen van de veroordeling van 1277 (volgens Buridans lezing) uitdrukkelijk dat God de macht had een hieraan gelijke daad te stellen door de gehele kosmos in een rechte lijn te doen bewegen. Maar als we het idee van de *forma fluens* aanvaarden – dat beweging niets meer is dan het bewegende object en de plaatsen die hij achtereenvolgens in beslag neemt – dan stuiten we op een ernstig probleem. Plaats was door Aristoteles gedefinieerd in termen van omringende lichamen. Omdat de kosmos door niets wordt omgeven (iedere omgeving zou immers worden beschouwd als een deel van de kosmos), lijkt het ook geen plaats te hebben. Wanneer de kosmos geen plaats heeft, kan het dus ook niet van plaats veranderen; en wanneer het niet van plaats kan veranderen, kan ook niet worden gesteld dat hij beweegt. Deze conclusie is echter niet verenigbaar met het uitgangspunt van de redenering – de onbetwistbare veronderstelling dat God in staat is de kosmos uit te rusten met een draaiende beweging. De oplossing, dacht Buridan, lag in een ruimere opvatting van beweging, de *fluxus formae*. Als beweging niet gewoonweg het bewegende lichaam en zijn achtereenvolgende plaatsen is, maar een bijkomende eigenschap van het lichaam dat gelijk is aan een kwaliteit, dan kan de kosmos deze eigenschap zelfs bij de afwezigheid van een plaats bezitten en is een deel van het probleem hiermee verholpen. De implicatie van deze theorie – dat beweging een kwaliteit is, of iets dat als een kwaliteit kan worden behandeld – werd in de tweede helft van de veertiende eeuw door vele natuurwetenschappers erkend.[18]

DE WISKUNDIGE OMSCHRIJVING VAN BEWEGING

Heden ten dage behoeft de toepassing van de wiskunde op beweging geen verdediging. De theoretische mechanica, waarvan de bewegingsleer afstamt, is per definitie wiskundig, en voor iedereen die enig berip heeft van de moderne natuurkunde zou de wiskundige manier de enige manier lijken. Maar misschien kan deze conclusie alleen achteraf gezien en vanuit een modern standpunt duidelijk zijn; voor Aristoteles en vele anderen die werkten in de aristotelische traditie zou zij niet zo plausibel hebben geleken. We moeten niet vergeten dat Aristoteles en zijn middeleeuwse volgelingen beweging beschouwden als een van de vier soorten van verandering en dat zij verwachtten dat de analyse van beweging een navolging zou zijn (in grote lijnen) van de analyse van verandering in het algemeen. Tevens moeten we ons beseffen dat de meeste gevallen van verandering wezenlijk niets met de wiskunde van doen hebben. Als we ziekte zien overgaan in gezondheid, de deugd vervangen zien worden door ondeugd en warmte de plaats zien innemen van koude, worden we niet geconfronteerd met getallen of geometrische grootten. Het ontstaan en vergaan van een substantie en de wijziging van een kwaliteit zijn geen onmiskenbaar wiskundige processen en slechts door heroïsche pogingen is het de geleerden door de eeuwen heen gelukt om een wiskundige greep te krijgen op enkele soorten van verandering, zoals plaatselijke beweging. Laten we de eerste fasen van deze laat-middeleeuwse ontwikkeling eens nader beschouwen.

Uiteraard waren er in de oudheid ook voorstanders van de mathematisering van de natuur, zoals de pythagoreeërs, Plato en Archimedes; de eerste successen werden geboekt binnen de wetenschap van de astronomie, de optica en de evenwichtsleer (zie hoofdstuk 5). Het was onvermijdelijk dat deze successen een inspiratiebron zouden gaan vormen voor anderen die geïnteresseerd waren in de mathematisering van andere onderwerpen. Een eenvoudig begin van de analyse van beweging vinden we in Aristoteles' *Physica*, waar afstand en tijd, beide meetbaar, werden gebruikt als maatstaven voor beweging. Aristoteles beweerde dat de snelste van twee bewegende objecten een grotere afstand aflegt in dezelfde tijd, of dezelfde afstand in minder tijd, terwijl twee objecten die zich met gelijke snelheid verplaatsen in dezelfde tijd een gelijke afstand afleggen. Een generatie na Aristoteles ging de wiskundige Autolycus van Pitane (actief rond 300 v. Chr.) een stap verder door eenparige beweging te definiëren als een beweging waarbij gelijke afstanden in gelijke tijden worden afgelegd. Het is belangrijk op te merken dat in deze discussies in de oudheid de afstand en de tijd werden gezien als de essentiële maatstaven van beweging, en dat deze ook van een numerieke waarde konden worden voorzien, terwijl 'vlugheid' of snelheid deze status nooit bereikte en een vaag en onmeetbaar begrip bleef.[19]

De eerste gevolgen van de wiskundige analyse kunnen in het middeleeuwse christendom worden gevonden in het werk van Gerard van Brussel, een wiskundige die in de eerste helft van de dertiende eeuw mogelijk aan de Universiteit van Parijs heeft gedoceerd. Voor onze doeleinden is het belangrijkste kenmerk van Gerards beknopte *Boek over beweging* dat het zich beperkt tot datgene wat we nu 'kinematica' noemen. Om dit te kunnen begrijpen, moeten we in het kort weergeven wat het verschil is tussen de kinematica en de dynamica – een onderscheid dat kan dienen als een van de structurerende beginselen van het restant van onze bespreking van de bewegingstheorieën. Als we de beweging van een lichaam nader willen onderzoeken, zijn er in wezen twee manieren om dat te doen. We kunnen ons richten op de oorzaken van de beweging, waarbij we nader ingaan op de middelen of krachten die de beweging voortbrengen en die wellicht in verband kunnen brengen met de snelheid van de beweging; of we kunnen de beweging omschrijven zonder te verwijzen naar enig oorzakelijk verband. De eerste onderneming, die zich richt op de oorzakelijke verbanden, staat bekend als de 'dynamica';

de tweede, die zich beperkt tot de omschrijving (meestal een wiskundige), staat bekend als de 'kinematica'. Gerard is dus van belang als voorloper van de kinematische traditie die zich in het Latijnse westen zou ontwikkelen.[20]

In de veertiende eeuw zou deze traditie een groeiende aanhang vinden onder een groep eminente veertiende-eeuwse beoefenaars van de logica en de wiskunde die tussen 1325 en 1350 was verbonden aan het Merton College te Oxford. Deze groep bestond onder anderen uit Thomas Bradwardine († in 1349), die later werd benoemd tot bisschop van Canterbury); William Heytesbury (actief rond 1335); Johannes van Dumbleton († in 1349); en Richard Swineshead (actief tussen 1340 en 1355). In de eerste plaats gaven de leden van deze Merton-groep uitdrukking aan het onderscheid tussen kinematica en dynamica dat reeds impliciet aanwezig was in Gerards *Boek over beweging*, en merkten zij op dat het onderzoek naar beweging gedaan kan worden vanuit het standpunt van de oorzaak of dat van het gevolg. Vervolgens ontwikkelden de geleerden van Merton een conceptueel kader en een technisch vocabulair om beweging door een kinematische bril te kunnen bezien. Dit conceptuele kader en zijn technische vocabulair bevatten onder meer de ideeën van snelheid en onmiddellijke snelheid, die beide werden behandeld als wetenschappelijke concepten waaraan een grootte kon worden toegeschreven.[21] De geleerden van Merton maakten onderscheid tussen eenparige beweging (beweging met een constante snelheid) en niet-eenparige (versnelde) beweging. Ook gaven ze een precieze definitie van de eenparig versnelde beweging die gelijk is aan de onze: een beweging is een eenparig versnelde beweging als haar snelheid en de tijd in gelijk mate toenemen. De geleerden van Merton ontwikkelden, tot slot, diverse kinematische theorema, waarvan we hieronder enkele nader zullen beschouwen.[22]

Maar alvorens we dit doen, moeten we een blik werpen op de filosofische grondslagen van deze verrichtingen op het gebied van de kinematica. De opkomst van snelheid als een nieuwe graadmeter van beweging, naast de oude maatstaven (afstand en tijd), is een ontwikkeling die uitleg behoeft. Snelheid is immers een nogal abstract concept, dat zichzelf niet aan de waarnemer van bewegende lichamen opdrong, maar door de natuurwetenschappers moest worden uitgevonden en worden opgelegd aan de verschijnselen. Hoe gebeurde dit? Het antwoord ligt in de filosofische analyse van de kwaliteiten en van hun kracht of intensiteit.

Het basisidee was dat kwaliteiten en vormen in verschillende gradaties of mate van hevigheid kunnen bestaan: er is niet slechts één mate van warmte of koude, maar vele verschillende maten van hevigheid, of niveaus tussen erg koud en erg heet. Daarenboven werd erkend dat vormen of kwaliteiten binnen dit bereik kunnen variëren; hetgeen wil zeggen dat zij sterker of zwakker kunnen worden, of, om de technische middeleeuwse terminologie te gebruiken, dat zij onderhevig zijn aan verheviging en verzwakking.[23] Toen deze algemene bespreking van kwaliteiten en hun verheviging en verzwakking zich verplaatste naar het specifieke geval van de plaatselijke beweging (beweging die werd gezien als een kwaliteit of iets dat bijna gelijk was aan een kwaliteit), verscheen al spoedig het idee van snelheid. De hevigheid van de kwaliteit van beweging – de graadmeter van haar sterkte of haar niveau – kon niets anders zijn dan vlugheid of (om de technische middeleeuwse term te hanteren) snelheid. Verheviging of verzwakking van de kwaliteit of beweging moet dus verwijzen naar de verschillen in snelheid.

Het denken over kwaliteiten, hun sterkte en hun verheviging gaf ook aanleiding tot het onderscheiden van de sterkte van een kwaliteit en haar grootte of hoeveelheid. Een voorbeeld zal dit onderscheid duidelijk maken. In het geval van warmte was het duidelijk dat het ene object warmer kon zijn dan het andere; dit is het idee van sterkte of hevigheid (min of meer gelijk aan ons idee van temperatuur).[24] Maar blijkbaar was er nog iets anders – namelijk de verdeling van de kwaliteit of warmte in een subject (een warm object). Stel dat we twee lichamen, die gelijk zijn maar waarvan het ene twee zo groot is als het andere, met dezelfde mate of hevigheid van warmte bedelen, zou het lijken alsof het grotere lichaam tweemaal zoveel warmte bevat dan het kleinere lichaam. Tussen de twee lichamen is er geen verschil qua *hevigheid* van warmte, maar het grotere lichaam bevat tweemaal de *hoeveelheid* warmte van het kleinere lichaam. Wanneer we denken aan gewicht komen we tot een vergelijkbaar onderscheid tussen het niveau of de mate van hevigheid van gewicht (onze dichtheid of specifieke zwaarte) en de verdeling van het gewicht in een lichaam (de totale hoeveelheid gewicht). Aangenomen werd dat iedere andere kwaliteit (ook beweging) op dezelfde wijze kon worden bezien; en aldus ontstond het algemene onderscheid tussen de sterkte van een kwaliteit en de hoeveelheid van die kwaliteit.[25]

Het nieuws van de prestaties van het Merton College wat betreft de analyse van kwaliteiten bereikte al snel de andere Europese intellectuele centra. Daar werd de analyse verbeterd en verhelderd door de toevoeging van een systeem van geometrische afbeeldingen. Aan het Merton College werd de oorspronkelijke analyse van kwaliteiten verbaal uitgevoerd, op ongeveer dezelfde wijze als wij die hier hebben uiteengezet. De voordelen van de geometrische analyse werden echter al snel aanvaard en uiteindelijk werden er vrij uitgebreide systemen voor het geometrisch afbeelden uitgewerkt. Een van de eersten die een dergelijk systeem ontwikkelden was Giovanni di Casali, een franciscaan uit Bologna (die enige tijd in Cambridge doorbracht) die zijn werk rond 1351 schreef; een veel uitgebreidere geometrische analyse werd later in dat decennium aan de Universiteit van Parijs opgesteld door Nicolaas van Oresme. Een nadere beschouwing van Oresme's stelsel kan voor ons even verhelderend werken als voor zijn middeleeuwse lezers.

De eerste stap was de afbeelding van de sterkte van een kwaliteit door middel van lijnsegment – voor een middeleeuwse geleerde een relatief gemakkelijke stap, die reeds naar voren was gebracht door Aristoteles (die lijnen gebruikte om de tijd weer te geven) en Euclides (die lijnen gebruikte voor de weergave van numerieke grootheden). Als het lijnsegment AB (afb. 12.2) een gegeven sterkte van een bepaalde kwaliteit weergeeft, dan wordt het dubbele van deze sterkte weergegeven door het segment AC. Dit is goed, maar brengt ons niet veel verder. De cruciale volgende stap was deze lijn te gebruiken als weergave van de sterkte van een kwaliteit op iedere plek van het subject. Neem nu staaf AE (afb. 12.3), die in verschillende mate wordt verhit, zodat de ene kant warmer is dan de andere kant. Trek dan boven punt A en boven iedere andere plek op de staaf een verticale lijn die de sterkte van de warmte op die plek weergeeft. Als de temperatuur van A tot E in gelijke mate toeneemt, zal de afbeelding een gelijke toename van de lengte van de verticale lijnen laten zien. Oresme abstraheerde dit systeem aanzienlijk door de tekening van een staaf te vervangen door een horizontale lijn. Dit maakte de weergave meer algemeen (zie afb. 12.4), waarbij de horizontale lijn (de 'subjectslijn' of 'longitudo') het subject voorstelt, wat dat dan ook moge zijn, terwijl de verticale lijn een weergave is van de sterkte van elke willekeurige kwaliteit op de plek waar de verticale lijn het subject raakt.

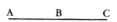

A   B   C

Afbeelding 12.2
Het gebruik van een lijnsegment
voor de weergave van de sterkte
van een kwaliteit.

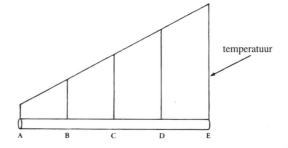

temperatuur

A   B   C   D   E

Afbeelding 12.3 De verdeling
van temperaturen over een staaf.

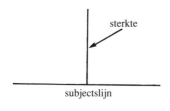

sterkte

subjectslijn

Afbeelding 12.4 Het systeem van Nicolaas
van Oresme voor de weergave van de
verdeling van elke willekeurige kwaliteit
over een subject.

Wat Oresme tot stand bracht is een vorm van geometrische verbeelding – de voorloper van de moderne grafische technieken – waarbij de vorm van de grafiek (zoals in afb. 12.3) ons informatie verschaft over de sterkte van een kwaliteit in een subject. Maar hoe maken we de sprong van kwaliteiten in het algemeen naar het specifieke geval van beweging? We zouden ons kunnen richten op een lichaam waarvan de verschillende delen zich met verschillende snelheden bewegen; een goed voorbeeld is een staaf die draait om een pin die aan één zijde van die staaf is bevestigd. In een dergelijk geval kunnen we de staaf horizontaal uittekenen en vanaf ieder punt een loodlijn trekken die de snelheid van dat punt aangeeft. Hiermee verkrijgen we de verdeling van snelheden in een subject, zoals in afbeelding 12.5.

Maar er is een geval dat ingewikkelder ligt, omdat daarbij een grotere abstractie

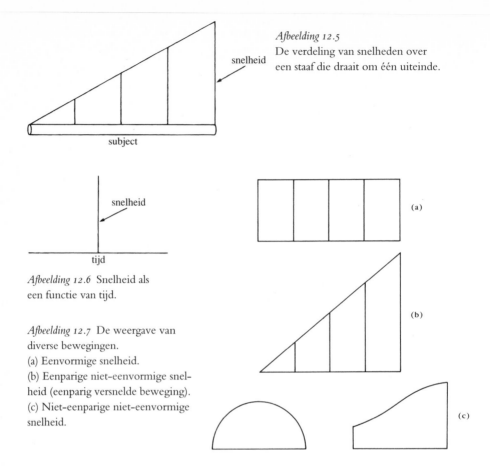

Afbeelding 12.5
De verdeling van snelheden over
een staaf die draait om één uiteinde.

Afbeelding 12.6 Snelheid als
een functie van tijd.

Afbeelding 12.7 De weergave van
diverse bewegingen.
(a) Eenvormige snelheid.
(b) Eenparige niet-eenvormige snelheid (eenparig versnelde beweging).
(c) Niet-eenparige niet-eenvormige
snelheid.

vereist is. Stel dat we een lichaam hebben dat zich als een eenheid beweegt en waarvan alle delen een gelijke snelheid hebben, maar een snelheid die met de tijd verandert. Om dit te kunnen begrijpen, verklaarde Oresme, moeten we inzien dat in dit geval de subjectslijn geen weergave van een lichamelijk object is, maar van de duur van een plaatselijke beweging. De tijd is het subject. Hierdoor verkrijgen we een eenvoudig coördinatief stelsel waarin snelheid kan worden voorgesteld als een functie van tijd (zie afb. 12.6). Vervolgens besprak Oresme verschillende configuraties van snelheid met betrekking tot tijd. Eenvormige snelheid wordt dan weergegeven door een figuur waarin alle verticale lijnen van gelijke lengte zijn – dat wil zeggen, een rechthoek. Niet-eenvormige snelheid vereist verticalen van verschillende lengte. Binnen deze klasse van niet-eenvormige snelheid hebben we eenparige niet-eenvormige snelheid (eenparig versnelde beweging), die wordt weergegeven door een driehoek, en niet-eenparige niet-eenvormige snelheid, die wordt weergegeven door diverse andere figuren (zie afb. 12.7). En tot slot, wat deed Oresme met dat andere kenmerk van kwaliteiten dat we hierboven reeds hebben genoemd – hun totale hoeveelheid? Hij legde een verband tussen de totale hoeveelheid van beweging en de afgelegde afstand; bovendien beweerde hij dat dit in de snelheid-tijd diagram moet worden weergegeven door de oppervlakte van de figuur.

Oresme heeft zo een slim geometrisch systeem bedacht voor de weergave van beweging. Oogstte dit onder hem en zijn volgelingen slechts passieve bewondering, of konden ze er ook nog iets mee doen? In werkelijkheid slaagden zij er in kinematische ideeën te ontwikkelen die enkele opvallende wiskundige eigenschappen van eenvormige of eenparig versnelde beweging aan het licht brachten. De laatste, verbeeld in afbeelding 12.7(b), was de meest belanghebbende. Dit geval was in de veertiende eeuw van bijzonder belang, niet omdat het in verband werd gebracht met iedere afzonderlijke beweging in de echte wereld, maar omdat het een behoorlijke wiskundige uitdaging bood. Laten we twee belanghebbende theorieën, die toepasbaar waren op de eenparig versnelde beweging, eens nader bekijken.

De eerste was reeds zonder enige geometrische bewijsvoering of weergave naar voren gebracht door de geleerden van Merton en staat bekend als de 'regel van Merton' of de 'theorie van de gemiddelde snelheid'. Deze theorie wil een graadmeter vinden voor de eenparig versnelde beweging door deze te vergelijken met de eenvormige beweging. De theorie stelt dat een lichaam met een eenparig versnelde beweging een gelijke afstand aflegt in een bepaalde tijd als wanneer het in diezelfde tijd met een eenvormige snelheid die gelijk is aan zijn gemiddelde snelheid zou bewegen. Uitgedrukt in getallen betekent dit dat een lichaam dat eenparig versnelt van een snelheid 10 naar een snelheid 30 een gelijke afstand aflegt als een lichaam dat gedurende dezelfde tijdspanne eenparig beweegt met een snelheid 20. Welnu, Oresme kwam met een eenvoudig doch elegant bewijs voor deze theorie. De eenparig versnelde beweging kan worden weergegeven door de driehoek ACG (afb. 12.8) en haar gemiddelde snelheid door de lijn BE. De eenvormige beweging die hiermee wordt vergeleken, moet daarom worden weergegeven door de rechthoek ACDF (waarvan BE de hoogte is, de gemiddelde snelheid van de eenparig versnelde beweging). De regel van Merton stelt eenvoudig dat de afstand die wordt afgelegd door de ene beweging gelijk is aan de afstand die wordt afgelegd door de andere. Omdat in de diagrammen van Oresme de afgelegde afstand wordt gemeten aan de hand van de oppervlakte van de figuur, kunnen we deze theorie bewijzen door te laten zien dat de oppervlakte van de driehoek ACG gelijk is aan de oppervlakte van de rechthoek ACDF. Een vluchtige blik op de twee figuren zal dit duidelijk maken.[26]

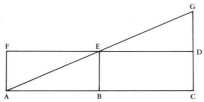

Afbeelding 12.8
Het geometrisch bewijs voor de regel van Merton van Nicolaas van Oresme.

De tweede theorie streefde, evenals de eerste, naar de verduidelijking van de wiskundige eigenschappen van de eenparig versnelde beweging door de vergelijking van de afgelegde afstanden. In dit geval werd de eerste helft van een eenparig versnelde beweging vergeleken met de afstand die werd afgelegd in de tweede helft van diezelfde beweging; er werd gesteld dat de laatste driemaal zo groot was als de eerste. Om deze theorie op geometrische wijze te bewijzen, is het slechts nodig te laten zien dat de oppervlakte van de vierhoek BCGE (afb. 12.8), die de afgelegde afstand in de tweede helft, BC, weergeeft, driemaal zo groot is als de oppervlakte van driehoek ABE, die de afgelegde afstand in de eerste helft, AB, weergeeft. En weer zal uit nadere beschouwing blijken dat dit het geval is.[27]

Tot slot moeten we twee algemene opmerkingen plaatsen. Ten eerste moeten we niet vergeten dat de middeleeuwse kinematica een volledig abstracte onderneming was – in vele opzichten gelijkend op de moderne wiskunde. Zo werd er gesteld dat als een eenparig versnelde beweging zou bestaan, de regel van Merton daarop toepasbaar zou zijn. Nooit stelde een middeleeuwse geleerde vast dat een dergelijke beweging zich in werkelijkheid voordeed. Is er een bevredigende verklaring voor dit schijnbaar vreemde gedrag? Ja, die is er. Gezien de technologie die in de middeleeuwen beschikbaar was (in het bijzonder voor het meten van de tijd), zou het een hele klus zijn aan te tonen dat een bepaalde beweging een eenparig versnelde beweging was; zelfs in de twintigste eeuw kunnen we ons voorstellen dat het zonder de instrumenten uit een natuurkundig laboratorium moeilijk zou zijn om een eenparig versnelde beweging te produceren of vast te stellen. Maar van groter belang is misschien wel het feit dat de middeleeuwse geleerden die deze kinematische analyse ontwikkelden beoefenaars van de wiskunde en de logica waren; en evenals de moderne beoefenaars van de wiskunde en logica waren zij niet zo snel geneigd hun werk van de studeerkamer naar de werkplaats te verplaatsen.

Ten tweede ontwikkelde zich uit deze zuiver intellectuele arbeid een nieuw conceptueel kader voor de kinematica en een verscheidenheid aan theorieën (zoals de regel van Merton) die een belangrijke rol speelden bij de kinematica die Galileï in de zeventiende eeuw zou ontwikkelen – door zijn werk kwamen ze terecht in de grote stroom van de moderne mechanica.[28]

De dynamica van de plaatselijke beweging

Nu dat de middeleeuwse kinematica – de poging om beweging op wiskundige wijze te omschrijven – uitgebreid is behandeld, moet ik deze bespreking van de middeleeuwse mechanica afsluiten met een kort overzicht van de bijdragen aan de *causale* analyse van beweging. Al het middeleeuwse denken op het gebied van de dynamica ging uit van het aristotelische beginsel dat bewogen dingen altijd door een beweger bewogen zijn. We moeten beginnen met duidelijk te maken welke betekenis men in de middeleeuwen aan dit beginsel gaf. Vervolgens zullen we kijken naar pogingen om de beweger in verschillende moeilijke gevallen van beweging vast te stellen. En tot slot zullen we een blik werpen op de pogingen de relatie tussen de sterkte of kracht van een beweger en de hieruit volgende snelheid van een bewegend lichaam in getallen uit te drukken.

De lezer zal zich herinneren dat Aristoteles beweging in twee categorieën verdeelde: de natuurlijke en de gedwongen beweging. Een natuurlijke beweging, waarbij een object zich naar zijn natuurlijke plaats beweegt, komt klaarblijkelijk voort uit een innerlijk principe, de aard van het lichaam. Een beweging in iedere andere richting moet een gedwongen beweging zijn, die wordt voortgebracht door een externe kracht in voortdurend contact te brengen met het bewogen lichaam. In grote lijnen lijkt dit duidelijk te zijn, maar er onstonden problemen toen middeleeuwse geleerden trachtten om in de gevallen van natuurlijke beweging en in één bijzonder ingewikkeld geval van gedwongen beweging de identiteit van de beweger met meer nauwkeurigheid vast te stellen.

In zijn *Physica*, waar hij dieper inging op de beweger van de natuurlijke beweging, geeft Aristoteles blijk van twijfel; eerst stelt hij dat de natuurlijke beweging veroorzaakt zou kunnen worden door een interne oorzaak, de aard van het lichaam, maar later beweert hij dat het niet alleen gaat om de aard van het lichaam en dat ook de aanwezigheid van een externe beweger een vereiste is. Aristoteles' tweeslachtigheid veroorzaakte een duidelijk probleem voor zijn middeleeuwse volgelingen, die zich verplicht voelden te onderzoeken of het niet voldoende was te bevestigen dat het lichaam door zijn eigen natuur wordt bewogen. Avicenna en Averroës vonden deze verklaring onaanvaardbaar omdat er niet voldoende onderscheid werd gemaakt tussen datgene wat wordt bewogen (het lichaam) en datgene wat het beweegt (de aard van het lichaam). Door het onderscheid tussen vorm en materie toe te voegen, dachten zij een adequaat alternatief te hebben ontdekt en stelden zij voor dat de vorm van het lichaam de beweger is en de materie het bewogene. In het westen verwierp Thomas van Aquino deze oplossing, waarbij hij zijn lezers herinnerde aan het feit dat materie en vorm onscheidbaar zijn en niet als afzonderlijke dingen kunnen worden behandeld. In plaats daarvan beweerde Aquino (waarbij hij een van Aristoteles' stellingen weer tot leven bracht) dat in het geval van natuurlijke beweging de beweger datgene is wat het lichaam buiten zijn natuurlijke plaats tot stand heeft gebracht; daarna heeft het lichaam geen beweger meer nodig, maar doet het eenvoudig wat in zijn aard ligt. De discussie rond deze kwestie zou tot in de late middeleeuwen doorgang vinden en had geen afgetekende winnaar.[29]

Het geval dat bijzonder moeilijk bleek was dat van projectielen; het probleem lag bij de verklaring van hun voortdurende beweging nadat het contact met hun werper reeds was beëindigd. Aristoteles had de oorzaak aan het milieu toegeschreven door te beweren dat de werper het projectiel werpt en tegelijkertijd het omringende milieu het vermogen geeft beweging voort te brengen; deze kracht wordt op zo'n manier van deel tot deel doorgegeven dat het projectiel altijd wordt omgeven door een deel van het medium dat in staat is het te doen bewegen. Uit deze verklaring bleek dat een externe kracht nodig was die voortdurend in contact was met het projectiel.

Het eerste grote verzet tegen Aristoteles' verklaring verscheen in het commentaar op Aristoteles' *Physica* van de zesde-eeuwse Alexandrijnse wijsgeer Johannes Philoponus († na 575), die dacht dat het milieu eerder weerstand dan beweger is en die betwijfelde dat het beide functies tegelijkertijd kon uitoefenen. Philoponus, een neoplatonist en toegewijd tegenstander van het aristotelisme, opende een grote aanval op de aristotelische natuurwetenschap, onder meer op het idee dat voor gedwongen bewegingen externe bewegers nodig zijn. Hij stelde voor dat alle bewegingen, natuurlijke en gedwongen, het gevolg zijn van interne bewegers. Als een projectiel wordt geworpen bedeelt de werper het projectiel met een 'onstoffelijke beweegkracht', en deze interne kracht is verantwoordelijk voor zijn beweging.[30]

Hoewel Philoponus' opgelegde beweegkracht radicaal inging tegen de aristotelische principes, werd zij uiteindelijk toch opgenomen in de middeleeuwse aristotelische traditie. Philoponus' commentaar op Aristoteles' *Physica* was in de Arabische vertaling van grote invloed en lijkt directe gevolgen te hebben gehad voor het middeleeuwse Latijnse denken, hoewel de details van de overlevering ons nog altijd ontbreken.[31] In de dertiende eeuw werden enkele theorieën die grote gelijkenis vertoonden met die van Philoponus door Roger Bacon en Thomas van Aquino besproken en verworpen. In de veertiende eeuw werd de theorie van de opgelegde beweegkracht eerst verdedigd door de franciscaanse theoloog Franciscus van Marchia (actief rond 1320) en later door Jean Buridan (ca. 1295-ca. 1358) en anderen. We zullen nu een ogenblik stilstaan bij Buridans versie van de theorie, die vaak wordt beschouwd als haar meest geavanceerde vorm.

Buridan hanteerde voor deze opgelegde kracht een nieuwe term, 'impetus' – een term die tot aan de tijd van Galileï zou worden gebruikt. Buridan omschreef de impetus als een kwaliteit die van nature geneigd is het lichaam waaraan het is opgelegd te bewegen en hij deed verwoede pogingen deze kwaliteit te onderscheiden van de beweging die het teweeg brengt: 'De impetus is een ding van blijvende aard en is gescheiden van de plaatselijke beweging waarmee het projectiel wordt bewogen ... En het is waarschijnlijk dat de impetus een kwaliteit is die van nature bestemd is voor een bewegend lichaam waaraan zij wordt opgelegd'. Bij de verdediging van de impetustheorie wees Buridan op het vergelijkbare geval van een magneet die in staat is ijzer te bedelen met een kwaliteit die het ijzer in de richting van de magneet kan doen bewegen. Zoals iedere kwaliteit wordt de impetus teniet gedaan door tegenstand of weerstand, maar in alle andere gevallen behoudt het zijn oorspronkelijke kracht. Buridan deed een eerste stap in de richting van de cijfermatige weergave van de impetus door te stellen dat zijn kracht kan worden gemeten aan de hand van de snelheid en de hoeveelheid materie van het lichaam waaraan het verbonden is. En, tot slot, Buridan vergrootte het verklarende vermogen van de impetustheorie, dat tot dan toe beperkt was geweest tot de voortdrijvende beweging, door te beweren dat de bewegingen in het heelal op aanvaardbare wijze konden worden verklaard door Gods oplegging van een impetus aan de hemelsferen op het moment van de schepping; omdat het uitspansel geen weerstand biedt, zou deze impetus niet worden aangetast en zouden de hemelsferen worden bewogen (hetgeen blijkt uit observatie) met een eeuwigdurende onveranderlijke beweging. En hij verklaarde de versnelling van een vallend lichaam met de veronderstelling dat, als een lichaam valt, zijn zwaarte voortdurend nieuwe impetus in het lichaam voortbrengt; als de impetus toeneemt, zal ook de snelheid toenemen.[32]

De impetustheorie zou de voornaamste verklaring vormen voor de voortdrijvende beweging totdat in de zeventiende eeuw een nieuwe bewegingstheorie, die ontkende dat er voor de voortzetting van een ongeremde beweging kracht nodig is (interne of externe), geleidelijk aan populair werd. Er zijn vele pogingen gedaan om de impetustheorie te bestempelen als een belangrijke stap in de richting van de moderne dynamica; zo is er vaak gewezen op de kwantitatieve overeenkomsten tussen Buridans impetus (snelheid x hoeveelheid materie) en het moderne idee van impuls (snelheid x massa). Ongetwijfeld bestaan die, maar we moeten er op wijzen dat Buridans impetus de *oorzaak* van de voortdrijvende beweging was, terwijl onze impuls de graadmeter is van een beweging die voor haar voortzetting geen oorzaak nodig heeft zolang er geen sprake is van weerstand. Kortom, Buridan werkte nog altijd binnen een conceptueel kader dat gebaseerd was op Aristoteles; hetgeen betekent dat hij een wereld (of wereldbeeld) verwijderd was van de zeventiende-eeuwse natuurwetenschappers die een nieuwe mechanica ontwikkelden op basis van nieuwe ideeën over beweging en traagheid.

DE GETALSMATIGE WEERGAVE VAN DE DYNAMICA

Dan blijft er nog één vraag over: kunnen de dynamische verhoudingen tussen kracht, weerstand en snelheid in cijfers worden uitgedrukt? Een groot aantal middeleeuwse geleerden dacht van wel. Het probleem vindt haar oorsprong bij Aristoteles, die een korte en inleidende poging tot kwantitatieve analyse ondernam, waarbij hij diverse stellingen verdedigde, zoals de volgende: hoe groter het gewicht (van een vallend lichaam), hoe sneller zijn beweging; hoe groter de weerstand (die een vallend lichaam ontmoet), hoe trager zijn beweging; en hoe kleiner een bewogen object is, hoe sneller een bepaalde kracht die zal bewegen. Het is de historici door hun gezamenlijke inspanning gelukt uit deze stellingen een wiskundige verhouding te halen, waarbij zij de opvatting dat snelheid evenredig is aan kracht en onevenredig is aan weerstand toeschreven aan Aristoteles. In moderne termen wordt dit:

$$s \propto K/W$$

Deze verhouding is zonder twijfel te gebruiken als een efficiënt middel om uitdrukking te geven aan een aanzienlijk deel van de aristotelische dynamica, hetgeen verklaart waarom zij steeds weer wordt gebruikt. Maar tevens kan zij leiden tot grote misverstanden en dient daarom met grote voorzichtigheid te worden gehanteerd. Aristoteles zou zeker niet hebben ingestemd met het idee dat snelheid evenredig is aan kracht en onevenredig aan weerstand voor alle waarden van K en W, zoals de wiskundige vorm van de verhouding zou kunnen doen denken. Sterker nog, hij had geen duidelijk beeld van snelheid als een technisch, meetbaar filosofisch of wetenschappelijk begrip.

Aristoteles ideeën over de dynamica droegen duidelijk de mogelijkheid van beweging in een lege ruimte in zich. Als het waar is dat de snelheid van een vallend lichaam een functie is van de weerstand die het ontmoet, dan is er in een vacuüm, waar helemaal geen weerstand is, niets dat weerstand biedt aan de beweging van het lichaam; in dat geval zou het met een oneindige snelheid bewegen. En omdat oneindige snelheid een absurd idee is, aldus Aristoteles,[33] ligt het voor de hand dat een vacuüm niet bestaat. Welnu, het was juist deze bewegingstheorie voor het bewijzen van de onmogelijkheid van een vacuüm die de aanleiding vormde voor de ondubbelzinnige kritiek van de Alexandrijnse neoplatonist Johannes Philoponus. Philoponus deed een beroep op de alledaagse waarneming voor de verwerping van de essentiële aristotelische stelling dat de tijd waarin een lichaam door een milieu valt omgekeerd evenredig is aan zijn gewicht:

> Maar dit [idee van Aristoteles] is een volledige misvatting, en ons beeld kan beter worden bevestigd door feitelijke waarneming dan door een of andere verbale redenering. Want als je twee gewichten, waarvan de ene vele malen zwaarder is dan de andere, van dezelfde hoogte laat vallen, zul je zien dat de verhouding van de tijden die de bewegingen in beslag neemt niet [alleen] afhankelijk is van de verhouding van de gewichten, maar ook dat het tijdsverschil erg klein is. En dus, als het verschil in gewicht niet aanzienlijk is, dat wil zeggen, als het ene bijvoorbeeld tweemaal zo zwaar is als het andere, dat er geen of anders een nauwelijks waarneembaar tijdsverschil is ...[34]

Als Aristoteles' theorie onjuist is, welke is dan de ware? Philoponus drong er bij zijn lezers op aan als volgt over vallende lichamen na te denken. De directe oorzaak van de val een lichaam is het gewicht. In een leegte, waar geen weerstand is, wordt de beweging alleen bepaald door het gewicht van het lichaam; om die reden zullen zwaardere lichamen een gegeven afstand sneller afleggen (dat wil zeggen, in minder tijd) dan lichtere lichamen; en uiteraard zal er geen enkele met een oneindige snelheid bewegen, zoals Aristoteles veronderstelde. (Philoponus stelde niet dat de snelheid van een beweging in een lege ruimte in directe verhouding stond tot het gewicht, maar misschien dacht hij dat dit vanzelfsprekend was.) Welnu, in een milieu zal de weerstand van het milieu de beweging in bepaalde mate vertragen, hetgeen uiteindelijk tot gevolg heeft dat het verschil in snelheid tussen de zwaardere en de lichtere lichamen teniet gedaan wordt, wat op zijn beurt weer leidt tot de waargenomen effecten die in het bovenstaande citaat worden beschreven.

Philoponus' standpunt werd in de islamitische wereld verder ontwikkeld en verdedigd door Avempace (Ibn Bajja, † in 1138). Avempace werd op zijn beurt aangevallen door Averroës; en via Averroës werd dit strijdpunt overgebracht naar het westen, waar het werd opgepakt door de veertiende-eeuwse geleerde van Merton College, Thomas Bradwardine. Maar bij Bradwardine lagen de dingen anders. Diens voorgangers waren allen voornamelijk geïnteresseerd geweest in de aard en de oorzaken van beweging, maar Bradwardine wilde het probleem op wiskundige wijze benaderen. Dit betekende dat hij eerst wiskundige formules moest ontwikkelen voor alle mogelijkheden – waarvan hij er drie wist vast te stellen. Bradwardine verbeeldde deze mogelijkheden met woorden in plaats van met wiskundige symbolen, maar de volgende formules geven zijn bedoeling op adequate wijze weer.

Eerste theorie (zonder twijfel de weergave van de opvattingen van Philoponus en Avempace):

$$s \propto K - W$$

Tweede theorie (gesuggereerd in een tekst van Averroës):

$$s \propto \frac{K - W}{W}$$

Derde theorie (een weergave van de traditionele uitleg van Aristoteles):

$$s \propto \frac{K}{W}$$

Bradwardine kon al deze theorieën verwerpen door te verwijzen naar hun absurde of onaanvaardbare consequenties. De eerste theorie, bijvoorbeeld, is onjuist omdat het in tegenspraak is met Aristoteles' stelling dat een verdubbeling van zowel de kracht als de weerstand de snelheid onveranderd zal laten. En de derde theorie is onjuist omdat deze niet leidt tot een snelheid nul als de weerstand gelijk is aan of groter is dan de kracht.

In plaats van deze in twijfel getrokken theorieën stelde Bradwardine een alternatieve 'bewegingswet' voor. Het is niet eenvoudig om deze 'wet' van Bradwardine weer te geven. Als we Bradwardines eigen weergave op de voet zouden volgen, moeten we dieper ingaan op de middeleeuwse theorie betreffende de berekening van verhoudingen dan we ons kunnen veroorloven. De eenvoudigste *moderne* wijze om uitdrukking te geven aan de wiskundige verhouding die Bradwardine voor ogen had, is te stellen dat volgens deze 'wet' de snelheid rekenkundig toeneemt als de verhouding K/W geometrisch toeneemt. Dat wil zeggen, als wij de snelheid willen verdubbelen, moeten we de verhouding K/W kwadrateren; om de snelheid te verdrievoudigen, moeten we de verhouding K/W tot de derdemacht verheffen; enzovoorts. Zie ook het volgende cijfermatige voorbeeld:

Pas eerst een kracht (K_1) van 4, en dan een kracht (K_2) van 16 toe op een lichaam dat een weerstand (W) biedt van 2. Bereken dan eerst de verhouding K/W:

$$\frac{K_1}{W} = \frac{4}{2} = 2$$

$$\frac{K_2}{W} = \frac{16}{2} = 8$$

Wat zal de verhouding zijn van de voortgebrachte snelheden? Omdat 8 de derde-macht is van 2, zal de snelheid die wordt voortgebracht door de kracht van 16 *driemaal* zo groot zijn als de snelheid die wordt voortgebracht door de kracht van 4.[35]

Bij de prestaties van Bradwardine moeten drie opmerkingen worden gemaakt. Ten eerste maken we de 'wet' van Bradwardine veel ingewikkelder dan zij werkelijk was door haar in moderne termen weer te geven, zoals we hierboven hebben ge-daan. We moeten niet vergeten dat in de middeleeuwse wiskundige traditie waarin Bradwardine werkte het gebruikelijk was over de samenvoeging of vermeerdering van verhoudingen te praten in termen van optelling. Datgene wat wij de verme-nigvuldiging van twee verhoudingen noemen, zou bij Bradwardine de optelling van de ene verhouding bij de andere zijn; en datgene wat wij de kwadratering van de verhouding K/W noemen, zou bij Bradwardine de verdubbeling van K/W zijn. Dientengevolge zou Bradwardine de geometrische toename van de verhouding K/W niet in verband brengen met de rekenkundige toename van de snelheid (zo-als wij dat hierboven deden), maar zou hij slechts stellen dat wanneer men de snel-heid zou willen 'verdubbelen' men de verhouding van K tot W moest verdubbe-len. Kortom, Bradwardine kwam niet met een of ander ingewikkeld wiskundig verband, maar (zoals een historicus het recentelijk verwoordde) met 'de minst in-gewikkelde weergave die hij tot zijn beschikking had'.[36]

Ten tweede bleek Bradwardine's formulering van een 'bewegingswet' grote in-vloed te hebben. De suggesties werden in de veertiende eeuw op geniale wijze uit-gewerkt door Richard Swineshead en Nicolaas van Oresme en tot in de zestiende eeuw zou de wet een onderwerp van discussie zijn.[37] Ten derde moeten wij erken-nen, wat ons oordeel over de verrichtingen van Bradwardine ook mag zijn, dat zijn onderneming onmiskenbaar van een wiskundig karakter was. Het is waar dat zijn verwerping van de alternatieven onder meer voortkwam uit zijn verwijzing naar de alledaagse werkelijkheid, maar duidelijk is dat het zijn voornaamste doel was aan de maatstaven van de wiskundige samenhang te voldoen. Kortom, Bradwardine ontdekte of verdedigde zijn 'wet' niet met behulp van experimenten; noch is het duidelijk welke voordelen een experimentele benadering, indien hij daartoe geneigd was, zou hebben gehad. De taak die de middeleeuwse geleerden zich stelden, was het vormen van een conceptueel en wiskundig kader dat geschikt was voor de analyse van vraagstukken omtrent beweging. Dit had voorrang boven alles, en de middeleeuwse geleerden voerden hun taak op briljante wijze uit. Het onderzoeken van de natuur, om te zien of zij zich aansloot bij het zo gevormde conceptuele kader, zou worden overgelaten aan de toekomstige generaties.

De optica

Ik besluit deze analyse van de ondermaanse fysica met een beknopt overzicht van de optica (of *perspectiva*, zoals zij in het Latijnse christendom werd genoemd). De beslissing om de optica in dit hoofdstuk te behandelen is een enigszins willekeurige, want de optica was een buitengewoon veelzijdige discipline en op velerlei wijze met een groot aantal vakken verbonden, zoals de wiskunde, natuurkunde, kosmologie, theologie, psychologie, epistemologie, biologie en de geneeskunde.[38] Maar ongeschikt is deze plek zeker niet.

De werken van Aristoteles, Euclides en Ptolemaeus, die het Griekse denken over het licht en het zien grotendeels hadden bepaald, waren alle naar het Arabisch vertaald en vormden de aanleiding voor de opkomst van een belanghebbende Arabische traditie in de optica. De verschillende Griekse benaderingen van de optische verschijnselen werden serieus bekeken, verdedigd en uitgebreid. Maar de voornaamste verrichting van de islamitische optica was de succesvolle samenvoeging van deze afzonderlijke en onverenigbare Griekse optische tradities in één allesomvattende theorie.

Het meeste Griekse denken op het gebied van de optica was beperkt en werd gestuurd door een aantal betrekkelijk beperkte maatstaven. Aristoteles, bijvoorbeeld, richtte zich vrijwel uitsluitend op de fysische aard van het licht en het fysische mechanisme van contact bij de visuele waarneming tussen het waargenomen object en het waarnemende oog; wiskundige analyse en anatomische of fysiologische kwesties kwamen in zijn theorieën nauwelijks aan bod. Hij beweerde met name dat het zichtbare object het transparante milieu doet veranderen; het milieu brengt deze verandering onmiddellijk over op het oog van de waarnemer, met wie het in contact staat, en produceert op die wijze de zintuiglijke gewaarwording. Dit is een theorie van 'inbrenging' – zo genoemd omdat het medium dat verantwoordelijk is voor het zien van het waargenomen object naar het oog wordt overgedragen. De Griekse atomisten, die ook op zoek waren naar een fysische verantwoording van het zien, stelden een ander causaal medium vast – een dun 'vlies' of 'schaduwbeeld' van atomen die van de bovenste laag van het object wordt afgepeld, dit in plaats van een verandering van het transparante milieu – maar sloten zich aan bij Aristoteles' opvatting dat een causale theorie een theorie van 'inbrenging' moest zijn.

Euclides, daarentegen, hield zich vrijwel uitsluitend bezig met wiskundige aspecten; het doel van zijn *Optica* was de ontwikkeling van een geometrische theorie voor de waarneming van ruimte die gebaseerd was op de visuele kegel en zich in zeer geringe mate richtte op de niet-wiskundige aspecten van het licht en het zien. Volgens zijn theorie van waarneming gaat er straling uit van het oog in de vorm van een kegel; de waarneming geschiedt op het moment dat de stralen in de kegel worden opgevangen door een ondoorzichtig object. De waargenomen omvang, vorm en plaats van het object worden bepaald door het patroon en de plaats van de opgevangen stralen. Omdat wordt verondersteld dat er straling uitgaat van het oog, noemen we dit een theorie van 'uitdraging'.

Artsen als Herophilus en Galenus, ten slotte, concentreerden zich op de anatomie van het oog en de fysiologie van het zien. Galenus gaf blijk van een degelijk begrip van de wiskundige en causale kwesties, maar zijn voornaamste bijdrage aan de theorie van de waarneming lag in zijn analyse van de anatomie van het oog en van de betrokkenheid bij het waarnemingsproces van de diverse organen die vorm geven aan het visuele pad.

Zoals ik reeds heb aangegeven, lag de islamitische bijdrage in de totstandbrenging van een mengvorm van deze afzonderlijke Griekse theorieën. De voornaamste architect van deze mengvorm was de geniale wiskundige en natuurwetenschapper Alhazen (Ibn al-Haytam, ca. 965–ca. 1040) – alhoewel Ptolemaeus, de laatste grote schrijver op het gebied van de optica in de oudheid, de eerste lijnen reeds had uitgezet. Onze uiteenzetting van Alhazens verrichtingen wordt eenvoudiger wanneer we de anatomische en fysiologische aspecten van de medische traditie even terzijde leggen en onze aandacht beperken tot de wiskundige en fysische aspecten van de visuele waarneming.

In de eerste plaats is het van belang op te merken dat de klassieke theorieën over de waarneming met wiskundige doeleinden (die van Euclides en Ptolemaeus) steevast veronderstelden dat er licht uit het oog kwam, terwijl de theorieën die voornamelijk waarde hechtten aan hun fysische aannemelijkheid (als we de werken van Aristoteles en de atomisten moeten geloven) neigden te veronderstellen dat het licht in het oog binnendrong.[39] Als er enige twijfel bestond over deze onderlinge relatie, dan zou deze voor de aandachtige lezer van Aristoteles' werken ongedaan zijn gemaakt door de ontdekking dat Aristoteles één keer, toen hij een poging deed tot een wiskundige analyse van optische verschijnelen (bij zijn theorie over de regenboog), gebruik maakte van de theorie van 'uitdraging'.[40]

Alhazen bereikte twee dingen. Ten eerste weerlegde hij de uitdragingstheorie met een reeks zeer overtuigende argumenten. Zo vestigde hij de aandacht op het vermogen van glanzende objecten het oog letsel toe te brengen (waarbij hij opmerkte dat letsel van nature van buitenaf wordt opgelegd) en vroeg hij zich af hoe het mogelijk is dat, wanneer we naar het uitspansel kijken, het oog de bron is van een materiële uitstraling die de ruimte tot aan de vaste sterren vult. Nadat hij de uitdragingstheorie had verworpen, vervolgde hij zijn weg met de formulering en

verdediging van een nieuwe versie van de theorie van inbrenging, waarbij hij gebruik maakte van de visuele kegel van de aanhangers van de uitdragingstheorie. De
visuele kegel werd samen met de wiskundige sterkte van de uitdragingstheorie naar
voren geschoven, zodat deze theorie voor de eerste maal werd gekoppeld aan de
bevredigende fysische verklaringen van de theorie van inbrenging. Dit mag dan
een eenvoudige stap lijken, maar we moeten niet vergeten dat er wel degelijk enkele obstakels waren.[41]

Ten eerste boden de klassieke schrijvers geen stralingstheorie die geschikt was
voor de doeleinden van Alhazen. In de oude bronnen werd straling over het algemeen voorgesteld als een holistisch proces waarbij het zichtbare object als een
coherente eenheid straalt. Straling werd niet gezien als iets dat onafhankelijk voortkomt uit afzonderlijke punten (zoals in de moderne optica); in plaats daarvan dacht
men dat het object in zijn geheel een coherent beeld of coherente kracht door het
milieu naar het oog zond (als in de atomistische theorie van het vlies of schaduwbeeld).[42] Er bestond geen manier om een visuele kegel op te leggen aan een dergelijke voorstelling van het stralingsproces. Er werd echter een nieuwe idee ontwikkeld door de filosoof al-Kindi († ca. 866), dat werd overgenomen (of wellicht
onafhankelijk van al-Kindi werd ontwikkeld) door Alhazen. Al-Kindi en Alhazen
zagen straling als een incoherent proces, waarbij de afzonderlijke punten of kleine
delen van het lichtgevende lichaam niet als een coherente groep stralen uitzenden,
maar onafhankelijk van elkaar en in alle richtingen (zie afb. 12.9).

Dit was een belangrijke vernieuwing, maar veroorzaakte problemen voor degenen die een theorie van inbrenging wilden verdedigen. Kan een incoherent proces
van straling vanuit zichtbare objecten rekenschap geven van de coherente visuele
waarneming die alle mensen met een normaal gezichtsververmogen ervaren? Als
vanaf elk punt op het zichtbare object in alle richtingen stralen uitgaan, dan zal elk
punt in het oog straling ontvangen vanaf elk punt in het gezichtsveld (zie afb.
12.10). Dit zou niet moeten leiden tot een duidelijke waarneming, maar tot complete chaos. Om onze waarneming te kunnen verklaren, hebben we een aansluiting

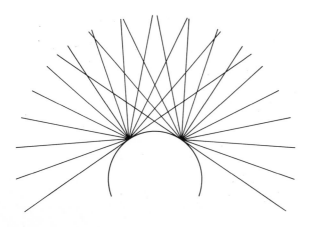

Afbeelding 12.9
Incoherente straling vanuit
twee punten op een lichtgevend
lichaam.

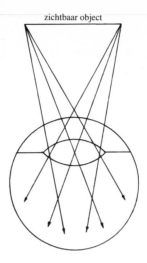

zichtbaar object

Afbeelding 12.10
De stralen die uitgaan van de beide uiteinden van het zichtbare object en zich in het oog vermengen. Om het niet ingewikkeld te maken, wordt de verbuiging van de stralen door de breking op de verschillende raakvlakken niet weergegeven.

van één-op-één nodig; elk punt van het belangrijkste zintuiglijke vocht of orgaan in het oog (door Galenus en zijn volgelingen geïdentificeerd als het kristallijnen vocht of de kristallens) reageert op straling vanuit één punt in het gezichtsveld; en indien mogelijk moet het patroon van de ontvangende punten een precieze kopie zijn van het patroon van de stralende punten in het gezichtsveld, hetgeen een verklaring vormt voor de overeenkomsten tussen de werkelijkheid en de wereld zoals we die zien.

Alhazen loste dit probleem op door te beweren dat hoewel elk punt in het gezichtsveld inderdaad stralen uitzendt naar elk punt in het oog, niet alle straling in staat is zich te laten voelen. Slechts één straal vanuit elk punt in het gezichtsveld, merkte hij op, valt loodrecht in het oog (zie afb. 12.11); alle andere vallen schuin en worden gebroken. Als gevolg van de breking worden de andere stralen zo verzwakt dat ze in het waarnemingsproces nog slechts een bijkomstigheid zijn. Het voornaamste zintuiglijke orgaan, het kristallijnen vocht of de kristallens, richt zich op loodrechte stralen, en deze vormen toevallig een kegel waarvan het gezichtsveld de basis vormt en het middelpunt van het oog de puntige bovenzijde. Alhazen had dus zijn doel bereikt: door met goed gevolg de visuele kegel van de theorie van uitdraging in te voegen in de theorie van inbrenging combineerde hij de voordelen van beide theorieën; hij heeft de wiskundige en fysische benadering van de waarneming samengebracht in één theorie. Het is belangrijk hieraan toe te voegen, hoewel we niet de ruimte hebben dit verder uit te spitten, dat hij tevens de anatomische en fysiologische ideeën van de galenische traditie verwerkte (afb. 12.11 is een weergave van zijn basisvoorstelling van de anatomie van het oog) en zo een enkele theorie van de waarneming tot stand bracht die aan alle drie soorten van maatstaven beantwoordde.

De theorie van de waarneming mag dan een centrale rol spelen in Alhazens optica, zijn belangstelling ging uit naar een hele reeks optische verschijnselen. Hij

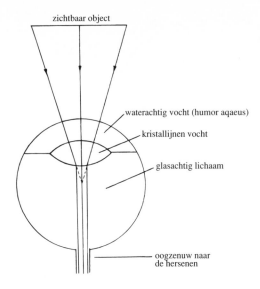

zichtbaar object

waterachtig vocht (humor aqaeus)

kristallijnen vocht

glasachtig lichaam

oogzenuw naar
de hersenen

Afbeelding 12.11
De visuele kegel en het oog volgens
Alhazens theorie van inbrenging.
De stralen van het object die schuin op
het oog vallen (en worden gebroken),
worden niet weergegeven omdat zij in
het waarnemingsproces slechts een
bijkomstigheid zijn.

analyseerde de aard van de straling die in verband stond met licht en kleur, waarbij
hij onderscheid maakte tussen objecten die van nature lichtgevend zijn en objecten
die een afgeleid of secundair licht afgeven. Hij dacht na over de fysica van weerkaatsing en breking. Hij vervolgde de wiskundige analyse van kleur en stralend
licht en werkte deze tot in het detail uit, waarbij hij op verfijnde wijze vraagstukken behandelde betreffende de beeldvorming door weerkaatsing en breking. En hij
bood een serieuze en invloedrijke bespreking van de psychologie van de visuele
waarneming.

Alhazens *Optica* oefende een grote invloed uit op de westerse optica na het verschijnen van een Latijnse vertaling aan het einde van de twaalfde of het begin van
de dertiende eeuw. Maar het was niet de enige bron die invloed had. Plato's
Timaios was al lange tijd beschikbaar; niet alleen werd de visuele waarneming in dit
werk besproken, maar het had tevens een niet onbelangrijke traditie van neoplato-
nisch optisch denken voortgebracht. De optische werken van Euclides, Ptolemaeus
en al-Kindi, die in de tweede helft van de twaalfde eeuw waren vertaald, gaven
blijk van een mogelijke wiskundige benadering van de optica in een tijd dat
Alhazens *Optica* nog niet beschikbaar was. De geschriften van Aristoteles, Avicenna
en Averroës lieten de definitieve indruk achter dat de echte problemen niet zozeer
wiskundig waren, maar fysisch en psychologisch. En diverse bronnen, waaronder
ook een klein werk van Hunayn ibn Ishaq, gaven uitdrukking aan de anatomische
en fysiologische inhoud van de galenische traditie. Zoals op zo vele andere gebieden werden de westerse geleerden plotseling verrijkt met een hoeveelheid schitterende kennis – maar een kennis die eerder ingewikkeld was dan eenvoudig en tegenstrijdige ideeën en tendensen bevatte. Het probleem waarmee de westerse geleerden werden geconfronteerd, was de manier waarop deze verbluffende intellec-

tuele erfenis moest worden samengebracht en geharmoniseerd in een coherente en verenigde natuurwetenschap.[43]

Een van de eersten die een poging daartoe deden, waren twee eminente geleerden uit Oxford: Robert Grosseteste in de jaren 1220-1240 en Roger Bacon in de jaren 1260-1270. Grosseteste (ca. 1168-1253), die vooral actief was in de eerste helft van de dertiende eeuw, werd benadeeld door een onvolledige kennis van de optische bronnen die hierboven worden vermeld en zijn optische geschriften zijn dan ook voornamelijk waardevol als inspiratiebronnen. Het was Roger Bacon (ca. 1220-1292) die, geïnspireerd door Grosseteste en bevoordeeld door een volledige kennis van de klassieke en de middeleeuwse islamitische literatuur over de optica, die de toekomstige koers van deze discipline zou gaan bepalen.

Bacon, die de optische theorie van Alhazen in grote trekken volgde, nam Alhazens visuele theorie van inbrenging in bijna al haar details over. Hij was enorm onder de indruk van Alhazens succesvolle wiskundige analyse van het licht en het zien, en in zijn eigen werken verwezenlijkte hij de overdracht van de belofte van een wiskundige benadering op de generaties van de toekomst. Maar Bacon (zoals menigeen van zijn generatie) was er van overtuigd dat alle klassieke en islamitische autoriteiten het in essentie met elkaar eens waren en wilde daarom aantonen dat allen (of bijna allen) die over het licht of over het zien hadden geschreven dezelfde mening waren toegedaan. Dit betekende dat hij de optische ideeën van een diverse groep als Aristoteles, Euclides, Alhazen en de neoplatonisten met elkaar moest verzoenen. Er volgen twee voorbeelden om te laten zien hoe hij dit kunststukje volbracht.[44]

Wat betreft de richting van de straling (naar het oog toe of van het oog af – het strijdpunt tussen de aanhangers van de theorieën van uitdraging en inbrenging) was Bacon evenals Alhazen en Aristoteles van mening dat het zien zich alleen voordoet bij inkomende stralen. Maar wat was dan zijn mening over de uitgaande stralen die door Plato, Euclides en Ptolemaeus werden aangehangen? Het was duidelijk dat ze niet verantwoordelijk konden zijn voor de visuele waarneming, maar ze konden wel bestaan en een ondergeschikte rol spelen in het waarnemingsproces – het voorbereiden van het milieu op de ontvangst van de stralen die uitgaan van het object en het veredelen van de inkomende stralen opdat deze op het oog kunnen inwerken. Wat betreft de aard van de straling aanvaardde Bacon de neoplatonische voorstelling van het universum als een enorm netwerk van krachten, waarbinnen elk object inwerkt op de objecten in zijn nabijheid door middel van de uitstraling van een kracht of zijn eigen gelijkenis. Sterker nog, hij verbeeldde deze universele kracht als een werktuig van alle oorzakelijkheid en op grond hiervan ontwikkelde hij een (wat later zou blijken) invloedrijke natuurwetenschap. Aangaande licht en kleur beweerde Bacon dat zij (en alle andere zichtbare media die in de optische werken werden vermeld) slechts afzonderlijke manifestaties van deze universele kracht waren.[45]

Bacon was niet de enige die in de tweede helft van de dertiende eeuw aandacht

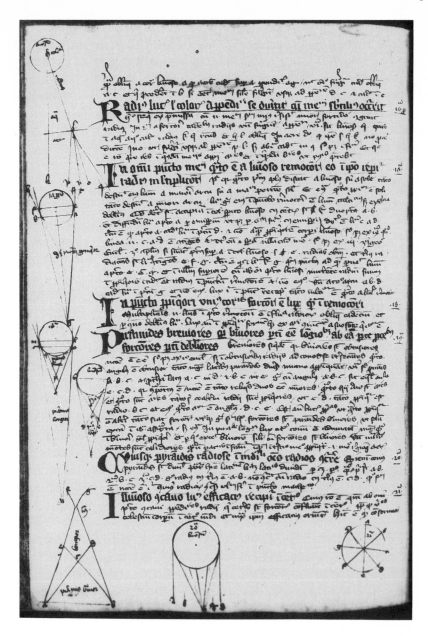

Afbeelding 12.12 Een bladzijde van de *Perspectiva communis* van John Pecham, binnen de middeleeuwse universiteiten verreweg de meest populaire tekst over de optica. Kues, Bibliothek des St. Nikolaus-Hospitals, MS 212, fol. 240v (begin 15de eeuw) – een manuscript dat eens in het bezit was van Nicolaas Cusanus. De breking van licht wordt weergegeven in de linker bovenhoek, diverse andere vormen van straling in de resterende tekeningen.

besteedde aan optische vraagstukken, maar het was grotendeels door zijn invloed en die van twee jongere tijdgenoten – een andere Engelse franciscaan, John Pecham († in 1292), en een Poolse geleerde genaamd Witelo († na 1281) die was verbonden aan het pauselijke hof – dat Alhazens optische theorieën, waaronder zijn gecombineerde fysische-wiskundige-fysiologische benadering, het westerse denken zouden gaan domineren. De theorieën over het licht en het zien die hun opwachting maakten in de veertiende-eeuwse natuurwetenschap (wat regelmatig gebeurde, met name in epistemologische verhandelingen) waren vrijwel altijd ontleend aan de tradities van Alhazen of Bacon. Toen Johannes Kepler in het jaar 1600 begon na te denken over de theorieën betreffende de visuele gewaarwording (een inspanning die uiteindelijk zou leiden tot de theorie van het retinabeeld) pakte hij het probleem op waar Bacon, Pecham en Witelo waren gestrand.[46]

De geneeskunde en de natuurgeschiedenis
in de middeleeuwen

DE GENEESKUNDIGE TRADITIE VAN DE VROEGE MIDDELEEUWEN

De middeleeuwse geneeskunde was een produkt en een voortzetting van de klassieke geneeskundige traditie (die in hoofdstuk 6 werd behandeld). De beoefenaars van de geneeskunde in de middeleeuwen konden gebruik maken van de Griekse en Romeinse theorieën over gezondheid en ziekte, diagnostische technieken en therapeutische methoden. Maar men had slechts een gedeeltelijke en soms dubieuze toegang tot deze klassieke nalatenschap en de delen die in de middeleeuwse islamitische en christelijke wereld wel beschikbaar waren, moesten worden aangepast aan de nieuwe culturele omstandigheden die van grote invloed waren op hun ontwikkeling en hun gebruik.[1]

Het is moeilijk om een duidelijk beeld te krijgen van de vroeg-middeleeuwse westerse geneeskunde.[2] De sociale en economische wanorde die gepaard ging met het uiteenvallen van het Romeinse rijk had waarschijnlijk geen ernstige gevolgen voor de *ambachtelijke* kant van het genezen – de behandeling van wonden en alledaagse ziekten, de verloskunde, het zetten van gebroken botten, de bereiding en verspreiding van de gebruikelijke geneesmiddelen, en dergelijke. Met name op het platteland en in de huiselijke kring bleven degenen die bekwaam waren in de uitoefening van de geneeskunst hun vak uitoefenen op min of meer dezelfde wijze als de lokale dokters dat altijd gedaan hadden. Wat leed onder de instorting van het Romeinse rijk was het wetenschappelijke en in het bijzonder het *theoretische* of *filosofische* bestanddeel van de geneeskunde. De vermindering van het aantal scholen en het geleidelijk verdwijnen van de beheersing van de Griekse taal beroofde het westen in toenemende mate van de geleerde aspecten van de Griekse geneeskundige traditie, zodat het aantal beoefenaars van de geneeskunde die de geleerde tradities van de klassieke geneeskunst beheersten in snel tempo afnam.

Dit betekent niet dat het westen zijn contact met de Griekse geneeskundige kennis volledig verloor. De geneeskunde kreeg een zekere aandacht in de eerste Latijnse encyclopedieën – bijvoorbeeld in die van Celsus, Plinius en Isidorus van Sevilla.[3] Bovendien had men rond het midden van de zesde eeuw de beschikking over een kleine verzameling naar het Latijn vertaalde medische geschriften. Maar de Griekse geneeskundige literatuur bestreek een uitgebreide reeks geneeskundige interessen, van theoretische tot praktische, en in het geval van de vertaalde werken waren dit meestal praktische. Onder deze bevonden zich werken van Galenus en

Hippocrates, een verzameling fragmenten uit Griekse geneeskundige bronnen verzameld door Oribasius (vierde eeuw), een handboek voor vroedvrouwen van Soranus (eerste eeuw) en de grote farmacopee (*De materia medica*) van Dioscorides (ca. 60 n. Chr.).

De praktische en therapeutische gerichtheid van de vroeg-middeleeuwse geneeskunst wordt mooi weergegeven door Dioscorides' *Materia medica* en de farmaceutische traditie die het voortbracht. Dioscorides' werk, dat omschrijvingen bevatte van ongeveer negenhonderd produkten van planten, dieren en mineralen waarvan werd gedacht dat ze genezende krachten bezaten, was een van de monumentale verrichtingen van de hellenistische geneeskunde. Het werd in de zesde eeuw naar het Latijn vertaald en werd in de middeleeuwen slechts op kleine schaal verspreid, misschien omdat het te uitgebreid was om nuttig te zijn – het bevatte immers omschrijvingen van vele stoffen die niet beschikbaar waren voor de vroeg-middeleeuwse Europeaan. Een veel grotere populariteit genoot een korter, geïllustreerd kruidenboek getiteld *Ex herbis femininis*, dat gebaseerd was op het werk van Dioscorides maar omschrijvingen bevatte van slechts eenenzeventig substanties van geneeskrachtige planten die alle in Europa voorkwamen. In de loop van de middeleeuwen werden nog vele andere verzamelingen van medische recepten samengesteld.[4]

Wie waren de beoefenaars van de geneeskunde die deze teksten konden samenstellen? In Italië handhaafde zich het Romeinse model van een seculiere, niet-religieuze geneeskunde, hoewel dit zeker onderhevig was aan kwantitatieve neergang. In Italië kon men in de eerste helft van de zesde eeuw, toen de Oostgoten het land regeerden, nog altijd artsen aantreffen die door de gemeenschap werden betaald. Van Alexander van Tralles (een Griekse arts) is bekend dat hij in de tweede helft van de zesde eeuw in Rome een medische praktijk had. En uit het diverse bewijsmateriaal blijkt dat aan de koninklijke hoven (bijvoorbeeld aan dat van de Frankische koning Clovis, tegen het einde van de vijfde eeuw) en in de grotere steden buiten Italië (Marseilles en Bordeaux) de geneeskundige lekenpraktijken bleven bestaan.[5]

Maar de meest gastvrije oorden voor de beoefenaars van de geneeskunde leken in toenemende mate van een religieus karakter te zijn, en dan waren het met name de kloosters die het als een belangrijke plicht beschouwden de zieken van de gemeenschap te verzorgen. Onze eerste bewijzen komen van Cassiodorus (ca. 480-ca. 575), stichter van een klooster in Vivarium, die zijn monniken opdroeg de Griekse geneeskundige werken in Latijnse vertaling te lezen, waaronder die van Hippocrates, Galenus en Dioscorides (mogelijk werd gedoeld op *Ex herbis femininis*). Ander bewijsmateriaal onthult een medische praktijk van hoog niveau, onder meer het gebruik van seculiere medische literatuur, in monastieke centra als Monte Cassino, Reichenau en St. Gall.[6] Waarschijnlijk was er gedurende de gehele middeleeuwen binnen de meeste kloosters, afgezien van de zeer kleine, een aanzienlijke hoeveelheid medische kennis voorradig. En hoewel de geneeskunde die in de

kloosters werd beoefend voornamelijk bedoeld was voor de leden van de kloostergemeenschap, was deze ongetwijfeld bij gelegenheid ook toegankelijk voor anderen – pelgrims, bezoekers en de omringende bevolking.

Afbeelding 13.1 Een bladzijde uit een Grieks
manuscript van Dioscorides' *Materia medica*. Parijs,
Bibliothèque Nationale, MS Gr. 2179, fol. 5r
(9de eeuw).

De aanwezigheid van een seculiere medische literatuur en de daarmee verbonden medische praktijken in de kloosterwereld leidt tot een voor de hand liggende vraag die we in overweging moeten nemen: hoe was de wisselwerking tussen de tradities van de Griekse en Romeinse seculiere geneeskunde en de christelijke opvattingen ten aanzien van het genezen? Een eenvoudig antwoord is er niet, maar we kunnen inzicht krijgen in de ingewikkelde realiteit door niet te vergeten (1) dat er een filosofische spanning onstond tussen het naturalisme van de geneeskundige traditie (de veronderstelling dat er slechts natuurlijke oorzaken in het spel zijn) en de supernaturalistische tradities (genezing door wonderen) die bestonden binnen het christendom; (2) dat de meeste mensen (de geletterde incluis) geen belangstelling hadden voor de filosofie en de spanning daarom door zeer weinigen werd opgemerkt; en (3) dat er voor degenen die de spanning wel bespeurden verschillende manieren waren om deze te doen verminderen of verdwijnen, hetgeen neerkwam op het verwerpen van de ene of de andere soort geneeskunst.

De oorzaken van de spanningen zijn duidelijk aanwijsbaar. Gedurende de tijd dat het christendom zich ontwikkelde, ontwikkelde zich tevens de gewoonte dat er in de preken en de religieuze literatuur werd verkondigd dat ziekte een goddelijke bezoeking is, bedoeld als een straf voor zonde of een aanmoediging voor geestelijke groei. De genezing leek in beide gevallen meer van psychische dan van lichamelijke aard te zijn. Daarenboven ontwikkelde zich binnen het middeleeuwse christendom een wijdverbreide traditie van miraculeuze genezingen, die met name in verband stond met de cultus van heiligen en relikwieën. En om het beeld compleet te maken, hebben we concrete bewijzen waaruit blijkt dat kerkelijke leiders de seculiere geneeskunde verwierpen vanwege haar vruchteloosheid.[7]

Het is vrij gemakkelijk om dergelijke opvattingen en houdingen op te blazen tot een beeld van het christendom als een meedogenloze tegenstander van de Griekse en Romeinse geneeskunde die onwrikbaar geloofde in de bovennatuurlijke oorzaken en het exclusieve gebruik van bovennatuurlijke geneeswijzen. Dergelijke pogingen geven echter een vals beeld van de historische werkelijkheid. Alhoewel het waar is dat men over het algemeen dacht dat ziekte haar oorsrong had bij de goden, werden de natuurlijke oorzaken niet terzijde geschoven, want de meeste middeleeuwse christenen deelden de, sinds de hippocratische schrijvers gangbare, opvatting dat een gebeurtenis of een ziekte tegelijkertijd door de natuur en de goden kon worden veroorzaakt (zie hoofdstuk 6). Binnen een christelijke context was het volkomen gerechtvaardigd te geloven dat God regelmatig gebruik maakt van *natuurlijke* krachten om *goddelijke* doeleinden te bewerkstelligen. Zo kon de pest worden beschouwd als een goddelijke vergelding voor straf en tegelijkertijd als het gevolg van een ongunstige stand van de planeten of een bedorven lucht.[8] Wat betreft de beoefening van de geneeskunde waren alle christelijke schrijvers de mening toegedaan dat de genezing van de ziel belangrijker is dan de genezing van het lichaam, en enkelen spraken zich uit tegen elk gebruik van de seculiere geneeskunde. Bernard van Clairvaux (1090-1153) gaf uitdrukking aan opvattingen die al eeuwen bestonden toen hij in de twaalfde eeuw aan een groep monniken schreef:

> Ik ben mij ten zeerste bewust dat jullie in een ongezond gebied leven en dat velen
> van jullie ziek zijn ... Het is in het geheel niet in overeenstemming met jullie profes-
> sie te vragen om lichamelijke geneesmiddelen en bovendien zijn deze niet bevorder-
> lijk voor de gezondheid. Het gebruik van de gangbare kruiden, welke door de arm-
> lastigen worden gebruikt, kan bij gelegenheid worden toegestaan, zoals bij ons de ge-
> woonte is. Maar om bijzondere soorten medicijnen te kopen, dokters te bezoeken en
> hun geneesmiddelen te slikken, is voor religieuzen (d.w.z. monniken) niet gepast.[9]

Maar de overgrote meerderheid van christelijke leiders was de Grieks-Romeinse
medische traditie gunstig gezind en beschouwde haar als een geschenk uit de hemel, een facet van de goddelijke voorzienigheid, waarvan het gebruik was toegestaan en misschien zelfs verplicht was. Basilius van Caesarea (ca. 330-79) sprak namens een groot aantal kerkvaders toen hij schreef dat 'we er voor moeten waken
deze geneeskunst niet te gebruiken, indien dit noodzakelijk mocht zijn, als iets dat
volledig verantwoordelijk is voor onze gezondheid of ziekte, maar als iets wat ten
deel valt aan de glorie van God'. Zelfs een schrijver als Tertullianus (ca. 155 - ca.
230), die een zeer vijandige houding aannam ten opzichte van de Grieks-Romeinse wetenschap, gaf blijk van zijn waardering van de Grieks-Romeinse geneeskunde. De denigrerende opmerkingen over de conventionele geneeskunde die we
aantreffen in de heiligenlevens hadden duidelijk een polemische functie – deze be-
vestigden de authenticiteit en vergrootten de macht van de betreffende heilige
door te laten zien dat hij of zij in het bezit was van genezende capaciteiten die uit-
stegen boven die van de wereldlijke genezer. Dat we dergelijke hekelingen niet
moeten zien als de persoonlijke opvatting van de auteur (laat staan als die van de
rest van de middeleeuwse samenleving) aangaande de seculiere geneeskunde wordt
duidelijk uit het feit dat velen van deze zelfde auteurs, in andere contexten of zelfs
in dezelfde context, in hoge mate respect blijken te hebben voor de conventionele
geneeswijzen. Wat de kerkvaders wel wilden hekelen, was de tendens deze geneeswijzen te overwaarderen en het feit dat men verzuimde hun goddelijke oorsprong
te herkennen en aanvaarden.[10]

Als we de kerk verdedigen tegen de aanklacht dat zij de geneeskundige traditie
zou hebben verworpen, moeten we oppassen niet de tegengestelde fout te maken.
Er bestaat geen twijfel over dat de vroeg-middeleeuwse christenen geloofden in
wonderbaarlijke genezingen en dat zij profiteerden van zowel de religieuze als de
wereldlijke geneeskunde, soms tegelijkertijd en soms opeenvolgend. In de vierde
en vijfde eeuw ontwikkelde de heiligenverering zich tot een belangrijk aspect van
de Europese cultuur. Rondom het graf of een of ander relikwie (zoals een bot) van
een heilige werd een altaar gemaakt, dat vervolgens een bedevaartsoord met een
enorme aantrekkingskracht werd. Een van de kenmerken van deze oorden die zeer
grote invloed hadden op hun aantrekkingskracht waren de berichten over de wonderbaarlijke genezingen zie zich aldaar zouden hebben voorgedaan. Een voorbeeld

ter illustratie: Bede († 735) vertelt in zijn *Kerkgeschiedenis van het Engelse volk* vele
verhalen over wonderbaarlijke genezingen, waaronder dat van een monnik op het
eiland Lindisfarne (aan de noordoostkust van Engeland) die verlammingsverschijn-
selen had en naar de graftombe van Cuthbert werd gebracht:

> zich ter aarde stortend bij het lichaam van deze man van God, bad hij met goddelijke
> ernst dat God door zijn hulp genadig voor hem zou zijn: en terwijl hij zijn gebeden
> zei, ... leek het (zoals hij later gewoon was te vertellen) alsof een grote hand zijn
> hoofd raakte op de plek van zijn smarten, en dat diezelfde aanraking langs alle delen
> van zijn lichaam ging die pijn deden en gekweld werden door ziekte, tot aan zijn
> voeten, en geleidelijk aan verdween de pijn en kwam de gezondheid.[11]

Er bestaat een oneindig aantal soortgelijke verhalen uit de middeleeuwse tijd.

Als de kerk de vijand noch de vastberaden verdediger van de Grieks-Romeinse
geneeskundige traditie was, hoe moeten we haar houding en invloed dan kenmerken? Een bekende benadering is het afwegen van de factoren aan beide zijden van

Afbeelding 13.2 De wonderbaarlijke genezing van een been.
Parijs, Bibliothèque Nationale, MS FR. 2829, fol. 87r
(laat 15de eeuw). Voor een bespreking van deze illustratie,
zie Marie-José Imbault-Huart, *La médicine au moyen âge à travers
les manuscrits de la Bibliothèque Nationale*, p. 182.

de balans – de tegenstand en steun die beide door de kerk werden geboden – en te beweren dat de kerk *per saldo* een goede of een slechte macht was, wat het geval zou kunnen zijn. Maar deze conclusie is te eenvoudig. We komen dichter bij de waarheid als we de categorieën tegenstand en steun laten vallen en de kerk beschouwen als een invloedrijke culturele macht die *inwerkte* op de seculiere geneeskundige traditie en zich deze toeëigende en van gedaante veranderde. Het was niet zo dat de geestelijken de seculiere geneeskunde gewoonweg verwierpen of aanvaardden, maar ze gebruikten haar; en het gebruik ging gepaard met aanpassingen aan nieuwe omstandigheden, waardoor haar karakter op subtiele (of, in sommige gevallen, radicale) wijze werd veranderd. Het is zeker niet overdreven om te stellen dat de seculiere en religieuze geneeskundige tradities zich binnen het christendom verenigden. In haar nieuwe context moest de Grieks-Romeinse geneeskunde worden aangepast aan de christelijke ideeën van goddelijke almacht, voorzienigheid en wonderbaarlijkheid. In de geheel nieuwe institutionele context van de kloosters werd zij gedurende een gevaarlijke periode in de Europese geschiedenis niet alleen gevoed en in stand gehouden, maar werd zij ook gedwongen in dienst te staan van de christelijke idealen van liefdadigheid (waarvan de ontwikkeling en verspreiding van ziekenhuizen een belangrijk gevolg was). En uiteindelijk zou door haar institutionalisering binnen de universiteiten het contact met de verschillende takken van de wetenschap worden hersteld en haar aanzien als wetenschap worden verhoogd.

Er is nog één ontwikkeling van cruciaal belang die onze aandacht behoeft alvorens we de vroege middeleeuwen zullen verlaten. De vertaling van de Griekse geneeskundige werken naar het Arabisch begon in de achtste eeuw en liep door tot in de tiende. Toen hieraan een einde kwam, waren de meeste van de belangrijkste Griekse geneeskundige bronnen in het Arabisch verschenen, zoals Dioscorides' *De materia medica*, vele hippocratische werken en vrijwel alle werken van Galenus. Het enorme verschil tussen de islamitische en de westerse wereld wat betreft hun toegang tot de Griekse geneeskundige literatuur kan worden geïllustreerd met een verwijzing naar de werken van Galenus: slechts twee of drie van Galenus' werken waren vóór de elfde eeuw vertaald naar het Latijn, terwijl Hunayn ibn Ishaq (808-73) 129 werken van Galenus noemt die hij in Bagdad tot zijn beschikking had, waarvan er volgens zijn eigen zeggen veertig door hem persoonlijk naar het Arabisch waren vertaald.

De Griekse geneeskundige literatuur vormde de basis van de verfijnde islamitische geneeskundige traditie. Enkele kenmerken van deze geneeskundige traditie moeten hier worden vermeld. Ten eerste was de islamitische geneeskundige tradite gebaseerd op een volledige beheersing van de Griekse medische literatuur en de assimilatie van een groot deel van de doelstellingen en de inhoud van de Griekse geneeskunde. Ten tweede cocentreerde het nieuwe geneeskundige denken zich op de galenische anatomie en fysiologie en de galenische theorieën over gezondheid, ziekte (de epidemische ziekten incluis), diagnose en behandeling. Een belangrijk aspect van de invloed van Galenus was de blootlegging van het verband tussen geneeskunde en filosofie – een verband dat een groot deel van het islamitische geneeskundige denken kenmerkte.

Ten derde waren de geneeskundige theorie en praktijk in de islamitische wereld niet onlosmakelijk verbonden met de geneeskundige theorie van Galenus, maar diende de laatste als een kader dat kon worden uitgebreid en gewijzigd en kon worden verenigd met andere geneeskundige en filosofische stelsels; de geneeskunde van de islamitische wereld was geen statische onderneming, maar een dynamische. Ten vierde verschenen er niet alleen vertalingen van Griekse geneeskundige werken, maar droegen islamitische artsen bij aan de vorming van een uitgebreide autochtone geneeskundige literatuur. Deze van oorsprong Arabische literatuur kende een grote verscheidenheid, uiteraard, maar centraal stond met name een reeks uitgebreide, encyclopedische werken die grote delen van, of zelfs de gehele medische theorie en praktijk behandelenden. Drie van dergelijke encyclopedische werken die een grote invloed zouden hebben op de latere westerse geneeskunde waren de *Almansor* van Rhazes (al-Razi, † ca. 930), de *Pantegni* (of *Universele kunst*)

Afbeelding 13.3
Arabische chirurgische instrumenten, uit de verhandeling van Abu-l-Qasim az-Zahrawi (Abulcasis), *Over chirurgie en instrumenten.* Oxford, Bodleian Library, MS Huntington 156, fol. 85v.

van Ali Abbas ('Ali ibn 'Abbas al-Majusi, † 994) en het *Leerdicht der Geneeskunst* van Avicenna (Ibn Sina, 980-1037). Deze werken zouden, naast vele andere vertaalde werken, de westerse geneeskunde in de late middeleeuwen vorm en richting geven.[12]

DE GEDAANTEVERANDERING VAN DE WESTERSE GENEESKUNDE

In de elfde en twaalfde eeuw werd het karakter van de Europese geneeskundige traditie door een aantal invloeden veranderd. De politieke en economische vernieuwing van deze periode, die gepaard ging met een dramatische groei van de bevolking, leidde tot verstrekkende sociale veranderingen als de verstedelijking en de uitbreiding van de opleidingsmogelijkheden. De nieuwe scholen in de steden hadden een uitgebreider vakkenaanbod omdat er meer nadruk kwam te liggen op vakken die voorheen, in de kloosterwereld, van geringe of geen betekenis waren. Ondertussen probeerden hervormingsbewegingen binnen de kloosterwereld de monastieke invloed op de seculiere cultuur te verminderen (zie hoofdstuk 9). Het samenkomen van deze bewegingen leidde ertoe dat het medisch onderwijs zich verplaatste van de kloosters naar de stedelijke scholen, hetgeen gepaard ging met een groeiende professionalisering en secularisatie. Tegelijkertijd kwam er vanuit de stedelijke elite steeds meer vraag naar de diensten van vakkundige dokters, hetgeen bijdroeg aan het ontstaan van de medische praktijk als een lucratieve (en soms prestigieuze) beroepskeuze.

Het vroegste voorbeeld van deze nieuwe geneeskundige activiteit vinden we in het tiende-eeuwse Salerno, in Zuid-Italië. Tegen het einde van de eeuw had Salerno een zekere reputatie opgebouwd vanwege het grote aantal vakkundige beoefenaars van de geneeskunde, onder wie geestelijken en vrouwen, dat zich onder haar inwoners bevond. Schijnbaar was er geen officiële school, maar was de stad gewoonweg een centrum (in toenemende mate een beroemd centrum) van geneeskundige activiteit, met talrijke mogelijkheden voor mannen en vrouwen om zich te bekwamen in de geneeskunst door middel van een leerlingschap. Wat in de tiende en elfde eeuw te Salerno gedijde was niet de medische geleerdheid, maar de vakkundigheid in de geneeskunst. Maar in de loop van de elfde eeuw begonnen enkele artsen met het schrijven van geneeskundige werken met een praktische inslag. En vroeg in de twaalfde eeuw werd de literatuur die in Salerno verscheen steeds breder en ook theoretischer, hetgeen een weerspiegeling was van de filosofische gerichtheid van de Arabische geneeskundige geschriften die in Latijnse vertaling verschenen. Vele van de nieuwe teksten waren educatief van karakter, wat (waarschijnlijk) in verband stond met de opkomst van georganiseerd geneeskundig onderwijs in Salerno.[13]

De vertalingen uit het Arabisch, die van invloed waren op de geneeskundige activiteiten in het twaalfde-eeuwse Salerno, veranderden al spoedig de gedaante van het geneeskundige onderricht en de medische praktijken in heel Europa. De eerste

Afbeelding 13.4
Constantijn de Afrikaan,
bezig met urineonderzoek.
Oxford, Bodleian Library,
MS Rawlinson C3 28,
fol. 3r (15de eeuw).
Voor commentaar, zie
Loren C. Mackinney,
*Medical Illustrations in Medieval
Manuscripts*, pp. 12-13.

vertalingen lijken die van Constantijn de Afrikaan (actief in de periode 1065-85) te zijn geweest, een benedictijner monnik van het klooster van Monte Cassino in zuidelijk Italië die goede contacten had met Salerno. Constantijn, wiens kennis van het Arabisch ongetwijfeld te maken had met zijn Afrikaanse achtergrond, vertaalde werken van Hippocrates en Galenus, de *Pantegni* van Ali Abbas, geneeskundige werken van Hunayn ibn Ishaq en andere bronnen. In de honderdvijftig jaar die volgden werd zijn voorbeeld door andere vertalers gevolgd, in Zuid-Italië, Spanje en elders, die geleidelijk aan een groot deel van de Grieks-Arabische geneeskundige literatuur vanuit het Arabisch naar het Latijn vertaalde. In Toledo vertaalde Gerard van Cremona (ca. 1114-87) negen verhandelingen van Galenus, Rhazes' *Almansor* (ontleend aan de naam van Rhazes' patroon, Mansur ibn Ishaq, aan wie het werk was opgedragen), en Avicenna's grootse *Leerdicht der Geneeskunst*. Deze nieuwe teksten vormden een enorme uitbreiding en verdieping van de westerse medische kennis; ze waren in sterkere mate gericht op de filosofie dan de vroegmiddeleeuwse teksten en uiteindelijk zouden ze bepalend zijn voor de vorm en inhoud van het medisch onderricht in de nieuw opgerichtte universiteiten.[14]

De beoefenaars van de geneeskunde

Heden ten dage beschouwen we de geneeskunde als een wetenschappelijk beroep dat alleen kan worden uitgeoefend door mensen die een langdurige opleiding hebben gehad en in het bezit zijn van de juiste diploma's. Maar als we een dergelijk beeld op de middeleeuwen projecteren, zullen we ernstig worden misleid. Een eigentijdse analogie die veel meer nut heeft, is die met het timmermansambacht. Binnen dit ambacht bestaat er een doorlopend verband, van het eenvoudige huiselijke onderhoud via het professionele timmerswerk van de bouwvakkers tot aan de civiele techniek en architectuur. Het timmermanswerk van het eenvoudigste soort valt onder het begrip algemene ontwikkeling (vrijwel iedereen kan eenvoudige klussen in huis uitvoeren, of is bereid dat te leren); zo kan de amateur die in zijn vrije tijd antiek restaureert in het bezit zijn van een grote kennis en bekwaamheid; aannemers hebben specialisten in dienst die het vak grotendeels in de praktijk hebben geleerd; en de civiele technicus en architect, ten slotte, voegen hun theoretische kennis hieraan toe.

Zo was het ook met de beoefening van de wetenschap in de middeleeuwen. De eenvoudige geneeskunde werd door vrijwel iedereen thuis beoefend. Voor het meer specialistische werk waren er in elke gemeenschap mensen van wie men wist dat ze goed waren in het behandelen van bepaalde aandoeningen, en op dat moment werd aanspraak gemaakt op een ander niveau van medische vakkundigheid en specialisatie. In de meeste dorpen woonden vroedvrouwen, osteopaten en mensen die kennis hadden van geneeskrachtige kruiden en hun toepassingen. In de steden bevonden zich diverse 'empiristen' die gespecialiseerd waren in, bijvoorbeeld, de behandeling van wonden, tandheelkundige problemen en bepaalde soorten chirurgie (zoals het inciseren van steenpuisten, het herstellen van een hernia of de verwijdering van nierstenen). Op een hoger professioneel niveau stonden de apothekers, de geschoolde chirurgen, de vakkundige artsen die het vak in de praktijk hadden geleerd en, tot slot, de academische artsen. Deze hiërarchie was niet rechtlijnig, lag zeker niet vast en was niet overal gelijk; op vele niveaus werd deze situatie nog ingewikkelder gemaakt door het bestaan van zowel seculiere als religieuze artsen (zoals geestelijken die een conventionele medische praktijk combineerden met hun religieuze plichten); bovendien waren de grenzen tussen de verschillende niveaus zelden duidelijk omdat de organisatie en autorisatie van de artsen, waarvoor duidelijke categorieën nodig waren, pas in de loop van de late middeleeuwen geleidelijk aan tot stand kwamen en nooit algemeen in werking zouden treden. Maar de middeleeuwse medische wereld kende wel een systeem van rangschikking dat hier enigszins op leek.[15]

Wat betreft het aantal beoefenaars van de geneeskunde in het middeleeuwse Europa zijn we in het bezit van slechts enkele gegevens. Maar uit deze gegevens kunnen we wel enige conclusies trekken. In 1338 waren er in Florence (dat ongetwijfeld was gezegend met veel meer artsen per hoofd van de bevolking dan de gemiddelde Europese stad) ongeveer 60 verschillende soorten artsen met een vergun-ning (onder onderen chirurgen en ongeschoolde 'empiristen') voor 120.000 inwo-ners. Twintig jaar later, nadat de bevolking was uitgedund door de pest, telde Florence voor ongeveer 42.000 inwoners zesenvijftig artsen met een vergunning; en gedurende de rest van de eeuw bleef deze verhouding van twaalf of dertien art-sen voor iedere 10.000 inwoners dezelfde.[16] Op het platteland zal de toegang tot een geschoolde arts veel moeilijker zijn geweest.

Onder de middeleeuwse beoefenaars van de geneeskunde bevond zich een groot aantal vrouwen, die actief waren in de verloskunde en de gynaecologie maar ook in andere medische specialismen. Trota of Trotula, uit het twaalfde-eeuwse Salerno, is van deze vrouwen de meest beroemde, en hoewel zij het gynaecologi-sche werk dat gewoonlijk aan haar toegeschreven wordt misschien niet geschreven heeft, zijn er aanwijzingen dat zij een meer algemeen werk met praktische genees-wijzen en medische adviezen produceerde. Ook waren er in bepaalde delen van Europa grote aantallen joodse artsen actief.[17]

De universitaire geneeskunde

De beoefenaars van de geneeskunde waarover het meeste bekend is, zijn degenen die studeerden of doceerden aan de officiële medische scholen in Europa. Omdat deze artsen geletterd waren en geschreven documenten nalieten die bewaard zijn gebleven, kunnen we iets leren over hun persoonlijkheden, hun studies en het soort geneeskunde waarmee ze zich bezig hielden.[18]

De officiële geneeskunde lijkt het eerst te zijn verschenen in de kathedraalscho-len van de tiende en elfde eeuw – niet voor het opleiden van artsen, maar als onder-deel van de algemene opleiding. Zo begon men in Chartres rond 990 met het doce-ren van de geneeskunde en werd dit in de volgende eeuw op soortgelijke scholen ook gedaan.[19] Maar het was in Salerno waar in de twaalfde eeuw de nieuw vertaalde werken van de Grieks-Arabische traditie voor het eerst beschikbaar waren en het was hier dat de geneeskunde opkwam als een academisch vak. Deze ontwikkelin-gen werden niet alleen gestimuleerd door intellectuele nieuwsgierigheid of medisch altruïsme (hoewel beide in zekere mate van invloed waren), maar ook door het ver-langen naar status en vakmatige vooruitgang. Artsen die zich reeds bevonden aan de top van de geneeskundige hiërarchie die hierboven uiteengezet is, en dus reeds ge-leerd waren, gaven invulling aan de mogelijkheid hun status te vermeerderen door net zoals bij andere wetenschappelijke vakken, zoals het recht, gewoon was, van de beoefenaars van de geneeskunde officiële intellectuele diploma's te eisen. De be-doeling was om de status van de geneeskunde van kunst of ambacht te verheffen tot wetenschap. De ontwikkelingen in Salerno waren van grote invloed en in de der-tiende eeuw ontstonden er aan de universiteiten van Montpellier, Parijs en Bologna belangrijke geneeskundige faculteiten. Van minder hoog aanzien waren de genees-kundige faculteiten die werden opgezet in Padua, Ferrara, Oxford en elders.

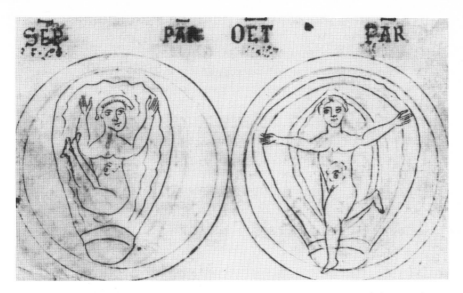

Afbeelding 13.5 Foetussen in de baarmoeder. Kopenhagen, Kongelige Bibliotek, MS Gl. kgl. Saml. 1653 40, fol. 18r (12de eeuw).

Afbeelding 13.6 Trotula, een twaalfde-eeuwse arts uit Salerno. Londen, Wellcome Institute Library, MS 544, p. 65 (12de eeuw).

De institutionalisering van de geneeskunde in de middeleeuwse universiteiten was van enorm belang voor de verdere ontwikkeling van de medische theorie en praktijk. In de eerste plaats verzekerde dit de voortzetting en continuïteit van het medische onderzoek en het bestaan, vanaf de middeleeuwen tot aan de dag van vandaag, van een invloedrijke groep van academisch geschoolde artsen. Ten tweede ontstond er door de instelling van de geneeskunde als universitair vak een verband tussen de geneeskunde en andere vakgebieden, hetgeen van grote invloed was op de vorming van de geneeskunde (niet het geval wanneer de geneeskunde in een andere institutionele context was geraakt). Zo werd een graad in de letteren

een typische (hoewel niet algemene) en absolute vereiste voor de studie geneeskunde; hetgeen betekende dat de studenten geneeskunde uitgerust waren met de
logische en filosofische werktuigen die de geneeskunde zouden omvormen tot een
strenge, schoolse onderneming. Tevens verschafte het de geneeskunde toegang tot
de aristotelische natuurwetenschap, die de geneeskunde zou voorzien van enkele
van haar belanghebbende beginselen, en de astrologie (en haar partner, de astronomie), die een algemeen onderdeel zouden worden van de diagnostische en therapeutische uitrusting van de arts. Laten we een ogenblik stilstaan bij het onderwijsprogramma van de geneeskunde.

Afbeelding 13.7 Geneeskundig onderricht.
Uit een kopie van Avicenna's *Leerdicht der
geneeskunst*, Parijs, Bibliothèque
Nationale, MS Lat. 14023, fol. 769v (14de
eeuw).

Het onderwijs concentreerde zich gedurende een bepaalde tijd, eerst in
Salerno en later aan de andere medische faculteiten, rond een verzameling
beknopte verhandelingen die algemeen bekend stond als de *Articella*. De
verzameling bevatte onder meer een
inleiding tot de geneeskunde van Hunayn ibn Ishaq (in het westen bekend
als Johannitius), diverse korte werken
uit het hippocratische geheel van geschriften en boeken over urineonderzoek en diagnose aan de hand van de
hartslag. In de veertiende en vijftiende
eeuw werden werken van Galenus,
Rhazes, Ali Abbas, Avicenna en anderen hieraan toegevoegd. Dit leerplan had een
uitgesproken filosofisch karakter – de medische theorie werd aangepast aan de meer
algemene beginselen van de natuurwetenschap. En de onderwijsmethoden die
werden toegepast waren typisch scholastiek, namelijk het leveren van commentaar
op gezaghebbende teksten en het bediscussiëren van omstreden kwesties. Dit betekende echter niet (zoals soms wordt aangenomen) dat de universitaire geneeskunde
een zuiver theoretische aangelegenheid was die men zich aan de hand van studieboeken eigen maakte. In feite was het zo dat een groot aantal docenten in de geneeskunde tevens een particuliere medische praktijk hadden, en vaak werd er van
de studenten vereist dat ze praktische ervaring opdeden.[20]

Hebben wij, tot slot, enig idee van het aantal betrokken studenten? In feite zijn er hieromtrent slechts enkele gegevens. Gedurende een periode van vijftien jaar aan het begin van de vijftiende eeuw verstrekte de Universiteit van Bologna (een van de eerste medische faculteiten in Europa) vijfenzestig doctorale graden in de geneeskunde en één in de chirurgie. Later in deze eeuw, gedurende een periode van zesendertig jaar, verstrekte de universiteit van Turijn (ook in Noord-Italië) een totaal van dertien doctoraten in de geneeskunde. En tijdens de eerste zestig jaren van haar bestaan (vanaf 1477) verstrekte de Universiteit van Tübingen elk jaar ongeveer één graad in de geneeskunde. Natuurlijk was het aantal studenten veel hoger dan het aantal dat een diploma kreeg, omdat velen hun studie niet beëindigden: men veronderstelt dat van de tien studenten slechts één een diploma haalde. Ongeveer het enige dat we uit deze cijfers kunnen leren is dat de academisch geschoolde artsen, en in het bijzonder de artsen met een doctorstitel, zeer zeldzaam waren, leden waren van een stedelijke elite en in de meeste gevallen rijk en machtig.[21]

ZIEKTE, DIAGNOSE, PROGNOSE EN THERAPIE

De geneeskundige theorieën en de diagnostische beoordelingen en behandelingen die werden gehanteerd door een middeleeuwse dokter waren afhankelijk van diens opleidingsniveau, specialiteit en werkomstandigheden. We weten, uiteraard, het meest over de opvattingen en methoden van de academische artsen, maar er is reden om aan te nemen dat hun overtuigingen en daden doorsijpelden naar lagere niveaus en dus ook andere soorten van genezers beïnvloedden. Zo zijn er legio bewijzen dat de Latijnse geneeskundige verhandelingen naar streektalen werden vertaald, of vertaald en samengevat, voor de artsen die wel geletterd waren maar het Latijn niet beheersten.[22] Tegelijkertijd is het duidelijk dat de volksgeneeskunde en de volksgeneeswijzen de neiging hadden door te sijpelen naar hogere niveaus en invloed uitoefenden op de professionele en zelfs (tot op zekere hoogte) op de academische geneeskunde. We zullen dus niet ver van de waarheid verwijderd zijn als we stellen dat de volgende aspecten van het medische denken en doen in verschillende mate deel uitmaakten van vele middeleeuwse geneeskundige activiteiten.

Een hoofdbestanddeel van de middeleeuwse theorieën over ziekte was het idee dat iedere persoon een karakteristieke geaardheid of constitutie heeft die wordt bepaald door de balans van de vier elementen en de daarmee corresponderende kwaliteiten (warm, koud, nat en droog) in het lichaam. Men begreep dat de geaardheid eigen was aan het individu; de balans die normaal was voor de een, was niet normaal voor de ander. Nauw verbonden aan deze opvatting over geaardheid was het van Galenus en Hippocrates afstammende idee dat het lichaam vier belangrijke vloeistoffen of sappen bevat die van fysiologische betekenis zijn – bloed, slijm, zwart gal en rood of geel gal – en dat door middel van deze sappen de juiste balans van kwaliteiten wordt gehandhaafd. Tevens begreep men dat gezondheid in verband staat met het goede evenwicht, en ziekte met onevenwichtigheid. Koorts werd bijvoorbeeld beschouwd als het gevolg van een abnormale hitte die uitging van het hart. En tot slot, men dacht dat ziekte en gezondheid werden beïnvloed door een aantal omstandigheden genaamd de 'niet-natuurlijken': die lucht die men ademt, eten en drinken, slapen en waken, activiteit en onrust, retentie en uitscheiding (van voedingsstoffen) en de geestesgesteldheid.[23]

Als ziekte wordt veroorzaakt door een verandering van iemands normale geaardheid, dan moet de behandeling zijn gericht op het herstellen van het evenwicht. Er waren verschillende manieren om dit te bereiken. De eerste bestond uit voedselvoorschriften; aangezien de lichaamssappen het eindprodukt van het ingenomen voedsel zijn, was een geschikt dieet absoluut essentieel voor een structurele gezondheid. Medicijnen, onderverdeeld in categorieën naargelang hun voornaamste eigenschappen, konden ook worden voorgeschreven om het evenwicht te herstellen. En indien er een meer drastische behandeling nodig was, kon het overschot aan lichaamssappen worden verwijderd door toediening van laxeermiddelen, 'braken' en aderlating. Om te bepalen welke van deze methoden moest worden toegepast, moest de arts onderzoek doen naar de levensstijl of leefregels van de patiënt (zaken als dieet, beweging, slaap, seksuele activiteit en baden) om vast te kunnen stellen wat zijn of haar geaardheid was en welke leefregels nodig waren om die te handhaven. In elk geval moest de arts voor het bereiken van het maximale resultaat gedurende een lange periode nauwkeurig toezicht houden op de activiteiten van de patiënt – hetgeen alleen mogelijk was voor een arts (waarschijnlijk met een academische achtergrond) die in dienst was van een rijke patroon. Nadat hij zijn patroon-patiënt gedurende enige tijd had geobserveerd, kon de geleerde arts (theoretisch gezien) de adviezen geven die zouden moeten leiden tot de handhaving of het herstel van de gezondheid. Het ideaal waardoor de geneeskundige wetenschap (en in bepaalde mate ook de minder wetenschappelijke versies van de medische praktijk) zich liet leiden, was het beeld van de arts als een medisch adviseur die in de eerste plaats verantwoordelijk was voor de zogeheten preventieve geneeskunde, maar tevens de geschikte middelen kon aanwenden in de gevallen dat de preventieve maatregelen faalden.[24]

De meest voorkomende vorm van medisch ingrijpen was een behandeling met medicijnen, en om die reden was het vermogen om medicijnen te identificeren en te bereiden, alsmede de kennis aangaande hun therapeutische eigenschappen, een essentieel onderdeel van het repertoire van de meeste middeleeuwse genezers. De medicijnen waren eendelig of samengesteld; de meest voorkomende ingrediënten waren kruiden, maar ook werden er dierlijke en minerale substanties gebruikt. Veel medicijnen waren volksgeneesmiddelen die werden erkend omdat ze blijkbaar met succes door vele generaties waren gebruikt; zo hadden de lokale genezers door veel ervaring geleerd dat bepaalde plantaardige stoffen goed functioneren als laxeermiddel of pijnstiller. Ongetwijfeld waren sommige middeleeuwse geneesmiddelen inderdaad effectief; maar het overgrote deel had gewoonweg geen enkel effect en sommige waren misschien zelfs gevaarlijk. Weer andere waren gewoonweg weerzinwekkend – zo dacht men dat varkensmest een goed middel tegen neusbloedingen was. In welk geval het geneesmiddel erger lijkt te zijn dan de kwaal.[25]

Afbeelding 13.8 Een apotheek. Londen, British Library, MS Sloane 1977, fol. 49v (14de eeuw). Met toestemming van de British Library.

Hoewel de middeleeuwse behandeling met geneesmiddelen een belangrijk empirisch (veelal volks) element bevatte, kwam er ook een sterk theoretische invloed uit de hoek van de Griekse en Arabische tradities. Dioscorides' *De materia medica* was in zeer geringe mate in het westen verkrijgbaar (in een herziene en uitgebreide versie); in de twaalfde eeuw verschenen nieuwe verzamelingen van medische recepten die een grotere invloed hadden; en, tot slot, de nieuwe vertalingen van werken van Galenus, Avicenna en anderen voorzagen in de theoretische basis die nodig was voor de organisatie en systematisering van de farmaceutische kennis. De essentiële theoretische veronderstelling was dat de natuurlijke substanties geneeskrachtige eigenschappen bezitten die in verband staan met hun primaire kwaliteiten: warm, koud, nat en droog. Deze theorie werd aangevuld door het idee van Avicenna dat medicinale substanties ook een 'specifieke vorm' kunnen hebben die niet in verband staat met hun primaire kwaliteiten en een verklaring vormt voor de therapeutische effecten die niet direct kunnen worden verklaard door de vier primaire kwaliteiten. Zo verklaarde de specifieke vorm van triakel (een geneesmiddel uit de oudheid, gemaakt van slangevlees en andere ingrediënten) de opmerkelijke geneeskracht die in de twaalfde-eeuwse *Antidotarium Nicolai* aan dit middel werd toegeschreven:

Triakel ... is goed tegen de meest ernstige aandoeningen van het menselijk lichaam: epilepsie, catalepsie, apoplexie, hoofdpijn, maagpijn en migraine; tegen heesheid en een beklemd gevoel op de borst; tegen bronchitis, astma, het opgeven van bloed, geelzucht, waterzucht, longontsteking, koliek, darmaandoeningen, nefritis, nier- en galstenen; het wekt de menstruatie op en stoot de dode foetus uit; het geneest melaatsheid, pokken, periodieke verkoudheid en andere chronische aandoeningen; het is met name goed tegen alle soorten gif en de beten van slangen en reptielen ...; het heft alle tekortkomingen van de zintuigen [?] op, maakt het hart, de hersenen en de lever sterk, en houdt het gehele lichaam zuiver.[26]

Een ander theoretisch probleem was het vaststellen van het verband tussen de eigenschappen van samengestelde geneesmiddelen en de eigenschappen van hun enkelvoudige componenten. Dit probleem werd in theorie uitgebreid behandeld (onder meer aan de hand van wiskundige analysen) door zowel Arabische als Europese schrijvers. Ten dele werden de theorieën betreffende de verheviging en verzwakking van vormen en kwaliteiten, die we hierboven bespraken (hoofdstuk 12), ontwikkeld vanwege hun toepasbaarheid op de farmaceutische theorieën.[27]

We kunnen deze bespreking van de middeleeuwse ziekten en hun behandeling niet beëindigen zonder twee belangrijke diagnostische technieken te vermelden – het onderzoeken van de urine en de hartslag. Beide methoden werden reeds in de oudheid aangeprezen door diverse schrijvers, waaronder Galenus; de latere invloed van twee korte verhandelingen in de *Articella*-verzameling, de ene over de hartslag en de andere over urine, en de langere verhandelingen in Avicenna's *Leerdicht der Geneeskunst* bevestigen hun belangrijke rol in de laat-middeleeuwse diagnostiek. Men beweerde dat urineonderzoek opheldering kon geven over de toestand van de lever, terwijl de hartslag hetzelfde deed voor het hart. De cruciale eigenschappen van urine waren de kleur, consistentie, geur en helderheid. Zo beweerde een geneeskundig auteur uit het begin van de dertiende eeuw, Giles van Corbeil, dat 'stroperige, witachtige, melkachtige of blauw-witte urine duidt op waterzucht, koliek, nierstenen, hoofdpijn, overmatige slijmproduktie, vocht in de ledematen of buikloop'.[28] Tabellen die een verband legden tussen de verschillende kleuren van urine en diverse kwalen waren een veelvoorkomend verschijnsel in de middeleeuwse medische geschriften (zie afb. 13.9).

Door het opnemen van de polsslag van de patiënt probeerde de arts de kracht, duur, regelmaat, beweging en dergelijke vast te stellen. Men onderscheidde vele soorten polsslag en ontwikkelde diverse systemen om deze te rangschikken. Een dertiende-eeuwse verhandeling van een anonieme auteur stelde de volgende indeling voor:

De verschillende polsslagen worden door de arts op een aantal manieren onderscheiden, in het bijzonder aan de hand van vijf punten: (1) de beweging van de slagaderen; (2) de conditie van de slagader; (3) de duur van de diastole en de systole; (4) versterking of verzwakking van de polsslag: (5) de regelmatigheid of onregelmatigheid van de slag. Aan deze punten kunnen tien verschillende hartslagen worden ontleend.[29]

Een zwakker wordende pols was een aanwijzing voor de naderende dood en was om die reden nuttig voor zowel de prognose als de diagnose.

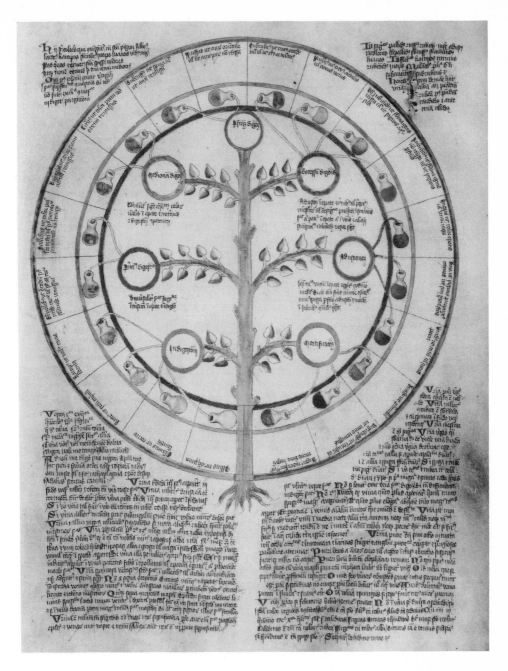

Afbeelding 13.9 Een schema van de urinekleuren dat een
verband legt tussen de verschillen in kleur van de urine en de
verschillende fasen van de spijsvertering. Londen, Wellcome
Institute Library, MS 49, fol. 42r (15de eeuw). Voor een
nadere bespreking, zie Nancy G. Siraisi, *Medieval and Early
Renaissance Medicine*, p. 126.

Afbeelding 13.10
Diagnose aan de hand van
polsslag. Glasgow University
Library, Ms Hunter 9, fol. 76r
(15de eeuw). Voor een
bespreking van deze
illustratie, zie MacKinney,
*Medical Illustrations from
Medieval Manuscripts*,
pp. 16-17.
Met toestemming van de
bibliothecaris, Glasgow
University Library.

Tot nu toe hebben we een essentieel onderdeel van de geneeskundige theorie
en praktijk vermeden, een onderdeel dat nauw verbonden was aan, en bepalend
was voor, hetgeen de middeleeuwse genezer geloofde en de therapeutische middelen die hij of zij voorschreef. Dit was de medische astrologie – de opvatting dat de
invloed van de planeten mede verantwoordelijk is voor de oorzaak en de genezing
van de ziekte. En er waren gegronde redenen om in een dergelijke planetaire invloed te geloven. Ten eerste de gezaghebbende medische werken: verschillende
van de hippocratische werken bevatten passages die konden worden uitgelegd als
bevestigingen van de hemelse invloeden, en gedurende de latere middeleeuwen
circuleerde er een verhandeling onder Hippocrates' naam over de astrologische geneeskunde. Maar nog veel belangrijker was dat iedereen die enig begrip had van de
basisaspecten van de natuurwetenschap wist dat het uitspansel invloed uitoefende
op het menselijk lichaam en zijn omgeving; en er bestond geen enkele reden om

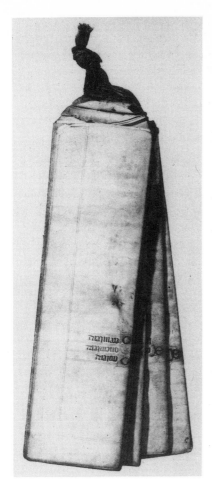
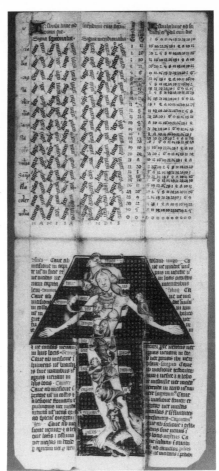

Afbeelding 13.11 Een gordelboek van een arts. Londen, Wellcome Institute Library. Een praktische gids voor de arts, om te worden bevestigd aan diens riem. De afbeelding links laat het boek in zijn gevouwen vorm zien. De afbeelding rechts is een weergave van een van de bladzijden, in dit geval met astrologische gegevens. Voor een volledige bespreking, zie John E. Murdoch, *The Album of Science: Antiquity and the Middle Ages*, pp. 318-19.

niet te geloven dat dit gevolgen had voor de gezondheid en de ontwikkeling van ziekten.[30]

De hemelse invloed zou beginnen bij de bevruchting en een aandeel hebben in de constitutie en geaardheid van de pas bevruchtte embryo. Na zijn geboorte was ieder mens ontvankelijk voor een stroom van hemelse krachten, direct of via de omringende lucht, en deze invloeden hadden gevolgen voor de geaardheid, gezondheid en ziekte. Ook werden de astrologische invloeden aangevoerd als een verklaring voor grote epidemieën, zoals die van de pest van 1347 tot 1351. Onder druk gezet om een verklaring te leveren voor deze epidemie, concludeerde de medische faculteit van de Universiteit van Parijs dat die het resultaat was van een bedorven lucht als gevolg van een samenstand van Jupiter, Saturnus en Mars in 1345.[31]

Als iemand door ziekte werd getroffen, moest de arts rekening houden met de stand van de planeten om de juiste behandeling te kunnen geven. De bereiding en toediening van de medicijnen moest samenvallen met een gunstige configuratie van de planeten en de geschikte dosis was afhankelijk van astrologische factoren. Ook was het noodzakelijk dat een chirurgische ingreep, zoals een aderlating, op de geschikte tijd plaatsvond. Chirurgische verhandelingen bevatten vaak 'aderlating-schema's' die de gebruiker wezen op de geschikte tijden voor het laten vloeien van bloed uit specifieke plaatsen op het lichaam. En, tot slot, de hippocratische theorie betreffende de 'cruciale dagen', die stelde dat het verloop van een acute ziekte gekenmerkt wordt door kritieke stadia of keerpunten, werd in verband gebracht met de astrologie; onder de factoren die volgens velen de afloop van een crisis zouden bepalen, was de tijd waarop deze plaatsvond – of die zich wel of niet op een gunstige dag voordeed.

ANATOMIE EN CHIRURGIE

De middeleeuwse genezers neigden zonder twijfel naar medische ingrepen met een gematigd karakter, zoals voedselvoorschriften en het gebruik van geneesmiddelen. Maar er deden zich kwalen en medische noodgevallen voor waarbij meer indringende maatregelen nodig waren, en in Europa waren er altijd artsen die bereid waren tot chirurgische ingrepen. Er waren vele soorten chirurgen, van rondtrekkende empiristen gespecialiseerd in een bepaalde chirurgische ingreep tot academische chirurgen in dienst van een koning of de paus. Over het algemeen werd de chirurgie beschouwd als een ambacht dat minder status had dan de praktijk van een academische arts; maar in Zuid-Europa gelukte het de chirurgen hun vak binnen de universiteiten tot een gevestigde instelling te maken (bijvoorbeeld in Bologna en Montpellier), waarmee zij zich een zekere intellectuele status verwierven. Een aanzienlijke hoeveelheid Arabische literatuur betreffende de chirurgie kwam door de vertalingen van de twaalfde en dertiende eeuw in het westen beschikbaar, hetgeen de aanzet gaf tot een Europese traditie van chirurgische literatuur. De meest belangrijke Europese verhandelingen waren onder meer de *Chirurgie* van Roger Frugard (twaalfde eeuw), die veelal in kleine delen werd verspreid, en de *Chirurgia magna* (of *Grote chirurgie*) van Guy de Chauliac (ca. 1290-ca. 1370), een arts en chirurg die in dienst is geweest van drie pausen). Het werk van Guy werd niet alleen in het Latijn wijd verspreid, maar werd ook vertaald naar het Engels, Frans, Provencaals, Italiaans, Nederlands en Hebreeuws.[32]

Het meeste chirurgische werk was ongetwijfeld niet bepaald heroïsch van aard –

het zetten van een gebroken bot, het herstellen van een ontwrichting, het verbinden van een zweer of pijnlijke wond, het reinigen en hechten van een wond, of het opensnijden van een steenpuist. Veel voorkomende ingrepen waren ook de aderlating en de cauterisatie (het plaatsen van hete stukken ijzer op diverse plekken van het lichaam, zodat de ongewenste sappen via de zo ontstane open zweren konden ontsnappen).[33] De verwijdering van externe aambeien was mogelijkerwijs ook een tamelijk routineuze ingreep. Maar sommige middeleeuwse chirurgen verrichtten meer ambitieuze ingrepen. Een voorbeeld hiervan is de opheffing van een grijze staar door het hoornvlies open te snijden met een scherp instrument en zo de lens uit haar omhulsel te halen en naar de onderzijde van het oog te laten zakken. Andere voorbeelden zijn de verwijdering van blaasstenen en het chirurgisch herstellen van een hernia. Ter illustratie volgt hier een beschrijving van de verwijdering van een blaassteen:

> Het vaststellen van een steen in de blaas geschiedt als volgt: plaats een sterk persoon op een bank, met zijn voeten op een krukje; laat de patiënt op diens schoot zitten, met zijn voeten vastgebonden aan zijn nek of rustend op de schouders van de helpers. De arts neemt voor de patiënt plaats en brengt twee vingers van zijn rechterhand in de anus, terwijl hij met zijn linkervuist op de schaamstreek drukt. Zijn vingers moeten van bovenaf de gehele blaas aftasten. Indien hij een harde, stevig bal voelt, is dat de steen in de blaas ... Als hij de steen wil verwijderen, moet hij de patiënt op een licht dieet zetten en voor de ingreep twee dagen laten vasten. Op de derde dag, ... bepaalt hij de plaats van de steen en brengt deze naar de hals van de blaas; daar, bij de ingang, en met twee vingers boven de anus, maakt hij met een instrument een snede in de lengterichting en verwijdert hij de steen.

Een laatste voorbeeld van een gevaarlijk chirurgische ingreep deed zich voor bij een schedelbreuk, waarbij soms trepanatie moest worden toegepast (het maken van kleine gaten in de schedel met een zaag) om de druk te verlagen en het bloed en pus te kunnen afvoeren. En bij al deze chirurgische ingrepen werd in slechts zeer geringe mate gebruik gemaakt van pijnstillende en verdovende middelen; indien er bij deze ingrepen sprake was van een held, dan was dit zeker de patiënt.[34]

Hoe groot was de kennis van de menselijke anatomie van de middeleeuwse chirurg of arts, en welke status had het anatomisch onderricht en het praktisch anatomisch onderzoek binnen de opleiding van een beoefenaar van de geneeskunde? Ondanks het feit dat Galenus had benadrukt dat de anatomische kennis van groot belang was voor een succesvolle behandeling van ziekten, bleef de relatie tussen de anatomische kennis en de klinische kant van de geneeskundige praktijk net zo oppervlakkig als in de middeleeuwen. Ongetwijfeld waren de meeste artsen van mening dat zij het konden stellen met een minimale hoeveelheid anatomische kennis, want de adviezen die zij verleenden en de diëten en geneeskrachtige kruiden die zij voorschreven, waren zelden of nooit gebonden aan een structurele, gedetailleerde kennis van het menselijk lichaam. De eisen die werden gesteld aan een chirurg wa-

Afbeelding 13.12
De ingrepen bij grijze staar (boven)
en neuspoliepen (onder).
Oxford, Bodleian Library,
MS Ashmole 146 2, fol. 10r
(12de eeuw). Voor meer informatie
over deze afbeelding, zie Mackinney,
*Medical Illustrations from Medieval
Manuscripts*, pp. 70-71.

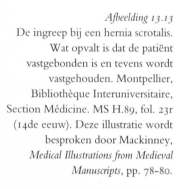

Afbeelding 13.13
De ingreep bij een hernia scrotalis.
Wat opvalt is dat de patiënt
vastgebonden is en tevens wordt
vastgehouden. Montpellier,
Bibliothèque Interuniversitaire,
Section Médicine. MS H.89, fol. 23r
(14de eeuw). Deze illustratie wordt
besproken door Mackinney,
*Medical Illustrations from Medieval
Manuscripts*, pp. 78-80.

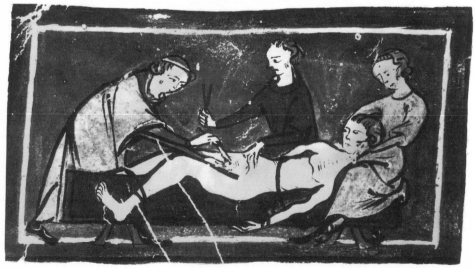

ren ongetwijfeld groter, maar nog altijd zeer bescheiden; veel van de noodzakelijke kennis was gemeengoed vanwege de ervaringen die men opdeed bij alledaagse bezigheden als het slachten van dieren, en de resterende kennis kon door ervaring worden verkregen gedurende het leerlingschap bij een chirurg.

Niettemin brachten de twaalfde-eeuwse vertalingen een nieuwe belangstelling voor anatomische kwesties teweeg. De vertaling van Galenus' anatomische geschriften en de Arabische werken die daarop waren gebaseerd (werken van Avicenna, Ali Abbas, Rhazes, en later Averroës) verschafte het westen een hoeveelheid anatomische werken die men niet kon negeren – niet omdat er sprake zou kunnen zijn van een grote en directe beïnvloeding van de geneeskundige praktijk, maar omdat deze werken een onderdeel vormden van de medische theorie die de wetenschappelijke artsen zich trachten eigen te maken om zo een zekere intellectuele status te verkrijgen. Deze nieuwe belangstelling voor de anatomische kennis kreeg het eerst vorm in de feitelijk anatomische ontledingen in het twaalfde-eeuwse Salerno; het onderwerp van ontleding was het varken, waarvan men dacht dat het qua anatomie gelijkenis vertoonde met de mens.

De ontleding van mensenlichamen lijkt zich het eerst te hebben afgespeeld aan bepaalde Italiaanse universiteiten, met namen die van Bologna, tegen het einde van de dertiende eeuw. Het beeld dat we hiervan hebben is vaag, maar de oorspronkelijke doelstelling lijkt juridisch te zijn geweest – aan de rechtenfaculteit werd autopsie verricht om de doodsoorzaak te bepalen – en de praktijk werd geleidelijk aan steeds algemener, een ontwikkeling waarin we geen enkel inzicht hebben, en tevens werden er ontledingen verricht in het kader van het medisch onderwijs. Rond het jaar 1316 had Mondino dei Luzzi († ca. 1326), die in Bologna doceerde, zich voldoende bekwaamd in de ontleding van menselijke lichamen om een handboek voor de dissectie te schrijven, getiteld *Anatomia*, dat gedurende de twee eeuwen die zouden volgen het standaardwerk was op het gebied van de ontleding van menselijke lichamen.[35]

In de loop van de veertiende eeuw werd de ontleding een gebruikelijk onderdeel van het medisch onderricht in Padua, Bologna en enkele andere universiteiten. In zijn *Chirurgia magna* beschrijft Guy de Chauliac de methoden van zijn leermeester in Bologna, Nicolaus Bertrucius:

> Nadat hij het dode lichaam op de tafel had gelegd, volgden hierover vier lessen. In de eerste les werden de spijsverteringsorganen (maag en darmen) behandeld, omdat deze als eerste vergaan. In de tweede les de geestelijke organen (hart, longen en luchtpijp), in de derde de zinnelijke organen (schedel, hersenen, ogen en oren), en in de vierde les werden de ledematen behandeld. En volgens het commentaar op het boek van de Leden (van Galenus) zijn er in elk negen dingen te zien: dat zijn de toestand, de substantie, de samenstelling, het aantal, de vorm, de relaties van verbindingen, de werking en het nut, en de kwalen die hen betreffen ... Ook stellen we de anatomie vast van lichamen die in de zon gedroogd zijn, of vergaan zijn in de aarde, of onder-

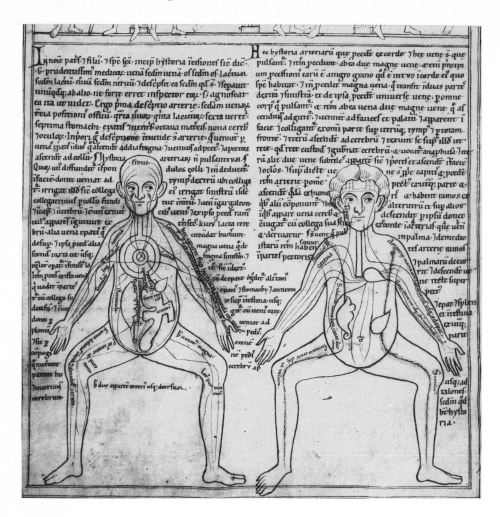

Afbeelding 13.14 De menselijke anatomie, met afbeeldingen van het stelsel van aderen (links) en slagaderen (rechts) volgens Galenus. München, Bayerische Staatsbibliothek, CLM 13002, fol. 2v (12de eeuw). Voor verder commentaar en meer anatomische tekeningen, zie Siraisi, *Medieval and Early Renaissance Medicine*, pp. 92-95.

gedompeld zijn in stromend of kokend water. Hiermee wordt ten minste duidelijk wat de anatomie is van botten, kraakbeen, gewrichten, grote zenuwen, pezen en gewrichtsbanden.[36]

Dergelijke ontledingen werden gewoonlijk uitgevoerd op de lichamen van misdadigers, van wie de tijd van terechtstelling wellicht werd aangepast aan de behoeften van de medische faculteiten. Zij kwamen niet vaak voor, en één dissectie per jaar was misschien wel het gemiddelde. Ook is het van belang te weten dat de student

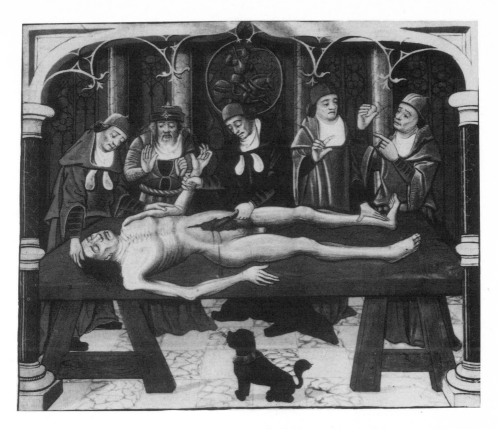

Afbeelding 13.15 De ontleding van een menselijk lichaam. Parijs, Bibliothèque Nationale, MS Fr. 218, fol. 56r (laat 15de eeuw).

geneeskunde meer een toeschouwer dan een uitvoerder was; de functie van de ontleding was de verbeelding van de tekst van Galenus; geen onderzoek, maar onderwijs.

De middeleeuwse artsen zijn door de moderne historici heftig bekritiseerd vanwege hun methode niet zozeer kadavers maar teksten te beschouwen als de voornaamste autoriteit op het gebied van de anatomie. Het ongelukkige resultaat van deze methode was, zoals al vele malen is beweerd, de voortgaande verkondiging van verscheidene foutieve beweringen in Galenus' verhandeling over de menselijke anatomie. Wat te denken van een dergelijke kritiek? Zonder twijfel vonden de middeleeuwse artsen de prestaties van Galenus zo ontzagwekkend dat zij geneigd waren de teksten van Galenus een zeer grote (doch niet absolute) autoriteit te verlenen, maar dit is geen reden hen als stommelingen te bestempelen. Als we een moderne parellel trekken: het tegenwoordige anatomische studieboek is ook een opmerkelijk fenomeen, en als een student geneeskunde, deelnemend aan het verplichte college anatomie, stuit op een discrepantie tussen de tekst en het kadaver zal hij of zij deze discrepantie uitleggen als een afwijking van het kadaver in plaats van als een fout in het studieboek. We zouden niet verbaasd moeten zijn als de middeleeuwse artsen en chirurgen een soortgelijk gedrag vertoonden. Zij hadden alle reden om aan te nemen dat Galenus gelijk had (hetgeen in de meeste gevallen inderdaad zo was) en de bestudering van Galenus' werk te beschouwen als de meest zekere en efficiënte, en niet in het minst de meest schone manier om kennis van de anatomie te verkrijgen.

Ondanks het feit dat de anatomische ontleding binnen het geneeskundig onderwijs van secundair belang was, hebben we gezien dat er zich laat in de dertiende en vroeg in de veertiende eeuw een traditie van anatomische dissectie ontwikkelde. Gedurende de daarop volgende tweehonderd jaar groeide de kracht en kwaliteit van deze traditie, terwijl er voortdurend sprake was van een dialoog met de textuele traditie van de anatomische kennis. In de vijftiende eeuw werd deze traditie gekoppeld aan de boekdrukkunst, waardoor de goedkope produktie van teksten en de accurate reproduktie van anatomische tekeningen mogelijk werd. De kwaliteit van de anatomische tekeningen werd nog meer verhoogd door de bijdragen van een groeiende groep getalenteerde kunstenaars. En in de zestiende eeuw werden deze factoren gekoppeld aan de vernieuwde toegang tot de Griekse tekst van Galenus, waardoor de verbazingwekkende verrichtingen van Andreas Vesalius (1514-64) en anderen mogelijk werden.

De opkomst van het hospitaal

Ik besluit deze bespreking van de middeleeuwse geneeskunde met een opmerking aangaande de ontwikkeling van een instelling, namelijk met een beknopte verhandeling over een van de meest gevierde middeleeuwse geneeskundige verrichtingen – de uitvinding van het hospitaal. Een van de moeilijkheden bij het vaststellen van de oorsprong van het hospitaal is de definitie van het begrip zelf. Als we met 'hospitaal' iets dergelijks als verpleeghuis of gasthuis bedoelen, dan omvat dit tevens de instellingen die voedsel en onderdak boden aan zwervers en reizigers, alsmede aan degenen die ziek waren, maar die weinig of geen gespecialiseerde medische verzorging boden. Als we deze term echter willen gebruiken voor instellingen die zich wijdden aan de behandeling van de zieken en ook bekwame medische zorg boden, dan hanteren we een minder ruim criterium. Het eerste soort van hospitaal, dat algemeen was in het gehele middeleeuwse Europa (en veelal beheerd werd door een klooster of een gemeenschap van lekenbroeders), zal niet onze belangstelling hebben. We zullen ons richten op de instelling van de tweede soort.[37]

Waar lag dan de oorsprong van het hospitaal als medische instelling? Deze lijkt te liggen in het Byzantijnse rijk, waar rond de zesde eeuw, en wellicht al veel eerder, de christelijke idealen van liefdadigheid leidden tot de vestiging van hospitalen die gespecialiseerde medische zorg boden. Een van de eerste hospitalen waarvan we het bestaan kunnen bewijzen is het Sampson hospitaal (genoemd naar de vierde-eeuw-se heilige) in Constantinopel; hier werd, bijvoorbeeld, vroeg in de zevende eeuw een kerkelijke functionaris met een infectie in de liesstreek opgenomen voor een chirurgische ingreep en herstel. Andere Byzantijnse hospitalen kwamen op soortge-lijke wijze tot stand: in de twaalfde eeuw had het Pantokrator hospitaal, eveneens in Constantinopel, ruimte voor vijftig patiënten (achtendertig mannen en twaalf vrouwen); om al de medische en andersoortige taken te kunnen vervullen, had het hospitaal zevenenveertig werknemers in dienst, onder wie artsen en chirurgen.[38]

Dit Byzantijnse model kreeg zowel in de islamitische als de westerse wereld be-kendheid, waar het inwerkte op, en vorm gaf aan, de autochtone tradities op het gebied van de gezondheidszorg. In de islamitische wereld zien we vroeg in de ne-gende eeuw vergelijkbare instellingen, misschien wel vanwege de invloed van de Barmak familie, die onder de kalief Harun ar-Rashid (786-809) veel macht had. Ongetwijfeld verliep de overlevering van het Byzantijnse model aan het westen langs vele kanalen; een van deze kanalen lijkt een nevenprodukt te zijn geweest van de verovering van Jeruzalem in 1099, tijdens de eerste kruistocht. Kort na de val van Jeruzalem reorganiseerden de lekenbroeders (nadien ook wel 'hospitaalridders' genoemd) het Sint-Johannes hospitaal van Jeruzalem, dat zij beheerden naar Byzantijns model. Vanwege zijn belangrijke plaats en enorme omvang kreeg dit hospitaal bekendheid in heel Europa: een eeuw later meldden bezoekers dat het onderdak bood aan minimaal duizend patiënten. De hospitaalridders stichtten uit-eindelijk een hele reeks ziekenhuizen in Italië en Zuid-Frankrijk. Door de afkondi-ging van diverse statuten die de organisatie van deze hospitalen organiseerden (in een bepaalde versie werd de aanstelling van vier behandelende artsen verplicht ge-steld), werd de organisatie van het hospitaal van Jeruzalem ook in het westen ge-bruikelijk, waardoor grote invloed werd uitgeoefend op het bestaande beeld van het liefdadigheidswerk voor de zieken en noodlijdenden, en de ontwikkeling van het hospitaal als een gespecialiseerde medische instelling werd gestimuleerd.[39]

Dit is natuurlijk een zeer beknopte uiteenzetting, waarbij veel onduidelijkheden niet zijn opgehelderd. Wat de precieze details van overlevering en assimilatie dan ook mogen zijn, het is duidelijk dat het model van het hospitaal als een medische instelling zich gedurende de twaalfde en dertiende eeuw snel over het westen ver-spreidde, zodat er in grote en kleine steden in geheel Europa ziekenhuizen konden worden aangetroffen. Zij konden groot zijn of klein, variërend van honderden bed-den tot een stuk of vijf. Zij werden gesteund door kerkelijke of seculiere instellin-gen. Hun clientèle kwam voornamelijk uit de lagere klassen, hoewel uitzonderin-gen mogelijk waren. In de meeste gevallen werkten er professionele artsen die hun arbeidsloon op jaarbasis kregen uitgekeerd. De patiënten kregen veel aandacht – zo hield men rekening met hygiëne en diëten. De bedden bestonden uit matrassen van stro die met touwen aan de bedstijlen waren bevestigd en twee of zelfs drie patiën-ten konden herbergen. Een verhandeling over de medische faciliteiten in de stad Milaan, die rond het jaar 1288 werd geschreven, geeft ons duidelijke informatie:

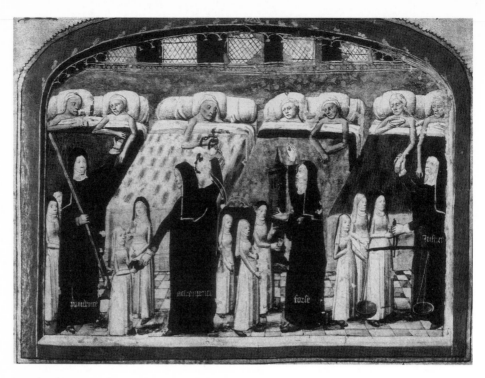

Afbeelding 13.16 Een middeleeuws hospitaal.
Uit Jean Henry, *Le livre de vie active des religieuses de
l'Hôtel-Dieu* (laat 15de eeuw). Parijs, Centre de
l'Image de l'Assistance Publique. Deze illustratie
wordt besproken in Imbault-Huart, *La médecine au
moyen âge*, p. 168.

> In de stad, de voorsteden inbegrepen ... zijn tien hospitalen voor de zieken ... De be-
> langrijkste is het hospitaal van de Brolo, dat erg rijk is en in 1145 is gesticht door
> Geoffrey de Bussero. Hier ... liggen, met name in bijzonder slechte tijden, meer dan
> vijfhonderd patiënten in bedden en een gelijk aantal dat niet in bedden ligt. Allen
> krijgen eten op kosten van het hospitaal. Verder wordt er in het hospitaal gezorgd
> voor ten minste 350 baby's, die na hun geboorte een eigen verpleegster krijgen toe-
> gewezen. Iedereen die armlastig is, met uitzondering van melaatsen, voor wie een
> ander hospitaal is ingericht, wordt hier ontvangen en op vriendelijke en vrijgevige
> wijze weer gezond gemaakt, waarbij in een bed en eten is voorzien. Tevens worden
> alle armen waarbij een chirurgische ingreep nodig is op toegewijde wijze verzorgd
> door drie chirurgen die speciaal voor deze taak zijn aangesteld.... [40]

Hoewel we hier slechts de positieve kant van het plaatje zien, blijkt wel uit deze
passage welk indrukwekkend niveau van zorg door een middeleeuws hospitaal kon
worden nagestreefd.

DE NATUURGESCHIEDENIS

De geneeskunde was in de middeleeuwen zonder twijfel de voornaamste bewaarplaats van de biologische kennis, maar niet de enige. De aristotelische natuurwetenschap bevatte tevens een aanzienlijk deel zoölogische en botanische informatie.
Bijna altijd bevatten de encyclopedieën delen over planten en dieren. Kruiden- en
dierenboeken waren natuurlijk gespecialiseerd in respectievelijk het planten- en
dierenrijk. En, tot slot, de middeleeuwse mens was zelf uitstekend op de hoogte
van de lokale flora en fauna. We zullen dit hoofdstuk dus besluiten met een korte
beschouwing van de middeleeuwse botanische en zoölogische kennis.

De middeleeuwse botanische kennis was nauw verbonden met de geneeskunde
omdat de planten (met uitzondering van de planten die in Europa deel uitmaakten
van het dagelijkse voedsel) voornamelijk werden gebruikt als geneeskruiden. Als de
geneeskundige toepassing van kruiden effectief moest zijn, dan waren er handboeken nodig die de verschillende kruiden en hun geneeskrachtige werkingen zouden
beschrijven. Zo ontwikkelde zich een belanghebbende literatuur over kruiden,
waarvan het grootste deel bedoeld was voor praktische toepassing. Het model voor
deze literatuur was Dioscorides' *De materia medica*, in de herziene Latijnse vertaling,
waarin de medicinale substanties alfabetisch waren gerangschikt om het gebruik te
vergemakkelijken. Een karakteristieke registratie in een kruidenboek bevatte de
naam of namen van de plant, haar kenmerkende eigenschappen, waaronder de ha-
bitat, een omschrijving van de delen die van geneeskundig belang waren en hun
geneeskrachtige eigenschappen, en instructies voor de bereiding en toepassing. Uit
de alfabetische rangschikking blijkt dat de praktische doeleinden (de mogelijkheid
een geneeskrachtige substantie op naam te zoeken) belangrijker waren dan de rangschikking naar biologisch type of een andersoortig theoretisch criterium.[41]

Maar afgezien van deze op de praktijk gerichte kruidenboeken was er ook een
meer theoretische of filosofische literatuur, die de wereld van de planten in een natuurwetenschappelijke context plaatste. Het grootste deel van deze literatuur had
op een op andere wijze een oorsprong in het boek *Over planten*, dat werd toegeschreven aan Aristoteles, waarvan ook de middeleeuwse geleerden overtuigd waren, maar waarschijnlijk werd geschreven door Nicolaas van Damascus (eerste
eeuw v. Chr.). Er zijn op deze verhandeling een aantal commentaren geschreven
(we kennen er misschien een stuk of tien), waarvan het werk *Over groenten* van
Albertus Magnus (ca. 1200-1280) het indrukwekkendst is. Albertus' *Over groenten*
bevat een omschrijving van *Over planten*, in combinatie met Albertus' eigen poging
om een intellectuele orde aan te brengen in de natuurwetenschap van de planten,
en tot slot bevat het tevens een alfabetische lijst van kruiden en hun toepassingen.
Wanneer men dit werk leest, krijgt men een goede indruk van de buitengewone en
voor zijn tijd ongekende vaardigheid waarmee Albertus de botanische verschijnselen observeerde en registreerde.[42]

Men zou kunnen verwachten dat er overeenkomsten waren tussen de botani-

Afbeelding 13.17
Een bladzijde uit het
Kruidenboek van Pseudo-
Apuleius, met een
omschrijving en afbeelding
van kweekgras, zwaardlelie
en rozemarijn. Oxford,
Bodleian Library,
MS Ashmole 1431, fol. 21r
(12de eeuw). Beschreven
in Joan Evans, red.,
*The Flowering of the Middle
Ages*, pp. 190, 352.

sche en zoölogische literatuur. Maar de zoölogische kennis kon in zeer geringe mate worden toegepast op de geneeskunde en was daarbuiten slechts van zeer weinig
waarde; om die reden bestond er dan ook geen zoölogische tegenhanger van die
bewaarplaats van de praktische botanische kennis – het kruidenboek. Evenals in het
geval van de botanie was er sprake van een onderliggende aristotelische tekstuele
traditie; Aristoteles had immers een reeks uitgebreide en belangrijke zoölogische
werken geschreven. Deze waren naar het Latijn vertaald (en voorzien van een belanghebbend commentaar van Avicenna) en kregen zeer veel aandacht – niet zozeer vanwege de gedetailleerde zoölogische informatie die ze bevatten, als wel om
hun bijdragen aan de meer algemene aspecten van de natuurwetenschap. En wederom speelde Albertus Magnus een belangrijke rol door in zijn *Over dieren* en zijn
andere werken een enorme hoeveelheid beschrijvende en theoretische zoölogische
gegevens bijeen te brengen. Van bijzonder belang zijn zijn besprekingen van de
voedingsleer en de embryologie. Zo was zijn verhandeling over de bevruchting en
de ontwikkeling van het embryo niet alleen gebaseerd op Aristoteles' theorieën

aangaande de bevruchting, maar ook op zijn eigen waarnemingen van het dierlijke voortplantingsgedrag. Een geschiedenis van de middeleeuwse zoölogie moet nog geschreven worden, maar bij Albertus Magnus is het filosofische aspect al bijna op zijn hoogtepunt.[43]

Behalve de zoölogische werken binnen de aristotelische traditie waren er diverse andere genres van literatuur over dieren – waarvan er twee veel aandacht hebben gekregen. Een van deze genres betrof de praktische verhandelingen over de valkerij. Het beroemste werk werd op Sicilië geschreven door keizer Frederik II (rond het midden van de dertiende eeuw) en was getiteld *De kunst van het jagen met vogels*. De beroemste stelling in deze befaamde verhandeling betreft Frederiks experimentele vaststelling van het feit dat gieren hun voedsel niet lokaliseren aan de hand van hun reukvermogen, maar door middel van hun gezichtsvermogen – bevestigd door het feit dat zij geen voedsel konden vinden wanneer hun ogen waren afgedekt.[44]

De verhandeling van Frederik over de valkerij mag dan opmerkelijk praktisch en modern lijken en in veel opzichten verwijderd zijn van de verbeeldingsvolle of metafysische inhoud die we associëren met de middeleeuwen, maar ons laatste voorbeeld van middeleeuwse literatuur over dieren is van een geheel ander soort. Het middeleeuwse dierenboek wordt vaak genoemd als voorbeeld van het middeleeuwse onvermogen de wereld objectief te beschouwen en de zoölogische kennis te ordenen. De middeleeuwse dierenboeken zijn allemaal afstammelingen van een door een anonieme auteur geschreven verhandeling getiteld *Physiologus*, een werk dat afkomstig was uit Alexandrië, geschreven werd in het Grieks (waarschijnlijk rond het jaar 200) en vervolgens werd vertaald naar het Latijn en de voornaamste Europese streektalen. De *Physiologus* en de middeleeuwse boeken die daarop waren geïnspireerd, zijn verzamelingen van gevestigde kennis aangaande dieren die werden gerangschikt in korte secties of hoofdstukken met de namen van de betreffende dieren – een aantal van ongeveer veertig in de *Physiologus* en meer dan honderd in enkele van de latere dierenboeken.[45]

Een karakteristieke sectie in een dierenboek begint met een etymologische verklaring van de naam van het dier. Zo wordt in een twaalfde-eeuws dierenboek in het artikel over het paard beweerd dat zijn naam, *equus*, is ontleend aan het feit dat paarden 'met vier tegelijk worden aangespand, zij vervolgens "gelijkgeschakeld" worden (*equaubantur*) en dat degene die een paar maken wat betreft vorm en tred aan elkaar worden gekoppeld'.[46] Dan worden de eventuele specifieke lichamelijke kenmerken van het dier vermeld, gevolgd door zijn ongewone of interessante gedrag en een beschrijving van bewonderenswaardige of betreurenswaardige karaktertrekken. In ditzelfde twaalfde-eeuwse dierenboek wordt vermeld dat de egel stekels heeft en zich bij wijze van bescherming oprolt; dat de vos een 'vals en vindingrijk dier' is dat doet alsof het dood is om zo zijn prooi te bemachtigen; dat kraanvogels zich als een legereenheid verplaatsen; dat de slang genaamd 'basilisk' kan doden door middel van zijn krachtige oogopslag; dat de urine van de lynx in een waardevolle steen verandert; dat leeuwen barmhartig en moedig zijn, en dat hun wenkbrauwen en manen een aanwijzing zijn voor hun karakter. En tot slot geven vele artikelen (maar niet alle) ook nog een moraal of een theologische idee op grond van de beschrijving van het dier. Zo is de egel een symbool van preutsheid en de kraanvogel van beleefdheid en verantwoordelijkheid. In de vos schuilt de duivel, die de aardse mens met zijn valse gedrag verleidt. En de leeuw, die zijn doodgeboren kroost na drie dagen leven inblaast, staat symbool voor God de Vader die Christus uit de dood heeft doen opstaan.

Wat moeten we maken van een dergelijke curieuze combinatie van feiten, fantasieën en allegorieën? We lezen het dierenboek zeker niet als een modern zoölogische handboek, en op grond hiervan hebben de wetenschapshistorici de samenstellers van de dierenboeken in sommige gevallen wel bestempeld als incompetente en falende zoölogen. Deze historici veronderstellen dat er werd gepoogd (of gepoogd moest worden) moderne zoölogische handboeken te schrijven, maar dat men niet wist hoe dit te doen; en hun grootste gebrek was wel dat zij blijkbaar geen onderscheid konden maken tussen feit en fictie. Maar het is natuurlijk onredelijk om van de middeleeuwse mens te eisen dat zij dezelfde interesses en prioriteiten moeten hebben als wij. Dat de middeleeuwse geleerde in staat was iets te schrijven dat op een zoölogisch handboek lijkt, blijkt uit de kruidenboeken en de boeken over de valkerij die we hierboven hebben besproken. Dus hun onvermogen om het dierenboek tot een zoölogisch handboek te maken, moet voortkomen uit het feit dat zij andere doeleinden voor ogen hadden.

Waarvoor was het dierenboek dan bedoeld? Het was een verzameling van kennis en mythologie betreffende dieren, met veel symboliek en associaties, dat onderricht en vermaak tot doel had. En de samensteller of lezer kwam zeker niet op het idee om na te gaan of de verhalen 'waar' waren zoals de stellingen van de aristotelische natuurwetenschap 'waar' zouden moeten zijn. Een dierenboek was geslaagd wanneer het zijn lezer meevoerde in de wereld van traditionele mythologie, metafoor en gelijkenis.[47] Ook wij hebben soortgelijke mythologieën. Denk hierbij maar aan het verhaal rond de zonneschijn op 2 februari als een voorteken van een lange winter, waarvan elk jaar in februari op serieuze wijze in de kranten en op radio en televisie verslag wordt gedaan (althans in het deel van het land waar ik woon). Is er iemand die in dit voorteken gelooft? Waarschijnlijk niet; maar indien men deze vraag stelt, geeft men blijk van een beklagenswaardige misvatting van het doel van deze overlevering, die niet de 'wetenschappelijke' overlevering van een meteorologisch feit is, maar de deelname betreft aan een traditie van een gemeenschappelijk ritueel, met alle sociale en psychologische voordelen die daaraan verbonden zijn.

De meesten onder ons ontwikkelen een bepaalde vaardigheid in het onderscheiden van de diverse soorten van literaire en artistieke produkten van onze eigen cultuur. We herkennen onmiddellijk het verschil tussen een wetenschappelijke stelling, die moet voldoen aan diverse strenge epistemologische eisen om als 'wetenschappelijk' te kunnen worden bestempeld, en een weersvoorspelling van Pelleboer, die twee verschillende doelen dienen en daarom beoordeeld moeten

Afbeelding 13.18
Een bladzijde uit een middeleeuwse
dierenboek, met een everzwijn, een
os en een stier. Londen, British
Librabry, MS Harley 3244, fol. 47r
(begin 13de eeuw). Met toestemming van de British Library.

worden aan de hand van verschillende criteria. Zo moeten we ook een kritische houding aannemen ten opzichte van middeleeuwse mensen en hun verrichtingen, onder meer ten aanzien van de verschillende soorten kunst en literatuur die zij voortbrachten. Evenzeer als we hebben gezien (in hoofdstuk 11) dat de middeleeuwse *mappaemundi* over het algemeen geheel andere doelen dienden dan de atlassen van onze tijd, moeten we ook niet langer veronderstellen dat alle middeleeuwse werken over natuurverschijnselen gelijke filosofische of wetenschappelijke doeleinden hadden als de tegenwoordige wetenschappelijke studieboeken en moeten we begrijpen dat ze mogelijkerwijs ook bedoeld waren om de lezers te informeren en te onderhouden op verscheidene andere niveaus. Als we een soortgelijke kritische houding aannemen ten opzichte van de produkten van de middeleeuwse cultuur, en de verrichtingen kunnen bezien in het kader van hun doel, dan zetten we een eerste stap op de weg naar een grotere waardering van het karakter, de verrichtingen en, inderdaad, de charme van de middeleeuwen.

14

De nalatenschap van de klassieke en middeleeuwse wetenschap

DE CONTINUÏTEITSKWESTIE

Het is niet de taak van de historicus het verleden te beoordelen, maar wel om die te begrijpen. En het doel dat ik mij bij het schrijven van dit boek heb gesteld, is de beschrijving van de klassieke en middeleeuwse wetenschappelijke traditie, en niet de waardering van haar verdienste of waarde. Maar er lijkt slechts een kleine kans te zijn dat de vraag van haar waarde voortdurend kan worden ontweken; zij speelt een belangrijke rol in eerdere verhandelingen over de vroegere wetenschap en sluimert ongetwijfeld ook in de hoofden van een groot aantal lezers van dit boek. We zullen daarom, tot besluit, dit gevaarlijke en tot nu toe verboden gebied heel voorzichtig betreden.

De waardekwestie heeft veel vormen aangenomen. Critici en lasteraars hebben zich vaak afgevraagd of de intellectuele activiteiten en prestaties waarover de historici van de klassieke en middeleeuwse wetenschap schrijven, en waaraan ook dit boek is gewijd, wel *echte* wetenschap was. Dat wil zeggen, vertoonden zij enige gelijkenis met, of waren zij een voorbode van, de moderne wetenschap? Een verfijnder en nuttiger formulering van deze vraag zou zijn: wat was, op de lange termijn, het belang van de klassieke en middeleeuwse wetenschappelijke traditie? Was zij van blijvende invloed op het verloop of de vorming van de westerse wetenschap, of was zij een doodlopende steeg? Of om de vraag in haar meest algemene vorm te stellen, bestond er wel of geen samenhang tussen de middeleeuwse en de vroegmoderne wetenschap? Dit is de beroemde 'continuïteitskwestie', die de basis heeft gevormd voor een hardnekkige en doorlopende vete tussen mediaevisten en 'vroege modernisten'. We zullen een beknopt onderzoek doen naar deze continuïteitskwestie, waarbij we beginnen bij de oorsprong, ten einde onszelf in een historisch perpectief te plaatsen.[1]

De opvatting die voortkwam uit de zeventiende-eeuwse bewondering voor de oude filosofische traditie kenmerkte zich door een waardering van de Griekse prestaties, maar bestempelde de middeleeuwen als een periode van filosofische stilstand, zo niet kaalheid. Francis Bacon (1561-1626) gaf de toon aan toen hij in zijn *Novum organon* (1620) schreef dat de eeuwen tussen de oudheid en zijn eigen tijd 'ongunstig' waren voor de wetenschap: 'Want de Arabieren noch de scholastici zijn een vermelding waard, want in de tussenliggende tijd verpletterden zij de wetenschappen met een enorme hoeveelheid verhandelingen, in plaats van hun aanzien te vergroten'. Voltaire (1694-1778) vervolgde deze aanval door te schrijven over de 'algemene achteruitgang en verwording' die de middeleeuwen kenmerkten, en over de 'doortraptheid en eenvoud ... grofheid en listigheid' van de middeleeuwse geest. Een jongere tijdgenoot van Voltaire, Condorcet (1743-94), wees onomwonden de middeleeuwse kerk aan als de schuldige van dit alles en beweerde dat 'de triomfen van het christendom de volledige verwording van de filosofie en de wetenschappen inluidden'.[2]

De opvattingen van Bacon, Voltaire en Condorcet werden in de tweede helft van de negentiende eeuw aangescherpt en wijd verspreid door de eminente Zwisterse historicus Jacob Burckhardt (1818-97), van wie meestal wordt gezegd dat hij de moderne vorm van het begrip 'renaissance' heeft geïntroduceerd. Burckhardt beschouwde de renaissance (in zijn visie ruwweg de periode tussen 1300 en 1500) als een wedergeboorte van de klassieke (dat wil zeggen, Griekse) cultuur na de lange, donkere tijd van de middeleeuwen. Hij beweerde in zijn *Die Kultur der Renaissance in Italien* (1860) dat 'de middeleeuwen ... zich niet de moeite getroostten van kennismaking en vrij onderzoek'. Tegenover dit falen van de menselijke geest stelde hij de bewering dat tijdens de Italiaanse renaissance op elk wetenschappelijk gebied 'de onderzoekers uit die periode, voornamelijk vanwege hun herontdekking van de resultaten die in de oudheid werden bereikt, een nieuw tijdperk inluiden waarmee de moderne tijd van de wetenschap aanvangt'.[3] Het enthousiasme van Burckhardt voor de renaissance bleek aanstekelijk te zijn, zoals blijkt uit het hoogdravende proza van een van zijn eerste (en zeer invloedrijke) volgelingen, John A. Symonds:

> Schoonheid is een verzoeking, plezier een zonde, de wereld een kortstondig schouwspel, de mens verdorven en verloren, de dood de enige zekerheid, het oordeel onvermijdelijk, de hel eeuwigdurend, de hemel moeilijk te bereiken; God aanvaardt de onwetendheid als een bewijs van geloof en onderdanigheid; onthouding en zelfkastijding zijn de enige veilige regels van het leven: dit waren de onomstotelijke ideeën van de ascetische middeleeuwse Kerk. Deze werden verpletterd en vernietigd door de renaissance, die het dikke gordijn tussen de menselijke geest en de wereld daarbuiten verscheurde en het licht van de werkelijkheid op de verduisterde plaatsen van zijn eigen natuur deed schijnen. Want het mystieke onderwijs van de Kerk was een culturele plaatsvervanger van de klassieke geesteswetenschappen; er werd een nieuw idee gevestigd, waarmee de mens zich tot koning van de wereld wilde kronen ... De renaissance betekende de bevrijding van de rede uit een kerker, de dubbele ontdekking van de uiterlijke en de innerlijke wereld. Een externe gebeurtenis bepaalde de richting waarin deze uitbarsting van de geest van de vrijheid zou inslaan. Dit was het contact tussen de moderne en de klassieke geest ... Het moderne brein ging zijn eigen mogelijkheden inzien toen het ontdekte wat de klassieken hadden gepresteerd.[4]

Volgens deze verhandeling gaat de vooruitgang binnen de westerse wetenschappelijke traditie voorbij aan de middeleeuwen en volgt deze een weg via de klassieke oudheid, de Italiaanse renaissance en de Europese wetenschap van de zestiende en zeventiende eeuw. Kortom, de 'nieuwe wetenschap' van de vroeg-moderne tijd was veel dank verschuldigd aan de oudheid, maar weinig of geen aan de middeleeuwen.

Een geheel andere visie op de ontwikkeling van de wetenschap werd in de eerste jaren van de twintigste eeuw verwoord door de Franse fysicus en filosoof Pierre Duhem (1861-1916). Tijdens zijn onderzoek in de statica stuitte Duhem op de werken van een reeks middeleeuwse wiskundigen en natuurwetenschappers die, naar zijn mening, de basis hadden gelegd voor de moderne wetenschap en vooruit waren gelopen op enkele van de meest fundamentele verrichtingen van Galileï en diens tijdgenoten. Duhem concludeerde uiteindelijk dat 'de mechanica en fysica, waarop de moderne mens met recht trots is, via een onafgebroken reeks van nauwelijks merkbare verbeteringen voortkomen uit de leerstellingen die binnen de middeleeuwse scholen werden verkondigd'.[5] Indien Duhem gelijk heeft, moet de oorsprong van de moderne wetenschap niet worden gezocht in de verwerping van de middeleeuwse scholastiek en de terugkeer van de klassieke ideeën en bronnen op inititatief van de 'humanisten' van de renaissance, maar in de leer van de middeleeuwse natuurwetenschappers en de wisselwerking tussen de christelijke theologie en de scholastische natuurwetenschap binnen de middeleeuwse universiteiten.

De beweringen van Duhem initieerden de discussie rond de continuïteitskwestie, die gedurende de twintigste eeuw met enige regelmatigheid terugkeert. Duhem werd in zijn pogingen de wetenschappelijke traditie te rehabiliteren in eerste instantie gesteund door invloedrijke mediaevisten als Charles Homer Haskins (1870-1937) en Lynn Thorndike (1882-1965), die hun werk in de jaren twintig en dertig schreven.[6] In de jaren na de Tweede Wereldoorlog deed zich een enorme uitbreiding voor van het historisch onderzoek naar de middeleeuwse wetenschap; deze toenemende activiteit leidde tot meer status en nieuwe stellingen betreffende de omvang van de prestaties van de middeleeuwse wetenschap. Een van de toonaangevende figuren binnen deze naoorlogse beweging was Marshall Clagett (1916), die vooral naam maakte met vertalen en bewerken van middeleeuwse wetenschappelijke en wiskundige teksten. Een ander was Anneliese Maier (1905-71) die een reeks briljante studies schreef waarin zij onder meer liet zien hoe men de bronnen met grotere nauwkeurigheid en met meer aandacht voor de filosofische context kon lezen. Hoewel zij een kritische houding aannam ten opzichte van Duhems meer extreme stellingen en een analyse van de middeleeuwse natuurwetenschap bood die veel subtieler en omzichtiger was dan die van Duhem, bevestigde Maier evenzeer het belang van de middeleeuwse bijdrage, zowel in conceptuele als methodologische zin, aan de vorming van de moderne wetenschap.[7]

De discussie omtrent de continuïteitskwestie was gedurende de eerste helft van de twintigste eeuw een relatief rustige. Maar zij werd heftiger nadat Alistair Crombie (1915-) in de vorm van twee boeken een stel manifesten publiceerde over de relatie tussen de middeleeuwse en de moderne wetenschap. In het eerste boek, een

overzicht van de middeleeuwse en vroeg-moderne wetenschap dat verscheen in
1952, beweerde Crombie dat 'het de groei van ... de experimentele en wiskundige
methoden van de 14de en 15de eeuw was die een beweging tot stand bracht die zo
krachtig was dat men die de Wetenschappelijke Revolutie noemde'.[8] Crombie
breidde dit thema verder uit in zijn tweede boek, dat een jaar later verscheen,
waarin hij stelde dat (a) het cruciaal voor de vroeg-moderne wetenschap was dat zij
in het bezit was van de methode die het meest geschikt was voor de wetenschappelijke praktijk, namelijk die van het experiment, en dat (b) haar methode een creatie
van de late middeleeuwen was:

> De stelling van dit boek is dat een systematische theorie betreffende de experimente-
> le wetenschap door voldoende filosofen [in de dertiende en veertiende eeuw] werd
> begrepen, en ook werd gebruikt bij hun werkzaamheden, om de methodologische
> revolutie voort te brengen waaraan de moderne wetenschap haar bestaan te danken
> heeft ... In de geschriften van de [dertiende-eeuwse] Engelse beoefenaar van de logi-
> ca, natuurwetenschapper en geleerde Robert Grosseteste lijkt een dergelijk helder
> inzicht in de beginselen van de moderne experimentele wetenschap zijn eerste op-
> wachting te maken.[9]

Op de stelling van Crombie werd fel gereageerd door een aantal twintigste-eeuwse
specialisten, van wie de meest geduchte de eminente Europese geleerde Alexandre
Koyré (1892-1964) was. Koyré ontkende het belang van de theoretische methodologie voor het ontstaan van de moderne wetenschap en stelde dat '*te veel* methodologie gevaarlijk is', met name in de eerste fasen van de wetenschappelijke traditie.
Evenmin was Koyré ervan overtuigd dat de methodologische voorschriften van de
middeleeuwse methodologische traditie de 'juiste' waren – dat wil zeggen, dat die
voorschriften daadwerkelijk werden toegepast door Galileï en de anderen aan wie
wij de grondvesting van een nieuwe wetenschap in de zestiende en zeventiende
eeuw meestal toeschrijven.[10] Naar de mening van Koyré was de 'Wetenschappelijke Revolutie' van de zestiende en zeventiende eeuw niet een produkt of verlengstuk van de middeleeuwse wetenschap, maar een intellectuele 'mutatie' die de
'ontbinding' van het middeleeuwse wereldbeeld tot gevolg had gehad:

> De stichters van de moderne wetenschap ... moesten niet de onjuiste theorieën be-
> kritiseren en bestrijden, en ze corrigeren of vervangen door betere. Zij moesten iets
> geheel anders doen. Namelijk de ene wereld vernietigen en deze door een andere
> vervangen. Zij moesten ons intellectuele kader zelf opnieuw vorm geven, zijn con-
> cepten herformuleren en hervormen, een nieuwe houding aannemen ten opzichte
> van het Zijn, een nieuw concept van kennis ontwikkelen, een nieuw concept van
> wetenschap.[11]

Het denken van Koyré was van grote invloed op de wetenschapshistorici van zijn
tijd. A.R. Hall (1920-), een uitgesproken aanhanger van Koyré's ideeën, schreef
over de 'volledigheid van de intellectuele veranderingen in de late renaissance' en

verbeeldde de Wetenschappelijke Revolutie als 'de vervanging ... van de opvatting van de natuur door een andere; het ene "wereldbeeld" door het andere'.[12]

In de afgelopen decennia is de toon van de discussie verfijnder geworden. Ernan MacCullin heeft gereageerd op de meer extreme methodologische stellingen van Crombie. Hoewel hij constateert dat er gedurende de middeleeuwse en de vroeg-moderne wetenschap een aanzienlijke mate van conceptuele en linguïstische conti-nuïteit is, is er volgens MacCullin geen sprake van een methodologische continuï-teit. Hij is van mening dat de moderne wetenschap juist op het gebied van de me-thodologie het meest uitgesproken afstand neemt van het middeleeuwse denken.[13] Thomas Kuhn heeft een invloedrijke theorie aangaande wetenschappelijke revolu-ties in algemene zin ontwikkeld, en ziet deze als kortstondige perioden van radica-le verandering (door hem 'verschuivingen van paradigma's' genoemd) die de rela-tief stabiele perioden waarin problemen worden opgelost (hetgeen hij 'normale wetenschap' noemt) onderbreken. De Wetenschappelijke Revolutie van de zes-tiende en zeventiende eeuw ziet Kuhn als een verzameling kleinere en (tot op ze-kere hoogte) onafhankelijke veranderingen binnen bepaalde vakgebieden. Hij maakt een onderscheid tussen de 'klassieke' exacte wetenschappen, zoals de optica en de astronomie, en de nieuwe 'Baconiaanse' experimentele wetenschappen, zoals de elektriciteitsleer en de scheikunde. Hij ontkent de mogelijkheid van radicale verandering binnen de nieuwe 'Baconiaanse' wetenschappen, omdat de middel-eeuwse traditie geen hoogontwikkelde theoretische antecedenten kende die ont-vankelijk waren voor extreme gedaanteveranderingen. Om die reden plaatst hij de revolutionaire veranderingen bijna uitsluitend binnen de 'klassieke' wetenschappen van de astronomie, mechanica en optica.[14]

De discussie omtrent de continuïteitskwestie is ook ingewikkelder geworden door de ontwikkelingen binnen de renaissancistische wetenschap. In de laatste drie of vier decennia bestaat er de tendens de wetenschap in de renaissance als een uniek fenomeen te zien – dat wil zeggen dat de wetenschappelijke verrichtingen van de renaissance zo worden gedefinieerd dat zij los komen te staan van zowel de middel-eeuwse als de moderne natuurwetenschap. In de vorming van deze tendens speelde Frances Yates (1899-1981) een belangrijke rol; hij legde een verband tussen de bij-drage van de renaissance aan de 'echte wetenschap' van de zeventiende en de toen-malige fascinatie met het magische en occulte. Yates is op zijn beurt het doelwit geworden van revisionistische inspanningen, en vanaf dat moment is de kwestie van de renaissancistische wetenschappelijke verrichtingen enigszins een troebele aangelegenheid gebleven.[15]

Hiermee is wellicht voldoende historische achtergrondinformatie gegeven om het karakter van de continuïteitskwestie duidelijk te maken en het probleem naar voren te brengen waaraan de rest van dit hoofdstuk zal worden gewijd. Maar eerst nog een waarschuwing. Als de meningsverschillen makkelijk zouden kunnen wor-den opgelost, zou dit reeds lang geleden zijn gebeurd. Daarom is het niet waar-schijnlijk dat we op deze plek een oplossing kunnen aandragen. De kwesties waarbij de historicus niet gewoonweg de historische veranderingen wil begrijpen of de oorzaken daarvan wil vaststellen, maar waarbij hij wil bepalen wat het relatieve belang van perioden van historische verandering is, zijn wellicht helemaal niet op te lossen. Dergelijke bepalingen zijn diverse stappen verwijderd van de historische gegevens en doen zich alleen voor wanneer deze gegevens worden beschouwd vanuit het gunstige gezichtspunt van grotere interpretatieve stelsels, die zelf niet ontvankelijk zijn voor eenvoudige, directe, of onafhankelijke bevestiging.[16] Het is onvermijdbaar dat de persoonlijke voorkeuren een hoofdrol spelen in de overwegingen. Ik verwacht dan ook niet dat de bladzijden die volgen definitief uitsluitsel zullen geven aangaande de continuïteitskwestie. Daarom stel ik voor dit boek te besluiten met een aantal overdenkingen (noodzakelijkerwijs van enigszins persoonlijke aard) van het karakter en het belang van de verrichtingen van de middeleeuwse wetenschap.

De verrichtingen van de middeleeuwse wetenschap

Eerst wil ik duidelijk maken waar ik zelf sta ten aanzien van de continuïteitskwestie. Het lijkt mij onbetwistbaar dat de meer extreme stelling betreffende de middeleeuwse wetenschap en haar vooruitlopen op de vroeg-moderne ontwikkelingen niet alleen sterk overdreven, maar tevens onjuist zijn. Ik denk echter wel (zoals ik hieronder duidelijk zal maken) dat de middeleeuwse natuurwetenschappers vele belangrijke en blijvende bijdragen aan de westerse wetenschappelijke traditie leverden – bijdragen die deze traditie mede vorm gaven en haar deels verklaren. Maar de middeleeuwse natuurwetenschappers liepen niet vooruit op de fundamentele aspecten van de vroeg-moderne wetenschap; en deze laatste was veel meer dan een verlengstuk, aanpassing en verduidelijking van het middeleeuwse wereldbeeld. Ik aanvaard, kortom, het historische concept van de 'Wetenschappelijke Revolutie'.[17]

Veel van de energie die aan de continuïteitskwestie is besteed, was gericht op de kwestie van de wetenschappelijke methodologie. Een bepaalde visie, namelijk de opvatting dat er geen sprake was van enige continuïteit en dat ontdekking en uitvoering van een nieuwe experimentele wetenschappelijke methode in de zeventiende eeuw juist een breuk betekende met de middeleeuwse traditie, was gedurende een aantal eeuwen zeer populair. En de kern van de verdediging van Crombie, die stelde dat er wel sprake was van continuïteit, was diens bewering dat de experimentele methode een creatie van de middeleeuwse wetenschap was. Nu lijken beide opvattingen enigszins te sterk gekleurd te zijn. Recente onderzoeken naar de aard van de middeleeuwse en zeventiende-eeuwse wetenschappelijke methodologie hebben uitgewezen dat de methodologische theorie en praktijk in die twee tijdvakken zeer complex waren en dat de eenvoudige generalisaties waardoor de vroegere opvattingen werden bepaald volledig ontoereikend zijn. Uit deze onderzoeken blijkt dat de middeleeuwse natuurwetenschappers op serieuze en kritische wijze aandacht besteedden aan de details van de aristotelische methodologie, en dat hieruit interessante verfijningen en zelfs afwijkende vormen van de aristotelische methodologie voortkwamen. Maar het is ook duidelijk geworden dat de aristotelische beginselen nooit werkelijk zijn losgelaten: de middeleeuwse wetenschappers bleven ervan overtuigd dat de juiste kennis voortkwam uit syllogistische bewijsvoering – deductie uit universele, primaire principes of premissen die men vanzelfsprekend achtte.[18]

De zeventiende natuurwetenschappers namen veel meer afstand van Aristoteles en ontwikkelden in de loop van de eeuw geleidelijk aan de erkenning van de hypothetische status van de wetenschappelijke stellingen, van het experiment als een mogelijke techniek van bevestiging en weerlegging, en van de uitgebreide toepassingsmogelijkheden van de wiskunde voor het uitvoeren van berekeningen en analysen. Ik ben van mening dat de kloof tussen de methoden van de twee perioden smaller is dan de kloof die wordt afgeschilderd door de aanhangers van de 'discontinuïteitsvisie', maar aanzienlijk breder dan de kloof die wordt vastgesteld door Crombie en zijn volgelingen. De zeventiende eeuw mag dan, methodologisch gezien, geen nieuwe wereld zijn geweest, maar een nieuw land was het zeker.[19]

Een sterker argument voor de 'discontinuïteitsvisie' kan naar mijn mening worden gevonden als we (in de voetstappen van Alexandre Koyré) ons richten op het wereldbeeld of de metafysica, in plaats van op de methodologie. De ontwikkelingen op het gebied van de metafysica die ik hierbij in gedachten heb, zijn de verwerping door de 'nieuwe wetenschappers' (Galileï, Descartes, Gassendi, Boyle, Newton, en anderen) van de aristotelische metafysica van de natuur, vorm en materie, substantie, actualiteit en potentie, de vier kwaliteiten en de vier oorzaken, alsmede de wederopleving en herformulering van de corpusculaire filosofie van de vroegere atomisten. Deze ontwikkelingen veroorzaakten een radicale conceptuele verandering die de fundamenten vernietigde van de natuurwetenschap zoals die bijna tweeduizend jaar lang was beoefend.[20]

Overdenk eens enkele van de gevolgen. In ruil voor de nuttige, gestructureerde en (in vele opzichten) organische wereld van de aristotelische natuurwetenschap bood de nieuwe metafysica een mechanische wereld van levenloze materie, onophoudelijke plaatselijke beweging en willekeurige botsingen. Zij ontsloeg de zintuiglijke kwaliteiten uit hun centrale functie binnen de aristotelische natuurwetenschap en bood hun een tweederangs functie als secundaire kwaliteiten, of degradeerde hen zelfs tot de status van zintuiglijke illusies. In ruil voor de verklarende vermogens van vorm en materie bood zij de omvang, vorm en beweging van onzichtbare deeltjes – de plaatselijke beweging werd verheven tot een belangrijke plaats binnen de categorieën van verandering en de causaliteit werd beperkt tot doelmatige en materiële causaliteit. En in ruil voor de aristotelische teleologie, die de intentie *binnen* de natuur had ontdekt, kwamen de intenties van de schepper God, die van buitenaf aan de natuur werden opgelegd.

Daarenboven was de nieuwe metafysica van grote invloed op andere aspecten van de natuurwetenschap, waaronder de methodologie; en het is niet onwaarschijnlijk (en misschien zelfs waar) dat vele van de zeventiende-eeuwse methodologische vernieuwingen voortkwamen uit de nieuwe metafysica. Zo werd een meer manipulatieve of experimentele benadering van de natuurverschijnselen klaarblijkelijk gestimuleerd door de verwaarlozing van de essentiële aspecten van de aristotelische natuurwetenschap (die alleen kunnen worden ontdekt door het onderzoeken van de dingen in hun natuurlijke, vrije staat).[21] Bovendien kan zonder twijfel worden gesteld dat de nadruk op de mechanismen van onzichtbare deeltjes leidde tot een serieuze overdenking van hypothesen en hun epistemologische status. En het is zeker, ten slotte, dat de toepassing van de wiskunde op de natuur werd gestimuleerd door de verschuiving van de aandacht van de aristotelische kwaliteiten naar de geometrische eigenschappen van deeltjes (vorm, omvang en beweging).

Voordat we de 'discontinuïteitsvisie' achter ons laten, moet ik de aandacht vestigen op verschillende andere omstandigheden die de vroeg-moderne wetenschap onderscheiden van haar middeleeuwse voorganger. Hoewel de institutionalisering van de natuurwetenschap binnen de middeleeuwse universiteiten een uitermate belangrijke ontwikkeling was, bleven de omvang, het bereik en de structurering van de wetenschap in de zestiende en zeventiende eeuw toenemen.[22] Daarenboven bestaat er geen twijfel over het feit dat de wetenschap zich in de vroeg-moderne tijd in een nieuwe sociale situatie bevond die van invloed was op haar uitoefening en haar vorm veranderde.[23] Tevens brachten de zestiende en zeventiende eeuw cruciale vernieuwingen op het gebied van de instrumentatie (zoals de uitvinding van de telescoop en de microscoop, die het onderzoeken van het verre en het zeer kleine mogelijke maakten).[24] En, tot slot, deden zich gedurende de zestiende en zeventiende eeuw op bepaalde vakgebieden doorslaggevende theoretische ontwikkelingen voor: de opkomst van de heliocentrische kosmologie in de zestiende eeuw en haar uiteindelijke overwinning in de zeventiende eeuw; alsmede een nieuwe theorie betreffende beweging en traagheid die verstrekkende gevolgen had voor zowel de aardse als de hemelse dynamica. Hieronder zal ik op de veranderingen binnen bepaalde vakgebieden terugkomen.

Als wordt aangenomen dat de vroeg-moderne wetenschap geen continuïteit vertoonde in relatie tot de middeleeuwse wetenschap – dat radicale conceptuele veranderingen, die de Wetenschappelijke Revolutie van de zestiende en zeventiende eeuw voortbrachten, een duidelijke breuk deden ontstaan – hoe moeten we de middeleeuwse bijdrage dan beschouwen? Indien de middeleeuwse natuurwetenschappers er niet in slaagden op de zestiende- en zeventiende-eeuwse wetenschap vooruit te lopen, dalen zij dan in onze achting of verdwijnen zij dan in een mist van onbelangrijkheid? Dragen zij iets bij aan de wetenschappelijke onderneming wat op den duur van belang zou blijken?

Voordat ik deze vragen zal trachten te beantwoorden, wil ik er zeker van zijn dat één zeer elementair maar zonder twijfel essentieel punt duidelijk is. De klassieke en de middeleeuwse geleerden wier intellectuele inspanningen in dit boek zijn beschreven, streefden niet naar de oplossing van zestiende- en zeventiende-eeuwse vraagstukken. Zij hadden hun eigen probleem – namelijk, de behoefte inzicht te krijgen in de wereld waarin *zij* leefden, en wel binnen de grenzen van een geërfd conceptueel kader dat de belangrijke vragen bepaalde en nuttige manieren voorstelde om deze vragen te beantwoorden. Wat betreft de latere middeleeuwen was dit conceptuele kader een vruchtbare combinatie van aristotelisch, platonisch en christelijk denken dat om haar verklarende vermogen door de middeleeuwse geleerden was overgenomen. Zolang binnen dit kader de gestelde vragen met succes konden worden beantwoord, of de verwachting wekten dit in de toekomst te zullen doen, hadden zij geen enkele reden om het te verlaten. Het was niet hun doel vooruit te lopen op toekomstige wereldbeelden, maar hun eigen wereldbeeld te onderzoeken, te verduidelijken, toe te passen en te bekritiseren; en hun capaciteiten als natuurwetenschappers moeten naar deze maatstaf worden gemeten. Kortom, we moeten het de middeleeuwse geleerden vergeven dat zij middeleeuws zijn en hen niet langer kwalijk nemen dat zij niet modern zijn. Als we geluk hebben, zullen de toekomstige generaties ons een gelijke gunst verlenen.[25]

Maar ook als we gezamenlijk besluiten dat de (in)competentie van de middeleeuwse natuurwetenschappers niet bepaald moet worden door de mate waarin zij vooruitliepen op toekomstige ontwikkelingen, blijft de volgende vraag staan: Leverden de middeleeuwse wetenschappers een belanghebbende bijdrage aan de zeventiende-eeuwse wetenschap? Het antwoord is zonder meer positief. De kritische houding van de middeleeuwse wetenschappers vormde een mooie basis voor de zeventiende-eeuwse verrichtingen; en toen er in de zeventiende eeuw een nieuwe wetenschappelijke structuur werd opgebouwd, bevatte deze vele middeleeuwse elementen. Laten we in het kort een blik werpen op de belangrijke middeleeuwse bijdragen.

Ten eerste creëerden de laat-middeleeuwse geleerden een brede intellectuele traditie, zonder welke de latere ontwikkeling van de natuurwetenschap ondenkbaar zou zijn geweest. Zoals we reeds hebben gezien, had Europa gedurende de middeleeuwen een zeer beperkt intellectueel leven en bezat zij slechts een verwaterde en verbrokkelde versie van de klassieke filosofie. Tegen het einde van de veertiende eeuw was het de middeleeuwse Europeaan gelukt deze primitieve oorsprong te ontwikkelen tot een hoogontwikkelde wetenschappelijke cultuur. Zij begonnen met het leren kennen van de Latijnse bronnen die zij reeds bezaten. Nadat zij hierin waren geslaagd, ontwikkelden ze een enorme vertaalactiviteit, waardoor zij in het bezit kwamen van de vruchten van de Griekse en islamitische filosofie – en dan met name, denkend aan de werken die voor ons belang zijn, de werken van Aristoteles en zijn islamitische commentaren, de medische wetenschap van Hippocrates en Galenus (zoals die werd uitgewerkt door islamitische artsen) en de werken van een groot aantal Griekse en islamitische schrijvers op het gebied van de wiskunde en de exacte wetenschappen.

Ten tweede, nadat de middeleeuwse Europese wetenschappers in het bezit waren gekomen van de Griekse en islamitische wetenschap gingen zij met genoegen

de strijd aan met haar inhoud. Het vertaalde materiaal vormde een heterogene verzameling van bronnen, die vele gezichten kende; en er was veel vernuft voor nodig
om de verschillen vast te stellen, compromissen te sluiten en geschillen te beslechten. Zonder twijfel voerde de aristotelische filosofie de boventoon, maar we moeten niet het eenvoudige beeld creëren dat deze een naadloze eenheid vormde,
allesomvattend was en geen concurrentie kende. Bovendien was de aristotelische
filosofie een levende traditie die voortdurend in beweging was omdat de geleerden
haar implicaties wilde begrijpen, haar fouten wilde herstellen, haar inconsistenties
wilde oplossen en haar op nieuwe vraagstukken wilde toepassen. En het nieuwe
materiaal moest uiteraard op vriendelijke voet zien te komen met de christelijke
leer, en vice versa. Dus werd de prestatie van de middeleeuwen gevormd door de
totstandbrenging van een synthese van het klassieke en het christelijke denken die
voor meerdere eeuwen een basis zou vormen voor het creatieve denken, inclusief
het creatieve denken over de natuur.[26]

Ten derde, deze synthese kreeg een institutionele thuishaven in de vorm van de
middeleeuwse scholen en universiteiten. De natuurwetenschap had in de klassieke
wereld en de middeleeuwse islam een onzeker bestaan juist omdat zij niet in staat
was zich een meer dan sporadische institutionele steun te verwerven. Binnen de
universiteiten van het middeleeuwse Europa, daarentegen, kreeg de klassieke natuurwetenschappelijke traditie een centrale plaats in het leerplan en kwam een ieder die zich op de gevorderde studies wierp met haar in aanraking (of kreeg haar
zelfs onder de knie). Te zijn opgeleid betekende per definitie te zijn opgeleid in de
wetenschappelijke traditie van de oudheid, de natuurwetenschap incluis. Men zou
geneigd kunnen zijn de toeëigening en institutionalisering van een oude wetenschappelijke traditie te bestempelen als een geringe prestatie zonder enig belang,
maar in werkelijkheid was dit van cruciaal belang. Als, zoals we nu weten, het klassieke denken de fundamenten leverde waarop de westerse wetenschappelijke traditie zou worden gebouwd, dan volgt hieruit dat de ontvangst, assimilatie en institutionalisering van het klassieke denken eerste vereisten waren voor de verdere
opbouw van dat bouwwerk.

Ten vierde, de middeleeuwse natuurwetenschappers deden geen moeite de aristotelische filosofie in te voegen in de andere intellectuele tradities en inzicht te krijgen in haar opname in het middeleeuwse denken; tevens onderwierpen zij haar aan
een zeer nauwkeurig onderzoek en een grondige beoordeling. Deze kritische benadering kreeg gestalte zodra de aristotelische filosofie ter beschikking kwam en
zou voortduren tot in de late middeleeuwen en de vroeg-moderne tijd. Een deel
van dit grondige onderzoek werd bepaald of gestimuleerd door de confrontatie
met de theologische leer. Zo vormde de veroordeling van 1277 de aanleiding voor
een nieuwe onderzoek naar de ideeën over plaats en ruimte, en dit onderzoek leidde er toe dat een aantal filosofen overging tot de aanvaarding van de radicale anti-
aristotelische opvatting dat het universum omgeven wordt (of kan worden) door
een oneindige lege ruimte. En Aristoteles' leer aangaande de ziel en de eeuwigheid

van de wereld, alsmede de deterministische tendensen binnen de aristotelische filosofie, werden op aanmoediging van de theologie 'gecorrigeerd'.[27]

Een groot deel van het kritisch onderzoek had geen theologische wortels, maar kwam voort uit spanningen binnen de aristotelische filosofie zelf, uit haar onvermogen rekenschap te geven van de wereld zoals die door de middeleeuwse natuurwetenschappers werd gezien, of uit de behoefte de niet-aristotelische alternatieven nader te onderzoeken. Zo was Aristoteles' theorie betreffende de materie, vorm en substantie onnauwkeurig, onvolledig en zelfs tegenstrijdig genoeg om aanleiding te geven tot meningsverschillen en kritiek.[28] In de veertiende eeuw werd het niet-aristotelische idee dat de aarde om haar eigen as zou draaien, dat reeds lange tijd erkend werd als een denkbeeldige situatie met boeiende implicaties, door Jean Buridan en Nicolaas van Oresme aan een grondige en ingenieuze analyse onderworpen;[29] laatstgenoemde zou deze analyse verder doorvoeren dan ieder ander vóór Galileï. En, als laatste voorbeeld, in de late middeleeuwen zou een volledige revisie plaatsvinden van Aristoteles' theorie van beweging, waarbij nieuwe ideeën over de aard van beweging en de toepassing van kwantitatieve technieken op zowel kinematische als dynamische vraagstukken naar voren kwamen.[30]

Wat de achterliggende oorzaken ook waren, duidelijk is dat het middeleeuwse onderzoek naar Aristoteles uiterst belangrijke gevolgen had voor de verdere ontwikkeling van de natuurwetenschap. Immers, men kon de aristotelische filosofie niet onderzoeken zonder haar implicaties vast te stellen en haar leemten op te willen vullen; en dit waren de noodzakelijke voorwaarden voor een serieuze kritiek. De kritiek die gedurende de middeleeuwen de kop op stak was eerder fragmentarisch dan algemeen en leidde zelden tot het verwerpen van een fundamenteel aristotelisch beginsel; een groot deel van de kritiek bleef steken bij de periferie van de aristotelische filosofie en was niet de 'vlaag van opwinding' die zich in de zestiende en zeventiende eeuw voordeed. Maar een belangrijke bijdrage was de schepping van een kritisch klimaat waarin de aristotelische leer op correcte en zorgvuldige wijze kon worden onderzocht en haar lot verbonden werd aan haar verklarende vermogen, in plaats van aan haar mogelijke gezaghebbende positie. Dit maakte de weg vrij voor een veel bredere en meer vernietigende kritiek op Aristoteles in de vroeg-moderne tijd.[31]

Ten vijfde, en tevens laatste, wil ik terugkomen op de kwestie van de ontwikkelingen binnen de verschillende vakgebieden die reeds eerder werd aangestipt. Een groot aantal invloedrijke aanhangers van de discontinuïteitsvisie heeft gekozen voor een holistische benadering van de wetenschappelijke revolutie, waarbij zij zich concentreerden op de algemene metafysische en methodologische vernieuwingen op grond van het idee dat de ontwikkelingen op dat niveau onvermijdelijk een nadrukkelijke invloed hebben op de gehele wetenschappelijke onderneming. Hetgeen inhoudt dat zij geneigd zijn de wetenschappelijke revolutie te zien als een voorbeeld van globale verandering, die haar energie haalt uit een nieuwe opvatting van de natuur of van de juiste methode om haar geheimen te doorgronden (of beide) en een hoogtepunt bereikte toen de implicaties van deze vernieuwingen van invloed werden op de verschillende vakgebieden. Hieraan dacht ook Koyré toen hij stelde dat de mens 'zijn plaats in de wereld verloor, of, wellicht beter gezegd, de wereld verloor waarin hij leefde en waarover hij nadacht, en dat hij niet alleen haar fundamentele concepten en eigenschappen moest veranderen en vervangen, maar ook zijn eigen denkkader'.[32] Op basis hiervan kunnen we vaststellen dat de discontinuïsten geen oog hadden voor de veranderingen binnen de afzonderlijke vakgebieden, of dat zij beweerden dat deze veranderingen slechts specifieke manifestaties van algemene tendensen waren. Een van de meest uitgesproken verdedigers van deze visie, A.R. Hall, heeft Thomas Kuhn en anderen bekritiseerd vanwege hun poging de wetenschappelijke revolutie op te breken in een reeks vakgebonden gebeurtenissen, waarbij Kuhn beweerde dat 'zij niet in stukken kon worden gebroken', maar bestaat uit 'een ongebroken en aaneengeschakelde reeks nieuwe ontdekkingen die verbonden is met veranderende opvattingen, en dat het een zeer arbitraire oplossing is om haar op te breken in hoofdstukken die afzonderlijke vraagstukken tot onderwerp hebben'.[33]

Uit de eerste paragrafen van dit deel moge blijken dat ik een positieve houding aanneem tegenover de visie van Koyré-Hall. Ook ik ben van mening dat de veranderingen op metafysisch en methodologisch niveau een essentieel kenmerk van de wetenschappelijke revolutie waren, die door de gehele wetenschappelijke onderneming weergalmden. Bovendien deel ik de opvatting van Hall dat de wetenschappelijke disciplines in de zestiende en zeventiende eeuw nauw met elkaar verbonden waren. Desalniettemin denk ik dat we een ernstige fout begaan wanneer we onze aandacht *beperken* tot de algemene veranderingen en de veranderingen binnen de verschillende disciplines *negeren*. Ongetwijfeld werden de afzonderlijke vakgebieden beïnvloed door de algemene opvattingen over de natuur en de algemene methodologische beginselen, maar het zou nauwelijks nodig moeten zijn om te benadrukken dat de kracht en het karakter van deze band verschilden per discipline, en dat de metafysische en methodologische invloeden op verschillende wijzen inwerkten op de specifieke eigenschappen van de diverse vakgebieden. Natuurlijk was geen enkele discipline volledig autonoom, maar evenmin werden zij alle gekenmerkt door identieke ontwikkelingspatronen.

Maar op welke wijze is deze kwestie van algemene en disciplinaire verandering van invloed op onze waardering van de middeleeuwse wetenschappelijke bijdrage? Het verband is redelijk eenvoudig te leggen. De beslissing om ons te richten op de algemene aspecten van de wetenschappelijke revolutie, of om de wetenschappelijke revolutie te definiëren als een universele gebeurtenis, duwt de continuïteitskwestie op krachtige wijze in de richting van de discontinuïteit omdat de nadruk dan juist op die aspecten van de wetenschappelijke revolutie komt te liggen waarbinnen de discontinuïteit de boventoon voerde. Want het meest duidelijke onderscheid tussen de middeleeuwse en de vroeg-moderne wetenschap werd gevormd door de totstandkoming van een nieuwe visie op de natuur en nieuwe methodologieën die van invloed konden zijn op een grote hoeveelheid wetenschappelijke activiteiten en overtuigingen; terwijl de middeleeuwse geleerden hun meest blijvende bijdragen leverden *binnen* de verschillende onderwerpen en disciplines. De beslissing ons te richten op de algemene aspecten van de veranderingen binnen de wetenschap is een beslissing om te zoeken naar discontinuïteit. Alle belanghebbende partijen zouden nu (in principe) toegeven dat er bij de overgang van de middeleeuwse naar de vroeg-moderne wetenschap zowel aspecten van continuïteit als van discontinuïteit een rol moeten hebben gespeeld; maar om deze aspecten te vinden, moeten we bereid zijn ze te zoeken in hun natuurlijke omgeving.[34]

Als we onze aandacht verleggen naar de ontwikkelingen binnen de afzonderlijke vakgebieden, denk ik dat we overtuigende bewijzen kunnen leveren voor een aanzienlijke mate van linguïstische, conceptuele en theoretische continuïteit tussen de middeleeuwen en de vroeg-moderne tijd. De vragen die 'nieuwe wetenschap' van de zeventiende eeuw stelde, waren in de meeste gevallen al vorm gegeven door de middeleeuwse traditie. Een groot deel van het vocabulair van de zeventiende-eeuwse wetenschap, alsmede vele concepten die door dat vocabulair werden weergegeven, waren overeenkomstig het middeleeuwse gebruik. En in enkele gevallen zouden middeleeuwse theorieën overleven en worden opgenomen in de vroeg-middeleeuwse wetenschap.

Voorbeelden zijn niet moeilijk te vinden.[35] De analyse van de kinematica van vallende lichamen van Galileï was voor een zeer groot deel een uitwerking en toepassing van de kinematische beginselen die in het veertiende-eeuwse Parijs en Oxford werden ontwikkeld. Het feit dat Galileï onderscheid maakte tussen de kinematica en de dynamica duidt al op de invloed van de traditie die afstamde van Bradwardine en Oresme. Als we de kinematica van Galileï nader beschouwen, blijkt dat het conceptuele kader waarbinnen hij werkte – ondermeer de concepten van ruimte, tijd, snelheid en versnelling – dat van de middeleeuwse kinematica was. Zijn wiskundige benadering was voor een groot deel ontleend aan de veertiende eeuw. En binnen de uiteindelijke theorie van Galileï speelden bepaalde theorieën van middeleeuwse origine een belangrijke rol, zoals de 'theorie van de gemiddelde snelheid' of 'regel van Merton'. De wiskundige verhoudingen die nu worden beschouwd als de belichaming van de kinematische verrichtingen van Galileï (s $\propto$ t en r $\propto$ t 2) zijn inderdaad eenvoudige uitwerkingen van definities of theorieën die waren ontwikkeld in de veertiende eeuw.[36]

De optica, en dan met name haar geometrische aspecten, is een andere wetenschap die blijk geeft van een hoge mate van continuïteit tussen de middeleeuwen en de vroeg-moderne tijd. Zo was Keplers theorie van het retinabeeld (de stelling dat een omgekeerd beeld van het gezichtsveld op de achterzijde van het oog verantwoordelijk is voor de visuele waarneming) een briljante prestatie en een belangrijke vernieuwing van de visuele theorie. Maar hieruit volgt niet dat deze theorie ook revolutionair was. Zij was het antwoord op een oude vraag, dat volledig binnen het middeleeuwse conceptuele kader werd uitgewerkt en niet werd verworven door de verwerping van een van de elementaire beginselen van het vakgebied, maar door het streven naar een serieuze houding ten opzichte van die beginselen. Evenzo bevatte Keplers oplossing van het klassieke probleem van de straling via kleine openingen (dat wil zeggen, zijn verklaring voor het verbazingwekkende feit dat de zonnestraling die wordt geprojecteerd via een recht- of driehoekige opening onder de geschikte omstandigheden een cirkelvormig beeld van de zon zal geven) geen nieuwe geometrische beginselen, maar enkel de striktere toepassing van de traditionele axioma's van het vakgebied.[37]

Zonder moeite zouden we meer voorbeelden kunnen geven. De astronomie van Copernicus handhaafde de fundamentele doelstellingen en beginselen van de astronomie zoals die sinds Ptolemaeus was beoefend. Een soortgelijke continuïteit treffen we aan binnen de astrologie, alchemie, anatomie, fysiologie, geneeskunde en natuurgeschiedenis. Toen de vroeg-moderne wetenschap zich tijdens de zestiende en zeventiende eeuw ontwikkelde, onderhield zij steeds een ingewikkelde band met het verleden. Hoewel er geheel nieuwe metafysische en methodologische aspecten ten tonele verschenen, lijfde zij niettemin ook ontelbare delen van de middeleeuwse wetenschappelijke verrichtingen in, soms onveranderd en soms zo bewerkt dat ze in hun nieuwe context pasten. Om respect te krijgen voor de middeleeuwse wetenschap is het niet nodig die van de zestiende en zeventiende eeuw te kleineren of zwart te maken. We moeten slechts inzien dat de eerstgenoemde vorm gaf aan de laatstgenoemde en daarom deel uitmaakt van de stamboom van de moderne wetenschap. Als we willen begrijpen wat het betekent om te leven in de wereld van de moderne wetenschap, kunnen we het ons niet veroorloven onbekend te zijn met de route die ons daarheen voerde.

Noten

HOOFDSTUK 1

1. Bertrand Russell, *A History of Western Philosophy*, 2d ed., p. 514.

2. Dit wordt terecht vastgesteld door David Pingree, 'Hellenophilia versus the History of Science', het manuscript van een college gegeven aan de universiteit van Harvard, november 1990.

3. Over de klassieke en middeleeuwse opvattingen over technologie, zie Elspeth Whitney, *Paradise Restored*.

4. De bespreking van de orale tradities in dit gedeelte is voor een groot gebaseerd op Jack Goody en Ian Watt, 'The Consequences of Literacy' (p. 306 voor de geciteerde zin); Jack Goody, *The Domestication of the Savage Mind*; en Jan Vansina, *Oral Tradition as History*. Zie ook Bronislaw Malinowski, *Myth in Primitive Psychology*.

5. Dit geldt zeker voor prehistorische culturen. Contemporaine ongeletterde gemeenschappen kunnen kennis hebben gehad van het schrift door hun contacten met de geletterde wereld, maar het is twijfelachtig of zij een idee van het schrift hadden voordat ze zelf hadden geleerd te schrijven.

6. Goody en Watt, 'Consequences of Literacy', pp. 307-311. Over de orale traditie als 'handvest', zie Malinowski, *Myth in Primitive Psychology*, pp. 42-44.

7. 'Myth and Reality', in H. Frankfort, H.A. Frankfort, John A. Wilson en Thorkild Jacobsen, *Before Philosophy*, pp. 24-25.

8. Jan Vansina, *The Children of Woot*, pp. 30-31, 198; Vansina, Oral Tradition, pp. 117, 125-29.

9. Vansina, *Oral Tradition*, pp. 130-33.

10. Vansina, *Children of Woot*, pp. 30-31. Over scheppingsmythen en hun relatie tot het wereldbeeld, zie ook Vansina, *Oral Tradition*, pp. 133-37.

11. John A. Wilson, 'The Nature of the Universe, ' in Frankfort e.a., *Before Philosophy*, pp. 63. Voor een actuele en grondige bespreking van de Egyptische kosmologie en kosmogonie, zie Marshall Clagett, *Ancient Egyptian Science*, dl.1, 1e deel, pp. 263-372. Over Egyptische religie, zie James H. Breasted, *Development of Religion and Thought in Ancient Egypt*.

12. Over de Babylonische scheppingsmythen, zie Thorkild Jacobsen, 'Mesopotamia: The Cosmos as State', in Frankfort e.a., *Before Philosophy*, hfst. 5; S.G.F. Brandon, *Creation Legends of the Ancient Near East*, hfst. 3.

13. Over primitieve geneeskunde of volksgeneeskunde, zie Henry E. Sigerist, A History of Medicine, dl. 1: *The Primitive and Archaic Medicine*; John Scarborough, red., *Folklore and Folk Medicines*.

14. Het idee van een 'primitieve mentaliteit' werd ontwikkeld door Lucien Lévy-Bruhl in zijn *How Natives Think*; voor een kritiek, zie Goody, *Domestication of the Savage Mind*, hfst. 1; G.E.R. Lloyd, *Demystifying Mentalities*, inleiding.

15. Over 'waarheid' en in het bijzonder 'historische waarheid', zie Vansina, *Oral Traditie-tion*, pp. 21-24, 129-33.

16. Goody en Watt, 'Consequences of Literacy', pp. 311-19. Zie ook Barry Powells reconstructie van de uitvinding van het Griekse alfabetische schrift: *Homer and The Origin of the Greek Alphabet.*

17. Goody, *Domestication of the Savage Mind*, p. 76.

18. Ibid., hfst. 3.

19. Ibid., hfst 5.

20. Goody en Watt, 'Consequences of Literacy', pp. 319-43; Lloyd, *Demystifying Mentalities*, hfst. 1.

21. Het antwoord is 14. Over Egyptische wiskunde, zie Otto Neugebauer, The Exact *Sciences in Antiquity*, hfst.4; B.L. van der Waerden, *Science Awakening: Egyptian, Babylonian and Greek Mathematics*, hfst. 1; G.J. Toomer, 'Mathematics and Astronomy', in J.R. Harris, red., *The Legacy of Egypt*, pp. 27-54; R.J. Gillings, 'The Mathematics of Ancient Egypt'; en Carl. B. Boyer, *A History of Mathematics*, hfst. 2.

22. Richard Parker, 'Egyptian Astronomy, Astrology, and Calendrical Reckoning'.

23. Over de Babylonische wiskunde, zie Neugebauer, *Exact Science in Antiquity*, hfst. 2-3; B.L. van der Waerden, *Science Awakening*, hfst. 2-3; Van der Waerden, 'Mathematics and Astronomy in Mesopotamia'; en Boyer, *History of Mathematics*, hfst. 3.

24. Voor een analyse van de kwestie van de klassieke 'algebra', zie Sabetai Unguru, 'History of Ancient Mathematics: Some Reflections on the State of the Art' en Unguru, 'On the Need to Rewrite the History of Greek Mathematics'.

25. Voor de Mesopotamische of Babylonische astronomie, zie Neugebauer, *Exact Sciences in Antiquity*, hfst. 5; B.L. van der Waerden, met Peter Huber, *Science Awakening 2: The Birth of Astronomy*, hfst. 2-8; Van der Waerden, 'Mathematics and Astronomy in Mesopotamia'; Asger Aaboe, 'On Babylonian Planetary Theories'; en de essays verzameld in Neugebauer, *Astronomy and History*. Voor een zeer technische beschouwing, zie Otto Neugebauer, *A History of Ancient Mathematical Astronomy*, 1:347-555.

26. Over de Babylonische astrologie en haar relatie met de astronomie, zie Van der Waerden en Huber, *Science Awakening 2*, hfst. 5.

27. Neugebauer, *Exact Sciences in Antiquity*, pp. 104-9; Van der Waerden en Huber, *Science Awakening 2*, hfst. 6. Voor een meer populaire benadering, zie Stephen Toulmin en June Goodfield, *The Fabric of the Heavens*, hfst. 1.

28. Sigerist, *History of Medicine*, 1:276. Over de Egyptische geneeskunde, naast Sigerist, zie Paul Ghalioungui, *The House of Life, Per Ankh: Magic and Medical Science in Ancient Egypt*; Ghalioungui, *The Physicians of Pharaonic Egypt*; en John R. Harris, 'Medicine', in Harris, red., *The Legacy of Egypt*. Over chirurgie, zie Guido Majno, *The Healing Hand*, hfst. 3.

29. B. Ebell, *The Papyrus Ebers.*

30. James Henry Breasted, *The Edwin Smith Surgical Papyrus.*

31. Over de Mesopotamische geneeskunde, zie Sigerist, *History of Medicine*, 1:4; Robert Biggs, 'Medicine in Ancient Mesopatamia'; Majno, *Healing Hand*, hfst 2.

HOOFDSTUK 2

1. Voor een geschikte inleiding op Homerus, zie Jasper Griffin, Homer; of M.I. Finley, *The World of Odysseus.*

2. Hesiodus, *Theogony and Works and Days*, vertaald, met inleiding en noten, door M.L. West.

3. Over de Griekse mythologie, zie Edith Hamilton, *Mythology*. De geciteerde passage komt uit Homerus' *Odyssey*, boek 5, vertaald naar het Engels door S.H. Butcher en Andrew Lang, in *The Complete Works of Homer* (New York: Modern Library, [1935]), pp. 79-82.

4. *The Poems of Hesiod*, vertaald door R.M. Frazer, p. 32. Over Hesiodus, zie ook Friedrich Solmsen, *Hesiodus and Aeschylus*.

5. Zie ook de boeiende analyse van deze kwestie van Paul Veyne, *Did the Greeks Believe in Their Myths?*

6. Mijn visie op deze zaken dank ik in het bijzonder aan G.E.R. Lloyd, *Early Greek Science: Thales to Aristotle*, hfst. 1; Lloyd, *Magic, Reason and Experience*; Lloyd, *The Revolutions of Wisdom*; en Gregory Vlastos, *Plato's Universe*, hfst. 1. Zie deze werken voor een aanvullende bibliografie.

7. Over de Meleziërs, zie Lloyd, *Early Greek Science*, hfst. 2; David Furley, *The Greek Cosmologists*, deel 1: *The Formation of the Atomic Theory and its Earliest Critics*; G.S. Kirk en J.E. Raven, *The Presocratic Philosophers*, hfst. 2-4; en Jonathan Barnes, *The Presocratic Philosphers*, 1: hfst 2-3. Over Thales en de astronomie, zie D.R. Dicks, *Early Greek Astronomy to Aristotle*, pp. 42-44.

8. Kirk en Raven, *Presocratic Philosophers*, p. 87.

9. Charles H. Kahn, *Anaximander and the Origins of Greek Cosmology*, p. 233.

10. G.E.R. Lloyd, *Demystifying Mentalities*, in het bijzonder hfst. 1; Lloyd, *Early Greek Science*, pp. 10-15.

11. Kirk en Raven, *Presocratic Philosophers*, p. 199. Over de interpretatie van deze passage, zie ook Furley, *Greek Cosmologists*, hfst. 9-11; Barnes, *Presocratic Philosophers*, 1:60-64.

12. Over de atomisten, zie Furley, *Greek Cosmologists*, hfst. 9-11; Kirk en Raven, *Presocratic Philosophers*, 2:40-75; Cyril Bailey, *The Greek Atomists and Epicurus*.

13. Kirk en Raven, *Presocratic Philosophers*, pp. 328-29. Zie ook Furley, *Greek Cosmologists*, hfst. 7.

14. Aristotle, *Metaphysics*, 1.5.985^{b}33-986^a 2, in *The Complete Works of Aristotle*, red. Jonathan Barnes, 2:1559. Over de pythagoreeërs, zie ook Kirk en Raven, *Presocratic Philosophers*, hfst. 9; Fyrley, *Greek Cosmologists*, hfst. 5; Barnes, *Presocratic Philosophers*, 2:76-94; en Lloyd, *Early Greek Science*, hfst. 3.

15. In de negentiende eeuw verwoordde William Stanley Jones deze versie van de pythagorische visie: 'Dat Pythagoras dacht dat de wereld wordt beheerst door het getal was niet geheel zonder reden. Bij bijna al onze gedachten is het getal betrokken, en we kunnen genot hebben van precieze en nuttige kennis van het universum naar mate we de dingen cijfermatig kunnen vaststellen'. Uit Jevons' *Principles of Science*, als opschrift gebruikt door Margaret Schabas, *A World Ruled bij Number: William Stanley Jevons and the Rise of Mathematical Economics* (Princeton: Princeton University Press, 1990).

16. Lloyd, *Early Greek Science*, pp. 36-37; Furley, *Greek Cosmologists*, pp. 33-36.

17. Kirk en Raven, *Presocratic Philosophers*, p. 271. Zie ook Furley, *Greek Cosmologists*, pp. 36-42; Lloyd, *Early Greek Science*, pp. 37-39; en Barnes, *Presocratic Philosophers*, 1:hfst. 10-11.

18. Kirk en Raven, *Presocratic Philosophers*, hfst. 11; Barnes, *Presocratic Philosophers*, 1: hfst. 12-13. Aristoteles' commentaar vindt men in zijn *Physics*, VI.2.233^{a}22-23. In een tweede paradox beschrijft Zeno een wedstrijd tussen Achilles (bekend om zijn snelheid) en een schildpad (bekend om zijn traagheid); als de schildpad bij de start een voorsprong krijgt, hoe

klein ook, zal Achilles hem nooit meer kunnen inhalen, want als Achilles op het punt komt waar de schildpad begonnen is, zal deze zich reeds vooruit hebben begeven en zich op een nieuwe plek bevinden; als Achilles deze nieuwe plek bereikt heeft, zal de schildpad reeds verder zijn; enzovoorts, *ad infinitum.*

19. Kirk en Raven, *Presocratic Philosophers*, p. 271.

20. Lloyd, *Early Greek Science*, hfst. 4.

21 Kirk en Raven, *Presocratic Philosophers*, p. 422. Zie ook Lloyd, *Early Greek Science*, hfst. 4.

22. Kirk en Raven, *Presocratic Philosophers*, pp. 325, 394.

23. Over Socrates is enorm veel geschreven. Voor korte, nieuwere inleidingen, zie R.M. Hare, *Plato*; en David J. Melling, *Understanding Plato*. Ik ben in het bijzonder beïnvloed door Vlastos' *Plato's Universe*, en door de vertalingen-commentaren van de diverse platonische dialogen van Francis M. Cornford, p. 252.

24. Plato, *Republic*, book VII, 514a-521b.

25. Lloyd, *Early Greek Science*, pp. 68-72. Plato, Phaedo, 65b; Plato, *Republic*, book VII, 532, vert. Francis M. Cornford, p. 252.

26. Vlastos, *Plato's Univers*, hfst. 2. Over Plato's cosmologie, zie ook *Plato's Cosmology: The 'Timaeus' of Plato*, vertaald en becommentarieerd door Francis M. Cornford; en Richard D. Mohr, *The Platonic Cosmology*.

27. Vlastos, *Plato's Universe*, hfst. 3.

28. Ibid., hfst. 2.

29. De geciteerde passages komen uit Plato, *Timaeus*, vert. Cornford, 30d, p. 40; 34b, p. 58.

30. Vlastos, *Plato's Universe*, pp. 61-65; Friedrich Solmsen, *Plato's Theology*.

HOOFDSTUK 3

1. Voor meer over het Lyceum, zie hoofdstuk 4.

2. Er zijn vele goede inleidingen over Aristoteles; zie in het bijzonder Jonathan Barnes, *Aristotle*; Abraham Edel, *Aristotle and His Philosophy*; en G.E.R. Lloyd, *Aristotle: The Growth and Structure of His Thought*.

3. Barnes, *Aristotle*, pp. 32-51; Edel, *Aristotle*, hfst. 3-4; Lloyd, *Aristotle*, hfst. 3.

4. De technische term die wordt gebruikt voor deze leer van Aristoteles is 'hylemorfisme', van het Griekse *hyle* (stof) en *morphe* (vorm).

5. Over Aristoteles' epistemologie, zie in het bijzonder Edel, *Aristotle*, hfst. 12-15; Lloyd, *Aristotle*, hfst. 6; Jonathan Lear, *Aristotle: The Desire to Understand*, hfst. 4; en Marjorie Grene, *A Portrait of Aristotle*, hfst. 3.

6. Voor dit onderwerp, zie Jonathan Barnes, 'Aristotle's Theory of Demonstration'; G.E.R. Lloyd, *Magic, Reason and Experience*, pp. 200-220.

7. Over verandering, zie met name Edel, Aristotle, pp. 54-60; en Sarah Waterlow, *Nature, Change, and Agency in Aristotle's 'Physics'*, hfst. 1-3.

8. Over Aristoteles' visie op 'de aard', zie Waterlow, *Nature, Change, and Agency*, hfst. 1- 2; James A. Weisheipl, 'The Concept of Nature'.

9. Waterlow, *Nature, Change, and Agency*, pp. 33-34; Ernan McMullin, 'Medieval and Modern Science: Continuity or Discontinuity?' pp. 103-29, met name 118-119.

10. Edel, *Aristotle*, hfst. 5.

11. Zie met name Friedrich Solmsen, *Aristotle's System of the Physical World* en Lloyd, *Aristotle*, hfst. 7-8.

12. *On the Heavens*, I.4.270^{b}13-16, citaat uit *The Complete Works of Aristotle*, red. Jonathan Barnes, 1:451.

13. Lloyd, *Aristotle*, hfst. 7.

14. Ibid. hfst. 8. Over de alchemie, zie hfst. 12.

15. Voor Aristoteles en de leegte, zie Solmsen, *Aristotle's System of the Physical World*, pp. 135-43; David Furley, *Cosmic Problems*, pp. 77-90.

16. Furley, *Cosmic Problems*, hfst. 12-13.

17. Aristoteles behandelt de vorm van de aarde in *On the Heavens*, II.13. Zie ook D.R. Dicks, *Early Greek Astronomy to Aristotle*, pp. 196-98. Over de mythe dat men in de oudheid en middeleeuwen geloofde dat de aarde plat was, zie Jeffrey B. Russell, *Inventing the Flat Earth: Columbus and Modern Historians*.

18. Waterlow, *Nature, Change, and Agency*, pp. 103-4.

19. Voor een nauwgezette analyse van de details, zie James H. Weisheipl, 'The Principle *Omne quod movetur ab alio movetur* in Medieval Physics'. Herdrukt in Weisheipl, *Nature and Motion in the Middle Ages*, pp. 75-97.

20. Over de natuurlijke beweging, zie Aristoteles' *On the Heavens*, I.6 en zijn *Physics*, IV.8. Over de gedwongen beweging, zie *Physics*, VIII.5. Voor een bespreking, zie Marshall Clagett, *The Science of Mechanics in the Middle Ages*, pp. 421-33; Clagett, *Greek Science in Antiquity*, pp. 64-68.

21. Lloyd, *Aristotle*, pp. 139-58.

22. De belangstelling voor de biologie van Aristoteles is plotseling toegenomen. Zie met name Lloyd, *Aristotle*, hfst. 4.; Lloyd, *Early Greek Science*, pp. 115-24; Anthony Preus, *Science and Philosophy in Aristotle's Biological Works*; Martha Craven Nussbaum, *Aristotle's 'De motu animalium'*; Pierre Pellegrin, *Aristotle's Classification of Animals*; en Allan Gotthelf en James G. Lennox, eds., *Philosophical Issues in Aristotle's Biology*. Oudere, nog steeds bruikbare bronnen zijn W.D. Ross, *Aristotle: A Complete Exposition of His Works and Thought*, 5de editie, hfst 4; en Thomas E. Lones, *Aristotle's Researches in Natural Science*.

23. Aristotle, *On the Parts of Animals*, I.5. Zie ook Lloyd, *Aristotle*, pp. 69-73.

24. Lloyd, *Aristotle*, pp. 76-81, 86-90; Lloyd, *Early Greek Science*, pp. 116-18; Pellegrin, *Aristotle's Classification of Animals*.

25. *History of Animals*, VI.3.561^{a}3-19, in Complete Works, red. Barnes, 1:883.

26. Lloyd, *Aristotle*, pp. 90-93; D.M. Balme, 'The Place of Biology in Aristotle's Philosphy'.

27. Aristotle, *De generatione animalium*, II.1.733^{b}25-27, in *Complete Works*, red. Barnes, 1:1138.

28. Over Aristoteles' leer van de ziel en diens eigenschappen, zie Lloyd, *Aristotle*, hfst. 9; Ross, *Aristotle*, hfst. 5; Ackrill, *Aristotle*, pp. 68-78.

29. Aristotle, *De generatione animalium*, II.1.733^{a}34-733^{b}14, in *Complete Works*, red. Barnes, 1:1138. Over biologische voortplanting, zie ook Ross, *Aristotle*, pp. 117-22; Preus, *Science and Philosophy in Aristotle's Biological Works*, pp. 48-107.

30. Aristotle, *On the Parts of Animals*, III.6.668^{b}33-669^{a}7. Over de teleologie in Aristoteles' biologische werk, zie ook Ross, *Aristotle*, pp. 122-27; Nussbaum, *Aristotle's 'De motu animalium'*, pp. 59-106.

31. Over de methode in Aristoteles' biologische werk, zie Lloyd, *Aristotle*, pp. 76-81; Lloyd, *Magic, Reason and Experience*, pp. 211-20; Nussbaum, *Aristotle's 'De motu animalium'*, pp. 107-42.

HOOFDSTUK 4

1. Wat betreft het klassieke onderwijs is de traditionele bron, die met voorzichtigheid moet worden gebruikt, H.I. Marrou, *A History of Education in Antiquity*. Meer betrouwbaar is John Patrick Lynch, *Aristotle's School*. Zie ook Robin Barrow, *Greek and Roman Education*.

2. Lynch, *Aristotle's School*, pp. 65-66. Over het sofistische onderwijs in het algemeen, zie pp. 38-54.

3. Over Plato's Academie, zie Lynch, *Aristotle's School*, pp. 54-63; Harold Cherniss, *The Riddle of the Early Academy*.

4. Cherniss, *Riddle of the Early Academy*, p. 65.

5. Over het Lyceum, zie Lynch, *Aristotle's School*, hfst. 1, 3; ook Felix Greyaff, *Aristotle and His School*.

6. Lynch, *Aristotle's School*, hfst. 6.

7. De beste bron betreffende het Alexandrijnse Museum en zijn bibliotheek, ook wat betreft hun sociale context, is P.M. Fraser, *Ptolemaic Alexandria*, in het bijzonder 1:305-35. Zie ook Lynch, *Aristotle's School*, pp. 121-23, 194.

8. Over Theophrastus als natuurwetenschapper, zie G.E.R. Lloyd, *Greek Science after Aristotle*; J.B. McDiarmid, 'Theophrastus', *Dictionary of Scientific Biography*, 13:328-34.

9. Over Theophrastus en het Lyceum, zie Lynch, *Aristotle's School*, pp. 97-108. Het citaat komt van p. 101, met één kleine wijziging.

10. Ibid., pp. 101-3, 193.

11. Over Strato, zie Lloyd, *Greek Science after Aristotle*, pp. 15-20; Marshall Clagett, *Greek Science in Antiquity*, pp. 68-71; H.B. Gottschalk, 'Strato of Lampsacus', *Dictionary of Scientific Biography*, 13:91-95; en David Furley, *Cosmic Problems*, pp. 149-60. Over zijn banden met het Lyceum, zie Lynch, *Aristotle's School*, passim.

12. Over de klassieke aristotelische commentatoren, zie de artikelen verzameld in Richard Sorabji, red. *Aristotle Transformed*.

13. Voor de citaten, zie Diogenes Laertius, *Lives of Eminent Philosophers*, vert. R.D. Hicks, 2:649, 667. Over de epicurische filosofie, zie A.A. Long, *Hellenistic Philosophy*, 2de ed.; David J. Furley, *Two Studies in the Greek Atomists*; Elizabeth Asmis, *Epicurus' Scientific Method*; Lloyd, *Greek Science after Aristotle*, hfst. 3; Cyril Bailey, *The Greek Atomists and Epicurus*; en de bronnen die zijn vertaald en geredigeerd door A.A. Long en D.N. Sedley, *The Hellenistic Philosophers*, 2 dln.

14. De citaten (van Lucretius' *De rerum natura*, II. 15 en IV.840) zijn ontleend aan Long en Sedley, *Hellenistic Philosophers*, 1:47; en Lucretius, *De rerum natura*, vert. W.H.D. Rouse en M.F. Smith, 2de herziene red., p. 343.

15. Asmis, *Epicurus' Scientific Method*, hfst. 8.

16. Lloyd, *Greek Science after Aristotle*, pp. 23-24.

17. Over de stoïcijnse filosofie in het algemeen, zie Lloyd, *Greek Science after Aristotle*, hfst. 3; F.H. Sandbach, *The Stoics*; Long, *Hellenistic Philosophy*; Marcia L. Colish, *The Stoic Tradition from Antiquity to the Early Middle Ages*; de artikelen gebundeld in Ronald H. Epp, red., *Recovering the Stoics*; en de bronnen verzameld in Long en Sedley, *The Hellenistic Philosophers*.

18. Over de stoïcijnse natuurwetenschap, naast de bronnen die hierboven worden genoemd, zie David E. Hahm, *The Origins of Stoic Cosmology*; en S. Sambursky, *Physics of the Stoics*.

19. A.A. Long, 'The Stoics on World-Conflagration and Everlasting Recurrence', in Epp, *Recovering the Stoics*, pp. 13-37; Hahm, *Origins of Stoic Cosmology*, hfst. 6.

20. Cicero, *On Divination*, I.125-26; geciteerd door Long en Sedley, *Hellenistic Philosophers*, 1:337.

HOOFDSTUK 5

1. Over deze kwestie, zie Friedrich Solmsen, *Aristotle's System of the Physical World*, pp. 46-48, 259-62; David C. Lindberg, 'On the Applicability of Mathematics to Nature'; James A. Weisheipl, *The Development of Physical Theory in the Middle Ages*, pp. 13-17, 48-62.

2. Aristotle, *Metaphysics*, XI.3.1061^{a}30-35, vert. Hugh Tredennick, 2:67-69.

3. Over de Griekse wiskunde, zie B.L. van der Waerden, *Science Awakening: Egyptian, Babylonian and Greek Mathematics*, hfst. 4-8; Carl B. Boyer, *A History of Greek Mathematics*, hfst. 4-11; Thomas Heath, *A History of Greek Mathematics*. Voor een overzicht van het recente onderzoek, zie J.L. Berggren, 'History of Greek Mathematics: A Survey of Recent Research'.

4. Wilbur Knorr, *The Evolution of the Euclidian Elements*.

5. Over Euclides, zie Heath, *Greek Mathematics*, hfst. 11; Boyer, *History of Mathematics*, hfst. 7; ook de vertaling van de *Elementen* door Thomas Heath, met uitgebreid en gedetailleerd commentaar.

6. E.J. Dijksterhuis, *Archimedes*; T.L. Heath, red. *The Works of Archimedes*. Over Archimedes' invloed op de middeleeuwen, zie Marshall Clagett, red. en vert., *Archimedes in the Middle Ages*.

7. Over de vroege Griekse astronomie, zie met name Berbard R. Goldstein en Alan C. Bowen, 'A New View of Early Greek Astronomy'; D.R. Dicks, *Early Greek Astronomy to Aristotle*; Lloyd, *Early Greek Science*, hfst. 7; Thomas Heath, *Aristarchos of Samos, The Ancient Copernicus*. Voor een zeer technische verhandeling, zie Otto Neugebauer, *A History of Ancient Mathematical History*, 2:571-776.

8. Voor een nuttige verhandeling over de elementaire planetaire verschijnselen en het model van de twee sferen, zie Thomas S. Kuhn, *The Copernican Revolution*, hfst. 1; Michael J. Crowe, *Theories of the World from Antiquity to the Copernican Revolution*, hfst. 1.

9. Over de astronomische kennis van Plato, zie Dicks, *Early Greek Astronomy*, hfst. 5.

10. Ibid., hfst. 6.

11. Otto Neugebauer, 'On the "Hippopede" of Eudoxus'; en David Hargreave, 'Reconstructing the Planetary Motions of Eudoxan System'.

12. Dicks, *Early Greek Astronomy*, hfst. 7.

13. Over Aristoteles, zie ibid., hfst. 7; G.E.R. Lloyd, *Aristotle*, pp. 147-53. Aristoteles behandelde de planetaire sferen in zijn *Metaphysics*, XII.8. Voor een nadere bespreking van de discussie omtrent de doeleinden van de astronomie, zie hfst. 11 van dit boek.

14. Heath, *Aristarchos of Samos*, deel 1, hfst. 18; Otto Neugebauer, 'On the Alledgedly Heliocentric Theory of Venus by Heraclides Ponticus'; G.J. Toomer, 'Heraclides Ponticus', *Dictionary of Scientific Biography*, 15:202-5; en in het bijzonder Bruce S. Eastwood, 'Heraclides and Heliocentrism: An Analysis of the Text and Manuscript Diagrams', een on-

gepubliceerd hoofdstuk (beschikbaar gesteld door Eastwood, waarvoor ik hem dank) dat bestemd was voor publikatie in zijn boek, met de voorlopige titel *Before Copernicus: Planetary Theory and the Circumsolar Idea from Antiquity to the Twelfth Century*. Over de verdere geschiedenis van het idee dat Mercurius en Venus zich rond de zon bewogen, zie Eastwood, 'Kepler as Historian of Science: Precursors of Copernican Heliocentrism according to *De revolutionibus*, I,10'.

15. Heath, *Aristarchos van Samos*, deel 2; G.E.R. Lloyd, *Greek Science after Aristotle*, pp. 53-61. Betreffende het leven van Aristarchos hebben we nauwelijks enige informatie. Omdat het eiland Samos gedurende zijn leven onder het Ptolemeïsche bewind viel, is het mogelijk dat hij zijn astronomisch en kosmologisch onderzoek in Alexandrië deed; zie P.M. Fraser, *Ptolemaic Alexandria*, 1:397; William H. Stahl, 'Aristarchos of Samos', *Dictionary of Scientific Biography*, 1:246.

16. In algemene zin is de parallax (of 'geometrische parallax') de schijnbare verschuiving van een hemellichaam ten opzichte van de sterren op de achtergrond, die wordt veroorzaakt door de wijziging van de waarnemingspositie. In dit geval betekent de afwezigheid van een solaire parallax dat er geen waarneembare wijziging is in de stand van de zon vanwege het verschil tussen de waarnemingspunten op het aardoppervlak.

17. Heath, *Aristarchos of Samos*, dl. 2, hfst. 3; G.J. Toomer, 'Hipparchos', *Dictionary of Scientific Biography*, 15:205-24; D.R. Dicks, 'Eratosthenes', *Dictionary of Scientific Biography*, 4:388-93; Albert Van Helden, *Measuring the Universe*, hfst. 2.

18. Otto Neugebauer, 'Apollonius' Planetary Theory'; Toomer, 'Hipparchos'. Over de hellenistische astronomie in het algemeen, zie Neugebauer, *Ancient Mathematical Astronomy*, 2:779-1058.

19. Voor inleidende literatuur over Prolemaeus, zie Lloyd, *Greek Science after Aristotle*, hfst. 8; Crowe, *Theories of the World*, hfst. 3-4. Voor meer technische besprekingen, zie G.J. Toomer, 'Ptolemy', *Dictionary of Scientific Biography*, 11:186-206; Neugebauer, *Ancient Mathematical Astronomy*, 1:21-343; Olaf Pedersen, *A Survey of the Almagest*; Ptolemy, *Almagest*, red. en vert. G.J. Toomer.

20. Toomer, 'Ptolemy', pp. 192-94.

21. Bernard R. Goldstein, *The Arabic Version of Ptolemy's 'Planetary Hypotheses'*; G.E.R. Lloyd, 'Saving the Appearances'. Zie ook hieronder, hfst. 11, pp. 264-67.

22. Over de klassieke theorieën over het gezichtsvermogen, zie David C. Lindberg, *Theories of Vision from al-Kindi to Kepler*, hfst. 1.

23. Over de geometrische benadering van het gezichtsvermogen, zie met name A. Mark Smith, 'Saving the Appearances of the Appearances'; zie ook Albert Lejeune, *Euclide et Ptolémée*; Lindberg, *Theories of Vision*, pp. 11-17.

24. Voor meer over Ptolemaeus, zie Albert Lejeune, *Recherches sur la catoptrique grecque*; Lejeune, *Euclide et Ptolémée*; A. Mark Smith, 'Ptolemy's Search for a Law of Refraction'. Voor een Franse vertaling van Ptolemaeus' *Optica*, zie *L'Optique de Claude Ptolémée*, red. en vert. Albert Lejeune.

25. Ptolemaeus maakte bijvoorbeeld de volgende tabel, waarin de invalshoeken worden vergeleken met de corresponderende brekingshoeken van licht (of visuele stralen) dat van lucht in water valt:

| Invalshoek | $10°$ | $20°$ | $30°$ | $40°$ | $50°$ | $60°$ | $70°$ | $80°$ |
| Brekingshoek | $8°$ | $15,5°$ | $22,5°$ | $29°$ | $35°$ | $40,5°$ | $45,5°$ | $50°$ |

We zien dat de verschillen tussen de opeenvolgende brekingshoeken een rekenkundige serie vormen: 7,5; 7; 6,5; 6; 5,5; 5; 4,5. Voor een analyse van deze uitkomsten, zie Lejeune, *Recherches*, pp. 152-66; Smith, 'Ptolemy's Search for a Law of Refraction'.

26. Zie Marshall Clagett, *The Science of Mechanics in the Middle Ages*, hfst. 1.

27. Voor analysen van het werk van Archimedes, zie de bronnen die onder noot 6 worden vermeld.

HOOFDSTUK 6

1. Over de 'primitieve' Griekse geneeskunde, zie Fridolf Kudlien, 'Early Greek Primitive Medicine'. Over diverse Griekse beoefenaars van de geneeskunde, zie Owsei Temkin, 'Greek Medicine as Science and Craft'; Lloyd, *Magic, Reason and Experience*, pp. 37-49. Over de Griekse en Romeinse geneeskunde in het algemeen, zie de nuttige bibliografie van recente onderzoeken van John Scarborough, 'Classic Antiquity: Medicine and Allied Sciences, An Update'.

2. Ludwig Edelstein, 'The Distinctive Hellenism of Greek Medicine', herdrukt in Edelstein, *Ancient Medicine*, red. Owsei Temkin en C. Lilian Temkin, pp. 367-97; Voor de opvattingen van Homerus en Hesiodus, zie pp. 376-78. zie ook James Longrigg, 'Presocratic Philosophy and Hippocratic Medicine'. Over magie en religie binnen de Griekse geneeskunde, zie Ludwig Edelstein, 'Greek Medicine and Its Relation to Religion and Magic'; G.E.R. Lloyd, *Magic, Reason and Experience*, hfst. 1; en Lloyd, *The Revolutions of Wisdom*, hfst. 1.

3. Emma J. Edelstein en Ludwig Edelstein, *Asclepius: A Colection and Interpretation of the Testimonies*, 1:235.

4. Er is enorm veel geschreven over de hippocratische geneeskunde. Voor de meest recente onderzoeken, zie Wesly D. Smith, *The Hippocratic Tradition*; en G.E.R. Lloyds inleiding op zijn uitgave van de Hippocratic Writings. Zie ook Lloyd, *Early Greek Science*, hfst. 5; Lloyd, *Magic, Reason and Experience*, passim; Longrigg, 'Presocratic Philosophy and Hippocratic Medicine'; en de eerste drie artikelen in Edelsteins *Ancient Medicine*.

5. Over de relatie tussen de geneeskunde en de filosofie, zie Longrigg, 'Presocratic Philosophy and Hippocratic Medicine'; Ludwig Edelstein, 'The Relation of Ancient Philosophy to Medicine'; Lloyd, *Magic, Reason and Experience*, pp. 86-98.

6. Overgenomen uit de vertaling van J. Chadwick en W.N. Mann, in *Hippocratic Writings*, red. Lloyd, pp. 237-38. Over de geneeskunde en het bovennatuurlijke in de werken van Hippocrates, zie met Name G.E.R. Lloyd, *Revolutions of Wisdom*, hfst. 1; Lloyd, *Magic, Reason and Experience*, hfst. 1; en Longrigg, 'Presocratic Philosophy and Hippocratic Medicine'.

7. *The Nature of Man*, vert. J. Chadwick en W.N. Mann, in *Hippocratic Writings*, red. Lloyd, p. 262. De theorie van de vier lichaamssappen was binnen de hippocratische fysiologie niet zo dominant als binnen de fysiologie van Galenus en latere schrijvers. Enkele hippocratische geschriften aanvaardden slechts twee sappen (meestal gal en slijm), en in vele werken kwamen de lichaamssappen uiteraard in het geheel niet ter sprake.

8. *Epidemics*, I.i, vert. J. Chadwick en W.N. Mann, in *Hippocratic Writings*, red. Lloyd, p. 87-88, met enkele kleine veranderingen in de punctuatie.

9. Vert. J. Chadwick en W.N. Mann, in *Hippocratic Writings*, red. Lloyd, p. 79. Ondanks zijn skeptische houding ontwikkelt de auteur van deze drie verhandelingen zelf ook enige hypothesen.

10. Ibid., p. 247.

11. Edelstein, 'Greek Medicine and Its Relation to Religion and Magic', in *Ancient Medicine*, pp. 241-43.

12. Zie *Hippocrates with an English Translation*, 4:423, 437.

13. Naast de hieronder aangehaalde bronnen, zie voor meer over de hellenistische geneeskunde John Scarborough, *Roman Medicine*; Ralph Jackson, *Doctors and Diseases in the Roman Empire*.

14. Voor een uitstekend overzicht van deze ontwikkelingen, zie James Longrigg, 'Anatomy in Alexandria in the Third Century B.C'.

15. Over Herophilus, zie het gezaghebbende werk van Heinrich von Staden, *Herophilus*; ook Longrigg, 'Superlative Achievement', pp. 164-177.

16. Over Erasistratus, zie James Longrigg, 'Erasistratus', *Dictionary of Scientific Biography*, 4:382-86; Longrigg, 'Superlative Achievement', pp. 177-84; G.E.R. Lloyd, *Greek Science after Aristotle*, pp. 80-85.

17. Over de geneeskundige sekten, zie Heinrich von Staden, 'Hairesis and Heresy; The Case of the *hairesis iatrikai*'; zie ook Michael Frede, 'The Methodists'; Edelstein, 'Empiricism and Skepticism in the Teaching of the Greek Empiricist School'; en P.M. Fraser, *Ptolemaic Alexandria*, 1:338-76.

18. Over het leven van Galenus, zie Vivian Nutton, 'The Chronology of Galen's Early Career; Nutton, 'Galen in the Eyes of His Contemporaries'; en John Scarborough, 'The Galenic Question'.

19. Fraser, *Ptolemaic Alexandria*, 1:339. Over het denken van Galenus, zie Owsei Temkin, *Galenism*; Luis García Ballester, 'Galen as a Medical Practitioner: Problems in Diagnosis'; Smith, *Hippocratic Tradition*, hfst. 2; John Scarborough, 'Galen Redivivus: An Essay Review'; Philip De Lacy, 'Galen's Platonism'; de essays in Fridolf Kudlien en Richard J. Durling, red., *Galen's Method of Healing*; en Lloyd, *Greek Science after Aristotle*, hfst. 9. Zie ook de inleidingen tot Galenus' *On the Usefulness of the Parts of the Body*; red. en vert. Margaret T. May; en Peter Brain, *Galen on Bloodletting*.

20. I. 2, citaat uit García Ballester, 'Galen as a Medical Practicioner', met enige verbeteringen van de punctuatie.

21. Ik was er sterk toe geneigd een schematische tekening te maken van Galenus' fysiologische stelsel. Uiteindelijk ben ik echter tot de conclusie gekomen dat dit niet mogelijk is zonder een onaanvaardbare hoeveelheid van de huidige anatomische en fysiologische kennis op Galenus te projecteren. Voor eerdere pogingen om Galenus' fysiology te verbeelden, zie Charles Singer, *A Short History of Anatomy and Physiology from the Greeks to Harvey*, p. 61; Karl E. Rothschuh, *History of Physiology*, p. 19.

22. In (ten minste) één geval wijst Galenus op de mogelijke aanwezigheid van een 'natuurlijke geest' of 'natuurlijke pneuma' in het aderlijke bloed; dit is opgepikt door zijn volgelingen, die het tot een officieel aanvaard onderdeel van het galenische stelsel maakten; zie Owsei Temkin, 'On Galen's Pneumatology'.

23. *On the Natural Faculties*, vert. A.J. Brock, III. 15, p. 321, met minimale wijzigingen, naar Lloyd, *Greeks Science after Aristotle*, p. 149.

24. Naast de hierboven genoemde werken over Galenus, zie Galen, *On Respiration and the Arteries*, red. en vert. David J. Furley en J.S. Wilkie.

25. Over de methoden van Galenus, naast de hierboven genoemde werken, zie Galenus, *Three Treatises on the Nature of Science*.

26. III. 10, vert. May, 1:189.

27. VII. 1, vert. May, 2:729-31.

28. Voor een goed voorbeeld, zie George Sarton, *Galen of Pergamon.*

29. Temkin, *Galenism*, p. 24.

HOOFDSTUK 7

1. Horace, *Epistles*, II.1.156.

2. Over deze ontwikkelingen, zie met name Elizabeth Rawson, *Intellectual Life in the Late Roman Republic.*

3. Over Cicero, zie hieronder.

4. Zie met name William H. Stahl, *Roman Science*, pp. 50 (waar Stahl verwijst naar de 'curse of the populizer') en 55 (waar hij de uitvoerders van de popularisatie 'hacks' [loonslaven] noemt).

5. Over Aratus, zie ibid., pp. 36-38. Stahl is ook een van de beste bronnen op het gebied van de Romeinse popularisatie van de Griekse wetenschap.

6. Zie, bijvoorbeeld, Arnold Reymond, *History of the Sciences in Greco-Roman Antiquity*, vert. Ruth Gheury de Bray, p. 92.

7. Geciteerd door Cicero, *De re publica*, I.xviii.30, vert. Clinton Walker Keyes (Londen: Heinemann, 1928), p. 55.

8. Voor pogingen de wetenschapppelijke inhoud van Varro's *Disciplines* te reconstrueren, zie Rawson, pp. 158-64; Stephen Gersh, *Middle Platonism and Neoplatonism: The Latin Tradition*, 2:825-40; William H. Stahl, Richard Johnson, en E.L. Burge, *Martianus Capella and the Seven Liberal Arts*, 1:44-53.

9. Wanneer we spreken van 'platonisten' in deze periode, bedoelen we altijd de leden van een van de filosofische tradities die voortkwamen uit Plato en de Academie. Vele van deze 'platonisten' verdedigden stellingen die Plato zou hebben afgewezen. Voor een nuttige analyse van Cicero's filosofie en haar positie ten opzichte van de platonische traditie, zie Gersh, *Middle Platonism and Neoplatonism*, I:53-154.

10. Over Lucretius, zie Stahl, *Roman Science*, pp. 80-83.

11. Over deze schrijvers, zie Stahl, *Roman Science*, hfst. 6; Gersh, *Middle Platonism and Neoplatonism*, hfst. 3; en de relevante artikelen in de *Dictionary of Scientific Biography*. Over Seneca, zie ook *Physical Science in the Time of Nero: Being a Translation of the 'Quaestiones naturales' of Seneca*, vert. John Clarke. Voor Celsus, zie zijn *On Medicine*, vert. W.G. Spencer.

12. Zie de artikelen in Roger French en Frank Greenaway, red., *Science in the Early Roman Empire: Pliny the Elder, His Sources and Influence*; zie ook Stahl, *Roman Science*, hfst. 7; voor een oudere maar meer volledige analyse, zie Lynn Thorndike, *A History of Magic and Historical Science*, 1:41-99.

13. Over de methoden van Plinius, zie A. Locher, 'the Structure of Pliny the Elder's Natural History'.

14. Plinius (de Jongere), *Letters*, vert. William Melmoth, herzien door W.M.L. Hutchinson, III.5, 1:198.

15. *Natural History*, II.25-37, II.54, II.86, VII.2, IX.8.

16. *Natural History*, II.6-22; Olaf Pedersen, 'Some Astronomy in the Middle Ages and Renaissance'.

17. Gersh, *Middle Platonism and Neoplatonism*, hfst. 7; Macrobius, *Commentary on the Dream of Scipio*, vert. met inleiding en noten door William Stahl; Stahl, *Roman Science*, pp. 153-69.

18. Over Martianus, zie Stahl e.a., *Martianus Capella*, 1:9-20. Dit werk bevat ook een volledige (Engelse) vertaling van *De neptiis philologiae et Mercurii*, met bijgaand commentaar.

19. Ibid., 2:278.

20. De bronnen van Martianus' astronomische kennis zijn zeer uitgebreid besproken. Zie ibid, 1:50-53; Eastwood, 'Plinian Astronomy in the Middle Ages and Renaissance', pp. 198-99.

21. Over Martianus' theorie van de binnenplaneten en haar latere ontwikkeling, zie Bruce S. Eastwood, 'Kepler as a Historian of Science: Precursors of Copernican Heliocentrism according to *De revolutionibus* I,10'.

22. Voor een lijst van andere vertalers en hun vertalingen, zie Marshall Clagett, *Greek Science in Antiquity*, pp. 154-56.

23. Over deze vraag, zie Gersh, *Middle Platonism and Neo Platonism*, pp. 421-34. Gersh bespreekt ook Calcidius's filosofische stellingname.

24. Over Boëthius, zie Lorenzo Minio-Paluello, 'Boethius, Anicius Manlius Severinus', *Dictionary of Scientific Biography*, 2:228-36; Gersh, *Middle Platonism and Neoplatonism*, hfst. 9; Clagett, *Greek Science in Antiquity*, pp. 150-153.

25. Voor meer over dit onderwerp, zie David C. Lindberg, 'Science and the Early Church', met een aanvullende bibliografie; ook Lindberg, 'Science as a Handmaiden: Roger Bacon and the Patristic Tradition'. Voor een beknopt overzicht van de oude geschiedenis van de kerk, zie Henry Chadwick, *The Early Church*.

26. Zie met name Henry Chadwick, *Early Christian Thought and the Classical Tradition*; Charles N. Cochrane, *Christianity and Classical Culture*; A.H. Armstrong en R.A. Markus, *Christian Faith and Greek Philosophy*.

27. Het gebruik van het vrouwelijke 'dienstmaagd' (in plaats van knecht) in Augustinus' metafoor zou enkelen van ons kunnen interesseren. Augustinus' keuze heeft niet te maken met ideeën betreffende vrouwelijke ondergeschiktheid, maar komt gewoonweg voort uit het geslacht (taalkundig gesproken) van het Latijnse naamwoord *philosophia*. De meesteres, *theologia*, is ook vrouwelijk.

28. Over het Romeinse onderwijs, zie in het bijzonder Stanley F. Bonner, *Education in Ancient Rome*; ook H.I. Marrou, *A History of Education in Antiquity*; N.G. Wilson, *Scholars of Byzantium*, met name pp. 8-27; en Robin Barrow, *Greek and Roman Education*. Over het vroeg-middeleeuwse onderwijs, zei Pierre Riché, *Education and Culture in the Barbarian West, Sixth through Eight Centuries*; M.L.W. Laistner, *Thought and Letters in Western Europe, A.D. 500-900*, nieuwe editie., hfst. 2-3.

29. Over het kloosterwezen en de kloosterscholen, zie Jean Leclerq, O.S.B., *The Love of Learning and the Desire for God; A Study of Monastic Culture*; Riché, Education and Culture, hfst. 4.

30. Het overtuigende bewijs wordt geleverd door M.M. Hildebrandt, in *The External School in Carolingian Society*.

31. Laistner, *Thought and Letters*, hfst. 5.

32. Voor Cassiodorus en Vivarium, zie James J. O'Donnell, *Cassiodorus*.

33. Over Isidorus, zie Stahl, *Roman Science*, pp. 213-23; J.N. Hillgarth, 'Isidore of Seville, St.', *Dictionary of the Middle Ages*, 6:563-66; H. Liebeschütz, 'Boethius and the Legacy of

Antiquity, ' in A.H. Armstrong, red., *The Cambridge History of Later Greek and Early Medieval Philosophy*, pp. 555-64; Jacques Fontaine, *Isidore de Séville et la culture classique dans l'Espagne wisigothique*; en Ernest Brehaut, *An Encyclopedist of the Dark Ages: Isidore of Seville*.

34. Over Bede, zie Stahl, *Roman Science*, pp. 223-32; Charles W. Jones, 'Bede', *Dictionary of the Middle Ages*, 2:153-56; Wesly M. Stevens, *Bede's Scientific Achievement*; Peter Hunter Blair, *The World of Bede*, met name hfst. 24; en Clagett, *Greek Science in Antiquity*, pp. 160-65.

HOOFDSTUK 8

1. Over de wetenschap in het Byzantijnse rijk, zie N.G. Wilson, *Scholars of Byzantium*; F.E. Peters, *The Harvest of Hellenism*.

2. Een nuttige bespreking van de oude Griekse commentatoren van Aristoteles kan worden gevonden in Richard Sorabjis inleiding op Christian Wildbergs (Engelse) vertaling van Johannes Philoponus *Tegen Aristoteles over de eeuwigheid van de wereld*, pp. 1-17. Over Themistius en Simplicius, zie de artikelen van G. Verbeke in de *Dictionary of Scientific Biography*, 12:440-43; 13:307-9; Ilsetraut Hadot, red., *Simplicius: sa vie, son oeuvre, sa survie*. Over Philoponus, zie Richard Sorabji, red., *Philoponus and the Rejection of Aristotelian Science*.

3. Voor een uistekende analyse van het proces van culturele verspreiding in het algemeen, zie F.E. Peters, *Allah's Commonwealth*; ook Peters, *Aristotle and the Arabs: The Aristotelian Tradition in Islam*; en *Harvest of Hellenism*. Veel nuttige informatie is te vinden in De Lacy O'Leary, *How Greek Science Passed to the Arabs*.

4. Over deze ontwikkelingen, zie W.H.C. Frend, *The Rise of the Monophysite Movement*.

5. De beste bronnen zijn Peters, *Aristotle and the Arabs*, hfst. 2; en Peters, *Allah's Commonwealth*, inleiding en hfst. 5. Zie ook Arthur Vööbus, *History of the School of Nisibis*.

6. O'Leary, *How Greeks Science Passed to the Arabs*, pp. 150-53; Peters, *Allah's Commonwealth*, pp. 318, 377-78, 383, 529; Peters, *Aristotle and the Arabs*, pp. 44-55, 53, 59; en Majid Fakhry, *A History of Islamic Philosophy*, pp. 15-16.

7. Voor een herwaardering van de legende van Jundishapur, zie Michael W. Dols, 'The Origins of the Islamic Hospital: Myth and Reality'. Ook ben ik dankbaar voor een bespreking van deze kwestie met Vivian Nutton, van wie het werk over dit onderwerp nog moet verschijnen.

8. Van de ontelbare boeken over de vroege geschiedenis van de islam zijn de volgende zeer nuttig: Peters, *Allah's Commonwealth*; G.E. von Grunebaum, *Classical Islam*; en Philip K. Hitty, *History of the Arabs from the Earliest Times to the Present*. Voor een grote hoeveelheid illustraties en een uitstekende tekst, zie Bernard Lewis, red., *Islam and the Arab World*.

9. Over Hunayn, zie Lufti M. Sadi, 'A Bio-Bibliographical Study of Hunayn ibn Ishaq al-Ibadi (Johannitius)'; en de twee artikelen over Hunayn van G.C. Anawati en Albert Z. Iskandar in de *Biography of Scientific Biography*, 15:230-49. Over de vertalingen in meer algemene zin, zie Peters, *Allah's Commonwealth en Aristotle and the Arabs*; ook O'Leary, *How Greek Science Passed to the Arabs*; en Fakhry, *History of Islamic Philosophy*, pp. 16-31.

10. Dit punt wordt benadrukt door G.E. von Grunebaum, *Islam: Essays in the Nature and Growth of a Cultural Tradition*, hfst. 6. In het bijzonder wordt dit toegepast op de exacte wetenschappen door George Saliba, 'The Development of Astronomy in Medieval Islamic Society', met name pp. 217-21.

11. Voor een overzicht van de islamitische geneeskunde, zie het inleidende essay in *Medieval Islamic Medicine: Ibn Ridwan's Treatise 'On the Prevention of Bodily Ills in Egypt'*, vert. en ingeleid door Michael W. Dols.

12. Zie met name Von Grunebaum, *Islam: Essays in the Nature and Growth of a Cultural Tradition*, hfst. 6. Voor een wat minder extreme versie van dezelfde opvatting, zie Peters, *Aristotle and the Arabs*, hfst. 4.

13. De meest veelzeggende versie van de 'toeëigenshypothese' komt van de hand van A.I. Sabra, 'The Appropriation and Subsequent Naturalization of Greek Science in Medieval Islam'; zie ook Sabra, 'The Scientific Enterprise'.

14. Over het islamitische onderwijs, zie Bayard Dodge, *Muslim Education in Medieval Times*; George Makdisi, *The Rise of Colleges: Institutions of Learning in Islam and the West*; Peters, *Aristotle and the Arabs*, hfst. 4; Fazlur Rahman, *Islam*, 2de druk, hfst. 11; en Mehdi Nakosteen, *History of Islamic Origins of Western Education*.

15. 'Physics, History of', *The Catholic Encyclopedia* (1911), 11:48.

16. Er bestaat geen acceptabel overzicht van de geschiedenis van de islamitische wetenschap. Voor een uitstekende maar beknopte omschrijving, zie A.I. Sabra, 'Science, Islamic', *Dictionary of the Middle Ages*, 11:81-88; en 'The Scientific Enterprise'. Zie ook Max Meyerhof, 'Science and Medicine', en Carra de Vaux, 'Astronomy and Mathematics', beide in Thomas Arnold en Alfred Guillaume, red., *The Legacy of Islam*; E.S. Kennedy, 'The Exact Sciences', in R.N. Frye, red., *The Cambridge History of Iran*, 4:378-95; en Kennedy, 'The Arabic Heritage in the Exact Sciences'. Ook zijn er steeds meer specialistische werken over de afzonderlijke wetenschappelijke disciplines.

17. Al-Kindi wordt aangehaald door Richard Walzer, 'Arabic Transmission of Greek Thought to Medieval Europe', pp. 172-73, 175 (met enkele kleine veranderingen). Voor al-Biruni, zie De Vaux, 'Astronomy and Mathematics', p. 376.

18. Zie A.I. Sabra, 'Al-Farghani', *Dictionary of Scientific Biography*, 4:541-45; B.A. Rosenfeld en A.T. Grogorian, 'Thabit ibn Qurra', *Dictionary of Scientific Biography*, 13: 288-95; en Willy Hartner, 'Al-Battani', *Dictionary of Scientific Biography*, 1:507-16. Voor de islamitische astronomie, zie ook hfst. 11, en de bronnen die daar worden vermeld.

19. Zie David C. Lindberg, *Theories of Vision from al-Kindi to Kepler*, met name hfst. 4; A.I. Sabra, 'Ibn al-Haytham', *Dictionary of Scientific Biography*, 6:189-210.

HOOFDSTUK 9

1. John Marenbon, *Early Medieval Philosophy* (480-1150), hfst. 4-5; M.W.L. Laistner, *Thought and Letters in Western Europe*, hfst. 3-4; G.R. Evans, *The Thought of Gregory the Great*, pp. 55-68.

2. Voor een zorgvuldige bespreking van de precieze betekenis en invloed van het decreet betreffende de oprichting van kloosterscholen, zie M.M. Hildebrandt, *The External School in Carolingian Society*. Over Alcuin en de Karolingische onderwijshervormingen in meer algemene zin, zie Heinrich Fichtenau, *The Carolingian Empire*, hfst. 4; John Marenbon, *From the Circle of Alcuin to the School of Auxerre*, hfst. 2; Laistner, *Thought and Letters*, hfst. 7.

3. Voor Eriugena en zijn kring, zie John J. O'Meara, *Eriugena*; Marenbon, *Early Medieval Philosophy*, hfst. 6; Marenbon, *Circle of Alcuin*, hfst. 3-4.

4. Over Gerbert, zie Harriet Pratt Lattin, red. en vert., *The Letters of Gerbert with His Papal Priviliges as Sylvester II*; Cora E. Lutz, *Schoolmasters of the Tenth Century*, hfst. 12; Uta Lindgren, *Gerbert von Aurillac und das Quadrivium: Untersuchungen zur Bildung im Zeitalter der Ottonen*. Over het Ripoll-manuscript, zie J.M. Millas-Vallicrosa, 'Translation of Oriental Scientific Works'.

5. Over de technologie van deze periode, zie met name Lynn White, Jr., *Medieval Technology and Social Change*; en Jean Gimpel, *The Medieval Machine: The Industrial Revolution of the Middle Ages*. Over het waterrad, zie Terry S. Reynolds, *Stronger than a Hundred Men: A History of the Vertical Water Wheel*, hfst. 2.

6. Zie David Herlihy, 'Demography', *Dictionary of the Middle Ages*, 4:136-48.

7. Over de middeleeuwse scholen, zie Nicholas Orme, *English Schools of the Middle Ages*; John J. Contreni, 'Schools, Cathedral', *Dictionary of the Middle Ages*, 11:59-63; Contreni, *The Cathedral School of Laon from 850 to 930*; Marenbon, *Early Medieval Philosophy*, hfst. 10; John W. Baldwin, *The Scholastic Culture of the Middle Ages*, hfst. 3; Richard W. Southern, 'The Schools of Paris and the School of Chartres'; Southern, 'From Schools to University'; en Paul F. Grendler, *Schooling in Renaissance Italy*, in het bijzonder hfst. 1.

8. Zie Southern, 'The Schools of Paris and the School of Chartres', pp. 114-18; Jean Leclercq, 'The Renewal of Theology', pp. 72-73.

9. Zie Richard W. Southern, 'Humanism and the School of Chartres'; de krachtige respons van Nikolaus Häring, 'Chartres and Paris Revisited'; en Southerns repliek in 'The Schools of Paris and the School of Chartres'.

10. Charles Homer Haskins, *The Renaissance of the Twelfth Century*, hfst. 4, 7.

11. Colin Morris, *The Discovery of the Individual, 1050-1200*, p. 46. Over de rationalistische wending in de 11de en 12de eeuw, zie ook het ambitieuze werk van Alexander Murray, *Reason and Society in the Middle Ages*.

12. Hoewel zijn intellectuele vorming tot stand kwam, althans gedeeltelijk, binnen de monastieke traditie – tussen zijn 25ste en 30ste studeerde hij aan het klooster van Bec in Noord-Frankrijk – was Anselmus een sprekend voorbeeld van de bredere intellectuele stromen van zijn tijd en verzette hij veel werk om de theologische tradities van de twaalfde-eeuwse scholen vorm te geven.

13. Jasper Hopkins, *A Companion to the Study of St. Anselm*; G.R. Evans, *Anselm and a New Generation*; Richard w. Southern, *Saint Anselm*, met name pp. 123-37, en Southern, *Medieval Humanism*, hfst. 2. Over het onderscheid tussen de monastieke en de 'scholastieke' theologie in de twaalfde eeuw, zie Jean Leclercq, 'The Renewal of Theology'.

14. Abélards Epistolae, nr. 17, in *Patrologia latina*, red. J.-P. Migne, dl. 178 (Parijs: J.-P. Migne, 1855), col. 375. Voor een beknopt overzicht van Abélards leven en denken, zie David E. Luscombe, *Peter Abelard*; Luscombe, 'Peter Abelard'.

15. Over het twaalfde-eeuwse platonisme, zie M.-D. Chenu, *Nature, Man, and Society in the Twelfth Century*, hfst. 2; en Tullio Gregory, 'The Platonic Inheritance'. Over andere specifieke aspecten van de twaalfde-eeuwse filosofie, zie de citaten hieronder. Over de twaalfde-eeuwse natuurwetenschap in het algemeen, zie hfst. 1 van Chenu en de essays in Dronke, *History of the Twelfth-Century Western Philosophy*, in het bijzonder hfst. 1: Winthrop Wetherbee, 'Philosophy, Cosmology, and the Twelfth-Century Renaissance', pp. 21-53. Ouder, maar nog altijd nuttig, zijn Charles Homer Haskins, *Studies in the History of Medieval Science*; en Lynn Thorndike, *A History of Magic and Experimental Science*, dl. 2, hfst. 35-50.

16. Nikolaus M. Häring, 'The Creation and Creator of the World according to Thierry of Chartres and Clarenbaldus of Arras'; Peter Dronke, 'Thierry of Chartres'; J.M. Parent, *La doctrine de la création dans l'école de Chartres*.

17. Over het idee van de natuur, zie Tullio Gregory, 'La nouvelle idée de nature et de savoir scientifique au XIIe siècle'; en een aantal van de essays in *La filosofia della natura nel medioevo*.

18. Over Willem van Conches, zie Tullio Gregory, *Anima mundi: La filosofia di Guglielmo di Chonches e la scuola di Chartres*; Dorothy Elford, 'William of Conches'; Thorndike, *History of Magic*, dl. 2, hfst. 37. Over Adelard van Bath, zie Charles Burnett, red., *Adelard of Bath*. Voor de geciteerde delen, zie Willem van Conches, *Philosophia mundi*, red. Gregor Maurach (Pretoria: University of South-Africa, 1974), I.22, pp. 32-33) (een enigszins andere en betere tekst dan die in *Patrologia latina* van Migne); Adelard van Bath, *Quaestiones naturales*, red. M. Müller (*Beiträge zur Geschichte der Philosophie des Mittelalters*, dl. 31, 2) (Münster: Aschendorf, 1934), p. 8, geciteerd door William J. Courtenay, 'Nature and the Natural in Twelfth-Century Thought', p. 10; en Beryl Smalley, *The Study of the Bible in the Middle Ages*, p. 144. Chenu (*Nature, Man, and Society*) en Courtenay bieden nuttige samenvattingen en analysen van deze kwestie.

19. De geciteerde delen komen uit Tullio Gregory, 'The Platonic Inheritance', pp. 65, 57. Gelijksoortige opmerkingen worden gemaakt door Adelard van Bath, *Questiones naturales*, 4, p. 8; geciteerd door Courtenay, 'Nature and the Natural', p. 10.

20. William J. Courtenay, 'Nature and the Natural in Twelfth-Century Thought' en 'The Dialectic of Divine Omnipotence', beide in Courtenays *Covenant and Causality in Medieval Thought*, hfst. 3-4.

21. Over het humanisme, zie Morris, *Discovery of the Individual*; Southern, *Medieval Humanism*, hfst. 4. Voor een belanghebbend oordeel, zie Caroline Walker Bynam, 'Did the Twelfth Century Discover the Individual?'

22. De beste beknopte geschiedenis van de middeleeuwse astrologie is te vinden in Olaf Pedersen, 'Astrology', *Dictionary of the Middle Ages*, 1:604-10. Voor een verdere bespreking en een aanvullende bibliografie, zie het laatste deel van hfst. 11.

23. Over de wiskunde in de twaalfde eeuw, zie Charles Burnett, 'Scientific Speculations'; Gillian R. Evans, *Old Arts and New Theology*, pp. 119-136; Evans, 'The Influence of Quadrivium Studies in the Eleventh- and Twelfth-Century Schools'; en Guy Beaujouan, 'The Transformation of the Quadrivium'. Voor de geciteerde passage, zie Häring, 'The Creation and Creator of the World according to Thierry of Chartres', p. 196.

24. Voor een algemene bespreking van de vertalingen, zie David C. Lindberg, 'The Transmission of Greek and Arabic Learning to the West'; Marie-Thérèse d'Alverny, 'Translations and Translators'; Millas-Vallicrosa, 'Translations of Oriental Scientific Works'; Charles S.F. Burnett, 'Translation and Translators, Western European', *Dictionary of the Middle Ages*, 12: 136-42; Jean Jolivet, 'The Arabic Inheritance'; en Haskins, *Studies in the History of Mediaeval Science*, passim.

25. Michael McVaugh, 'Constantine the African', *Dictionary of Scientific Biography*, 3:393-95.

26. Richard Lemay, 'Gerard of Cremona', *Dictionary of Scientific Biography*, 15:173-92. Voor een lijst van Gerards vertalingen, zie het document dat werd vertaald dor Michael McVaugh, in Edward Grant, red., *A Source Book in Mediaeval Science*, pp. 35-38.

27. Voor twee verschillende opvattingen, zie Lemay, 'Gerard of Cremona', pp. 174-75; d'Alverny, 'Translations and Translators', pp. 453-54.

28. Lorenzo Minio-Paluello, 'Moerbeke, William of', *Dictionary of Scientific Biography*, 9:434-40.

29. Over het belang van de astrologie bij de wederopbloei van Aristoteles, zie Richard Lemay, *Abu Ma'shar and Latin Aristotelianisme in the Twelfth Century*.

30. M.B. Hackett, 'The University as a Corporate Body', p. 37.

31. Uitstekende inleidingen tot de geschiedenis van de universiteiten kunnen worden gevonden in John W. Baldwin, *The Scholastic Culture of the Middle Ages*; Astrik L. Gabriel, 'Universities', in *Dictionary of the Middle Ages*, 12:282-300; en Allan B. Cobban, *The Medieval Universities; Their Development and Organization*. Oudere klassieken die nog steeds nuttig zijn: Charles H. Haskins, *The Rise of the Universities*; en Hastings Rashdall, *The Universities of Europe in the Middle Ages*, red. F.M. Powicke en A.B. Emden, 3 dln. Voor uitstekend en recent werk over de Engelse universiteiten, zie Catto, *History of the University of Oxford*, dl. 1; William J. Courtenay, *Schools and Scholars in Fourteenth-Century England*; en Allan B. Cobban, *The Medieval English Universities: Oxford and Cambridge to c. 1500*. Over Parijs, zie Stephen C. Ferruolo, *The Origins of the University: The Schools of Paris and Their Critics, 1100-1215*.

32. Over bescherming en privileges, zie Pearl Kibre, *Scholarly Privileges in the Middle Ages*; en Guy Fitch Lytle, 'Patronage Patterns and Oxford Colleges, c. 1300-c. 1530'.

33. Voor deze cijfers ben ik dank verschuldigd aan mijn collega William J. Courtenay.

34. Voor de gegevens, zie James H. Overfield, 'University Studies and the Clergy in Pre-Reformation Germany', pp. 277-86.

35. Voor de feitelijke gegevens over de sterftecijfers van de studenten, zie Guy Fitch Lytle, 'The Careers of Oxford Students in the Later Middle Ages', p. 221.

36. Er zijn vele nuttige werken over het leerplan van de middeleeuwse universiteiten. Voor een algemeen overzicht, zie Baldwin, *Scholastic Culture*; James A. Weisheipl, 'Curriculum of the Faculty of Arts at Oxford in the Early Fourteenth Century'; en de relevante artikelen in Catto, *The Early Oxford Schools*, dl. 1 van *The History of the University of Oxford*.

37. Over de wetenschap in het middeleeuwse leerplan, naast de hierboven genoemde werken van Baldwin en Weisheipl, zie Pearl Kibre, 'The *Quadrivium* in the Thirteenth Century Universities (with Special Reference to Paris)'. Zie ook Guy Beaujouan, 'Motives and Opportunities for Science in the Medieval Universities'; Edward Grant, 'Science in the Medieval University'; James A. Weisheipl, 'Science in the Thirteenth Century'; en Edith Dudley Sylla, 'Science for Undergraduates in Medieval Universities'.

38. We moeten niet vergeten dat de wetenschap in de middeleeuwen gezien werd als de kennis van een aantal standaardteksten. Dit in tegenstelling tot de moderne opvatting die zegt dat het onderwijs het leren van bepaalde onderwerpen is, waarbij de keuze van de specifieke teksten een toevallige zou zijn.

HOOFDSTUK 10

1. Over de vroegste verspreiding van de werken van Aristoteles in het westen, zie Aleksander Birkenmajer, 'Le rôle joué par les médecins et les naturalistes dans le réception d'Aristote au XIIe et XIIIe siècles'; Richard Lemay, *Abu Ma'shar and Latin Aristotelianism in the Twelfth Century*. Over de ontvangst van Aristoteles binnen de universiteiten, zie de uitstekende verhandeling van Fernand Van Steenberghen, Aristotle in the West; een soortgelijke analyse vindt men in Van Steenberghens *The Philosophical Movement in the Thirteenth*

Century. De nuttige verhandeling van David Knowles, *The Evolution of Medieval Thought*, is grotendeels gebaseerd op Van Steenberghen. Voor een uitstekend inzicht van het aristotelisme in het westen, zie William A. Wallace, 'Aristotle in the Middle Ages', *Dictionary of the Middle Ages*, 1:456-69. Over Oxford, zie Van Steenberghen, *Aristotle in the West*, hfst. 6; D.A Callus, 'Introduction of Aristotelian Learning to Oxford'.

2. Over het aristotelisme in Parijs, zie Van Steenberghen, *Aristotle in the West*, hfst. 4-5. Zie ook John W. Baldwin, Masters, Princes, and Merchants: *The Social Views of Peter the Chanter and His Circle*, 1: 104-7; en Richard C. Dales, *The Intellectual Life of Western Europe in the Middle Ages*, pp. 243-46. Voor een vertaling van de documenten betreffende de gebeurtenissen in Parijs, zie Lynn Thorndike, *University Records and Life in the Middle Ages*, pp. 26-40; herdrukt, met aanvullende noten, in Edward Grant, red., *A Source Book in Medieval Science*, pp. 42-44.

3. Voor de Latijnse tekst, zie Henricus Denifle and Aemilio Chatelain, *Chartularium Universitatis Parisiensis*, 4 dln. (Parijs: Delalain, 1889-97), 1:138, 143. Voor een andere Engelse vertaling, die een groter deel van de tekst bevat, zie Thorndike, *University Records*, p. 40.

4. Van Steenberghen, *Aristotle in the West*, pp. 89-110; David C. Lindberg, red. en vert., *Roger Bacon's Philosophy of Nature*, pp. xvi-xvii.

5. Van Steenberghen, *Aristotle in the West*, pp. 17-18, 64-66, 127-28. Een beknopte samenvatting van Avicenna's filosofie vindt men in Majid Fakhry, *A History of Islamic Philosophy*, pp. 147-83; en G.C. Anawatie en Albert Z. Iskandar, 'Ibn Sina', *Dictionary of Scientific Biography*, 15:494-50 1.

6. Van Steenberghen, *Aristotle in the West*, pp. 18-20, 89-93. De belangrijkste vertaler van Averroës was Michael Scot († ca. 1235), die zijn werk aanving in 1217 en tot in de jaren dertig doorging, maar het is niet bewezen dat zijn vertalingen tot na 1230 in Parijs werden gebruikt; zie ibid., pp. 89-94; Lorenzo Minio-Paluello, 'Michael Scot', *Dictionary of Scientific Biography*, 9:361-65. Over de filosofie van Averroës, zie Fakhry, *History of Islamic Philosophy*, pp. 302-25; Roger Arnaldez en Albert Z. Iskandar, 'Ibn Rushd', *Dictionary of Scientific Biography*, 12:1-9.

7. Zie, bijvoorbeeld, Aristoteles, *On the Heavens*, I.10-11. Voor een bespreking van de leer van Aristoteles, zie Friedrich Solmsen, *Aristotle's System of the Physical World*, pp. 51, 266-74, 288, 422-24.

8. Zie, bijvoorbeeld, St. Thomas van Aquino, Siger van Brabant en St. Bonaventura, *On the Eternity of The World*, vert. Cyril Vollert et al; Boëthius van Dacia, *On the Supreme Good, On the Eternity of the World, On Dreams*; Richard C. Dales, 'Time and Eternity in the Thirteenth Century', *Journal of the History of Ideas*, 49 (1988):27-45. Voor een volledig verslag van de middeleeuwse discussies, zie Dales, *Medieval Discussions of the Eternity of the World*.

9. Voor een korte bespreking van het determinisme en indeterminisme bij Aristoteles, zie Abraham Edel, *Aristotle and His Philosophy*, pp. 95, 389-401. Voor een volledige analyse, zie Richard Sorabji, *Necessity, Cause, and Blame*. Voor een uitstekende analyse van de islamitische aanval met betrekking tot dit probleem, zie Barry S. Kogan, *Averroes and the Metaphysics of Causation*.

10. Voor de bijbelse leerstelling, zie Mattheus 10: 29-31.

11. Over Aristoteles' theorie van de ziel, zie G.E.R. Lloyd, *Aristotle*, hfst. 9. Over de christelijke reactie, zie Fernand Van Steenberghen, *Thomas Aquinas and Radical Aristotelianism*, pp. 29-70; Knowles, *Evolution of Medieval Thought*, pp. 206-18, 292-96.

12. Voor een uitgebreide bespreking van het Averroïstische monopsychisme en de reactie hierop in het westen, zie Van Steenberghen, *Thomas Aquinas and Radical Aristotelianism*, pp. 29-74.

13. Voor een volledige bespreking, zie William J. Courtenay, *Teaching Careers at the University of Paris in the Thirteenth and Fourteenth Centuries*.

14. Over Grosseteste en die wetenschappelijke loopbaan, zie het uitstekende werk van James McEvoy, *The Philosophy of Robert Grosseteste*; voor de datering van het commentaar van Grosseteste op de *Analytica*, zie pp. 512-14. Over het leven en werk van Grosseteste, zie ook D.A. Callus, red., *Robert Grosseteste, Scholar and Bishop*; en Richard W. Southern, *Robert Grosseteste*. Over Grossetestes onderzoek naar de logica van Aristoteles en haar implicaties voor zijn wetenschappelijke methodologie, zie de enigszins radicale analyse van A.C. Crombie, *Robert Grosseteste and the Origins of Experimental Science, 1100-1700*, hfst. 3-4; ook William A. Wallace, *Causality and Scientific Explanation*, 1:28-47.

15. Over de kosmogonie van Grosseteste, zie hfst. 11 en de hierbij behorende noten.

16. Over de wetenschappelijke loopbaan van Bacon, zie Stewart C. Easton, *Roger Bacon and His Search for a Universal Science*; Theodore Crowley, *Roger Bacon: The Problem of the Soul in His Philosophical Commentaries*. Voor een nuttige biografische schets, zie Lindberg, *Bacon's Philosophy of Nature*, pp. xv-xxvi.

17. Over de term 'dienstmaagd' en de kwestie van haar taalkundige vrouwelijkheid, zie hfst. 7, noot 27.

18. *The Opus maius of Roger Bacon*, red. John H. Bridges, 3 dln. (Londen: Williams and Norgate, 1900), 3:36. Over Bacon's verdediging van de nieuwe filosofie, zie David C. Lindberg, 'Science as Handmaiden: Roger Bacon and the Patristic Tradition'.

19. De positie van Bonaventura ten opzichte van de verschillende dertiende-eeuwse filosofische tradities is een veelbesproken onderwerp. Voor een poging de mogelijkheden op een rijtje te zetten en te beoordelen, zie Van Stenberghen, *Aristotle in the West*, pp. 147-6 2; Knowles, *Evolution of Medieval Thought*, pp. 236-48; en John Francis Quinn, *The Historical Constitution of St. Bonaventura's Philosophy*, met name pp. 84 1-62. Deze werken vermelden nog andere bronnen.

20. Over het leven en werk van Albertus, zie James A. Weisheipl, 'The Life and Works of St. Albert the Great', in Weisheipl, red., *Albertus Magnus and the Sciences*, pp. 13-51; zie ook de appendix van dit zelfde werk, pp. 565-77.

21. Geciteerd door Benedict M. Ashley, 'St. Albert and the Nature of Natural Science', in Weisheipl, red., *Albertus Magnus and the Sciences*, p. 78. Over het denken van Albertus, zie de essays in dit werk; zie ook Van Steenberghen, *Aristotle in the West*, pp. 167-81; en Francis J. Kovach en Robert W. Shahan, red., *Albert the Great: Commemorative Essays*.

22. Over Albertus' bronnen, zie de verschillende essays in Weisheipl, *Albertus Magnus and the Sciences*.

23. Karen Reeds, 'Albert on the Natural Philosophy of Plant Life', in Weisheipl, *Albertus Magnus and the Sciences*, p. 343. Over Albertus als beschouwer van de flora, fauna en de mineralen, zie de uitstekende essays in dit werk.

24. Albertus theorie over de ziel wordt besproken door Anton C. Pegis, *St. Thomas and the Problem of the Soul in the Thirteenth Century*, hfst. 3; en door Katharine Park, 'Albert's Influence on Medieval Psychology'. Voor Albertus opvattingen over de eeuwigheid van de wereld, zie de inleiding tot Thomas van Aquino, Siger van Brabant en Bonaventura, *On the Eternity of the World*, vert. Vollert et al., p. 13.

25. Over de naturalistische ideeën van Albertus en de kwestie van de zondvloed, zie Albertus' *De causis propretatibus elementorum*, I.2.9, in Albertus Magnus, *Opera omnia*, red., Augustus Borgnet, 38 dln. (Parijs, Vivès, 1890-99), 9:618-19. Zie ook Lynn Thorndike, *History of Magic and Experimental Science*, 2:535.

26. Er is enorm veel over Thomas van Aquino geschreven. Over zijn leven, zie James A Weisheipl, *Friar Thomas d'Aquino: His Life, Thought and Works*. Nuttige samenvattingen van zijn wetenschappelijke verrichtingen zijn (gerangschikt naar toenemend volume) Knowles, *Evolution of Medieval Thought*, hfst. 21; Ralph McInerny, *St. Thomas Aquinas*; M.-D. Chenu, *Toward Understanding St. Thomas*; en Etienne Gilson, *The Christian Philosophy of St. Thomas Aquinas*. De meeste werken over Thomas van Aquino (waaronder alle hierboven genoemde werken) zijn door hedendaagse Thomisten geschreven, aanhangers van Aquino's denkbeelden die niet snel geneigd zullen zijn zich tegen hem te keren. Deze werken worden dan ook gekenmerkt door de tendens Thomas van Aquino te zien als het glorieuze hoogtepunt van het middeleeuwse denken (omdat hij 'goed' was). Voor een korte weergave van de fundamentele elementen van Thomas' verrichtingen, zonder waardeoordelen, zie Julius Weinberg, *A Short History of Medieval Philosophy*, hfst. 9.

27. Thomas van Aquino, *Faith, Reason and Theology: Questions I-IV of his Commentary on the De Trinitate of Boethius*, vert. Armand Maurer, p. 48. De eerste twee van deze vier vragen zijn gewijd aan de argumenten voor/tegen het gebruik van de filosofie bij de bespreking van geloofszaken.

28. Ibid., pp. 48-49.

29. Voor een uitstekende analyse van Thomas' opvattingen ten aanzien van de eeuwigheid van de wereld en de aard van de ziel, zie Van Steenberghen, *Aquinas and Radical Aristolelianism*, hfst. 1-2.

30. Voor een bespreken van het extreme aristotelianisme en haar implicaties, zie het uitstekende overzicht van Edward Grant, 'Science and Theology in the Middle Ages'.

31. Naar het oordeel van Sigers meest vooraanstaande moderne commentator was niet een kwestie van het binnendringen van de theologie, maar van het worden geleid door de kracht van Thomas' *filosofische* argumenten om zijn eigen filosofische opvattingen te herzien en te verbeteren. Zie Fernand Van Steenberghen, *Les oeuvres el la doctrine de Siger de Brant; Aristotle in the West*, pp. 209-29; en *Aquinas and Radical Aristotelianism*, pp. 6-8, 35-43, 89-95. Het lijkt mij zeer onwaarschijnlijk dat de filosofische zuiverheid van Siger niet in enige mate werd 'besmet' met de behoefte tot een theologisch orthodoxe conclusie te komen.

32. Boethius van Dacia, *On the Supreme Good, On the Eternity of the World, On Dreams*, pp. 36-67, geciteerd wordt van p. 47.

33. Voor een beknopte verhandeling over de veroordelingen, zie Van Steenberghen, Aristotle in the West, hfst. 9; John F. Wippel, 'The Condemnations of 1270 and 1277 at Paris'; Edward Grant. 'The Condemnation of 1277, God's Absolute Power, and Physical Thought in the Late Middle Ages'. Voor een uitgebreide analyse van de veroordelingen in relatie tot de natuurwetenschap, zie Pierre Duhem, *Le système du monde*, dl. 6; Roland Hisette, *Enquête sur les 219 articles condamnés à Paris le 7 mars 1277*. Voor een vertaling van het decreet van 1277 en de veroordeelde stellingen, zie Ralph Lerner en Muhsin Mahdi, red., *Medieval Politival Philosophy: A Sourcebook* (New York: Free Press of Glencoe, 1963), pp. 335-54; het deel van de stellingen dat relevant is voor de natuurwetenschap vindt men, met inleiding en commentaar, in Edward Grant, *A Source Book in Medieval Science*, pp. 45-50.

34. Er zijn ten minste twee mogelijke verklaringen voor deze rechtlijnige beweging, waarvan de radicale aanhangers van Aristoteles het niet mogelijk achtten dat God die aan het uitspansel op zou kunnen leggen: (a) een beweging van translatie, waardoor het gehele uitspansel en zijn inhoud (dat wil zeggen, de gehele kosmos) in een bepaalde richting worden verplaatst; en (b) een rechtlijnige neerdaling van het uitspansel, of een deel van het uitspansel, in de richting van het middelpunt van de kosmos. De eerste interpretatie was zeker gangbaar rond het midden van de veertiende eeuw, toen Jean Buridan haar uitsprak in zijn commentaar op Aristoteles' *Physica*; onder invloed van Pierre Duhem is het verheven tot de standaardverklaring. De tweede interpretatie is, zoals recentelijk werd aangetoond door Roland Hisette, waarschijnlijk degene die de samenstellers van dit artikel van de veroordeling in gedachten hadden. Gelukkig is het voor ons niet belangrijk welke interpretatie door wie werd aangehangen, omdat de essentie in beide gevallen dezelfde is – namelijk, dat God geen rechtlijnige beweging kan veroorzaken die een vacuüm tot gevolg zou kunnen hebben. Zie Pierre Duhem, *Etudes sur Léonard de Vinci*, 2:412; Annelies Maier, *Zwischen Philosophie und Mechanik*, pp. 122-24; Edward Grant, 'The Condemnation of 1277, God's Absolute Power, and Physical Thought in the Late Middle Ages', pp. 226-31; Hisette, *Enquête sur les 219 articles*, pp. 118-20.

35. Duhem, *Etudes sur Léonard de Vinci*, 2:412; Duhem, *Système du monde*, 6:66. Voor de overlevering van de mening van Duhem, ingeperkt en verzwakt maar nog wel herkenbaar, zie Edward Grant, 'Late Medieval Thought, Copernicus, and the Scientific Revolution'; en 'Condemnation of 1277'.

36. Over de kwestie van de lege ruimte, zie Edward Grant, *Much Ado about Nothing: Theories of Space and Vacuum from the Middle Ages to the Scientific Revolution*; ook Grant, 'Condemnation of 1277', pp. 232-34.

37. Voor een uitstekende historische analyse van de kwestie van de goddelijke almacht, zie Francis *Oakley, Omnipotence, Covenant, and Order*.

38. Transsubstantiatie is het proces waardoor, volgens de Rooms-Katholieke leer, het brood en de wijn van de eucharistie worden omgevormd tot het lichaam en bloed van Christus.

39. Zie Grant, 'Science and Theology in the Middle Ages', pp. 54-70; Grant, *Nicole Oresme and the Kinematics of Circular Motion*.

40. Voor de gevolgen van de veroordelingen voor de natuurwetenschap, zie Grant, 'Condemnation of 1 277'.

41. William A. Wallace, 'Thomism and Its Opponents', *Dictionary of the Middle Ages*, 12:38-45; Knowles, *Evolution of Medieval Thought*, hfst. 24; Grant, 'Condemnation of 1277'. De geciteerde passages komen respectievelijk uit Marshall Clagett, *The Science of Mechanics in the Middle Ages*, p. 536 (met enkele kleine wijzigingen); en Nicolaas van Oresme, *Le livre du ciel et du monde*, vert. en red. A.D. Menut en A.J. Denomy, p. 369.

42. Over het laat-middeleeuwse en renaissancisitische aristotelianisme, zie John Herman Randall, Jr., *The School of Padua and the Emergence of Modern Science*; Charles B. Schmitt, *Aristotle and the Renaissance*. Voor het citaat (zowel de Engelse vertaling als de Latijnse tekst), zie William J. Courtenay en Katherine H. Tachau, 'Ockham, Ockhamists, and the English-German Nation at Paris, 1339-1341', pp. 61, 86.

43. Over de epistemologische discussies van de dertiende en veertiende eeuw, zie Marilyn McCord Adams, *William Ockham*, 1:551-629; Eileen Serene, 'Demonstrative Science', in Norman Kretzman, Athony Kenny en Jan Pinborg, red., *The Cambridge History*

of Later Medieval Philosophy, pp. 496-517. Over Ockham, zie ook William J. Courtenay, Ockham, William of', *Dictionary of the Middle Ages*, 9: 209-14.

44. Oackley, *Omnipotence, Covenant, and Order*, hfst. 3; William J. Courtenay, 'The Critique on Natural Causality in the Mutakallimun and Nominalism'. Voor een volledige bespreking van de goddelijke almacht en de implicaties daarvan voor de natuurwetenschap, zie Courtenay's *Capacity and Volition: A History of the Distinction of Absolute and Ordained Power*; Amos Funkelstein, *Theology and the Scientific Imagination from the Middle Ages to the Seventeenth Century*, pp. 117-201.

45. En de algemene opinie was dat deze uitzonderingen al bij de schepping in het universum waren ingebouwd; zie hfst. 9.

46. Zie de essays in Courtenay, *Covenant and Causality*, met name hfst. 4; 'The Dialectic of Divine Omnipotence'; en hfst. 5: 'The Critique on Natural Causality in the Mutakallimun and Nominalism'.

47. Over het subtiele verband tussen de leer van de goddelijke almacht en de experimentele methode, zie Kunkenstein, *Theology and the Scientific Imagination*, pp. 152-79.

HOOFDSTUK 11

1. Ik besloot geen gebruik te maken van de in de middeleeuwen ontwikkelde theoretische classificatieschema's ('de opsplitsing van de wetenschappen') omdat de feitelijke wetenschappelijke literatuur niet in de zo bepaalde categorieën paste. Over de schema's, zie James H. Weisheipl, 'Classification of the Sciences in Medieval Thought'; Weisheipl, 'The Nature, Scope, and Classification of the Sciences'.

2. Hfst. 7 en 9.

3. Voor een goed voorbeeld van de twaalfde-eeuwse kosmologie, zie *The Cosmographia van Bernardus Silvestris*, vert., met inleiding en noten, door Winthrop Wetherbee. Zie ook hfst. 9. Over de kosmologie in meer algemen zin, zie C.S. Lewis, *The Discarded Image*.

4. A.C. Crombie, *Robert Grosseteste and the Origins of Experimental Science, 1100-1700*.

5. Grosseteste verwijst naar deze vorm als de 'eerste vorm' of 'lichamelijke vorm'. Voor meer hierover, zie hfst. 12.

6. Over de kosmologie van Grosseteste, zie de uitstekende studie van James McEvoy, *The Philosophy of Robert Grosseteste*, pp. 149-88, 369-441. Voor een beknopte versie, zie David C. Lindberg, 'The Genesis of Kepler's Theory of Light: Light Metaphysics from Plotinus to Kepler', pp. 14-17.

7. Pierre Duhem, *Le système du monde*, 10 dln. Uittreksels van deze 10 delen zijn naar het Engels vertaald in Pierre Duhem, *Medieval Cosmology: Theories of Infinity, Place, Time, Void, and the Plurality of Worlds*, vert. en red. Roger Ariew. In het bijzonder ben ik dank verschuldigd, voor hetgeen volgt, aan de uitstekende samenvatting van de middeleeuwse kosmologie in Edward Grant, 'Cosmology'; ook de artikelen in Grant, *Studies in Medieval Science and Natural Philosophy*. Zie ook Olaf Pedersen, 'The Corpus Astronomicum and the Traditions of Mediaeval Latin Astronomy'. De kosmologie van Thomas van Aquino wordt goed besproken in de nieuwe Blackfriars editie van zijn *Summa Theologiae*, dl. 10: *Cosmogony*, red. en vert. William A. Wallace. Edward Grants nog te verschijnen *The Medieval Cosmos 1200-1687* zou de defintieve bespreking van de middeleeuwse kosmologie moeten bevatten.

8. Edward Grant, 'Medieval and Seventeenth-Century Conceptions of an Infinite Void Space beyond the Cosmos'; Grant, *Much Ado about Nothing*, met name hfst. 5-6.

9. Edward Grant, 'The Medieval Doctrine of Place: Some Fundamental Problems and Solutions', met name pp. 72-79.

10. Grant, 'Cosmology', pp. 275-79; Grant; Celestial Orbs in the Latin Middle Ages', pp. 63-64.

11. Voor voorbeelden van middeleeuwse teksten, zie ook die in Lynn Thorndike, red. en vert., *The Sphere of Sacrobosco and Its Commentators*, p. 206. Voor een bespreking, zie Edward Grant, 'Celestial Matter: A Medieval and Galilean Cosmological Problem'; Grant, 'Celestial Orbs', pp. 167-72; Grant, 'Cosmology', pp. 286-88.

12. James A. Weisheipl, 'The Celestial Movers in Medieval Physics'; Grant, 'Cosmology', pp. 284-86.

13. Voor deze gegevens, zie Grant, 'Cosmology', p. 292; Francis S. Benjamin en G.J. Toomer, vert. en red., *Campanus of Novara and Medieval Planetary Theory: 'Theorica plantarum'*, pp. 356-63. Campanus definieert de mijl als de equivalent van 4.000 el en stelt de omtrek van de aarde op 20.400 mijl (Benjamin en Toomer, p. 147). Voor meer over kosmologische ideeën, zie Bernard R. Goldstein en Noel Swerdlow, 'Planetary Distances and Sizes in an Anonymous Arabic Treatise Preserved in Bodleian MS Marsh 621'; Albert van Helden, *Measuring the Universe: Cosmic Dimensions from Aristarchos to Halley*.

14. Over de regenboog, zie Edward Grant, red., A Source Book in Medieval Science, pp. 435-41; Carl B. Boyer, *The Rainbow: From Myth To Mathematics*, hfst. 3-5. Voor een goede verhandeling over de middeleeuwse meteorologie, zie John Kirtland Wright, *The Geographical Lore of the Time of the Crusades: A Study in the History of Medieval Science and Tradition in Western Europe*, pp. 166-81; Nicholas H. Steneck, *Science and Creation in the Middle Ages: Henry of Langenstein (d. 1397) on Genesis*, pp. 84-87.

15. Het idee dat Columbus tegenstand ondervond van mensen die geloofden in een platte aarde is een moderne legende; zie Jeffrey B. Russell, *Inventing the Flat Earth: Columbus and Modern Historians*.

16. Voor een kort overzicht van de middeleeuwse geografie, zie Lewis, Discarded Image, pp. 139-46, hieraan is dit punt en de terminologie ontleent. Voor een langere verhandeling, zie Wright, *Geographical Lore*. Over de cartografie, zie David Woordward, 'Medieval *Mappaemundi*'.

17. William H. Stahl, *Roman Science*, pp. 115-19, 221-22.

18. Over de verschillende soorten van middeleeuwse kaarten en hun functie, zie de artikelen in *History of Cartography*, red. J.B. Harley en David Woodward, dl. 1; over de twee kaarten die hier worden genoemd, zie Woodward, 'Medieval *Mappaemundi*', pp. 290, 310.

19. Over *mappaemundi*, zie de degelijke studie van Woodward, 'Medieval *Mappaemundi*'.

20. Over de portolaanse kaarten en de cartografische technieken van Ptolemaeus, zie twee artikelen in Harley en Woodward, *History of Cartography*, dl. 1; Tony Campbell, 'Portolan Charts from the Late Thirteenth Century to 1500', pp. 317-463; O.A.W. Dilke, 'The Culmination of Greek Cartography in Ptolemy', pp. 177- 200.

21. De rotatiesnelheden zouden natuurlijk gelijk moeten zijn, of het nu de aarde of de hemelse sfeer is die draait. Echter, vanwege de kleinere radius van de aarde moet een punt op haar oppervlak langzamer bewegen dan een punt op het oppervlak van de hemelse sfeer.

22. Nicolaas van Oresme, *Le livre du ciel et de monde*, pp. 525, 531, met diverse veranderingen en correcties. Voor een analyse, zie Marshall Clagett, *The Science of Mechanics in the Middle Ages*, pp. 583-88; Edward Grant, *Physical Science in the Middle Ages*, pp. 63-70; Grant McColley, 'The Theory of the Diurnal Rotation of the Earth'.

23. Oresme, *Livre du ciel*, p. 537 (enigszins aangepast).

24. Ibid., pp. 537-39.

25. Pierre Duhem, *To Save the Phenomena: An Essay on the Idea of Physical Theory from Plato to Galileo* (1969); dit werk verscheen eerst in het Franse in 1908. Dezelfde interpretatie kan, in een minder ver ontwikkelde vorm, worden gevonden in een werk dat twee jaar eerder verscheen, J.L.E. Dreyer, *History of the Planetary Systems from Thales to Kepler* (1906).

26. Zie G.E.R. Lloyd, 'Saving the Appearances'. Ook ben ik beïnvloed door hfst. 1 van Bruce S. Eastwoods nog te verschijnen *Before Copernicus: Planetary Theory and the Circumsolar Idea from Late Antiquity to the Twelfth Century* (in typoscript gelezen).

27. Grant, 'Cosmology', pp. 265-68.

28. Over de islamitsche astronomie in algemene zin, zie George Saliba, 'The Development of Astronomy in Medieval Islamic Society'; Saliba, 'Astrology/Astronomy, Islamic', *Dictionary of the Middle Ages*, 1:616-24; de verzamelde essays van David A. King, *Islamic Mathematical Astronomy*; A.I. Sabra, 'The Scientific Enterprise'; Owen Gingerich, 'Islamic Astronomy'; E.S. Kennedy, 'The Arabic Heritage in the Exact Sciences'; en Noel M. Swerdlow en Otto Neugebauer, *Mathematical Astronomy in Copernicus's De revolutionibus*, pp. 41-48. Voor een oudere poging, zie J.L.E. Dreyer, *History of Astronomy from Thales to Kepler*, 2de druk, hfst. 11. Over de niet-ptolemeïsche stelsels, zie A.I. Sabra, 'The Andalusian Revolt against Ptolemaic Astronomy: Averroes and al-Bitruji'. Voor een uitgebreide verzameling van nuttige artikelen over astronomische onderwerpen, zie E.S. Kennedy (met collega's en oud-studenten), *Studies in the Islamic Exact Sciences*.

29. Over de Griekse en Arabische trigonometrie, zie E.S. Kennedy, 'The History of Trigonometry: An Overview'.

30. Aydin Sayili, *The Observatory in Islam and Its Place in the General History of the Observatory*, hfst. 6, 8; T.N. Kari-Niazov, 'Ulugh Beg', *Dictionary of Scientific Biography*, 13:535-37. Voor een foto van de nog altijd indrukwekkende overblijfsels van de sextant van Ulugh Beg, zie Sabra, 'Scientific Enterprise', p. 195.

31. Voor een heldere en betrouwbare verhandeling over het astrolabium, zie J.D. North, 'The Astrolabe'; of North, *Chaucer's Universe*, pp. 38-86. Voor een meer gedetailleerde analyse, zie *The Planispheric Astrolabe*. Over islamitische instrumenten in het algemeen, zie David A. King, *Islamic Astronomical Instruments*.

32. Over Ibn al-Hatthams astronomische werk, zie A.I. Sabra, 'Ibn al-Haytham', *Dictionary of Scientific Biography*, 6:197-99; Sabra, 'An Eleventh-Century Refutation of Ptolemy's Planetary Theory'.

33. A.I. Sabra, 'Andalusian Revolt against Ptolemaic Astronomy'. Roger Arnaldez en Albert Z. Iskandar, 'Ibn Rushd', *Dictionary of Scietific Biography*, 12:3-5. Al-Bitruji, *On the Principles of Astronomy*, red. en vert. Bernard R. Goldstein.

34. Over de vroeg-middeleeuwse astronomie, zie de eerste paar stukken in Bruce S. Eastwood, *Astronomy and Optics from Pliny to Descartes*; Eastwood, 'Plinian Astromoical Diagrams in the Early Middle Ages'; Stephen C. McCluskey, 'Gregory of Tours, Monastic Timekeeping, and Early Christian Attitudes to Astronomy'; en Claudia Kren, 'Astronomy', in David L. Wagner, red., *The Seven Liberal Arts in the Middle Ages*, pp. 218-47.

35. Mijn inzicht in de westerse astronomie is grotendeels gebaseerd op het van Olaf Pedersen, in het bijzonder zijn 'Astronomy', in David C. Lindberg, red., *Science in the Middle Ages*, pp. 303-36; 'Corpus Astronomicum and the Traditions of Mediaeval Latin Astronomy'; en Olaf Pedersen en Mogens Phil, *Early Physics and Astronomy: A Historical Introduction*, hfst. 18.

36. Over de *Toledaanse Tabellen*, zie G.J. Toomer, 'A Survey of the Toledan Tables'; Ernst Zinner, 'Die Tafeln von Toledo'.

37. Thorndike, *Sphere of Sacrobosco*, met de Latijnse tekst van deze verhandeling, een Engelse vertaling en een zeer nuttige inleiding. Sacrobosco schreef ook een verhandeling over de rekenkunde, alsmede een over de kalender, zie ibid., pp. 3-4.

38. Voor de resterende planeten, zie Pedersen, 'Astronomy', pp. 316-18; ook Pedersens vertaling van de *Theorica* in Edward Grant, red., *A Source Book in Medieval Science*, pp. 451-65.

39. Zie, bijvoorbeeld, Claudia Kren, 'Homocentric Astronomy in the Latin West: The *De Reprobatione ecentricorum et epiciclorum* van Henry of Hesse'.

40. Voor het betoog van Bacon, zie Pierre Duhem, *Un fragment inédit de l'Opus de Roger Bacon, précédé d'une étude sur ce fragment*, pp. 128-37. Over Bernard, zie Claudia Kren, 'Bernard of Verdun', *Dictionary of Scientific Biography*, 2:23-24. De verwijzing naar Guido van Marchia dank ik aan mijn collega Michael Shank.

41. Er bestaat geen geschiedenis van de astronomie in de latere middeleeuwen. Voor nuttige fragmenten, zie de volgende werken van J.D. North: *Richard of Wallingford, An Edition of His Writings with Introductions, English Translation and Commentary*, 3 dln.; 'The Alphonsine Tables in England', in North, *Stars, Minds and Fate: Essays in Ancient and Medieval Cosmology*, pp. 327-59; en *Chaucer's Universe*. Voor de middeleeuwse joodse astronomie (die vaak in contact stond met de Latijnse astronomie, zie de documenten die verzameld zijn in Bernard R. Goldstein, *Theory and Observation in Ancient and Medieval Atronomy*. Over Regiomontanus en Copernicus, zie Noel M. Swerdlow en Otto Neugebauer, *Mathematical Astronomy in Copernicus's De Revolutionibus*.

43. Over de vroege astrologie, zie Jim Tester, *A History of Western Astrology*; Olaf Pedersen, 'Astrology', *Dictionary of the Middle Ages*, 1:604-10 (met een goede bibliografie); A.A. Long, 'Astrology: Arguments Pro and Contra'; Theodore Otto Wedel, *The Mediaeval Attitude toward Astrology, Particularly in England*; Franz Cumont, *Astrology and Religion among the Greeks and Romans*; J.D. North, 'Celestial Influence-the Major Premiss of Astrology'; North, 'Astrology and the Fortunes of Churches'; Edward Grant, 'Medieval and Renaissance Scholastic Conceptions of the Influence of the Celestial Region on the Terrestrial'; Lewis, *Discarded Image*, pp. 102-10; en de stukken in Patrick Curry, red., *Astrology, Science and Society: Historical Essays* (In het bijzonder dat van Richard Lemay, 'The True Place of Astrology in Medieval Science and Philosophy').

44. Over de astrologie in Mesopotamië, zie B.L. van der Waerden en Peter Huber, *Science Awakening, II: The Birth of Astronomy*, hfst. 5; Richard Olson, *Science Deified and Science Defied: The Historical Significance of Science in Western Culture*, pp. 34-56.

45. Een citaat van Aristoteles uit *Meteorologica*, I.2, vert. E.W. Webster, in *The Complete Works of Aristotle*, red. Jonathan Barnes, p. 555.

46. Ptolemaeus, *Tetrabiblos*, I.2, vert. en red. F.E. Robbins, pp. 5-13 (met één kleine verandering). Over Ptolemaeus' astrologie, zie ook Tester, *History of Western Astrology*, hfst. 4; Long, 'Astrology: Arguments Pro and Contra', pp. 178-83.

47. Augustinus, *City of God*, V.6, vert. William H. Green (Londen: Heinemann, 1963), dl. 2, p. 157. Over Augustinus' houding ten opzichte van de astrologie, zie ook zijn *Confessions*, IV.3 en VII.6; Wedel, *Mediaeval Attitude toward Astrology*, pp. 20-24; Joshua D. Lipton, 'The Rational Evaluation of Astrology in the Period of Arabo-Latin Translation, ca. 1126-1187 A.D.', pp. 133-35; Tester, *History of Western Astrology*, hfst. 5.

48. Wedel, *Mediaeval Attitude toward Astrology*, hfst. 2.

49. *The Didascalicon van Hugh of St. Victor: A Medieval Guide to the Arts*, vert. Jerome Taylor, p. 68. Voor de Latijnse tekst van het tweede citaat, zie C.S.F. Burnett, 'What is the *Expermentarius* of Bernardus Silvestris? A Preliminary Survey of the Material'. Voor het derde citaat (mogelijk van Willem van Conches), zie Lipton, 'Rational Evaluation of Astrology', p. 145. Liptons studie bevat een zeer nuttige analyse van de twaalfde-eeuwse astrologie; zie ook Wedel, *Mediaeval Attitude toward Astrology*, pp. 60-63.

50. Lemay, *Abu Mashar*, pp. 41-132; David Pingree, 'Abu Mashar al-Balkhi', *Dictionary of Scientific Biography*, 1:32-39.

51. Zie, bijvoorbeeld, Nancy G. Siraisi, *Taddeo Alderotti and His Pupils: Two Generations of Italian Medical Learning*, pp. 140-45.

52. G.W. Coopland, *Nicole Oresme and the Astrologers*, pp. 53-57. Over Oresme, zie ook Stefano Caroti, 'Nicole Oresme's Polemic against Astrology in His "Quodlibeta" ', in Curry, *Astrology, Science and Society*, pp. 75-93.

HOOFDSTUK 12

1. Voor theorieën over de 'natuur' en het 'fysische', zie R.G. Collingwood, *The Idea of Nature*; Ivor Leclerc, *The Nature of Physical Existence*.

2. Over de continuïteit tussen de middeleeuwse en vroeg-moderne wetenschap, zie hfst. 14.

3. Over de aristotelische natuurwetenschap, zie hfst. 3 en de aanhalingen alhier. Over de verdere ontwikkelingen binnen de aristotelische traditie, zie Harry Austryn Wolfson, *Crescas' Critique of Aristotle: Problems of Aristotle's 'Physics' in Jewish and Arabic Philosophy*; Leclerc, *Nature of Physical Existence*; Norma E. Emerton, *The Scientific Reinterpretation of Form*, hfst. 2-3.

4. G.E.R. Lloyd, *Aristotle*, pp. 164-75; Anneliese Maier, 'The Theory of the Elements and the Problem of Their Participation in Compounds', in Maier, *On the Threshold of Exact Science*, hfst. 6.

5. Leclerc, *Nature of Physical Existence*, hfst. 8-9. Voor een zeer uitdagende bespreking van de Griekse en middeleeuwse ideeën over de materie, zie de verzamelde artikelen in Ernan McCullin, red., *The Concept of Matter in Greek and Medieval Philosophy*.

6. Zie Wolfson, *Crescas' Critique*, pp. 580-90; Arthur Hyman, 'Aristotle's "First Matter" and Avicenna's and Averroes' "Corporeal Form" ', in *Harry Austryn Wolfson Jubilee Volume*, 1:385-406. Over de betekenis van het idee van de materiële vorm in het middeleeuwse denken, zie D.E. Sharp, *Franciscan Philosophy at Oxford in the Thirteenth Century*, pp. 186-89.

7. Leclerc, *Nature of Physical Existence*, pp. 125- 29; Sharp, *Franciscan Philosophy at Oxford*, pp. 220-22, 292-95.

8. Over het aristotelische idee van *mixtio*, zie Friedrich Solmsen, *Aristotle's System of the Physical World*, hfst. 19; Waterlow, *Nature, Change en Agency*, pp. 82-85; Emerton, *Scientific Reinterpretation of Form*, pp. 77-85; Robert P. Multhauf, *The Origins of Chemistry*, pp. 149-52; en zeer nuttig is ook Anneliese Maier, *An der Grenze von Scholastik und Naturwissenschaft*, 2de druk, pp. 3-140, waarvan het inleidende deel te vinden is als 'Theory of the Elements', in Maier, *Threshold*, vert. Sargent, hfst. 6.

10. Over *minima*, zie Dijksterhuis, *Mechanization*, pp. 205-9; Emerton, *Scientific Reinterpretation of Form*, pp. 85-93.

11. Voor een uitstekende algemene inleiding op de vraagstukken en bronnen van de middeleeuwse alchemie, zie Robert Halleux, *Les textes alchimiques*; zie ook Claudia Kren, *Alchemy in Europe: A Guide to Research*. Oudere, maar nog altijd nuttige werken zijn ondermeer F. Sherwood Taylor, *The Alchemists*; E.J. Holmyard, *Alchemy*; en Multhauf, *Origins of Chemistry*, hfst. 5-9. Voor kortere en meer actuele verhandelingen, zie Manfred Ullmann, 'Al-Kimiya', *The Encyclopedia of Islam*, nieuwe uitgave., dl. 5, art. 79-80, pp. 110-15; en Robert Halleux, 'Alchemy', *Dictionary of the Middle Ages*, 1:134-40. En voor het laatste woord hierover, zie William R. Newman, 'The Genesis of the Summa perfectionis'; Newman, 'Technology and Chemical Debate in the Late Middle Ages'; en Newman, *The 'Summa perfectionis' of Pseudo-Geber: A Critical Edition, Translation, and Study* (waarvan ik, met de vriendelijke toestemming van Newman, het typoscript hem kunnen inzien).

12. Het zwavel en kwik in kwestie waren niet de bekende mineralen met die naam, maar de zuivere essenties waarvan men dacht dat ze de verschillende kwaliteiten voortbrachten die nodig waren om metalen te maken en die soms ook wel het 'filosofische kwik' en het 'filosofische zwavel' werden genoemd. Het filosofische zwavel werd veelal gezien als het actieve, geestelijke principe; het filosofische kwik als het passieve, materiële principe.

13. Over de alchemische en processen, zie Holmyard, *Alchemy*, hfst. 4.

14. Over de latere alchemie, zie Allen G. Debus, *Man and Nature in the Renaissance,* hfst. 2; en Debus, T*he Chemical Philosophy: Paracelsian Science and Medicine in the Sixteenth and Seventeenth Centuries*, 2 dln.

15. *Physica*, III.1, 200^b14-15.

16. Voor deze bespreking van de aard van beweging ben ik dank verschuldigd aan John E. Murdoch en Edith D. Sylla, 'The Science of Motion', pp. 213-22. Zie ook de werken van Anneliese Maier, *Zwischen Philosophie und Mechanik*, hfst. 1-3; *Die Vorläufer Galileis im 14. Jahrhundert*, 2de druk, hfst. 1; en de Engelse vertaling van dit laatste werk in *Threshold of Exact Science*, vert. Sargent, hfst. 1.

17. John E. Murdoch, 'The Development of a Critical Temper: New Approaches and Modes of Analysis in Fourteenth-Century Philosophy, Science, and Theology', pp. 60-61; Murdoch en Sylla, 'Science of Motion', pp. 216-17; Maier, *Threshold of Exact Science*, pp. 30-31.

18. Murdoch en Sylla, 'Science of Motion', pp. 217-218; Maier, *Threshold of Exact Science*, pp. 33-38; Maier, *Zwischen Philosophie und Mechanik*, pp. 121-31.

19. Marshall Clagett, *The Science of Mechanics in the Middle Ages*, pp. 163-86.

20. Over Gerard, zie ibid., pp. 184-97; Clagett, 'The *Liber de Motu* of Gerard of Brussels and the Origins of Kinematics in the West'; Murdoch en Sylla, 'Science of Motion', pp. 222-23; en Wilbur R. Knorr, 'John of Tynemouth *alias* John of London: Emerging Portrait of a Singular Medieval Mathematician', pp. 312-22.

21. Maar snelheid werd behandeld als een scalaire kwantiteit, en niet als een vector. Dat wil zeggen, het bezat een zekere grootte, maar geen enkele richting.

22. Clagett, *Science of Mechanics*, hfst. 4.

23. We zullen niet dieper ingaan op het hiermee verbonden middeleeuwse probleem van de verklaring, in natuurkundige termen, van de verheviging en verzwakking. De twee voornaamste theorieën waren een theorie van *toevoeging en aftrekking*, volgens welke een vorm wordt verhevigd door de toevoeging van een nieuw stuk vorm en wordt verzwakt door aftrekking van een stuk van de oorspronkelijke vorm, en een theorie van *vervanging*, volgens welke de oorspronkelijke vorm wordt vernietigd en vervangen door een sterkere of

zwakkere vorm. Over dit probleem, zie Edith D. Sylla, 'Medieval Concepts of the Latitude of Forms: The Oxford Calculators', pp. 230-33; Murdoch en Sylla, 'Science of Motion', pp. 231-33. Over de verheviging en verzwakking van kwaliteiten in het algemeen, zie ook Clagett, *Science of Mechanics*, pp. 205-6, 212-15; Murdoch en Sylla, 'Science of Motion', pp. 233-37.

24. Dit idee gaat minstens terug tot Galenus, zie Marshall Clagett, *Giovanni Marliani and Late Medieval Physics*, pp. 34-36.

25. Clagett, *Science of Mechanics*, pp. 212-13.

26. Als de gelijkheid van de driehoek en de rechthoek bij nadere beschouwing nog niet duidelijk is, trek dan een diagonaal van B naar D, waardoor de rechthoek BCDE verdeeld wordt in twee gelijke driehoeken. We zien dan dat zowel de rechthoek ACDF als de driehoek ACG zijn onderverdeeld in kleine, gelijke driehoeken – vier in elk afzonderlijk geval.

27. Over de geometrische weergave van kwaliteiten, zie Marshall Clagett, *Nicole Oresme and the Medieval Geometry of Qualities and Motions*, pp. 50-121; Clagett, *Science of Mechanics*, hfst. 6; Murdoch en Sylla, 'Science of Motion', pp. 237-41. Over de regel van Merton, zie Clagett, *Science of Mechanics*, hfst. 5.

28. Over de positie van Galileï ten opzichte van de middeleeuwse traditie van de mechanica, zie hfst. 14, noot 36.

29. Over dit uiterst technische probleem, zie Richard Sorabji, *Matter, Space, and Motion: Theories in Antiquity and Their Sequel*, hfst. 13; James A. Weisheipl, *Nature and Motion in the Middle Ages*, hfst. 4-5 (p. 92 voor de geciteerde woorden). Voor de aristotelische teksten, zie Clagett, *Science of Mechanics*, hfst. 5.

30. Over Philoponus, zie Clagett, *Science of Mechanics*, pp. 508-10. Voor meer recente onderzoeken, die recht doen aan het radicale neoplatonische karakter van Philoponus' aanval op de aristotelische dynamica, zie Michael Wolff, 'Philoponus and the Rise of Preclassical Dynamics'; en Sorabji, *Matter, Space, and Motion*, hfst. 14.

31. Voor de nieuwste verhandeling over dit onderwerp, zie Fritz Zimmermann, 'Philoponus' Impetus Theory in the Arabic Tradition'; en Sorabji, *Matter, Space, and Motion*, pp. 237-38. Zie ook Clagett, *Science of Mechanics*, pp. 510-517.

32. Over de impetustheorie, zie Clagett, *Science of Mechanics*, pp. 521-25 (citaat van p. 524); Anneliese Maier, 'Die Naturphilosophische Bedeutung der scholastische impetustheorie', vertaald als 'The Significance of the Theory of Impetus for Scholastic Natural Philosophy', in Maier, *On the Threshold of Exact Science*, pp. 76-102. Het was Buridan niet bekend dat Philoponus er reeds op gewezen had dat de impetus of opgelegde beweging gebruikt kon worden om de hemelse bewegingen te verklaren; zie Sorabji, *Matter, Space, and Motion*, p. 237.

33. In een oneindig snelle beweging zou er geen tijd worden verbruikt voor de verplaatsing van het ene naar het andere punt. Hieruit volgt dat het lichaam op twee plaatsen tegelijk aanwezig zou zijn, hetgeen niet mogelijk is.

34. Morris R. Cohen en I.E. Drabkin, *A Source Book in Greek Science*, p. 220, met enkele wijzigingen. Zie ook Clagett, *Science of Mechanics*, pp. 433-35, 546-47.

35. De klassieke verhandelingen over Bradwardine en zijn voorgangers, die nog altijd nuttig zijn, zijn Maier, *Die Vorläufer Galileis*, pp. 81-110 (deels vertaald in Maiers *On the Threshold of Exact Science*, pp. 61-75); en Ernest A. Moody, 'Gaileo en Avempace: The Dynamics of the Leaning Tower Experiment'. Voor wat meer recente studies, zie Clagett, *Science of Mechanics*, hfst. 7; en *Thomas of Bradwardine, His 'Tractatus de Proportionibus': Its Significance for the Development of Mathematical Physics*, red. en vert. H. Lamar Crosby, Jr.

36. A.G. Molland, 'The Geometrical Background to the Merton School', met name pp. 116-21 (p. 120, voor het citaat); Murdoch en Sylla, 'Science of Motion', pp. 225-26; Edith D. Sylla, 'Compounding Ratios: Bradwardine, Orese, and the first edition of Newton's *Principia*'.

37. Murdoch en Sylla, 'Science of Motion', p. 227-30; Clagett, *Marliani*, hfst. 6; Clagett, *Science of Mechanics*, p. 443. Over het werk van Swinehead, zie John E. Murdoch en Edith D. Sylla, 'Swineshead, Richard', *Dictionary of Scientific Biography*, 13:184-213. Over Oresme, zie Nicolaas van Oresme, *'De propertionibus proportionum' and 'Ad pauca respecientes'*, red. en vert. Edward Grant.

38. Over de middeleeuwse optica in het algemeen, zie David C. Lindberg, *Theories of Vision from al-Kindi to Kepler*, Lindberg, 'The Science of Optics'; Lindberg, Optics, Western European', *Dictionary of the Middle Ages*, 9:247-53; de essays verzameld in Lindbergs *Studies in the History of Medieval Optics*; de essays betreffende de optica in Bruce S. Eastwood, *Astronomy and Optics from Pliny to Descartes*; en A. Mark Smith, 'Getting the Big Picture in Perspectivist Optics'.

39. Er zou op overtuigende wijze kunnen worden gesteld dat de uistraling van stralen een noodzakelijke eigenschap van de wiskundige theorieën over de waarneming was, want het was de uistraling die de visuele kegel bepaalde, waardoor de wiskundige verklaring van de waarneming mogelijk was.

40. Zie Aristoteles' *Meteorology*, III.4-5; Lindberg, *Theories of Vision*, p. 217, noot 39.

41. Over de verrichtingen van Alhazen op het gebied van de optica, zie de definitieve vertaling en het commentaar van A.I. Sabra, vert. en red., *The Optics of Ibn al-Haytham: Books I-III, On Direct Vision*. Voor kortere verhandelingen, zie Sabra, 'Ibn al-Haytham', *Dictionary of Scientific Biography*, 6:189-210; Sabra, 'Form in Ibn al-Haytham's Theory of Vision'; en Lindberg, *Theories of Vision*, hfst. 4.

42. Zie ook hfst. 5.

43. Over de ontvangst in het westen van de Griekse en Arabische optica, zie (als aanvulling op de reeds vermelde bronnen) David C. Lindberg, 'Roger Bacon and the Origins of *Perspectiva* in the West'.

44. Over de optica van Bacon, zie David C. Lindberg, red. en vert., *Roger Bacon's Philosophy of Nature: A Critical Edition, with English Translation, Introduction, and Notes, of 'De multiplicatione specierum' and 'De speculis comburentibus'*; Lindberg, *Theories of Vision*, hfst. 6; en Lindberg, 'Bacon and the Origins of Perspectiva'.

45. Over het neoplatonisme van Bacon, zie David C. Lindberg, 'The Genesis of Kepler's Theory of Light: Light Metaphysics from Plotinus to Kepler', pp. 12-23; Lindberg, *Bacon's Philosphy of Nature*, pp. Iiii-Ixxi.

46. Lindberg, *Theories of Vision*, hfst. 9.; Katherine H. Tachau, *Vision and Certitude in the Age of Ockham: Optics, Epistemology and the Foundations of Semantics, 1250-1345*. Pechams *Perspectiva communis* kan worden gevonden in David C. Lindberg, vert. en red., *John Pecham and the Science of Optics*. Een project voor de vertaling van Witelo's enorme *Perspectiva* is reeds begonnen. Twee delen zijn verschenen: Sabetai Unguru, red. en vert., *Witelonis Perspectivae liber primus*; en A. Mark Smith, red. en vert., *Witelonis Perspectivae liber quintus*.

HOOFDSTUK 13

1. Als basis voor dit hoofdstuk heb ik gebruik gemaakt van: Nancy G. Siraisi, *Medieval and Early Renaissance Medicine: An Introduction to Knowledge and Practice*; Michael McVaugh, 'Medicine, History', *Dictionary of the Middle Ages*, 8: 247-54; en de algemene begeleiding van mijn collega Faye Getz. De lezer zou zich ook nog kunnen wenden tot Charles H. Talbot, 'Medicine', in David C. Lindberg, red., *Science in the Middle Ages*, pp. 391-428; en Talbot, *Medicine in Medieval England*. Voor een nuttige overzicht van de recente literatuur op medisch gebied, zie Getz, 'Western Medieval Medicine'. Voor een aantal uitstekend vertaalde medische teksten (geselecteerd, geannoteerd en in een enkel geval vertaald door Michael McVaugh), zie Edward Grant, red., *A Source Book in Medieval Science*, pp. 700-808. Voor medische illustraties, zie Loren C. MacKinney, *Medical Illustrations in Medieval Manuscripts*; Peter M. Jones, *Medieval Medical Miniatures*; en Marie-José Imbault-Huart, *La médecine au moyen âge à travers les manuscrits de la Bibliothèque Nationale*.

2. Voor de vroeg-middeleeuwse geneeskunde, zie met namen John M. Riddle, 'Theory and Practice in Medieval Medicine'; Henry E. Sigerist, 'The Latin Medical Literature of the Early Middle Ages'; Linda E. Voigts, 'Anglo-Saxon Plant Remedies and the Anglo-Saxons'; M.L. Camerons, 'The Sources of Medieval Knowledge in ANglo-Saxon England'; Siraisi, *Medieval and Early Renaissance Medicine*, pp. 5-13; en (ouder maar nog altijd nuttig) Loren MacKinney, *Early Medieval Medicine, with Special Reference to France and Chartres*.

3. Zie *Isidore of Seville: The Medical Writings*, red. en vert. William D. Sharpe; Celsus, *De medicina, with an English Translation*.

4. Voor Dioscorides, zie John M. Riddle, *Dioscorides on Pharmacy and Medicine*; Riddle, 'Dioscorides'. Zie de laatste, pp. 125-33, on *Ex herbis femininis* (een werk dat niet alleen is gericht is gericht op de remediën voor vrouwelijke kwalen). Over medische recepten, zie ook Voigts, 'Anglo-Saxon Plant Remedies'; Sigerist, 'Latin Medical Literature', pp. 136-41; MacKinney, *Early Medieval Medicine*, pp. 31-38.

5. MacKinney, *Early Medieval Medicine*, pp. 47-49, 61-73.

6. De relevante passage uit Cassiodorus' *Institutiones* wordt geciteerd door MacKinney, *Early Medieval Medicine*, p. 51. Over de geneeskunde in de kloosterwereld, zie ibid., pp. 50-58.

7. Zie met name Darrel W. Amundsen, 'Medicine and Faith in Early Christianity'; Amundsen en Gary B. Ferngren, 'The Early Christian Tradition' en Amundsen, 'The Medieval Catholic Tradition', beide in Ronald L. Numbers en Darrel W. Amundsen, red., *Caring and Curing: Health and Medicine in the Western Religious Traditions*; en Siraisi, *Medieval and Early Renaissance Medicine*, pp. 7-9.

8. Amundsen, 'Medieval Catholic Tradition', p. 79; Grant, *Source Book*, pp. 773-74.

9. Geciteerd door Siraisi, *Medieval and Early Renaissance Medicine*, p. 14, uit Bernard of Clairvaux, *Letters*, no. 388, vert. Bruno Scott James (Chicago: Regnery, 1953), pp. 458-59.

10. Amundsen, 'Medicine and Faith in Early Christianity', pp. 333-49 (p. 388 voor het citaat van Basilius). Over Tertullianus, zie *De corona*, 8, en *Ad nationes*, II.5, in *The Ante-Nicene Fathers*, red. Alexander Roberts en James Donaldson, herzien door A. Cleveland Coxe (Grand Rapids: Eerdmans, 1986), 3:97, 134. Zie ook Siraisi, *Medieval and Early Renaissance Medicine*, p. 9.

11. IV.3 1, in *Baedae opera historica*, vert. J.E. King, 2 dln. (Londen: Heinemann, 1930), 2: 191-93. Over de heiligenverering, zie de briljante studie van Peter Brown, *The Cult of*

Saints: Its Rise and Function in Latin Christianity; ook Amundsen, 'Medieval Catholic Tradition', pp. 79-8 2. Over wonderbaarlijke genezingen, zie Ronald C. Finucane, *Miracles and Pilgrims: Popular Beliefs in Medieval England*, met name hfst. 4-5.

12. Over de islamitische geneeskunde, zie Michael W. Dols, *Medieval Islamic Medicine: Ibn Ridwan's Treatise 'On the Prevention of Bodily Ills in Egypt'*; Manfred Ullmann, *Islamic Medicine*; Franz Rosenthal, 'The Physician in Medieval Muslim Society'; de artikelen van Max Meyerhof, verzameld in zijn *Studies in Medieval Arabic Medicine: Theory and Practice*; en Siraisi, *Medieval and Early Renaissance Medicine*, pp. 11-13. Een oudere bron, maar nog altijd zeer nuttig, is Lucien Leclerc, *Histoire de la médecine arabe*.

13. Het standaardwerk over Salerno is Paul Oskar Kristeller, 'The School of Salerno: Its Development and Its Contribution to the History of Learning'. Zie ook McVaugh, 'Medicine', pp. 247-49; en Morris Harold Saffron, *Maurus of Salerno: Twelfth-Century 'Optimus Physicus' with his Commentary on the Prognostics of Hippocrates*.

14. Michael McVaugh, 'Constantin the African', *Dictionary of Scientific Biography*, 3:393-95; McVaugh, 'Medicine', pp. 248-49; zie ook hfst. 9.

15. Siraisi, *Medieval and Early Renaissance Medicine*, pp. 17-21; Katherine Park, *Doctors and Medicine in Early Renaissance Florence*, pp. 58-76; Edward J. Kealy, *Medieval Medicus: A Social History of Anglo-Norman Medicine*, hfst. 2; Met enige voorzichtigheid kan gebruik worden gemaakt van Robert S. Gottfried, *Doctors and Medicine in Medieval England 1340-1530*.

16. Park, *Doctors and Medicine*, pp. 54-58.

17. Over vrouwelijke genezers, zie Siraisi, *Medieval and Early Renaissance Medicine*, pp. 27, 34, 45-46; John Benton, 'Trotula, Women's Problems, and the Professionalization of Medicine in the Middle Ages'; Edward J. Kealy, 'England's Earliest Women Doctors'; Monica H. Green, 'Women's Medical Practice and Medical Care in Medieval Europe'; Over de joodse artsen, zie Elliot N. Dorff, 'The Jewish Tradition', in Numbers en Amundsen, *Caring and Curing*; Luis García Ballester, Lola Ferre en Edward Feliu, 'Jewish Appreciation of Fourteenth-Century Scholastic Medicine'.

18. Over de geneeskunde binnen de universiteiten, zie Siraisi, *Medieval en Early Renaissance Medicine*, hfst. 3; McVaugh, 'Medicine', pp. 249-52; Vern L. Bullough, *The Development of Medicine as a Profession: The Contribution of the Medieval University to Modern Medicine*, met name hfst, 3; en Faye M. Getz, 'The Faculty of Medicine before 1500'.

19. McVaugh, 'Medicine', p. 247.

20. Over het vakkenaanbod, zie Siraisi, *Medieval and Early Renaissance Medicine*, pp. 65-77; Siraisi, *Taddeo Alderotti and His Pupils: Two Generations of Italian Medical Learning*, hfst. 4-5; Siraisi, *Avicenna in Renaisance Italy: The 'Canon' and Medical Teaching in Italian Universities after 1500*, hfst. 3; Getz, 'Faculty of Medicine'; en McVaugh, 'Medicine', pp. 247-52. Men kan een goed inzicht krijgen in de inhoud van *Articella* verzameling door lezing van de geannoteerde vertaling van haar meest elementaire onderdeel, de *Isagoge* van Hunayn ibn Ishaq (Johannitius), in Grant, *Source Book*, pp. 705-15.

21. De cijfers die ik hier presenteer, zijn ontleend aan Siraisi, *Medieval and Early Renaissance Medicine*, pp. 63-64. Voor de cijfers betreffende Oxford, zie Getz, 'Faculty of Medicine'.

22. Faye M. Getz, 'Charity, Translation, and the Language of Medical Learning in Medieval England'; Getz, *Healing and Society in Medieval England*.

23. Siraisi, *Medieval and Early Renaissance Medicine*, pp. 101-6; Grant, *Source Book*, pp. 705-9; L.J. Rather, 'The "Six Things Non-Natural": A Note on the Origins and Fate of a Doctrine and a Phrase'.

24. Over de behandeling van een ziekte, zie Siraisi, *Medieval and Early Renaissance Medicine*, hfst. 5; Grant, *Source Book*, pp. 775-91.

25. Over de geneesmiddelen, zie Siraisi, *Medieval and Early Renaissance Medicine*, pp. 141-49 (p. 148 over de varkensmest tegen een neusbloeding); Jones, *Medieval Medical Miniatures*, hfst. 4.

26. Vertaald door Michael McVaugh in Grant, *Source Book*, p. 788. Deze lijst van genees-krachtige eigenschappen wordt gevolgd door recept voor triakel. Over triakel, zie ook McVaugh, 'Theriac at Montpellier'.

27. Zie, bijvoorbeeld, Michael McVaugh, 'Arnald of Villanova and Bradwardine's Law'; McVaugh, 'Quantified Medical Theory and Practice at Fourteenth-Century Montpellier'. Ook McVaughs inleiding tot *Arnald De Villanova, Opera medica omnia*, dl. 2: *Aphorismi de gradibus*.

28. Vertaald door McVaugh, in Grant, *Source Book*, p. 749. Over het urineonderzoek, zie MacKinney, *Medical Illustrations*, pp. 9-14; Jones, *Medieval Medical Miniatures*, pp. 58-60.

29. Vertaald door McVaugh, in Grant, *Source Book*, p. 746. Over de polsslag, zie ook MacKinney, *Medical Illustrations*, pp. 15-19.

30. Over de medische astrologie, zie Siraisi, *Alderotti*, pp. 140-45; Siraisi, *Medieval and Early Renaissance Medicine*, pp. 68, 111-12, 123, 128-29, 134-36, 149-52; Jones, *Medieval Medical Miniatures*, pp. 69-74.

31. Over de pest, zie McVaugh, 'Medicine', p. 253; Siraisi, *Medieval and Early Renaissance Medicine*, pp. 1 28-29; Grant, *Source Book*, pp. 773-74. Voor een overzicht van de nieuwste werken over de zwarte dood, zie Nancy G. Siraisi, inleiding op Williman, Daniel, red., *The Black Death: The Impact of the Fourteenth-Century Plague*, pp. 9-22.

32. Over de chirurgie, zie Siraisi, *Medieval and Early Renaissance Medicine*, hfst. 6; MacKinney, *Medical Illustrations*, hfst. 8; Over Roger Frugard, zie Siraisi, pp. 162-66; MacKinney, *Medical Illustrations*, passim (onder de naam 'Rogerius'). Over Guy de Chauliac, zie Vern L. Bullough, 'Chauliac, Guy de', *Dictionary of Scientific Biography*, 3:218-19.

33. Over aderlatingen, zie Linda E. Voigts en Michael R. McVaugh, *A Latin Technical Phlebotomy and Its Middle English Translation*; MacKinney, *Medical Illustrations*, pp. 55-61.

34. Er bestonden verdovende middelen die ook als slaapmiddel werkten, maar het is niet duidelijk in welke mate deze ook werden gebruikt; Linda E. Voigts en Robert P. Hudson, '"A drynke that men callen dwale to make a man to slepe whyle men kerven him": Surgical Anesthetic from Late Medieval England'. Voor de geciteerde passage, zie MacKinney, *Medical Illlustrations*, pp. 80-81.

35. Vern L. Bullough, 'Mondini de' Luzzi', *Dictionary of Scientific Biography*, 9:467-69; Bullough, *Development of Medicine as a Profession*, pp. 61-65; Siraisi, *Medieval and Early Renaissance Medicine*, pp. 86-97.

36. Citaat uit Bullough, *Development of Medicine as a Profession*, p. 64, met enkele kleine wijzigingen.

37. Over de oorsprong van het hospitaal in engere zin, zie met name Timothy S. Miller, *The Birth of the Hospital in the Byzantine Empire*; Miller, 'The Knights of Saint John and the Hospitals of the Latin West'; Michael W. Dols, 'The Origins of the Islamic Hospital: Myth and Reality'; en Kealy, *Medieval Medicus*, hfst. 4-5.

38. Miller, 'Knights of Saint John', pp. 723-25.

39. Het lijkt onwaarschijnlijk dat dit onderwerpen nu een gedane zaak is. Ik heb gebruik gemaakt van Dolls, 'Origins of the Islamic Hospital', pp. 382-84; en Miller, 'Knights of Saint John', pp. 717-23, 726-33. Over de Barmak familie, zie hfst. 8.

40. Over de hospitaals in het westen, zie Talbot, *Medicine in Medieval England*, hfst. 14 (pp. 177-78 voor het citaat).

41. Voor een goede inleiding in de middeleeuwse botanische kennis, en dan met name de kruiden, zie Jerry Stannard, 'Medieval Herbals and Their Development'; Stannard, 'Natural History', pp. 443-49,

42. Over Albertus' botanische kennis, zie Karen Reeds, 'Albert on the Natural Philosophy of Plant Life'; Jerry Stannard, 'Albertus Magnus and Medieval Herbalism'. Over Albertus' biologische onderzoeken, zie hfst. 10.

43. Over de middeleeuwse zoölogie, zie Stannard, 'Natural History', pp. 432-43. Over de bijdragen van Albertus, zie Joan Gadden, 'Albertus Magnus' Universal Physiology: the Example of Nutrition'; Luke Demaitre en Athony A. Travill, 'Human Embryology and Development in the Works of Albertus Magnus'; en Robin S. Oggins, 'Albertus Magnus on Falcons and Hawks'. Delen uit Albertus' *De animalibus* zijn te vinden in Albert the Great, *Man and Beasts, De animalibus* (books 22-26), vert. James J. Scanlan.

44. Charles Homer Haskins, 'Science at the Court of the Emperor Frederick II'; en Haskins, 'The *De arte venandi cum avibus* of Frederick II'.

45. Over de middeleeuwse beestenboeken en de *Physiologus*, zie de inleiding tot *Physiologus*, vert. Michael J. Curley, pp. ix-xxxviii; Stannard, 'Natural History', pp. 430-43; C.S. Lewis, *The Discarded Image*, pp. 146-52; en Willene B. Clark en Meradith T. McMunn, red., *Beats and Birds of the Middle Ages*.

46. *The Bestiary: A Book of Beasts*, vert. T.H. White, p. 84. De voorbeelden in deze paragraaf zijn alle uit dit twaalfde-eeuwse dierenboek.

47. Zie de zeer verhelderende bespreking van de zestiende-eeuwse zoölogische literatuur van William B. Ashworth, Jr., 'Natural History and the Emblematic World View', pp. 304-6.

HOOFDSTUK 14

1. Voor de laatste ontwikkelingen omtrent de continuïteitskwestie, zie David C. Lindberg, 'Conceptions of the Scientific Revolution from Bacon to Butterfield'; Bruce S. Eastwood, 'On the Continuity of Western Science from the Middle Ages'. Zie deze laatste voor een aanvullende bilbliografie.

De continuïteitskwestie, wat betreft de middeleeuwse en vroeg-moderne wetenschap, is als onderzoeksobject zeker te rechtvaardigen. Maar er zijn twee gevaren waartegen de historicus zich goed moet wapenen. Het eerste gevaar betreft de verleiding om de klassieke en middeleeuwse wetenschappelijke traditie te beoordelen op basis van overeenkomsten met de moderne wetenschap – waarmee de maatstaven dus worden gereduceerd tot het vooruitlopen op, of het benaderen van, de latere ontwikkelingen. Het tweede gevaar betreft het interdisciplinaire gekibbel tussen historici, dat het serieuze deel van de kwestie naar de achtergrond zou kunnen dringen – dat de historici de klassieken en middeleeuwse wetenschappelijke verrichtingen zullen overwaarderen om hun specialisme te verdedigen tegen de pogingen van andere specialisten deze verrichtingen naar beneden te halen. Dit kan leiden tot een klimaat waarin de grenzen en de argumenten in gelijke mate worden bepaald door disciplinaire loyaliteit en het historische bewijsmateriaal.

2. Francis Bacon, *New Organon*, in *Works*, vert. James Spedding, Robert Ellis en Douglas Heath, nieuwe druk, 15 dln. (New York: Hurd & Houghton, 1870-72), 4:77. François

Marie Arouet de Voltaire, *Works*, vert. T. Smollet, T. Francklin, et al., 39 dln. (Londen: J. Newbery et al., 1761-74), 1:82. Marquis de Condorcet, *Sketch for a Historical Picture of the Progress of the Human Mind*, red. Stuart Hampshire, vert. June Barraclough (Londen: Weidenfeld & Nicolson, 1955), p. 72.

3. Jacob Burckhardt, *The Civilization of the Renaissance in Italy*, pp. 371, 182. Voor een analyse van het concept van de renaissance, zie Wallace K. Ferguson, *The Renaissance in Historical Thought*, met name hfst. 7-8; en Philip Lee Ralph, *The Renaissance in Perspective*, hfst. 1. Voor de citaten uit Burckhardt ben ik dank verschuldigd aan Edward Rosen, 'Renaissance Science as Seen by Burckhardt and His Successors', in Tinsley Hilton, red., *The Renaissance*, p. 78.

4. John Addington Symonds, *Renaissance in Italy*, deel 1: *The Age of the Despots*, pp. 13-15 (een passage waarop ik gewezen werd door Ralph, *Renaissance in Perspective*, p. 6).

5. Pierre Duhem, *Les origines de la statique*, dl. 1, p. iv. Duhem gaf verder uitdrukking aan zijn visie op de middeleeuwse wetenschappelijke bijdrage in zijn *Etudes sur Léonard de Vincin*; en zijn *Le système du monde*. over Duhem, zie R.N.D. Martin, 'The Genesis of a Mediaeval Historian'; Stanley Jaki, *Uneasy Genius: The Life and Work of Pierre Duhem*.

6. Charles Homer Haskins, *Studies in the History of Mediaeval Science*; en *The Renaissance of the Twelfth Century*. Lynn Thorndike, *A History of Magic and Experimental Science*; en *Science and Thought in the Fifteenth Century*.

7. Anneliese Maier, 'The Achievements of Late Scholastic Natural Philosphy', in Maier, *On the Threshold of Exact Science*, pp. 143-70; ook Sargents inleiding, pp. 11-16; en John E. Murdoch en Edith D. Sylla, 'Anneliese Maier and the History of Medieval Science'. Een bibilografie van de publikaties van Anneliese Maier over de middeleeuwse wetenschap vindt men in Maiers *Ausgehendes Mittelalters*, 3:617-26. Een lijst van Marshall Clagetts publikaties vindt men in een appendix behorende bij Edward Grant en John E. Murdoch, red., *Mathematics and Its Applications to Science and Natural Philosophy in the Middle Ages*, p. 325-28.

8. A.C. Crombie, *Augustine to Galileo: The History of Science A.D. 400-1650* (1952), p. 273. Dit boek werd enige malen herzien, en ook een keer van titel veranderd, toen het verscheen in 1959 als *Medieval and Modern Science*. Voor een beoordeling van Crombie's werk, zie Eastwood, 'On the Continuity of Western Science'.

9. A.C. Crombie, *Robert Grosseteste and the Origins of Experimental Science 1100-1700*, pp. 9-10.

10. Alexandre Koyré, 'The Origins of Modern Science: A New Interpretation', pp. 13-14, 19.

11. Alexandre Koyré, 'Galileo and Plato', in Koyré's *Metaphysics and Measurement: Essays in the Scientific Revolution*, pp. 20-21. Hoewel dit al in 1943 werd geschreven, zijn de in dit werk verkondigde opvattingen ook representatief voor Koyré's latere ideeën.

12. A. Rupert Hall, 'On the Historical Singularity of the Scientific Revolution of the Seventeenth Century', p. 2 13; Hall, T*he Revolution in Science 1500-1750*, p. 3. Voor eerdere weergaven van zijn opvattingen, zie Hall, *The Scientific Revolution 1500-1800*, de inleiding en eerste vier hoofdstukken.

13. Ernan McMullin, 'Medieval and Modern Science: Continuity or Discontinuity?' We spreken hier van de *theorie*, niet van de toepassing van de wetenschappelijke methode.

14. Thomas S. Kuhn, *The Structure of Scientific Revolutions*. Kuhn, 'Mathematical versus Experimental Traditions in the Development of Physical Science'.

15. De duidelijkste weergaven van de 'Yates hypothese' vinden we in Frances A. Yates, *Giordano Bruno and the Hermetic Tradition*; en Yates, 'The Hermetic Tradition in Renaissance Science'. Voor analyse and kritiek, zie Brian P. Copenhaver, 'Natural Magic, Hermetism, and Occultism in Early Modern Science'; Brian Vickers, red., *Occult and Scientific Mentalities in the Renaissance*; en drie delen van de verzamelde essays van Charles B. Smith, *Reappraissals in Renaissance Thought; The Aristotelian Tradition and Renaissance Universities*; en *Studies in Renaissance Philosphy and Science*. De woorden 'echte wetenschap' zijn van Yates, geciteerd door Copenhaver, p. 261.

16. Dit punt wordt fraai verwoord door McCullin, 'Medieval and Modern Science', pp. 103-4.

17. Voor het meest recente (maar zeker niet het laatste) commentaar op de wetenschappelijke revolutie, zie de essays in David C. Lindberg en Robert S. Westman, red., *Reappraisals of the Scientific Revolution*.

18. Over de medische methodologie, zie Crombie, *Grosseteste*, met name hfst. 2-4; William A. Wallace, *Causality and Scientific Explanation*, dl. 1: *Medieval and Early Classical Science*, hfst. 1-4; McCullin, 'Medieval and Modern Science'; en Eileen Serene, 'Demonstrative Science'.

19. Ernan McCullin, 'Conceptions of Science in the Scientific Revolution', in *Reappraissals*, red. Lindberg en Westman, pp. 27-86; McMullin, 'Medieval and Modern Science', pp. 108-129. Voor een sociaal-historische analyse van de zeventiende-eeuwse experimentele praktijken, zie ook Steven Shapin en Simon Schaffer, *Leviathan and The Air-Pump: Hobbes, Boyle, and the Experimental Life*; Peter Dear, 'Jesuit Mathematical Science and the Reconstitution of Experience in the Early 17th Century'.

20. Voor deze krachtige stelling van Anneliese Maier, zie 'The Theory of the Elements and the Problem of their Participation in Compounds', p. 125.

21. Over de wezenlijke aard, zie hfst. 3.

22. Zie Mordechai Feingold, The Mathematician's Apprenticeship: *Science, Universities and Society in England, 1560-1640*; John Gascoigne, 'A Reappraisal of the Role of the Universities in the Scientific Revolution'.

23. Hoe fundamenteel de vorm van de onderneming hierdoor werd veranderd, is een twistpunt. Er bestaat een uitgebreide literatuur over dit onderwerp, van de klassieker van Robert K. Merton, *Science, Technology and Society in Seventeenth-Century England* tot het recente werk van Margaret C Jacob, *The Cultural Meaning of the Scientific Revolution*. Zie ook A.R. Hall, 'Merton Revised or Science and Society in the Seventeenth Century', en de verzameling artikelen in George Basalla, red., *The Rise of Modern Science: Internal of External Factors?*

24. Zie, bijvoorbeeld, Albert Van Helden, *The Invention of the Telescope*.

25. Over het proces van wetenschappelijke verandering, zie Kuhn, *Structure of Scientific Revolutions*.

26. Deze stelling behoeft op twee punten verduidelijking. Ten eerste is de verwijzing van een synthese van klassiek en christelijk denken niet bedoelt om de illusie te wekken dat alle problemen uit de wereld waren en er niet langer sprake was van sterke meningsverschillen. De synthese in kwestie was, evenals de aristotelische filosofie, een levende traditie. Ten tweede wil ik niet de indruk wekken dat het christendom een gunstig (of slecht) onderdeel van de combinatie was, of dat de synthese van klassiek en christelijk denken beter (of slechter) was dan een mogelijke andere combinatie. Ik stel eenvoudig dat de middeleeuwse ge-

leerden in feite een synthese van klassiek en christelijk denken voortbrachten en dat binnen dit conceptuele kader de natuurwetenschap nog enige eeuwen met succes zou worden beoefend.

27. Zie hfst. 10 en 11.

28. Maier, 'Theory of Elements', met name pp. 126-34; zie ook hfst. 12.

29. Zie hfst. 11.

30. Zie hfst. 12.

31. Edward Grant, 'Aristotelianism and the Longevity of the Medieval World View'.

32. Alexandre Koyré, *From the Closed World to the Infinite Universe*, p. 4. Zie ook Koyré, *Galileo Studie*, pp. 2-3; Koyré, *The Astronomical Revolution*, pp. 9-10.

33. Hall, 'Historical Singularity', pp. 210-11.

34. Zie David C. Lindberg, 'Continuity and Discontinuity in the History of Optics: Kepler and the Medieval Tradition,' waaraan ik enkele termen heb ontleend.

35. Het is nuttig op te merken dat de twee voorbeelden van continuïteit, die ik hier ga bespreken, beide zijn genomen uit Kuhns 'klassieke wetenschappen', die hij beschouwt als de eerste onderwerpen van revolutionaire verandering.

36. De uitdrukking s $\propto$ t komt direct voort uit de middeleeuwse definitie van eenparig versnelde beweging als de beweging waarbij gelijke toename van snelheid in gelijke tijdsruimten is vereist. En r $\propto$ t² volgt uit een eenvoudige uitbreiding van de middeleeuwse theorie die stelt dat de afstanden die worden afgelegd in de eerste en tweede helft van een eenparig versnelde beweging zich verhouden van 1:3 (zie ook hfst. 11) Over Galileï en de middeleeuwse traditie van de mechanica, zie Marshall Clagett, *The Science of Mechanics in the Middle Ages*, pp. 251-53, 409-18, 567-82, 666-71; Clagett, *Nicole Oresme and the Medieval Geometry of Qualities and Motions*, pp. 71-73, 103-6; Edith D. Sylla, 'Galileo and the Oxford Calculators'; Christopher Lewis, *The Merton Tradition and Kinematics in Late Sixteenth and Early Seventeenth Century Italy*, pp. 279-83. De bewering dat Galileï in zijn mechanica gebruik maakte van middeleeuwse termen, concepten en theorieën wordt in geen geval in twijfel getrokken door de meningsverschillen betreffende de precieze kanalen waarlangs de middeleeuwse invloeden Galileï bereikten, noch door zijn afwijkingen van de middeleeuwse traditie. Voor een poging Galileï los te koppelen van de middeleeuwse traditie, zie Stillman Drake, 'The Uniform Motion Equivalent of a Uniformly Accelerated Motion from Rest'. Voor de zoektocht naar de route van de invloeden, zie Clagett, *Oresme and the Medieval Geometry of Qualities and Motions*, pp. 103-6; Sylla, 'Galileo and the Oxford Calculatores'; Lewis, *Merton Tradition and Kinematics*; William A. Wallace, *Galileo and His Sources: The Heritage of the Collegio Romano in Galileo's Science*; en Wallace, *Prelude to Galileo: Essays on Medieval and Sixteenth-Century Sources of Galileo's Thought*.

37. Over deze ontwikkelingen op het gebied van de optica, zie David C. Lindberg, *Theories of Vision from al-Kindi to Kepler*, met name hfst. 9; Lindberg, 'Laying the Foundations of Geometrical Optics: Maurolico, Kepler, and the Medieval Tradition'. Zie ook drie artikelen van Lindberg over de straling door gaten: 'The Theory of Pinhole Images from Antiquity to the Thirteenth Century'; 'A Reconsideration of Roger Bacon's Theory of Pinhole Images'; en 'The Theory of Pinhole Images in the Fourteenth Century'.

Bibliografie

Aaboe, Asger. 'On Babylonian Planetary Theories'. *Centaurus* 5 (1958): 209-77.

Ackrill, J.L. *Aristotle the Philosopher.* Oxford: Clarendon Press, 1981.

Adams, Marilyn McCord. *William Ockham,* 2 dln. Notre Dame, Ind.: University of Notre Dame Press, 1987.

Albert the Great. *Man and the Beasts, De animalibus* (books 22-26), vert. James. J. Scanlan. Medieval & Renaissance Texts & Studies, no. 47, Binghamton; Center for Medieval and Early Renaissance Studies, 1987.

Amundsen, Darrel W. 'Medicine and Faith in Early Christianity', *Bulletin of the History of Medicine* 56 (1982): 326-50.

'Medieval Canon Law on Medical and Surgical Practice by the Clergy'. *Bulletin of the History of Medicine* 52 (1978): 22-44.

'The Medieval Catholic Tradition'. in Numbers, Ronald L. en Amundsen, Darrel W., eds., *Caring and Curing: Health and Medicine in the Western Religious Traditions,* pp. 65-107. New York: Macmillan, 1986.

Amundsen, Darrel W., en Ferngren, Gary B. 'The Early Christian Tradition'. In Numbers, Ronald L. en Amundsen, Darrel W., eds., *Caring and Curing: Health and Medicine in the Western Religious Traditions,* pp. 40-64. New York: Macmillan, 1986.

Anawati, G.C. 'Hunayn ibn Ishaq', *Dictionary of Scientific Biography,* 15: 230-34.

Anawati, G.C., en Iskandar, Albert Z., 'Ibn Sina'. *Dictionary of Scientific Biography,* 15:494-501.

Archimedes. *Archimedes in the Middle Ages,* red. en vert. Marshall Clagett, 5 dln. Madison: University of Wisconsin Press, 1964: Philadelphia: American Philosophical Society, 1976-1984.

The Works of Archimedes: Edited in Modern Notation, with Introductory Chapters, red. Thomas L. Heath, 2de ed. Cambridge: Cambridge University Press, 1912.

Aristotle. *Complete Works,* red. Jonathan Barnes, 2 dln. Princeton: Princeton University Press, 1984.

Metaphysics, vert. Hugh Tredenick, 2 dln. London: Heinemann, 1935.

Armstrong, A.H. red. *The Cambridge History of Later Greek and Early Medieval Philosophy,* Cambridge: Cambridge University Press, 1970.

Armstrong, A.H. en Markus, R.A. *Christian Faith and Greek Philosophy.* London: Darton, Longman & Todd, 1960.

Arnaldez, Roger, en Iskandar, Albert Z. 'Ibn Rushd'. *Dictionary of Scientific Biography,* 12:1-9.

Arts libéraux et philosophie au moyen âge: Actes du quatrième congrès international de philosophie médiévale, Université de Montréal, 27 août - 2 septembre 1967. Montreal: Institut d'études médiéval, 1969.

Ashley, Benedict M. 'St. Albert and the Nature of Natural Science'. In Weisheipl, James H., red., *Albertus Magnus and the Sciences: Commemorative Essays 1980*, pp. 73-102. Toronto: Pontifical Institute of Mediaeval Studies, 1980.

Ashworth, William B., Jr. 'Natural History and the Emblematic World View'. In Lindberg, C., and Westman, Robert S., eds., *Reappraisals of the Scientific Revolution*, pp. 303-32. Cambridge: Cambridge University Press, 1990.

Asmis, Elizabeth. *Epicurus' Scientific Method*. Ithaca: Cornell University Press, 1984.

Baily, Cyril. *The Greek Atomists and Epicurus*. Oxford: Clarendon Press, 1928.

Baldwin, John W. *Masters, Princes, and Merchants: The Social Views of Peter the Chanter and His Circle*, 2 dln. Princeton: Princeton University Press, 1970.
The Scholastic Culture of the Middle Ages. Lexington, Mass.: D.C. Heath, 1971.

Balme, D.M. 'The Place of Biology in Aristotle's Philosophy'. In Gotthelf, Allan, en Lennox, James G., red., *Philosophical Issues in Aristotle's Biology*, pp. 9-20. Cambridge: Cambridge University Press, 1987.

Barnes, Jonathan. *Aristotle*. Oxford: Oxford University Press, 1982.
'Aristotle's Theory of Demonstration'. In Barnes, Schofield en Sorabji, *Articles on Aristotle*, I: *Science*, pp. 65-87. London: Duckworth, 1975.
The Presocratic Philosophers, 2 dln. London: Routledge & Kegan Paul, 1979.

Barnes, Jonathan; Brunschwig, Jacques; Burnyat, Myles; en Schofield, Malcolm, red. *Science and Speculation: Studies in Hellenistic Theory and Practice*. Cambridge: Cambridge University Press, 1982.

Barnes, Jonathan; Schofield, Malcolm; en Sorabji, Richard, red., *Articles on Aristotle*, I: *Science*. London: Duckworth, 1975,

Barrow, Robin. *Greek and Roman Education*. London: Macmillan, 1967.

Basalla, George, red. *The Rise of Modern Science: Internal or External Factors?* Lexington, Mass.,: D.C. Heath, 1968.

Beaujouan, Guy. 'Motives and Opportunities for Science in the Medieval Universities', In Crombie, A.C., red., *Scientific Change*, pp. 219-36. London: Heinemann, 1963.
'The Transformation of the Quadrivium'. In Benson, Robert L., en Constable, Giles, red., *Renaissance and Renewal in the Twelfth Century*, pp. 463-87. Cambridge, Mass.: Harvard University Press, 1982.

Benjamin, Francis S., en Toomer, G.J., red. en vert. *Campanus of Novara and Medieval Planetary Theory: 'Theorica planetarum'*. Madison: University of Wisconsin Press, 1971.

Benson, Robert L., en Constable, Giles, red. *Renaissance and Renewal in the Twelfth Century*. Cambridge, Mass.: Harvard University Press, 1982.

Benton, John. 'Trotula, Women's Problems, and the Professionalization of Medicine in the Middle Ages'. *Bulletin of the History of Medicine* 59 (1985): 30-53.

Berggren, J.L. 'History of Greek Mathematics: A Survey of Recent Research'. *Historia Mathematica* 11 (1984): 394-410.

Biggs, Robert. 'Medicine in Ancient Mesopotamia'. *History of Science* 8 (1969): 94-105.

Birkenmajer, Aleksander. 'Le rôle joué par les médicines et les naturalists dans la réception d'Aristote au XIIe et XIIIe siècles'. In Birkenmajer, Aleksander, *Etudes d'histoire des sciences et philosophie du moyen âge*, pp. 73-87. Studia Copernicana, no. 1. Wroclaw: Ossolineum, 1970.

Al-Bitruji. *On the Principles of Astronomy*, red. en vert. Bernard R. Goldstein, 2 dln. New Haven: Yale University Press, 1971.

Blair, Peter Hunter. *The World of Bede*. Cambridge: Cambridge University Press, 1970.

Boethius of Dacia. *On the Supreme Good, On the Eternity of the World, On Dreams*, vert. John F. Wippel. Medieval Sources in Translation, no. 30. Toronto: Pontifical Institute of Medieval Studies, 1987.

Bonner, Stanley F. *Education in Ancient Rome: From the Elder Cato to the Younger Pliny*. Berkeley and Los Angeles: University of California Press, 1977.

Boyer, Carl B. *A History of Mathematics*. New York: John Wiley, 1968.

The Rainbow: From Myth to Mathematics. New York: Yoseloff, 1959.

Brain, Peter. *Galen on Bloodletting: A Study of the Origins, Development and Validity of His Opinions, with a Translation of the Three Works*. Cambridge: Cambridge University Press, 1986.

Brandon, S.G.F. *Creation Legends of the Ancient Near East*. London: Hodder and Stoughton, 1963.

Breasted, James Henry. *Development of Religion and Thought in Ancient Egypt*. New York: Scribner's, 1912.

The Edwin Smith Surgical Papyrus, 2 dln. University of Chicago, Oriental Institute Publications, 3-4. Chicago: University of Chicago Press, 1930.

Brehaut, Ernest. *An Encyclopedist of the Dark Ages: Isidore of Seville*. New York: Columbia University, 1912.

Brown, Peter. *Augustine of Hippo: A Biography*. Berkeley and Los Angeles: University of California Press, 1969.

The Cult of Saints: Its Rise and Function in Latin Christianity. Chicago: University of Chicago Press, 1981.

Bullough, Vern L. 'Chauliac, Guy de'. *Dictionary of Scientific Biography*, 3: 218-19.

The Development of Medicine as a Profession: The Contribution of the Medieval University to Modern Medicine. Basel: Karger, 1966.

'Mondino de' Luzzi'. *Dictionary of Scientific Biography*, 9:467-69.

Burckhardt, Jacob. *The Civilization of the Renaissance in Italy*, vert. S.G.C. Middlemore. New York: Modern Library, 1954.

Burnett, Charles S.F., red. Adelard of Bath: *An English Scientist and Arabist of the Early Twelfth Century*. Warburg Institute Surveys and Texts, no. 14. London: The Warburg Institute, 1987.

'Scientific Speculations'. In Dronke, Peter, red., *A History of Twelfth-Century Western Philosophy*, pp. 155-66. Cambridge: Cambridge University Press, 1988.

'Translation and Translators, Western European'. *Dictionary of the Middle Ages*, 12: 136-42.

'What is the *Experimentarius* of Berbardus Silvestris? A Preliminary Survey of the Material'. *Archives d'histoire doctrinal et littéraire du moyen âge* 44 (1977): 79-125.

Bynum, Caroline Walker. 'Did the Twelfth Century Discover the Individual?' *Journal of Ecclesiastical History* 31 (1980): 1-17.

Cadden, Joan. 'Albertus Magnus' Universal Physiology: the Example of Nutrition'. In Weisheipl, James A., red., *Albertus Magnus and the Sciences: Commemorative Essays 1980*, pp. 321-29. Toronto: Pontifical Institute of Mediaeval Studies, 1980.

Callus, D.A. 'Introduction of Aristotelian Learning to Oxford'. *Proceedings of the British Academy* 29 (1943): 229-81.

red., *Robert Grosseteste, Scholar and Bishop: Essays in Commemoration of the Seventh Centenary of His Death*. Oxford: Clarendon Press, 1955.

Cameron, M.L. 'The Sources of Medical Knowledge in Anglo-Saxon England'. *Anglo-Saxon England* 11 (1983): 135-52.

Caroti, Stefano. 'Nicole Oresme's Polemic against Astrology in His "Quodlibeta"'. In Curry, Patrick, red., *Astrology, Science, and Society: Historical Essays*, pp. 75-93. Woodbridge, Suffolk: Boydell, 1987.

Carré, Meyrick H. *Realists and Nominalists*. Oxford: Clarendon Press, 1946.

Catto, J.I., red., *The Early Oxford Schools*. Deel 1 van *The History of the University of Oxford*, algemene red. T.H. Aston. Oxford: Clarendon Press, 1984.

Celsus. Aulus Cornelius. *De medicina, with an English Translation*, vert. W.G. Spencer, 3 dln. Londen: Heinemann, 1935-38.

Chadwick, Henry. *Early Christian Thought and the Classical Tradition: Studies in Justin, Clement, and Origen*. New York: Oxford University Press, 1966.
    The Early Church. Harmondsworth: Penguin, 1967.

Chenu, M.D. *Nature, Man, and Society in the Twelfth Century: Essays on New Theological Perspectives in the Latin West*, vert. Jerome Taylor and Lester K. Little. Chicago: University of Chicago Press, 1968. Oorspronkelijk gepubliceerd als *La thémologie au douzième siècle*. Parijs: J. Vrin, 1957.
    Toward Understanding St. Thomas, red. en vert. A.M. Landry en D. Hughes. Chicago: Henry Regnery, 1964.

Cherniss, Harold: *The Riddle of the Early Academy*. Berkeley and Los Angeles: University of California Press, 1945.

Clagett, Marshall. *Ancient Egyptian Science: A Source Book*, deel 1. Philadelphia: American Philosophical Society, 1989.
    red., *Critical Problems in the History of Science*. Madison: University of Wisconsin Press, 1962.
    Giovanni Marliani and Late Medieval Physics. New York: Columbia University Press, 1941.
    Greek Science in Antiquity. Londen: Abelard-Schuman, 1957.
    'The Liber de motu of Gerard of Brussels and the Origins of Kinematics in the West'. *Osiris*, 1st. ser., 12 (1956): 73-175.
    red. en vert. *Nicole Oresme and the Medieval Geometry of Qualities and Motions*. Madison: University of Wisconsin Press, 1968.
    The Science of Mechanics in the Middle Ages. Madison: University of Wisconsin Press, 1959.
    'Some Novel Trends in the Science of the Fourteenth Century'. In Singleton, Charles S., red., *Art, Science, and History in the Renaissance*, pp. 275-303. Baltimore: Johns Hopkins University Press, 1968.
    Studies in Medieval Physics and Mathematics. London: Variorum, 1979.

Clark, Willene B., en MacMunn, Meradith T., red. *Beasts and Birds of the Middle Ages*. Philadelphia: University of Pennsylvania Press, 1989.

Clarke, M.L. *Higher Education in the Ancient World*. London: Routledge & Kegan Paul, 1971.

Cobban, Alan B. *The Medieval English Universities: Oxford and Cambridge to c. 1500*. Aldershot: Scolar Press, 1988.
    The Medieval Universities: Their Development and Organization. London: Methuen, 1975.

Cochrane, Charles N. *Christianity and Classical Culture: A Study of Thought and Action from Augustus to Augustine*. Oxford: Clarendon Press, 1945.

Cohen, Morris R. en Drabkin, I.E., red. *A Source Book in Greek Science*. Cambridge, Mass.: Harvard University Press, 1958.

Colish, Marcia L. *The Stoic Tradition from Antiquity to the Early Middle Ages*, 2 dln. Leiden: Brill, 1985.

Collingwood, R.G. *The Idea of Nature*. Oxford: Clarendon Press, 1945.

Contreni, John J. *The Cathedral School of Laon from 850 to 930: Its Manuscripts and Masters*. Münchener Beiträge zur Mediävistik und Renaissance-Forschung, dl. 29. München: Arbeo-Gesellschaft, 1978.

    'Schools, Cathedral'. *Dictionary of the Middle Ages*, 11:59-63.

Coopland, G.W. *Nicole Oresme and the Astrologers: A Study of His Livre de divinacions*. Cambridge, Mass.: Harvard University Press, 1952.

Copenhaver, Brian P. 'Natural Magic, Hermetism, and Occultism in Early Modern Science'. In Lindberg, David C. en Westman, Robert S., red., *Reappraisals of the Scientific Revolution*, pp. 261-301. Cambridge: Cambridge University Press, 1990.

Courtenay, William J. *Capacity and Volition: A History of the Distinction of Absolute and Ordained Power*. Quodlibet: Ricerche e strumentie di filosofia medieval, no. 8. Bergamo: Pierluigi Lubrina, 1990.

    Covenant and Causality in Medieval Thought. Londen: Variorum, 1984.

    'The Critique on Natural Causality in the Mutakallimun and Nominalism'. *Harvard Theological Review* 66 (1973): 77-94.

    'The Dialectic of Divine Omnipotence'. In Courtenay, William J., *Covenant and Causality in Medieval Thought*, hfst. 4.

    'Nature and the Natural in Twelfth-Century Thought'. in Courtenay, William J., *Covenant and Causality in Medieval Thought*, hfst. 3.

    'Ockham, William of'. *Dictionary of the Middle Ages*, 9: 209-14.

    School and Scholars in Fourteenth-Century England. Princeton: Princeton University Press, 1987.

    Teaching Careers at the University of Paris in the Thirteenth and Fourteenth Centuries. Texts and Studies in the History of Medieval Education, no. 18. Notre Dame, Ind.: United States Subcommision for the History of Universities, University of Notre Dame, 1988.

Courtenay, William J., en Tachau, Katherine H. 'Ockham, Ockhamists, and the English-German Nation at Paris, 1339-1341'. *History of Universities* 2 (1982): 53-96.

Crombie, A.C. *Augustine to Galileo: The History of Science A.D. 400-1650*. Londen: Falcon, 1951. Heruitgegeven als *Medieval and Early Modern Science*, 2 dln. Garden City: Doubleday Anchor, 1959.

    Robert Grosseteste and the Origins of Experimental Science, 1100-1700. Oxford: Clarendon Press, 1953.

    Science, Optics and Music in Medieval and Early Modern Thought. Londen: Hambledon, 1990.

Crosby, H. Lamar, Jr., red. en vert. *Thomas of Bradwardine, His 'Tractatus de Propotionibus': Its Significance for the Development of Mathematical Physics*. Madison: University of Wisconsin Press, 1961.

Crowe, Michael J. *Theories of the World from Antiquity to the Copernican Revolution*. New York: Dover, 1990.

Crowley, Theodore. *Roger Bacon: The Problem of the Soul in His Philosophical Commentaries*. Dublin: James Duffy/Louvain: Editions de l'Institut Supérieur de Philosophie, 1950.

Cumont, Franz. *Astrology and Religion among the Greeks and Romans*. New York: Putman's Sons, 1912.

Curley, Michael J., vert. *Physiologus*. Austin, Tex.: University of Texas Press, 1979.

Currey, Patrick, red. *Astrology, Science and Society: Historical Essays*. Woodbridge, Suffolk: Boydell, 1987.

Dales, Richard C. *The Intellectuel Life of Western Europe in the Middle Ages*. Washington D.C.: University Press of America, 1980.

    'Marius "On the Elements" and the Twelfth-Century Science of Matter'. *Viator* 3 (1972): 191-218.

    Medieval Discussions of the Eternity of the World. Leiden: Brill, 1990.

    'Time and Eternity in the Thirteenth Century'. *Journal of the History of Ideas* 49 (1988): 27-45.

d'Alverny, Marie-Thérèse. 'Translations and Translators'. In Benson, Robert L. en Constable, Giles, red., *Renaissance and Renewal in the Twelfth Century*, pp. 421-62. Cambridge, Mass.: Harvard University Press, 1982.

Dear, Peter. 'Jesuit Mathematical Science and the Reconstitution of Experience in the Early 17th Century'. *Studies in History and Philosophy of Science* 18 (1987): 133-75.

Debus, Allen G. *The Chemical Philosophy: Paracelsian Science and Medicine in the Sixteenth and Seventeeth Centuries*, 2 dln. New York: Science History Publications, 1977.

    Man and Nature in the Renaissance. Cambridge: Cambridge University Press, 1978.

De Lacy, Philip. 'Galen's Platonism'. *American Journal of Philology* 93 (1972): 27-39.

Demaitre, Luke E. *Doctor Bernard de Gordon: Professor and Practitioner*. Toronto: Pontifical Institute of Mediaeval Studies, 1980.

Demaitre, Luke E., and Travill, Anthony A. 'Human Embryology and Development in the Works of Albertus Magnus'. In Weisheipl, James A., red., *Albertus Magnus and the Sciences: Commemorative Essays 1980*, pp. 405-40. Toronto: Pontifical Institute of Mediaeval Studies, 1980.

de Santillana, Giogio. *The Origins of Scientific Thought: From Anaximander to Proclus, 600 B.C. to A.D. 500*. Chicago: University of Chicago Press, 1961.

de Vaux, Carra. 'Astronomy and Mathematics', in Arnold, Thomas, en Guillaume, Alfred, red., *The Legacy of Islam*, pp. 376-97. Londen: Oxford University Press, 1931.

Dicks, D.R. *Early Greek Astronomy to Aristotle*. Ithaca: Cornell University Press, 1970.

    'Eratosthenes'. *Dictionary of Scientific Biography*, 4: 388-93.

Dictionary of Scientific Biography, 16 dln. New York: Scribner's, 1970-80.

Dijksterhuis, E.J. *Archimedes*, vert. C. Dikshoorn. Kopenhagen: Munksgaard, 1956.

    The Mechanization of the World Picture, vert. C. Dikshoorn. Oxford: Clarendon Press, 1961.

Diogenes Laertius. *Lives of Eminent Philosophers*, vert. R.D. Hicks, 2 dln. Londen: Heinemann, 1925

    To Save the Phenomena: An Essay on the Idea of Physical Theory from Plato to Galileo, vert. Edmund Doland en Chaninah Maschler. Chicago: University of Chicago Press, 1969. Oorspronkelijk verschenen in het Frans.

Dodge, Bayard. *Muslim Education in Medieval Times*. Washington, D.C.: The Middle East Institute, 1962.

Dols, Michael W., vert. *Medieval Islamic Medicine: Ibn Ridwans's Treatise 'On the Prevention of Bodily Ills in Egypt'*, met een Arabische tekst geredigeerd door Adil S. Gamal. Berkeley en Los Angeles: University of California Press, 1984.

'The Origins of the Islamic Hospital: Myth and Reality'. *Bulletin of the History of Medicine* 61 (1987): 367-90.

Dorff, Elliot N. 'The Jewish Tradition'. In Numbers, Ronald L., en Amundsen, Darrel W., red., *Caring and Curing: Health and Medicine in the Western Religious Traditions*, pp. 5-39. New York: MacMillan, 1986.

Drake, Stillman. 'The Uniform Motion Equivalent of a Uniformly Accelerated Motion from Rest'. *Isis* 63 (1972): 28-38.

Dreyer, J.L.E. *History of the Planetary Systems from Thales to Kepler*. Cambridge: Cambridge University Press, 1906. Heruitgegeven als *A History of Astronomy from Thales to Kepler*, red. W.H. Stahl. New York: Dover, 1953.

Dronke, Peter, red. *A History of Twelfth-Century Western Philosophy*. Cambridge: Cambridge University Press, 1988.

'Thierry of Chartres'. In Dronke, Peter, red., *Twelfth-Century Western Philosophy*, pp. 358-85.

Duhem, Pierre. *Etudes sur Léonard de Vinci*, 3 dln. Parijs: Hermann, 1906-13.

red. *Un Fragment inédit de l'Opus tertium de Roger Bacon, précédé d'une étude sur ce fragment*. Quaracchi: Collegium S. Bonaventurae, 1909.

Medieval Cosmology: Theories of Infinity, Place, Time, Void, and the Plurality of Worlds, red. en vert. Roger Ariew. Chicago: University of Chicago Press, 1985.

Les origines de la statique, 2 dln. Parijs: Hermann, 1905-6.

Les système du monde, 10 dln. Parijs; Hermann, 1913-59.

To Save the Phenomena: An Essay on the Idea of Physical Theory from Plato to Galileo, vert. Edmund Doland and Chaninah Maschler. Chicago: University of Chicago Press, 1969. Oorspronkelijk verschenen in het Frans in 1908.

Düring, Ingemar. 'The Impact of Aristotle's Scientific Ideas in the Middle Ages'. *Archiv für Geschichte der Philosophie* 50 (1968): 115-33.

Easton, Stewart C. *Roger Bacon and His Search for a Universal Science*. Oxford: Basil Blackwell, 1952.

Eastwood, Bruce S. *Astronomy and Optics from Pliny to Descartes*. Londen: Variorum, 1989.

'Kepler as Historian of Science: Precursors of Copernican Heliocentrism according to *De revolutionibus*, I, 10'. *Proceedings of the American Philosophical Society* 126 (1982): 367-94.

'On the Continuity of Western Science from the Early Middle Ages'. *Isis*, nog te verschijnen.

'Plinian Astronomical Diagrams in the Early Middle Ages'. In Grant, Edward, en Murdoch, John E., red., *Mathematics and Its Applications to Science and Natural Philosophy in the Middle Ages: Essays in Honour of Marshall Clagett*, pp. 141-72. Cambridge: Cambridge University Press, 1987.

'Plinian Astronomy in the Middle Ages and Renaissance'. In French, Roger, en Greenaway, Frank, red., *Science in the Early Roman Empire: Pliny the Elder, His Sources and Influence*, hfst. 11. Towata, N.J.: Barnes & Noble, 1986.

Ebbell, B. *The Papyrus Ebers, The Greatest Egyptian Medical Document*. Kopenhagen: Munksgaard, 1939.

Edel, Abraham. Aristotle and His Philosophy. Chapel Hill: University of North Carolina Press, 1982.

Edelstein, Emma J., en Edelstein, Ludwig. *Aesclepius: A Collection and Interpretation of the Testimonies*, 2 dln. Baltimore, Johns Hopkins University Press, 1945.

Edelstein, Ludwig. *Ancient Medicine: Selected Papers of Ludwig Edelstein*, red. Owsei Temkin en C. Lilian Temkin. Baltimore: Johns Hopkins University Press, 1967.

'The Distinctive Hellenism of Greek Medicine'. *Bulletin of the History of Medicine* 40 (1966): 197-255.

'Empiricism and Skepticism in the Teaching of the Greek Empiricists School'. In Edelstein, *Ancient Medicine*, pp. 195-203.

'Greek Medicine and Its Relation to Religion and Magic'. *Bulletin of the Institute of the History of Medicine* 5 (1937): 201-46.

'The Methodists'. In Edelstein, *Ancient Medicine*, pp. 173-91.

'The Relation of Ancient Philosophy to Medicine'. *Bulletin of the History of Medicine* 26 (1952): 299-316.

Elford, Dorothy. 'William of Conches'. In Dronke, Peter, red., *A History of Twelfth-Century Western Philosophy*, pp. 308-27. Cambridge: Cambridge University Press, 1988.

Emerton, Norma E. *The Scientific Reinterpretation of Form*. Ithaca: Cornell University Press, 1984.

Epp, Ronald H., red. *Recovering the Stoics*. Supplement to *The Southern Journal of Philosophy*, dl. 23. Memphis: Department of Philosophy, Memphis State University, 1985.

Euclides. *The Elements*, vert. Thomas Heath, 3 dln. Cambridge: Cambridge University Press, 1908.

Evans, Gillian R. *Anselm and a New Generation*. Oxford: Clarendon Press, 1980.

'The Influence of Quadrivium Studies in the Eleventh- and Twelfth-Century Schools'. *Journal of Medieval History* 1 (1975): 151-64.

Old Arts and New Theology: The Beginnings of Theology as an Academic Discipline. Oxford: Clarendon Press, 1980.

The Thought of Gregory the Great. Cambridge: Cambridge University Press, 1986.

Fakhry, Majid. *A History of Islamic Philosophy*. New York: Columbia University Press, 1970.

Farrington, Benjamin. *Greek Science*, herziene editie Harmondsworth: Penguin, 1961.

Feingold, Mordechai. *The Mathematicians' Apprenticeship: Science, Universities and Society in England, 1560-1640*. Cambridge: Cambridge University Press, 1984.

Ferguson, Wallace K. *The Renaissance in Historical Thought*. Boston: Houghton Mifflin, 1948.

Ferruolo, Stephen C. *The Origins of the University: The Schools of Paris and Their Critics, 1100-1215*. Stanford: Stanford University Press, 1985.

Fichtenau, Heinrich. *The Carolingian Empire*, vert. Peter Munz. Oxford: Basil Blackwell, 1957.

La Filosofia della natura nel medioevo: Atti del Terzo Congresso Internazionale di Filosofia Medioevale, 31 August - 5 September 1964. Milaan: Società Editrice Vita e Pensiero, 1966.

Finley, M.I. *The World of Odysseus*, herziene editie, New York: Viking Press, 1965.

Finucane, Ronald C. Miracles and Pilgrims: Popular Beliefs in Medieval England. Totowa. N.J.: Rowman and Littlefield, 1977.

Flint, Valerie I.J. *The Rise of Magic in Early Medieval Europe*. Princeton: Princeton University Press, 1991.

Fontaine, Jacques. *Isidore de Séville et la culture classique dans l'Espagne wisigothique*, 2de druk., 3 dln. Parijs: Etudes Augustiniennes, 1983.

Frankfort H.; Frankfort, H.A.; Wilson, John A.; en Jacobsen, Thorkild. *Before Philosophy: The Intellectual Adventure of Ancient Man*. Baltimore: Penguin, 1951.

Fraser, P.M. *Ptolemaic Alexandria*, 3 dln. Oxford: Clarendon Press, 1972.

Frede, Michael. 'The Method of the So-Called Methodical School of Medicine'. In Barnes, Jonathan; Brunschwig, Jacques; Burnyeat, Myles; en Schofield, Malcolm, red., *Science and Speculation: Studies in Hellenistic Theory and Practice*, pp. 1-23. Cambridge: Cambridge University Press, 1982.

French, Roger, en Greenaway, Frank, red., *Science in the Early Roman Empire: Pliny the Elder, His Sources and Influence*. Towata, N.J.: Barnes & Noble, 1986.

Frend, W.H.C. *The Rise of the Monophysite Movement: Chapters in the History of the Church in the Fifth and Sixth Centuries*. Cambridge University Press, 1972.

Funkenstein, Amos. *Theology and the Scientific Imagination from the Middle Ages to the Seventeenth Century*. Princeton: Princeton University Press, 1986.

Furley, David. *Cosmic Problems: Essays on Greek and Roman Philosophy of Nature*. Cambridge: Cambridge University Press, 1989.

    The Greek Cosmologists, dl. 1: The Formation of the Atomic Theory and Its Earliest Critics. Cambridge: Cambridge University Press, 1987.

    Two Studies in the Greek Atomists. Princeton: Princeton University Press, 1967.

Gabriel, Astrik L. 'Universities'. *Dictionary of the Middles Ages*, 12: 282-300.

Galenus. *On Respiration and the Arteries*, red. en vert. David J. Furley and J.S Wilkie. Princeton: Princeton University Press, 1984.

    On the Natural Faculties, vert. A.J. Brock. Londen: Heinemann, 1963.

    On the Usufulness of the Parts of the Body, red. en vert. Margaret T. May, 2 dln. Ithaca: Cornell University Press, 1968.

    Three Treatises on the Nature of Science, red. en vert. Richard Walzer en Michael Frede. Indianapolis: Hackett, 1985.

García Ballester, Luis; Fere, Lola; en Feliu, Edward. 'Jewish Appreciation of Fourteenth-Century Scholastic Medicine'. *Osiris*, n.s. 6 (1990): 85-117.

Gascoigne, John. 'A Reappraisal of the Role of the Universities in the Scientific Revolution'. In Lindberg, David C., en Westman, Robert S., red., *Reappraisals of the Scientific Revolution*, pp. 207-60. Cambridge: Cambridge University Press, 1990.

Gersh, Stephen. *Middle Platonism and Neoplatonism: The Latin Tradition*, 2 dln. Notre Dame, Ind.: University of Notre Dame Press, 1986.

Getz, Faye M. 'Charity, Translation, and the Language of Medical Learning in Medieval England'. *Bulletin of the History of Medicine* 64 (1990): 1-17.

    'The Faculty of Medicine before 1500'. In Catto, J.I., red., deel 2 van *The History of the University of Oxford*, red. T.H. Aston. Oxford: Clarendon Press, nog te verschijnen.

    Healing and Society in Medieval England: A Middle English Translation of the Pharmaceutical Writings of Gilbert Anglicus. Madison: University of Wisconsin Press, 1991.

    'Western Medieval Medicine'. *Trends in History* 4, nrs. 2-3 (1988): 37-54.

Ghalioungui, Paul. *The House of Life, Per Ankh: Magic and Medical Science in Ancient Egypt*, 2de druk. Amsterdam: B.M. Israel, 1973.

The Fysicians of Pharaonic Egypt. Caïro: Al-Ahram Center for Scientific Translations, 1983.

Gillings, R.J. 'The Mathematics of Ancient Egypt'. *Dictionary of Scientific Biography*, 15: 681-705.

Gilson, Etienne. *The Christian Philosophy of St. Thomas Aquinas*, vert. L.K. Shook. New York: Random House, 1956.

Gimpel, Jean. *The Medieval Machine: The Industrial Revolution of the Middle Ages*. New York: Holt, Rinehart and Winston, 1976.

Gingerich, Owen, 'Islamic Astronomy'. *Scientific American* 254, nr. 4 (april 1986): 74-83.

Goldstein, Bernard R. *The Arabic Version of Ptolemy's 'Planetary Hypotheses'* Transactions of the American Philosophical Society, dl. 57: 4. Philadelphia: American Philosophical Society, 1976.

Theory and Observation in Ancient and Medieval Astronomy. London: Variorum, 1985.

Goldstein, Bernard R., en Bowen, Alan C. 'A New View of Early Greek Astronomy'. *Isis* 74 (1983): 330-40.

Goldstein, Bernard R., en Swerdlow, Noel. 'Planetary Distances and Sizes in an Anonymous Arabic Treatise Preserved in Bodleian MS Marsh 621'. *Centaurus* 15 (1970): 135-70.

Goody, Jack. *The Domestication of the Savage Mind*. Cambridge: Cambridge University Press, 1987.

Goody, Jack, en Watt, Ian. 'The Consequences of Literacy'. *Comparative Studies in Society and History* 5 (1962-63): 304-45.

Gottfried, Robert S. *Doctors and Medicine in Medieval England 1340-1530*. Princeton: Princeton University Press, 1986.

Gotthelf, Allan, en Lennox, James G., red. *Philosophical Issues in Aristotle's Biology*. Cambridge: Cambridge University Press, 1987.

Gottschalk, H.B. 'Strato of Lampsacus'. *Dictionary of Scientific Biography*, 13:91-95.

Grant, Edward. 'Aristotelianism and the Longevity of the Medieval World View'. *History of Science* 16 (1978): 93-106.

'Celestial Matter: A Medieval and Galilean Cosmological Problem'. *Journal of Medieval and Renaissance Studies* 13 (1983): 157-86.

'Celestial Orbs in the Latin Middle Ages'. *Isis*, 78 (1987): 153-73.

'The Condemnation of 1277, God's Absolute Power, and Physical Thought in the Late Middle Ages'. *Viator* 10 (1979): 211-44.

'Late Medieval Thought, Copernicus, and the Scientific Revolution'. *Journal of the History of Medieval Ideas* 23 (1962): 197-220.

'Medieval and Renaissance Scholastic Conceptions of the Influence of the Celestial Region on the Terrestrial'. *The Journal of Medieval and Renaissance Studies* 17 (1987): 1-23.

'Medieval and Seventeenth-Century Conceptions of an Infinite Void Space beyond the Cosmos'. *Isis* 60 (1969):39-6-.

The Medieval Cosmos 1200-1687. Nog te verschijnen.

'The Medieval Doctrine of Place: Some Fundamental Problems and Solutions'. In Maierù, A., en Paravicini Bagliani, A., red., *Studi sul XIV secolo in memoria di Anneliese Maier*, pp. 57-79. Storia e Letteratura, Raccolta di studi e testi, nr. 151. Rome: Edizioni di Storia e Letteratura, 1981.

Much Ado About Nothing: Theories of Space and Vacuum from the Middle Ages to the Scientific Revolution. Cambridge: Cambridge University Press, 1981.

red. en vert. *Nicole Oresme and the Kinematics of Circular Motion: Tractatus de commensurabilitate vel incommensurabilitate motuum celi*. Madison: University of Wisconsin Press, 1971.

Physical Science in the Middle Ages. New York: Wiley, 1971.

'Science and the Medieval University'. Kittelson, James M., en Transue, Pamela J, red., *Rebirth, Reform and Resilience: Universities in Transition 1300-1700*, pp. 68-102. Columbus: Ohio State University Press, 1984.

'Science and Theology in the Middle Ages'. In Lindberg , David C., en Numbers, Ronald L., red., *God and Nature: Historical Essays on the Encounter between Christianity and Science*, pp. 49-75. Berkeley en Los Angeles: University of California Press, 1986.

red. *A Source Book in Medieval Science*. Cambridge, Mass: Harvard University Press, 1974.

Studies in Medieval Science and Natural Philosophy. London: Variorum, 1981.

Grant, Edward, en Murdoch, John E., red. *Mathematics and its Applications to Science and Natural Philosophy in the Middle Ages: Essays in Honour of Marshall Clagett*. Cambridge: Cambridge University Press, 1987.

Grant, Robert M. *Miracle and Natural Law in Graeco-Roman and Early Christian Thought*. Amsterdam: North-Holland, 1952.

Grayeff, Felix. *Aristotle and His School*. Londen: Duckworth, 1974.

Green, Monica H. 'Women's Medical Practice and Medical Care in Medieval Europe'. *Signs* 14 (1989): 434-73.

Gregory, Tullio. *Anima mundi: La filosofia di Guglielmo di Conches e la scuola di Chartres*. Florence: G.C. Sansoni, 1955.

'La nouvelle idée de nature et de savoir scientifique au XIIe siècle'. In Murdoch, John E., en Sylla, Edith D., red., *The Cultural Context of Medieval Learning*, pp. 193-212. Boston Studies in the Philosophy of Science, 27. Dordrecht: Reidel, 1975.

'The Platonic Inheritance'. In Dronke, Peter, red., *A History of Twelfth-Century Western Philosophy*, pp. 54-80. Cambridge: Cambridge University Press, 1988.

Grendler, Paul F. *Schooling in Renaissance Italy: Literacy and Learning, 1300-1600*. Baltimore: Johns Hopkins University Press, 1980.

Grene, Marjorie. *A Portrait of Aristotle*. Chicago: University of Chicago Press, 1963.

Griffin, Jasper. *Homer*. Oxford: Oxford University Press, 1980.

Hackett, M.B. 'The University as a Corporate Body'. In Catto, J.I., red., The Early Oxford Schools, dl. 1 van *The History of the University of Oxford*, red. T.H. Aston, pp. 37-95. Oxford: Clarendon Press, 1984.

Hadot, Ilsetraut, red. *Simplicius: sa vie, son oeuvre, sa survie*. Actes du Colloque international de Paris, 28 sept. - 1 okt. 1985. Berlin: Walter de Gruyter, 1987.

Hahm, David E. *The Origins of Stoic Cosmology*. Columbus: Ohio State University Press, 1977.

Hall, A. Rupert. 'Merton Revisited or Science and Society in the Seventeenth Century'. *History of Science* 2 (1963): 1-16.

'On the Natural Singularity of the Scientific Revolution of the Seventeeth Century'. In Elliott, J.H., en Koenigsberger, H.G., red., *The Diversity of History: Essays in Honour of Sir Herbert Butterfield*, pp. 199-221. Londen: Routledge & Kegan Paul, 1970.

The Revolution in Science 1500-1750. Londen: Longman, 1983.

The Scientific Revolution 1500-1800. Londen: Longmans, Green, 1954.

Halleux, Robert. 'Alchemy'. *Dictionary of the Middle Ages*, 1: 134-40.

Les textes alchimiques. Typologie de sources du moyen âge occidental, nr. 32. Turnhout: Brepols, 1979.

Hamilton, Edith. *Mythology*. Boston: Little, Brown, 1942.

Hansen, Bert. *Nicole Oresme and the Marvels of Nature: A Study of His 'De causis mirabilium' with Critical Edition, Translation, and Commentary*. Toronto: Pontifical Institute of Medieval Studies, 1985.

Hare, R.M. *Plato*. Oxford: Oxford University Press, 1982.

Hargreave, David. 'Reconstructing ther Planetary Motions of the Eudoxan System'. *Scriptica Mathematica* 28 (1970): 335-45.

Häring, Nikolaus. 'Chartres and Paris Revisited'. in O'Donnell. J. Reginald, red,. *Essays in Honour of Anton Charles Pegis*, pp. 268-329. Toronto: Pontifical Institute of Mediaeval Studies, 1974.

'The Creation and Creator of the World according to Thierry of Chartres and Clarenbaldus of Arras'. *Archives d'histoire doctrinal et littéraire du moyen âge* 22 (1955): 137-216.

Harley, J.B., en Woodward, David, red. *The History of Cartography*, dl. 1: *Cartography in Prehistoric, Ancient, and Medieval Europe and the Mediterranean*. Chicago: University of Chicago Press, 1987.

Harris, John. R. 'Medicine'. In Harris, John R., red., *The Legacy of Egypt*, 2de druk, pp. 112-37. Oxford: Clarendon Press, 1971.

Hartner, Willy. 'Al-Battani'. *Dictionary of Scientific Biography*, 1:507-16.

Haskins, Charles Homer. 'The De arte venandi cum avibus of Frederick II'. *English Historical Review* 36 (1921): 334-55. Herdrukt in Haskins, *Studies in the History of Mediaeval Science*, pp. 299-326.

The Renaissance of the Twelfth Century. Cambridge, Mass.: Harvard University Press, 1927.

The Rise of the Universities. Providence: Brown University Press, 1923.

'Science at the Court of the Emperor Frederick II'. *American Historical Review* 27 (1922): 669-94. Herdrukt in Haskins, *Studies in the History of Mediaeval Science*, pp. 242-71.

Studies in the History of Mediaeval Science. Cambridge, Mass.: Harvard University Press, 1924.

Heath, Thomas L. *Aristarchos of Samos, The Ancient Copernicus: A History of Greek Astronomy to Aristarchos*. Oxford: Clarendon Press, 1913.

A History of Greek Mathematics, 2 dln. Oxford: Clarendon Press, 1921.

Helton, Tinsley, red. *The Renaissance: A Reconsideration of the Theories and Interpretations of the Age*. Madison: University of Wisconsin Press, 1961

Hesiodus. *The Poems of Hesiod*, vert. R.M. Frazer. Norman: University of Oklahoma Press, 1983.

Theogony and Works and Days, vert. met een inleiding en noten, M.L. West. Oxford: Oxford University Press, 1988.

Hildebrandt, M.M. *The External School in Carolingian Society*. Leiden: Brill, 1991.

Hillgarth, J.N. 'Isidore of Seville, St'. *Dictionary of the Middle Ages*, 6: 563-66.

Hippocrates, with an English Translation, vert. W.H.S. Jones, E.T. Withington en Paul Potter, 6 dln. Londen: Heinemann, 193-88.

Hissette, Roland. *Enquête sur les 219 articles condamnés à Paris le 7 mars 1277*. Philosophes médievaux, nr. 22. Louvain: Publications universitaires, 1977.

Hitti, Philip K. *History of the Arabs from the Earliest Times to the Present*, 7e druk. Londen: Macmillan, 1961.

Holmyad, E.J. *Alchemy*. Harmondsworth: Penguin, 1957.

Hopkins, Jasper. *A Companion to the Study of St. Anselm*. Minneapolis: University of Minnesota Press, 1972.

Hoskin, Michael, en Molland, A.G. 'Swineshead on Falling Bodies: An Example of Fourteenth-Century Physics'. *British Journal for the History of Science* 3 (1966): 150-82.

Hugh of St. Victor. *The Didascalicon of Hugh of St. Victor: A Medieval Guide to the Arts*, red. en vert. Jerome Taylor. New York: Columbia University Press, 1961.

Hyman, Arthur. 'Aristotle's "First Matter" and Avicenna's and Averroes' Corporeal Form'. In *Harry Austryn Wolfson Jubilee Volume*, 1:385-406. Jeruzalem: American Academy for Jewish Research, 1965.

Imbault-Huart, Marie-José. *La Médicine au moyen âge à travers les manuscrits de la Bibliothèque Nationale*. Parijs: Edition de la Porte Verte, 1983.

Iskandar, Albert Z. 'Hunayn the Translator; Hunayn the Physician'. *Dictionary of Scientific Biography*, 15: 234-39.

Jackson, Ralph. *Doctors and Diseases in the Roman Empire*. Norman, Oklahoma: University of Oklahoma Press, 1988.

Jacob, Margaret C. *The Cultural Meaning of the Scientific Revolution*. New York: Knopf, 1988.

Jaki, Stanley. Uneasy Genius: *The Life and Work of Pierre Duhem*. The Hague: Nijhoff, 1984.

Jolivet, Jean. 'The Arabic Inheritance'. In Dronke, Peter, red., *A History of Twelfth-Century Western Philosophy*, pp. 113-48. Cambridge: Cambridge University Press, 1988.

Jones, Charles W. 'Bede'. *Dictionary of the Middle Ages*, 2: 153-56.

Jones, Peter M. *Medieval Medical Miniatures*. Londen: The British Library in samenwerking met het Wellcome Institute for the History of Medicine, 1984.

Kahn, Charles H. *Anaximander and the Origins of Greek Cosmology*. New York: Columbia University Press, 1960.

Kaiser, Christopher. *Creation and the History of Science*. Grand Rapids: Eerdmans, 1991.

Kari-Niazov, T.N. 'Ulugh Beg'. *Dictionary of Scientific Biography*, 13:535-37.

Kealy, Edward J. 'England's Earliest Women Doctors'. *Journal of the History of Medicine* 40 (1985): 473-77.
     Medieval Medicus: A Social History of Anglo-Norman Medicine. Baltimore: Johns Hopkins University Press, 1981.

Kennedy, E.S. 'The Arabic Heritage in the Exact Sciences'. *Al-Abbath: A Quarterly Journal for Arab Studies* 23 (1970): 327-44.
     'The Exact Sciences'. In *The Cambridge History of Iran*, dl. 4: *The Period from the Arab Invasion to the Saljuqs*, red. R.N. Frye, pp. 378-95. Cambridge: Cambridge University Press, 1975.
     'The History of Trigonometry: An Overview'. In *Historical Topics for the Mathematics Classroom*. Washington, D.C.: National Council of Teachers of Mathematics, 1969. Herdrukt in Kennedy, E.S., et al., *Studies in the Islamic Exact Sciences*, pp. 3-29.

Kennedy, E.S., met collega's en vroegere studenten. *Studies in the Exact Islamic Sciences*. Beirut: American University of Beirut, 1983.

Kibre, Pearl. "'Astronomia' or 'Astrologia Ypocrates'". In Hilfstein, Erna; Czartoryski, Pawel; en Grande, Frank D., red., *Science and History: Studies in Honor of Edward Rosen*, pp. 133-56. Studia Copernicana, nr. 16. Wroclaw: Ossolineum, 1978.

'The Quadrivium in the Thirteenth Century Universities (with Special Reference to Paris)'. In *Arts libéraux et philosophie au moyen âge: Actes du quatrième congrès international de philosophie médiéval, Université de Montréal, 27 août – 2 septembre 1967*, pp. 175-91. Montreal: Institut d'études médiévales. 1969.

Scholarly Privileges in the Middle Ages. Cambridge, Mass.: Mediaeval Academy of America, 1962.

Studies in Medieval Science: Alchemy, Astrology, Mathematics and Medicine. Londen: Hambledon Press, 1984.

Kibre, Pearl, en Siraisi, Nancy G. 'The Institutional Setting: The Universities'. In Lindberg, David C., red., *Science in the Middle Ages*, pp. 120-44. Chicago: University of Chicago Press, 1978.

Kieckhefer, Richard. *Magic in the Middle Ages*. Cambridge: Cambridge University Press, 1990.

King, David A. *Islamic Astronomical Instruments*. Londen: Variorum, 1987.

Islamic Mathematical Astronomy. Londen: Variorum, 1986.

Kirk, G.S., en Raven, J.E. *The Presocratic Philosophers: A Critical History with a Selection of Texts*. Cambridge: Cambridge University Press, 1960.

Knorr, Wilbur. 'Archimedes and the Pseudo-Euclidean Catoptrics: Early Stages in the Ancient Geometric Theory of Mirrors'. *Archives internationales d'histoire des sciences* 35 (1985): 28-105.

The Evolution of the Euclidean Elements: A Study of the Theory of Incommensurable Magnitudes and Its Significance for Early Greek Geometry. Dordrecht: D. Reidel, 1975.

'John of Tynemouth alias John of London: Emerging Portrait of a Singular Medieval Mathematician'. *British Journal for the History of Science* 23 (1990): 293-330.

Knowles, David. *The Evolution of Medieval Thought*. New York: Vintage, 1964.

Kogan, Barry S. *Averroes and the Metaphysics of Causation*. Albany: State University of New York Press, 1985.

Kovach, Francis J., en Shahan, Robert W., red. *Albert the Great: Commemorative Essays*. Norman: Universtiry of Oklahoma Press, 1980.

Koyré, Alexandre. *The Astronomical Revolution: Copernicus, Kepler, Borelli*, vert. R.E.W. Maddison. Parijs: Hermann, 1973.

From the Closed World to the Infinite Universe. Baltimore: Johns Hopkins University Press, 1957.

Galileo Studies, vert. John Mepham. Atlantic Highlands, N.J.: Humanities Press, 1978.

Metaphysics and Measurement: Essays in the Scientific Revolution. Londen: Chapman & Hall, 1968.

'The Origins of Modern Science: A New Interpretation'. *Diogenes* 16 (Winter 1956): 1-22.

Kren, Caludia. *Alchemy in Europe: A Guide to Research*. New York: Garland, 1990.

'Astronomy'. In Wagner, David L., red. *The Seven Liberal Arts in the Middle Ages*, pp. 218-47. Bloomington: Indiana University Press, 1983.

'Bernard of Verdun'. *Dictionary of Scientific Biography*, 2: 23-24.

'Homocentric Astronomy in the Latin West: The De reprobatione ecentricorum et epiclorum of Henry of Hesse'. *Isis* 59 (1968): 269-81.

Medieval Science and Technology: A Selected, Annotated Bibliography. New York: Garland, 1985.

Kretzman, Norman, red. *Infinity and Continuity in Ancient and Medieval Thought.* Ithaca: Cornell University Press, 1982.

Kristeller, Paul Oskar. 'The School of Salerno: Its Development and Its Contribution to the History of Learning'. *Bulletin of the History of Medicine* 17 (1945): 138-94.

Kudlien, Fridolf. 'Early Greek Primitive Medicine'. *Clio medica* 3 (1968): 305-36.

Kudlien, Fridolf, en Durling, Richard J., red. *Galen's Method of Healing.* Leiden: Brill, 1991.

Kuhn, Thomas S. *The Copernican Revolution: Planetary Astronomy in the Development of Western Thought.* Cambridge: Harvard University Press, 1957.

'Mathematical versus Experimental Traditions in the Development of Physical Science'. *Journal of Interdisciplinary History* 7 (1976): 1-31. Herdrukt in Kuhn, *The Essential Tension: Selected Studies in Scientific Tradition and Change*, pp. 31-65. Chicago: University of Chicago Press, 1977.

The Structure of Scientific Revolutions. Chicago: University of Chicago Press, 1962.

Laistner, M.L.W. *Christianity and Pagan Culture in the Later Roman Empire.* Ithaca: Cornell University Press, 1951.

Thought and Letters in Western Europe, A.D. 500-900, nieuwe uitgave. Londen: Methuen, 1957.

Lattin, Harriet Pratt, red. en vert. *The Letters of Gerbert with His Papal Privileges as Sylvester II.* New York: Columbia University Press, 1961.

Lear, Jonathan. Aristotle: *The Desire to Understand.* Cambridge: Cambridge University Press, 1988.

Leclerc, Ivor. *The Nature of Physical Existence.* Londen: George Allen & Unwin, 1972.

Leclerc, Lucien. *Histoire de la médecine arabe*, 2 dln. Parijs: Ernest Leroux, 1876.

Leclercq, Jean, O.S.B. *The Love of Learning and the Desire for God: A Study of Monastic Culture*, vert. Catherine Misrahi. New York: Fordham University Press, 1961.

'The Renewal of Theology'. In Benson, Robert L., en Constable, Giles, red. *Renaissance and Renewal in the Twelfth Century*, pp. 68-87. Cambridge, Mass.: Harvard University Press, 1982.

Lejeune, ALbert. *Euclide et Ptolémée: Deux Stades de l'optique géométrique grecque.* Louvain: Bibliothèque de l'Université, 1948.

Recherches sur la catoprique grecque. Brussel: Palais des Académies, 1957.

Lemay, Richard. *Abu Ma'shar and Latin Aristotelianism in the Twelfth Century: The Recovery of Aristotle's Natural Philosophy through Arabic Astrology.* Beirut: American University of Beirut, 1962.

'Gerard of Cremona'. *Dictionary of Scientific Biography*, 15: 173-92.

'The True Place of Astrology in Medieval Science and Philosophy'. In Curry, Patrick, red., *Astrology, Science, and Society: Historical Essays*, pp. 57-73. Woodbridge, Suffolk: Boydell, 1987.

Lévy-Bruhl, Lucien. *How Natives Think*, vert. Lilian A. Clare. Londen: George Allen & Unwin, 1926.

Lewis, Bernard, red. *Islam and the Arab World: Faith, People, Culture.* New York: Knopf, 1976.

Lewis, C.S. *The Discarded Image: An Introduction to Medieval and Renaissance Literature*. Cambridge: Cambridge University Press, 1964.

Lewis, Christopher. *The Merton Tradition and Kinematics in Late Sixteenth and Early Seventeenth Century Italy*. Padua: Antenore, 1980.

Liebeschütz, H. 'Boethius and the Legacy of Antiquity'. In Armstrong, A.H., red. *The Cambridge History of Later Greek and Early Medieval Philosophy*, pp. 538-64. Cambridge: Cambridge University Press, 1970.

Lindberg, David C. 'Alhazen's Theory of Vision and Its Reception in the West'. *Isis*, 58 (1967): 321-41.

    'Conceptions of the Scientific Revolution from Bacon to Butterfield: A Preliminary Sketch'. In Lindberg en Westman, *Reappraisals of the Scientific Revolution*, pp. 1-26.

    'Continuity and Discontinuity in the History of Optics: Kepler and the Medieval Tradition'. *History and Technology* 4 (1987): 423-40.

    'The Genesis of Kepler's Theory of Light: Light Metaphysics from Plotinus to Kepler'. *Osiris* 2 (1986): 5-42.

    red. en vert. *John Pecham and the Science of Optics: 'Perspectiva cummunis,' edited with an Introduction, English Translation, and Critical Notes*. Madison: University of Wisconsin Press, 1970.

    'Laying the Foundations of Geometrical Optics: Maurolico, Kepler, and the Medieval Tradition'. In Lindberg, David C, en Cantor, Geoffry, *The Discourse of Light from the Middle Ages to the Enlightenment*, pp. 1-65. Los Angeles: William Andrews Clark Memorial Library, 1985.

    'On the Applicability of Mathematics to Nature: Roger Bacon and His Predecessors'. *British Journal for the History of Science* 15 (198 2): 3-25.

    'Optics, Western European'. *Dictionary of the Middle Ages*, 9: 247-53.

    'A Reconsideration of Roger Bacon's Theory of Pinole Images'. *Archive for History of Exact Sciences* 6 (1970): 214-23.

    'Roger Bacon and the Origins of Perspectiva in the West'. In Grant, Edward, en Murdoch, John E., red., *Mathematics and Its Applications to Science and Natural Philosophy in the Middle Ages: Essays in Honor of Marshall Clagett*, pp. 249-68. Cambridge; Cambridge University Press, 1987.

    red. en vert. *Roger Bacon's Philosophy of Nature: A Critical Edition, with English Translation, Introduction, and Notes, of 'De multiplicatione specierum' en 'De speculis comberentibus'*. Oxford: Clarendon Press, 1983.

    'Science and the Early Church'. In Lindberg en Numbers, *God and Nature: Historical Essays on the Encounter between Christianity and Science*, pp. 19-48.

    'Science as Handmaiden: Roger Bacon and the Patristic Tradition'. *Isis* 78 (1987): 518-36.

    Red. *Science in the Middle Ages*. Chicago: University of Chicago Press, 1978.

    'The Science of Optics'. In Lindberg, *Science in the Middle Ages*, pp. 338-68.

    Studies in the History of Medieval Optics. Londen: Variorum, 1983.

    Theories of Vision from al-Kindi to Kepler. Chicago: University of Chicago Press, 1976.

    'The Theory of Pinhole Images in the Fourteenth Century'. *Archive for History of Exact Sciences* 6 (1970): 299-325.

    'The Transmission of Greek and Arabic Learning to the West'. In Lindberg, *Science in the Middle Ages*, pp. 52-90.

Linberg, David C., en Numbers, Ronald L., red. *God and Nature: Historical Essays on the Encounter between Christianity and Science*. Berkeley en Los Angeles: University of California Press, 1986.

Lindgren, Uta. *Gerbert von Aurillac und das Quadrivium: Untersuchungen zur Bildung im Zeitalter der Ottonen*. Sudhoffs Archiv: Zeitschrift für Wissenschaftsgeschichte, Beiheft 18. Wiesbaden: Franz Steiner, 1976.

Lipton, Joshua D. 'The Rational Evolution of Astrology in the Period of Arabo-Latin Translation, ca. 1126-1187 A.D'. Ph.D. dissertation, University of California at Los Angeles, 1978.

Little, A.G., red. *Roger Bacon Essays*. Oxford: Clarendon Press, 1914.

Livesey, Steven J. *Theology and Science in the Fourteenth Century: Three Questions on the Unity and Subalternation of the Sciences from John Reading's Commentary on the Sentences*. Studien und Texte zur Geistesgeschichte des Mittelalters, dl. 25. Leiden: Brill, 1989.

Lloyd, G.E.R. *Aristotle: The Growth and Structure of His Thought*. Cambridge: Cambridge University Press, 1968.

 Demystifying Mentalities. Cambridge: Cambridge University Press, 1990.

 Early Greek Science: Thales to Aristotle. Londen: Chatto & Windus, 1970.

 Greek Science after Aristotle. Londen: Chatto & Windus, 1973.

 red. *Hippocratic Writings*. Harmondsworth: Penguin, 1978.

 Magic, Reason and Experience: Studies in the Origins and Practice of Greek Science. Cambridge: Cambridge University Press, 1979.

 The Revolutions of Wisdom: Studies in the Claims and Practice of Ancient Greek Science. Berkeley and Los Angeles: University of California Press, 1987.

 'Saving the Appearances'. *Classical Quarterly* 28 (1978): 202-22.

Locher, A. 'The Structure of Pliny the Elder's Natural History'. In French, Roger, en Greenaway, Frank, red., *Science in the Early Roman Empire*, pp. 20-29. Totawa. N.J.: Barnes & Noble, 1986.

Long, A.A. 'Astrology: Arguments Pro and Contra'. In Barnes, Jonathan; Brunschwig, Jacques; Burnyeat, Myles; en Schofield, Malcolm, red., *Science and Speculation: Studies in Hellenistic Theory and Practice*, pp. 165-92. Cambridge: Cambridge University Press, 1982.

 Hellenistic Philosophy: Stoics, Epicureans, Sceptics, 2de druk. Londen: Duckworth, 1974.

 'The Stoics on World-Conflagration and Everlasting Recurrence'. In Epp, Ronald H., red., *Recovering the Stoics*, pp. 13-37. Supplement to *The Southern Journal of Philosophy*, dl. 23. Memphis: Department of Philosophy, Memphis State University, 1985.

Long, A.A., en Sedley, D.N. *The Hellenistic Philosophers*, 2 dln. Cambridge: Cambridge University Press, 1987.

Longrigg, James. 'Anatomy in Alexandria in the Third Century B.C'. *British Journal for the History of Science* 21 (1988): 445-88.

 'Erasistratus'. *Dictionary of Scientific Biography*, 4:382-86.

 'Presocratic Philosophy and Hippocratic Medicine'. *History of Science* 27 (1989): 1-39.

 'Superlative Achievement and Comparative Neglect: Alexandrian Medical Science and Modern Historical Research'. *History of Science* 19 (1981): 155-200.

Lones, Thomas E. *Aristotle's Researches in Natural Science*. Londen: West, Newman, 1912.

Lucretius. *De rerum natura*, vert. W.H.D. Rouse and M.F. Smith, herziene 2de druk. Londen: Heinemann, 1982.

Luscombe, David E. *Peter Abelard*. Londen: Historical Association, 1979.

'Peter Abelard'. In Dronke, Peter, red., *A History of Twelfth-Century Western Philosophy*, pp. 279-307. Cambridge: Cambridge University Press, 1988.

Lutz, Cora E. *Schoolmasters of the Tenth Century*. Hamden, Conn.: Archon, 1977.

Lynch, John Patrick. *Aristotle's School: A Study of a Greek Educational Institution*. Berkeley and Los Angeles: University of California Press, 1972.

Lytle, Guy Fitch. 'The Careers of Oxford Students in the Later Middle Ages'. In Kittelson , James M., en Transue, Pamela J., red., *Rebirth, Reform and Resilence: University in Transition 1300-1700*, pp. 213-53. Columbus: Ohio State University Press, 1984.

'Patronage Patterns and Oxford Colleges, c. 1300-c. 1530'. In Stone, Lawrence, red., *The University in Society*, 1: 111-49, Princeton: Princeton University Press, 1974.

MacKinney, Loren C. *Early Medieval Medicine, with Special Reference to France and Chartres*. Baltimore: Johns Hopkins University Press, 1937.

Medical Illustrations in Medieval Manuscripts. Londen: Wellcome Historical Medical Library, 1965.

Macrobius. *Commentary on the Dream of Scipio*, vert. met inleiding en noten door William Stahl. New York: Columbia University Press, 1952.

Mahoney, Michael S. 'Another Look at Greeks Geometrical Analysis'. *Archive for History of Exact Sciences* 5 (1968):318-48.

'Mathematics'. In Lindberg, David C., red., *Science in the Middle Ages*, 145-78. Chicago: University of CHicago Press, 1978.

Maier, Anneliese. 'The Achivements of Late Scholastic Natural Philosophy'. In Maier, *On the Threshold of Exact Science*, pp. 143-70.

An der Grenze von Scholastik und Naturwissenschaft, 2de druk. Rome: Edizioni di Storia e Letteratura, 1952.

Ausgehendes Mittelalter: Gesammelte Aufsätze zur Geistesgeschichte des 14. Jahrhunderts, 3 dln. Rome: Edizioni di Storia e Letteratura, 1964-77.

'Die naturphilosophische Bedeutung der scholastischen Impetustheorie'. *Scholastik* 30 (1955): 321-43. Vertaald als: The Significance of the Theory of Impetus for Scholastic Natural Philosophy', in Maier, *On the Threshold of Exact Science*, pp. 76-102.

Die Vorläufer Galileis im 14. Jahrhundert, 2de druk. Rome: Edizioni di Storia e Letteratura, 1966.

Metaphysische Hintergründe der spätscholastische Naturphilosophie. Edizioni die Storia Letteratura, 1955.

On the Threshold of Exact Science: Selected Writings of Anneliese Maier on Late Medieval Natural Philosophy, vert. Steven D. Sargent. Philadelphia: University of Pennsylvania Press, 1982.

'The Theory of the Elements and the Problem of their Participation in Compunds'. In Maier, *On the Threshold of Exact Science*, pp. 124-42.

Zwischen Philosophie und Mechanik. Rome: Edizioni di Storia e Letteratura, 1958.

Maierù, A., en Paravicini Baglinani, A., red. *Studi sul XVI secolo in memoria di Anneliese Maier*. Storia e Letteratura, Raccolta di studi e testi, no. 151. Rome: Edizioni di Storia e Letteratura, 1981.

Majno, Guido. *The Healing Hand: Man and Wound in the Ancient World*. Cambridge, Mass.: Harvard University Press, 1975.

Makdisi, George. *The Rise of Colleges: Institutions of Learning in Islam and the West*. Edinburgh University Press, 1981.

Malinowski, Bronislaw. *Myth in Primitive Psychology*. New York: W.W. Norton, 1926.

Marenbon, John. *Early Medieval Philosophy (480-1150): An Introduction*. Londen: Routledge & Kegan Paul, 1983.

    From the Cricle of Alcuin to the School of Auxerre: Logic, Theology and Philosophy in the Early Middle Ages. Cambridge: Cambridge University Press, 1981.

Marrou, H.I. *A History of Education in Antiquity*, vert. George Lamb. New York: Sheed and Ward, 1956.

Martin, R.N.D. 'The Genesis of a Medieval Historian: Pierre Duhem and the Origins of Statics'. *Annals of Science* 33 (1976): 119-29.

McCluskey, Stephen C. 'Gregory of Tours, Monastic Timekeeping, and Early Christian Attitudes to Astronomy'. *Isis 81* (1990): 9-22.

McColley, Grant. 'The Theory of the Diurnal Rotation of the Earth'. *Isis* 26 (1937): 392-401.

McDiarmid, J.B. 'Theophrastus'. *Dictionary of Scientific Biography*, 13:328-34.

McEvoy, James. *The Philosophy of Robert Grosseteste*. Oxford: Clarendon Press, 1982.

McInerny, Ralph. *St. Thomas Aquinas*. Notre Dame, Ind.: University of Notre Dame Press, 1982.

McKitterick, Rosamond. *The Carolingians and the Written World*. Cambridge: Cambridge University Press, 1989.

McMullin, Ernan, red. *The Concept of Matter in Greek and Medieval Philosophy*. Notre Dame, Ind.: University of Notre Dame Press, 1963.

    'Conceptions of Science in the Scientific Revolution'. In Lindberg, David C., en Westman, Robert S., red., *Reappraisals of the Scientific Revolution*, pp. 27-86. Cambridge: Cambridge University Press, 1990.

    'Medieval and Modern Science: Continuity or Discontinuity?' *International Philosophical Quarterly* 5 (1965): 103-29.

McVaugh, Michael. 'Arnald of Villanova and Bradwardine's Law'. *Isis* 58 (1967): 56-64.

    red. *Arnald de Villanova, Opera medica omnia*, dl. 2: Aphorismi de gradibus. Granada: Seminarium historiae medicae Granatensis, 1975.

    'Constantin the Africa'. *Dictionary of Scientific Biography*, 3:393-95.

    'The Experimenta of Arnald of Villanova'. *Journal of Medieval and Renaissance Studies* 1 (1971): 107-18.

    'The Nature and Limits of Medical Certitude'. *Osiris*, 6 (1990): 62-84.

    'Theriac at Montpellier'. Sudhoffs Archiv: *Zeitschrift für Wissenschaftgeschichte* 56 (1972): 113-44.

    'Medicine, History of'. *Dictionary of the Middle Ages*, 8: 247-54.

    'Quantified Medical Theory and Practice at Fourteenth-Century Montpellier'. *Bulletin of the History of Medicine* 43 (1969):397-413.

Melling, David J. *Understanding Plato*. Oxford: Oxford University Press, 1987.

Merton, Robert K. Science, *Technology and Society in Seventeenth Century England*. Oorspronkelijk gepubliceerd in *Osiris* 4 (1938):360-632. Heruitgegeven, met een nieuwe inleiding, New York: Harper en Row, 1970.

Meyerhof, Max. 'Science and Medicine'. In Arnold, Thomas, en Guillaume, Alfred, red., *The Legacy of Islam*, pp. 311-55. Londen: Oxford University Press, 1931.

    Studies in Medieval Arabic Medicine: Theory and Practice, red. Penelope Johnstone. Londen: Variorum, 1984.

Millas-Vallicrosa, J.M. 'Translations of Oriental Scientific Works'. In Métraux, Guy S., en Crouzet, François, red., *The Evolution of Science*, pp. 128-67. New York: Mentor, 1963.

Miller, Timothy S. *The Birth of the Hospital in the Byzantine Empire*. Baltimore: Johns Hopkins University Press, 1985.

'The Knights of Saint John and the Hospitals of the Latin West'. *Speculum* 53 (1978): 709-33.

Minio-Palluello, Lorenzo. 'Boethius, Anicius Manlius Severinus'. *Dictionary of Scientific Biography*, 2: 228-36.

'Michael Scott'. *Dictionary of Scientific Biography*, 9:361-65.

'Moerbeke, William of'. *Dictionary of Scientific Biography*, 9:434-40.

Mohr, Richard D. *The Platonic Cosmology*. Leiden: Brill, 1985.

Moline, Jon. *Plato's Theory of Understanding*. Madison: University of Wisconsin Press, 1981.

Molland, A.G. 'Aristotelian Holism and Medieval Mathematical Physics'. In Caroti, Stefano, red., *Studies in Medieval Natural Philosophy*, pp. 227-35. Florence: Olschki, 1989.

'Continuity and Measure in Medieval Natural Philosophy'. *Miscellanea Medaevalia* 16 (1983): 113-75.

'An Examinations of Bradwardine's Geometry'. *Archive for History of Exact Sciences* 19 (1978): 113-75.

'The Geometrical Background to the "Merton School"'. *British Journal for the History of Science* 4 (1968-69): 108-25.

'Nicole Oresme and Scientific Progress'. *Miscellanea Mediaevalia* 9 (1974): 206-20.

Moody, Ernest A. 'Galileo and Avempace: The Dynamics of the Leaning Tower Experiment'. *Journal of the History of Ideas* 12 (1951): 163-93, 375-522.

Studies in Medieval Philosophy, Science, and Logic: Collected Papers 1933-1969. Berkeley and Los Angeles: University of California Press, 1975.

Moody, Ernest A., en Clagett, Marshall, red. en vert. *The Medieval Science of Weights*. Madison: University of Wisconsin Press, 1960.

Morris, Colin. *The Discovery of the Individual, 1050-1200*. New York: Harper and Row, 1972.

Multhauf, Robert P. *The Origins of Chemistry*. New York: Franklin Watts, 1967.

Murdoch, John E. *Album of Science: Antiquity and the Middle Ages*. New York: Scribner's, 1984.

'The Development of a Critical Temper: New Approaches and Modes of Analysis in Fourteenth-Century Philosphy, Science, and Theology'. *Medieval and Renaissance Studies* 7 (1978): 51-79.

'From Social to Intellectual Factors: An Aspect of the Unitary Character of Late Medieval Learning'. In Murdoch en Sylla, red., *The Cultural Context of Medieval Learning*, pp. 271-384.

'Mathesis in philosophiam scholasticam introducta: The Rise and Development of the Application of Mathematics in Fourteenth Century Philosophy and Theology'. In *Arts libéraux et philosophie au moyen âge: Actes du quatrième congrès international de philosophie médiévale, Université de Montréal, 27 août - 2 septembre 1967*, pp. 215-54. Montreal: Institut d'études médiévales, 1969.

'Philosophy and the Enterprise of Science in the Later Middle Ages'. In Elkana, Yehuda, red., *The Interaction between Science and Philosophy*, pp. 51-74. Atlantic Highlands, N.J.: Humanities Press, 1974.

Murdoch, John E., en Sylla, Edith D. 'Anneliese Maier and the History of Medieval Science'. In Maierù, A., en Paravicini Bagliani, A., red., *Studi sul XIV secolo in memoria de Anneliese Maier*, pp. 7-13. Storia e letteratura: Raccolta di studi e testi, nr, 151. Rome: Edizioni Storia e Letteratura, 1981.

red. *The Cultural Context of Medieval Learning*. Boston Studies in the Philosophy of Science, nr. 26. Dordrecht: D. Reidel, 1975.

'The Science of Motion'. In Lindberg, David C., red., *Science in the Middle Ages*, pp. 206-64. Chicago: University of Chicago Press, 1978.

'Swinehead, Richard'. *Dictionary of Scientific Biography*, 13: 184-213.

Murray, Alexander. *Reason and Society in the Middle Ages*. Oxford: Clarendon Press, 1978.

Nakosteen, Mehdi. *History of Islamic Origins of Western Education, A.D. 800-1359, with an Introduction to Medieval Muslim Education*. Boulder: University of Colorado Press, 1964.

Nasr, Seyyed Hossein. *An Introduction to Islamic Cosmological Doctrines*. Cambridge, Mass.: Belknap Press of Harvard University Press, 1964.

Science and Civilization in Islam. Cambridge, Mass.: Harvard University Press, 1968.

Neugebauer, Otto. 'Apollonius' Planetary Theory'. *Communications on Pure and Applied Mathematics* 8 (1955):641-48.

Astronomy and History: Selected Essays. New York: Springer, 1983.

The Exact Sciences in Antiquity. Princeton: Princeton University Press, 1952.

A History of Ancient Mathematical Astronomy, 3 dln. New York: Springer, 1975.

'On the Allegedly Heliocentric Theory of Venus by Heraclides Ponticus'. *American Journal of Philology* 93 (1972):600-601.

'On the "Hippopede" of Eudoxus'. *Scripta Mathematica* 19 (1953): 225-29.

Neugebauer, Otto, en Sachs, A., red. *Mathematical Cuneiform Texts*. American Oriental Series 29. New Haven: American Oriental Society, 1945.

Newman, William R. 'The Genesis of the Summa perfectionis'. *Archives internationales d'histoire des sciences* 35 (1985): 240-302.

The 'Summa perfectionis' of Pseudo-Geber: A Critical Edition, Translation and Study. Leiden: Brill, 1991.

'Technology and Chemical Debate in the Late Middle Ages'. *Isis* 80 (1989): 423-45.

North, J.D. 'The Alphonsine Tables in England'. In North, J.D., *Stars, Minds and Fate*, pp. 327-59.

'The Astrolabe'. *Scientific American* 230, nr. 1 (januari 1974): 96-106.

'Astrology and the Fortunes of Churches'. *Centaurus* 24 (1980): 181-211.

'Celestial Influence – The Major Premiss of Astrology'. In Zambelli, P., red., *Astrologi hallucinati*, pp. 45-100. Berlin: Walter de Gruyter, 1986.

Chaucer's Universe. Oxford: Clarendon Press, 1988.

red. en vert. *Richard of Wallingford, An Edition of His Writings with Introductions, English Translation and Commentary*, 3 dln. Oxford: Clarendon Press, 1976.

Stars, Minds and Fate: Essays in Ancient and Medieval Cosmology. Londen: Hambledon, 1989.

The Universal Frame: Historical Essays in Astronomy, Natural Philosophy and Scientific Method. Londen: Hambledon, 1989.

Numbers, Ronald L., en Amundsen, Darrel W., red. *Caring and Curing: Health and Medicine in the Western Religious Traditions*. New York: MacMillan, 1986.

Nussbaum, Martha Craven. *Aristotle's 'De motu animalium': Text with Translation, Commentary, and Interpretative Essays*. Princeton: Princeton University Press, 1978.

Nutton, Vivian. 'The Chronology of Galen's Early Career'. *Classical Quarterly* 23 (1973): 158-71.

    From Democedes to Harvey: Studies in the History of Medicine. Londen: Variorum, 1988.

    'Galen in the Eyes of His Contemporaries.' *Bulletin of the History of Medicine* 58 (1984): 315-24.

Oakley, Francis. *Omnipotence, Covenant, and Order: An Excursion in the History of Ideas from Abelard to Leibniz*. Ithaca: Cornell University Press, 1984.

O'Donnell, James J. *Cassiosorus*. Berkeley and Los Angeles: University of California Press, 1979.

Oggins, Robin S. 'Albertus Magnus on Falcons and Hawks'. In Weisheipl, James A., red., *Albertus Magnus and the Sciences: Commemorative Essays 1980*, pp. 441-62. Toronto: Pontifical Institute of Medieval Studies, 1980.

O'Leary, De Lacy. *How Greeks Science Passed to the Arabs*. Londen: Routledge & Kegan Paul, 1949.

Olson, Richard. *Science Deified and Science Defied: The Historical Significance of Science in Western Culture from the Bronze Age to the Beginnings of the Modern Era ca. 3500 B.C. to ca. 1640*. Berkeley en Los Angeles: Universtiy of California Press, 1982.

O'Meara, Dominic J. *Pythagoras Revived: Mathematics and Philosophy in Late Antiquity*. Oxford: Clarendon Press, 1989.

O'Meara, John J. *Erugiena*. Oxford: Clarendon Press, 1988.

Oresme, Nicolaas van. *'De proportionibus porportionum' and 'Ad pauca respicientes'*, red. en vert. Edward Grant. Madison: University of Wisonsin Press, 1966.

    Le livre du ciel et du monde, red. en vert. A.D. Menut en A.J. Denomy. Madison: University of Wisconsin Press, 1968.

Orme, Nicholas. *English Schools of the Middle Ages*. Londen: Methuen, 1973.

Overfield, James H. 'University Studies and the Clergy in Pre-Reformation Germany'. In Kittelson, James M., en Transue, Pamela J., red., *Rebirth, Reform and Resilience: Universities in Transition 1300-1700*, pp. 254-92. Columbus: Ohio State University Press, 1984.

Owen, G.E.L. *Logic, Science and Dialectic: Collected Papers in Greek Philosophy*, red. Martha Nussbaum. Ithaca: Cornell University Press, 1986.

Parent, J.M. *La doctrine de la création dans l'école de Chartres*. Parijs: J. Vrin, 1938.

Park, Katharine. 'Albert's Influence on Medieval Psychology'. In Weisheipl, James A., red., *Albertus Magnus and the Sciences: Commemorative Essays 1980*, pp. 50 1-35. Toronto: Pontifical Institute of Medieval Studies, 1980.

    Doctors and Medicine in Early Renaissance Florence. Princeton: Princeton University Press, 1985.

Parker, Richard. 'Egyptian Astronomy, Astrology, and Calendrical Reckoning'. *Dictionary of Scientific Biography*, 15:706-7.

Pedersen, Olaf. 'Astrology'. *Dictionary of the Middle Ages*, 1:604-10.

    'Astronomy'. In Lindberg, David C., red., *Science in the Middle Ages*, pp. 303-36. Chicago: University of Chicago Press, 1978.

'The Corpus Astronomicum and the Traditions of Medieval Latin Astronomy: A Tentative Interpretation'. In *Astronomy of Copernicus and its Background*, pp. 57-96. *Colloquia Copernicana*, nr. 3; *Studia Copernicana*, nr. 13. Wroclaw: Ossolineum, 1975.

'The Development of Natural Philosophy 1250-1350'. *Classica et Medievalia* 14 (1953) 86-155.

'Some Astronomical Topics in Pliny'. In French, Roger en Greenaway, Frank, red., *Science in the Early Roman Empire: Pliny the Elder, His Sources and Influence*, hfst. 10. Totawa, N.J.: Barnes & Noble, 1986.

A Survey of the Almagest. Acta Historica Scientiarum Naturalium et Medicinalium, dl. 30. Odense: Odense University Press, 1974.

Pedersen, Olaf, en Pihl, Mogens. *Early Physics and Astronomy: A Historical Introduction*. New York: Science History Publications, 1974.

Pegis, Anton C. *St. Thomas and the Problem of the Soul in the Thirteenth Century*. Toronto: Pontifical Institute of Mediaeval Studies, 1934.

Pellegrin, Pierre. *Aristotle's Classification of Animals: Biology and the Conceptual Unity of the Aristotelian Corpus*, vert. Anthony Preus. Berkeley and Los Angeles: University of California Press, 1986.

Peters, F.E. *Allah's Commonwealth: A History of Islam in the Near East, 600-1100 A.D.* New York: Simon and Schuster, 1973.

Aristotle and the Arabs: The Aristotelian Tradition in Islam. New York: New York University Press, 1968.

The Harvest of Hellenism: A History of the Near East from Alexander the Great to the Triumph of Christianity. New York: Simon and Schuster, 1970.

Philips, E.D. *Greek Medicine*. Londen: Thames and Hudson, 1973.

Philiponus, John. *Against Aristotle on the Eternity of the World*, vert. Christian Wildberg. Ithaca: Cornell University Press, 1987.

Pingree, David. 'Abu Mashar al-Balkhi'. *Dictionary of Scientific Biography*, 1: 32-39.

'Hellenophilia versus the History of Science'. Manuscript of a paper delivered at Harvard University, 14 november 1990.

The Planispheric Astrolabe. Greenwich: National Maritime Museum, 1976.

Plato. *Plato, with an English Translation*, 10 dln. Londen: Loeb, 1914-29.

Plato's Cosmology: The 'Timaeus' of Plato, vert. met commentaar van Francis M. Cornford. Londen: Routledge & Kegan Paul, 1957.

Plato's Theory of Knowledge: The 'Theaetetus' and the 'Sophist' of Plato, vert. met commentaar van Francis M. Cornford. Londen: Routledge & Kegan Paul, 1935.

The 'Republic' of Plato, vert. Francis M. Cornford. Oxford: Oxford University Press, 1941.

Pliny the Elder. *Natural History*, vert. H. Rackham. 10 dln. Londen: Heinemann, 1938-62.

Pliny the Younger, *Letters*, met een Engelse vertaling van William Melmoth, herzien door W.M.L. Hutchinson, 2 dln. Londen: Heinemann, 1961.

Powell, Barry. *Homer and the Origin of the Greek Alphabet*. Cambridge: Cambridge University Press, 1991.

Preus, Anthony. *Science and Philosophy in Aristotle's Biological Works*. Hildesheim: Georg Olms, 1975.

Ptolemaeus, Claudius. *L'Optique de Claude Ptolémée*, red. en vert. Albert Lejeune. Leiden: Brill, 1989.

Ptolemy's Almagest, red. en vert. G.J. Toomer. New York: Springer, 1984.

Tetrabiblos, red. en vert. F.E. Robbins. Londen: Heinemann, 1948.

Quinn, John Francis. *The Historical Constitution of St. Bonaventura's Philosophy*. Toronto: Pontifical Institute of Mediaeval Studies, 1973.

Rahman, Fazlur. *Islam*, 2de druk. Chicago: University Press, 1979.

Randall, John Herman, Jr. *The School of Padua and the Emergence of Modern Science*. Padua: Antenore, 1961.

Ralph, Philip Lee. *The Renaissance in Perspective*. New York: St. Martin's Press, 1973.

Rashdall, Hastings. *The Universities of Europe in the Middle Ages*, red. F.M. Powicke en A.B. Emden, 3dln. Oxford: Clarendon Press, 1936.

Rather, L.J. 'The "Six Things Non-Natural": A Note on the Origins and Fate of a Doctrine and a Phrase'. *Clio Medica* 3 (1968): 337-347.

Rawson, Elizabeth. *Intellectual Life in the Late Roman Republic*. Baltimore: Johns Hopkins University Press, 1985.

Reeds, Karen. 'Albert on the Natural Philosophy of Plant Life'. In Weisheipl, James A., red., *Albertus Magnus and the Sciences: Commemorative Essays 1980*, pp. 341-54. Toronto: Pontifical Institute of Mediaeval Studies, 1980.

Reymond, Arnold. *History of the Sciences in Greco-Roman Antiquity*, vert. Ruth Gheury de Bray. Londen: Methuen, 1927.

Reynolds, Terry S. *Stronger than a Hundred Men: A History of the Vertical Water Wheel*. Baltimore: Johns Hopkins University Press, 1983.

Riché, Pierre. *Education and Culture in the Barbarian West, Sixth through Eight Centuries*, vert. John J. Contreni. Columbia, S.C.: University of South Carolina Press, 1976.

Riddle, John M. 'Dioscorides'. In Cranz, F. Edward, en Kristeller, Paul O., red., *Catalogus translationum te commentariorum: Mediaeval and Renaissance Latin Translations and Commentaries. Annotated Lists and Guides*, dl. 6, pp. 1-143. Washington D.C.: Catholic University of America Press, 1980.

Dioscorides on Pharmacy and Medicine. Austin: University of Texas Press, 1985.

'Theory and Practice in Medieval Medicine'. *Viator* 5 (1974): 157-70.

Rosen, Edward. 'Renaissance Science as Seen by Burckhardt and His Successors'. In Helton, Tinsley, red., *The Renaissance: A Reconsideration of the Theories and Interpretations of the Age*, pp. 77-103. Madison: University of Wisconsin Press, 1961.

Rosenfeld, B.A., en Grigorian, A.T. 'Thabit ibn Qurra'. *Dictionary of Scientific Biography*, 13: 288-95.

Rosenthal, Franz. 'The Physician in Medieval Muslim Society'. *Bulletin of the History of Medicine* 52 (1978): 475-91.

Ross, W.D. *Aristotle: A Complete Exposition of His Works and Thought*, 5de druk. Cleveland: Meridian, 1959.

Rothschuh, Karl E. *History of Physiology*, vert. Guenter B. Risse. Huntington, N.Y.: Krieger, 1973.

Russell, Bertrand. *A History of Western Philosophy*, 2de druk. Londen: George Allen & Unwin, 1961.

Russell, Jeffrey B. *Inventing the Flat Earth: Columbus and Modern Historians*. Westport, Conn.: Praeger, 1991.

Sabra, A.I. 'The Andalusian Revolt against Ptolemaic Astronomy: Averroes and al-Butruji'. In Mendelsohn, Everett, red., *Transformation and Tradition in the Sciences: Essays in*

Honor of I. Bernard Cohen, pp. 133-53. Cambridge: Cambridge University Press, 1984.

'The Appropriation and Subsequent Naturalization of Greek Science in Medieval Islam: A Preliminary Statement'. *History of Science* 25 (1987): 223-43.

'An Eleventh-Century Refutation of Ptolemy's Planetary Theory'. In Hilfstein, Erna; Czartoryski, Pawel; en Grande, Frank D., red., *Science and History: Studies in Honor of Edward Rosen*, pp. 117-31. Studia Copernicana, nr. 16. Wroclaw: Ossolineum, 1978.

'Al-Farghani'. *Dictionary of Scientific Biography*, 4: 541-45.

'Form in Ibn al-Haytham's Theory of Vision'. *Zeitschrift für Geschichte der arabisch-islamischen Wissenschaften* 5 (1989): 115-40.

'Ibn al-Haytham'. *Dictionary of Scientific Biography*, 6:189=210.

red. en vert. *The Optics of Ibn al-Haytham: Books I-III, On Direct Vision*, 2dln. Londen: Warburg Institute, 1989.

'Science, Islamic'. *Dictionary of the Middle Ages*, 11:81-88.

'The Scientific Enterprise'. In Lewis, Bernard, red., *Islam and the Arab World*, pp. 18 1-92. New York: Knopf, 1976.

Sacrobosco, John of. *The Sphere of Sacrobosco and Its Commentators*, red. en vert. Lynn Thorndike. Chicago: University of Chicago Press, 1949.

Sa'di, Lufti M. 'A Bio-Bibliographical Study of Hunayn ibn Ishaq al Ibadi (Johannitius)'. *Bulletin of the Institute of the History of Medicine* 2 (1934): 409-46.

Saffron, Morris Harold. *Maurus of Salerno: Twelfth-century 'Optimus Physicus' with his Commentary on the Prognostics of Hippocrates. Transactions of the American Philosophical Society*, dl. 62, 1. Philadelphia: American Philosophical Society, 1972.

Saliba, George. 'Astrology/Astronomy, Islamic'. *Dictionary of the Middle Ages*, 1:616-24.

'The Development of Astronomy in Medieval Islamic Society'. *Arab Studies Quarterly* 4 (1982): 211-25.

Sambursky, S. *The Physical World of Late Antiquity*. Londen: Routledge & Kegan Paul, 1962.

The Physical World of the Greeks, vert. Merton Dagut. Londen: Routledge & Kegan Paul, 1956.

Physics of the Stoics. Londen: Routledge & Kegan Paul, 1959.

Sandbach, F.H. *The Stoics*. Londen: Chatto & Windus, 1975.

Sarton, George. *Galen of Pergamon*. Lawrence, Kansas: University of Kansas Press, 1954.

Introduction to the History of Science, 3 dln. Washington, D.C.: Williams and Wilkins, 1927-48.

Sayili, Aydin. *The Observatory in Islam and Its Place in the General History of the Observatory*. Publications of the Turkish Historical Society, reeks 7, nr. 38. Ankara: Türk Tarih Kurumu Basimevi, 1960.

Scarborough, John. 'Classical Antiquity: Medicine and Allied Sciences, An Updat'. *Trends in History* 4, nrs. 2-3 (1988): 5-36.

red. *Folklore and Folk Medicines*. Madison, Wis.: American Institute of the History of Pharmacy, 1987.

'Galen Redivius: An Essay Review'. *Journal of the History of Medicine* 43 (1988): 313-21.

'The Galenic Question'. *Sudhoffs Archiv* 65 (1981): 1-31.

Roman Medicine. Ithaca: Cornell University Press, 1969.

Schmitt, Charles B. T*he Aristotelian Tradition and Renaissance Universities*. Londen: Variorum, 1984.

    Aristotle in the Renaissance. Cambridge, Mass.: Harvard University Press, 1983.

    Reappraisals in Renaissance Thought. Londen: Variorum, 1989.

    Studies in Renaissance Philosophy and Science. Londen: Variorum, 1981.

Seneca, Lucius Annaeus. *Physical Science in the Time of Nero: Being a Translation of the 'Quaestiones naturales' of Seneca*, vert. John Clarke, noten van Archibald Giekie. Londen: Macmillan, 1910.

Serene, Eileen. 'Demonstrative Science'. In Kretzman, Norman; Kenny, Anthony; en Pinborg, Jan, red., *The Cambridge History of Later Medieval Philosophy*, pp. 496-517. Cambridge: Cambridge University Press, 1982.

Shank, Michael H. *'Unless You Believe, You Shall Not Understand': Logic, University, and Society in Late Medieval Vienna*. Princeton: Princeton University Press, 1988.

Shapin, Steven, en Schaffer, Simon. *Leviathan and the Air-Pump: Hobbes, Boyle, and the Experimental Life*. Princeton: Princeton University Press, 1985.

Sharp, D.E. *Franciscan Philosophy at Oxford in the Thirteenth Century*. Oxford: Clarendon Press, 1930.

Sharpe, William D., red. en vert. *Isidore of Seville: The Medical Writings*. Transactions of the American Philosophical Society, dl. 54, 2. Philadelphia: American Philosophical Society, 1964.

Sigerist, Henry E. *A History of Medicine*, dl. 1: *Primitive and Archaic Medicine*; dl. 2: *Early Greek, Hindu, and Persian Medicine*. Oxford: Oxford University Press, 1951-61.

    'The Latin Medical Literature of the Early Middle Ages'. *Journal of the History of Medicine* 13 (1958): 127-46.

Singer, Charles. *A Short History of Anatomy and Physiology from the Greeks to Harvey*. New York: Dover, 1957.

Singleton, Charles S., red. *Art, Science, and History in the Renaissance*. Baltimore: Johns Hopkins University Press, 1968.

Siraisi, Nancy G. *Arts and Sciences at Padua: The Studium of Padua before 1350*. Toronto: Pontifical Institute of Mediaeval Studies, 1973.

    Avicenna in Renaissance Italy: The 'Canon' and Medical Teaching in Italian Universities after 1500. Princeton: Princeton University Press, 1987.

    'Introduction'. In William, Daniel, red., *The Black Death: The Impact of the Fourteenth-Century Plague*, pp. 9-22. Binghamton: Center for Medieval & Early Renaissance Studies, 1982.

    Medieval and Early Renaissance Medicine: An Introduction to Knowledge and Practice. Chicago: University of Chicago Press, 1990.

    Taddeo Alderotti and His Pupils: Two Generations of Italian Medical Learning. Princeton: Princeton University Press, 1981.

Smalley, Beryl. *The Study of the Bible in the Middle Ages*. Oxford: Basil Blackwell, 1952.

Smith, A. Mark. 'Getting the Big Picture Perspective Optics'. *Isis* 72 (1981): 568-89.

    'Prolemy's Search for a Law of Refraction: A Case-Study in the Classical Methodology of "Saving the Appearances" and Its Limitations'. *Archive for History of Exact Sciences* 26 (1982): 221-40.

    'Saving the Appearances of the Appearances: The Foundations of Classical Geometrical Optics'. *Archive for History of Exact Sciences* 24 (1981): 73-100.

Smith, Wesley D. The Hippocratic Tradition. Ithaca: Cornell University Press, 1979.

Solmsen, Friedrich. *Aristotle's System of the Physical World: A Comparison with His Predecessors*. Ithaca: Cornell University Press, 1960.

Hesiod and Aeschylus. Ithaca: Cornell University Press, 1949.

Plato's Theology. Ithaca: Cornell University Press, 1942.

Sorabji, Richard, red., *Aristotle Transformed: The Ancient Commentators and Their Influence*. Ithaca: Cornell University Press, 1990.

Matter, Space, and Motion: Theories in Antiquity and Their Sequel. Ithaca: Cornell University Press, 1988.

red., *Philoponus and the Rejection of Aristotelian Science*. Londen: Duckworth, 1987.

Necessity, Cause, and Blame: Perspectives on Aristotle's Theory. Ithaca: Cornell University Press, 1980.

Southern, Richard W. 'From Schools to University'. In Catto, J.I., red., *The Early Oxford Schools*, dl. 1 van *The History of the University of Oxford*, red. T.H. Aston, pp. 1-36. Oxford: Clarendon Press, 1984.

'Humanism and the School of Chartres'. In Southern, Richard W., *Medieval Humanism and Other Studies*, pp. 61-85. New York: Harper Torchbooks, 1970.

Robert Grosseteste: The Growth of an English Mind in Medieval Europe. Oxford: Clarendon Press, 1986.

Saint Anselm: A Portrait in a Landscape. Cambridge: Cambridge University Press, 1990.

'The Schools of Paris and the School of Chartres'. In Benson, Robert L., en Constable, Giles, red., *Renaissance and Renewal in the Twelfth Century*, pp. 113-37. Cambridge, Mass.: Harvard University Press, 1982.

Stahl, Willam H. 'Aristarchos of Samos'. *Dictionary of Scientific Biography*, 1: 246.

Roman Science: Origins, Development and Influence to the Later Middle Ages. Madison: University of Wisconsin Press, 1962.

Stahl, William H.; Johnson, Richard; en Burge, E.L. *Martianus Capella and the Seven Liberal Arts*, 2 dln. New York: Columbia University Press, 1971-77.

Stannard, Jerry. 'Albertus Magnus and Medieval Herbalism'. In Weisheipl, James A., red., *Albertus Magnus and the Sciences: Commemorative Essays*, 1980, pp. 355-77. Toronto: Pontifical Institute of Mediaeval Studies, 1980.

'Medieval Herbals and Their Development'. *Clio Medica* 9 (1974): 23-33.

'Natural History'. In Lindberg, David C., red., *Science in the Middle Ages: Henry of Langenstein (d. 1397) on Genesis*. Notre Dame, Ind.: University of Notre Dame Press, 1976.

Stevens, Wesley M. *Bede's Scientific Achievement*. Jarrow upon Tyne: Parish of Jarrow, 1986.

Stock, Brian. *The Implications of Literacy: Written Language and Models of Interpretation in the Eleventh and Twelf Centuries*. Princeton: Princeton University Press, 1983.

Myth and Science in the Twelfth Century: A Study of Bernard Sylvester. Princeton: Princeton University Press, 1983.

'Science, Technology, and Economic Progress'. In Lindberg, David C., red., *Science in the Middle Ages*, pp. 1-51. Chicago: University of Chicago Press, 1978.

Swerdlow, Noel M, en Neugebauer, Otto. *Mathematical Astronomy in Copernicus's De Revolutionibus*, 2 dln. New York: Springer, 1984.

Sylla, Edith Dudley. 'Componding Ratios: Bradwardine, Oresme, and the first Edition of Newton's Principa'. In Mendelsohn, Everett, red., *Transformation and Tradition in the Sciences: Essays in Honor of I. Bernard Cohen*, pp. 11-43. Cambridge: Cambridge University Press, 1984.

'Galileo and the Oxford Calculatores: Analytical Languages and the Mean-Speed Theorem for Accelerated Motion'. In Wallace, William A., red., *Reinterpreting Galileo*, pp. 53-108. Washington, D.C.: Casholic University of America Press, 1986.

'Medieval Concepts of the Latitude of Forms: The Oxford Calculators'. *Archives d'-histoire doctrinale et littéraire du moyen âge* 40 (1973): 225-83.

'Medieval Quantification of Qualities: The "Merton School"'. *Archive for History of Exact Sciences* 8 (1971): 9-39.

'Science for Undergraduates in Medieval Universities'. In Long, Pamelo O., red., *Sicence and Technology in Medieval Society*, pp. 171-86. Annals of the New York Academy of Sciences, 1985.

Symonds, John Addington. *Renaissance in Italy*, dl. 1: *The Age of the Despots*; dl. 2: *The Revival of Learning*. New York: Henry Holt, 1888.

Tachau, Katherine H. *Vision and Certitude in the Age of Ockham: Optics, Epistemology and the Foundations of Semantics, 1 250- 1345*. Leiden: Brill, 1988.

Talbot, Charles H. 'Medicine'. In Lindberg, David C., red., *Science in the Middle Ages*, pp. 391-428. Chicago: University of Chicago Press, 1978.

Medicine in Medieval England. Londen: Oldbourne, 1967.

Taylor, F. Sherwood. *The Alchemists*. New York: Henry Schumann, 1949.

Temkin, Owsei. *The Double Face of Janus and Other Essays in the History of Medicine*. Baltimore: Johns Hopkins University Press, 1977.

Galenism: Rise and Decline of a Medical Philosophy. Ithaca: Cornell University Press, 1973.

'Greek Medicine as Science and Craft'. *Isis* 44 (1953): 213-25.

'On Galen's Pneumatology'. *Gesnerus* 8 (195 1): 180-89.

Trester, Jim. *A History of Western Astrology*. Woordbridge, Suffolk: Boydell, 1987.

Thomas Aquinas, *Faith, Reason and Theology: Questions I-IV of His Commentary on the De Trinitate Boethius*, vert. Armand Mauer. Toronto: Pontifical Institute of Mediaeval Studies, 1987.

Summa Theologiae (Blackfriars Edition), dl. 10: *Cosmogony*, red. en vert. William A. Wallace. New York: McGraw-Hill, 1967.

Thomas Aquinas, Siger Brabant, en Bonaventura. *On the Eternity of The World*, vert. Cyril Vollert, Lottie H. Kendzierski, en Paul M. Byrne. Medieval Philosophical Texts in Translation, nr. 16. Milwaukee: Marquette University Press, 1964.

Thorndike, Lynn. *A History of Magic And Experimental Science*, 8 dln. New York: Columbia University Press, 1923-58.

Michael Scot. Londen: Nelson, 1965.

Science and Thought in the Fifteenth Century. New York: Columbia University Press, 1929.

University Records and Life in the Middle Ages. New York: Columbia University Press, 1944.

Toomer, G.J. 'Heraclitus Ponticus'. *Dictionary of Scientific Biography*, 15: 202-5.

'Hipparchos'. *Dictionary of Scientific Biography*, 15: 205-24.

'Mathematics and Astronomy'. In Harris, J.R., red., *The Legacy of Egypt*, 2de druk, pp. 27-54. Oxford: Clarendon Press, 1971.

'Ptolemy'. *Dictionary of Scientific Biography*, 11: 186-206.

'A Survey of the Toledan Tables'. *Osiris* 15 (1968): 1-174.

Toulmin, Stephen, en Goodfield, June. *The Fabrics of the Heavens: The Development of Astronomy and Dynamics*. New York: Harper, 1961.

Ullmann, Mabfred. 'Al-Kimiya'. *The Encyclopedia of Islam*, nieuwe druk, deel 5, 79-80, pp. 110-15.

Islamic Medicine, vert. Jean Watt. Edinburgh: Edinburgh University Press, 1978.

Unguru, Sabetai. 'History of Ancient Mathematics: Some Reflections on the State of the Art'. *Isis* 70 (1979): 555-65.

'On the Need to Rewrite History of Greek Mathematics'. *Archive for History of Exact Sciences* 15 (1975): 667-80.

Van der Waerden, B.L. 'Mathematics and Astronomy in Mesopotamia'. *Dictionary of Scientific Biography*, 15: 667-80

Science Awakening: Egyptian, Babylonian and Greek Mathematics, vert. Arnold Dresden. New York: John Wiley, 1963.

Van der Wareden, B.L., met Huber, Peter. *Science Awakening II: The Birth of Astronomy*. Leiden: Noordhoff, 1974.

Van Helden, Albert. *The Invention of the Telescope*. Transactions of the American Philosophical Society, 1977.

Measuring the Universe: Cosmic Dimensions from Aristarchos to Halley. Chicago: University of Chicago Press, 1985.

Vansina, Jan. *The Children of Woot: A History of the Kuba Peoples*. Madison: University of Wisconsin Press, 1978.

Oral Tradition as History. Madison: University of Wisconsin Press, 1985.

Van Steenberghen, Fernand. *Aristotle in the West*, vert. Leonard Johnston. Leuven: Nauwelaerts, 1955.

Les oeuvres et la doctrine de Siger de Brabant. Parijs: Palais des Académies, 1938.

The Philosophical Movement in the Thirteenth Century. Londen: Nelson, 1955.

Thomas Aquinas and Radical Aristotelianism. Washington, D.C.: Catholic University of America Press, 1980.

Verbeke, G. 'Simplicius'. *Dictionary of Scientific Biography*, 12: 440-43.

Themistius'. *Dictionary of Scientific Biography*, 13: 307-79.

Veyne, Paul. *Did the Greeks Believe in Their Myths?* Vert. Paula Wissing. Chicago: University of Chicago Press, 1988.

Vickers, Brian, red. *Occult and Scientific Mentalities in the Renaissance*. Cambridge: Cambridge University Press, 1984.

Vlastos, Gregory. *Plato's Universe*. Seattle: University of Washington Press, 1975.

Voigts, Linda E. 'Anglo-Saxon Plant Remedies and the Anglo-Saxons'. *Isis* 70 (1979): 250-68.

Voigts, Linda E., en Hudson, Robert P. 'A Drynke that men callen dwale to make a man to slepe whyle men kerven hem: A Surgical Anesthetic From Late Medieval England'. In Campbell, Sheila, red., *Health, Disease and Healing in Medieval Culture*. New York: St. Martin's Press, nog te verschijnen.

Voigts, Linda E., en McVaugh, Michael R. A *Latin Technical Phlebotomy and Its Middle English Translation*. Transactions of the American Philosophical Society, dl. 74, 2. Philadelphia: American Philosophical Society, 1984.

Von Grunebaum, G.E. *Classical Islam: A History 600-1258*, vert. Katherine Watson. Chicago: Aldine, 1970.

Islam: Essays in Nature and Growth of a Cultural Tradition, 2de druk. Londen: Routledge & Kegan Paul, 1961.

Von Staden, Heinrich. 'Hairesis and Heresy: The Case of the *Hairesis iatrikai*'. In Meyer, Ben F., en Sanders, E.P., red., *Jewish and Christian Self-Definition*, dl. 3: *Self-Definition in the Graeco-Roman World*, pp. 76-100, 199-206. Londen: SCM Press, 1982.

Herophilus: The Art of Medicine in Early Alexandria. Cambridge: Cambridge University Press, 1989.

Vööbus, Arthur. *History of the School of Nisibus*. Corpus scriptorum Cristianorum orientalium, dl. 266. Leuven: Secrétariat du CorpusSCO, 1965.

Wagner, David L., red., *The Seven Liberal Arts in the Middle Ages*. Bloomington: Indiana University Press, 1983.

Wallace, William A. 'Aristotle in the Middle Ages'. *Dictionary of the Middle Ages*, 1:456-69.

Causality and Scientific Explanation, 2 dln. Ann Arbor: University of Michigan Press, 1972-1974.

Galileo and His Sources: The Heritage if the Collegio Romano in Galileo's Science. Princeton: Princeton University Press, 1984.

'The Philosophical Setting of Medieval Science'. In Lindberg, David C., red., *Sicence in the Middle Ages*, pp. 91-119. Chicago: University of Chicago Press, 1978.

Prelude ot Galileo: Essays on Medieval and Sixteenth-Century Sources of Galileo's Thought. Boston Studies in the Philosophy of Science, dl. 62. Dordrecht: Reidel, 1981.

red. *Reinterpreting Galileo*. Studies in Philosophy and the History of Science, nr. 15. Washington, D.C.: Catholic University of America Press, 1986.

'Thomism and Its Opponents'. *Dictionary of the Middle Ages*, 12: 38-45.

Walzer, Richard. 'Arabic Transmission of Greek Thought to Medieval Europe'. *Bulletin of the John Rylands Library* 29 (1945-46): 160-83.

Waterlow, Sarah. *Nature, Change, and Agency in Aristotle's 'Physics'*. Oxford: Clarendon Press, 1982.

Wedel, Theodore Otto. *The Mediaeval Attitude toward Astrology, Particularly in England*. New Haven: Yale University Press, 1920.

Weinberg, Julius. *A Short History of Medieval Philosophy*. Princeton: Princeton University Press, 1964.

Weisheipl. James A, red., *Albertus Magnus and the Sciences: Commemorative Essays, 1980*. Toronto: Pontifical Institute of Mediaeval Studies, 1980.

'The Celestial Movers in Medieval Physics'. *The Thomist* 24 (1961): 286-326.

'Classification of the Sciences in Medieval Thought'. *Mediaeval Studies* 27 (1965) 54-90.

'The Concept of Nature'. *The New Scholasticism* 28 (1954): 377-408.

'Curriculum of the Faculty of Arts at Oxford in the Fourteenth Century'. *Mediaeval Studies* 26 (1964): 143-85.

The Development of Physical Theory in the Middle Ages. New York: Sheed and Ward, 1959.

'Developments in the Arts Curriculum at Oxford in the Fourteenth Century'. *Mediaeval Studies* 28 (1966): 151-75.

Friar Thomas d'Aquino: His Life, Thought and Works. Garden City: Doubleday, 1974.

'The Life and Works of St. Albert the Great'. In Weisheipl. James A., red., *Albertus Magnus and the Sciences: Commemorative Essays, 1980*, pp. 13-51. Toronto: Pontifical Institute of Mediaeval Studies, 1980.

Nature and Motion in the Middle Ages, red. William E. Carroll. Washington: Catholic University of America Press, 1985.

'The Nature, Scope, and Classification of the Sciences'. In Lindberg, David C., red., *Science in the Middle Ages*, pp. 461-8 2. Chicago: University of Chicago Press, 1978.

'The Principle *Omne quod movetur ab alio movetur* in Medieval Physics'. *Isis* 56 (1965): 26-45.

'Science in the Thirteenth Century'. In Catto, J.I., red. *The Early Oxford Schools*, dl. 1 van *The History of the University of Oxford*, red., T.H. Aston, pp. 435-69. Oxford: Clarendon Press, 1984.

Wetherbee, Winthrop, vert. *The Cosmographia of Bernardus Silvestris*. New York: Columbia University Press, 1973.

'Philosophy, Cosmology, and the Twelfth-Century Renaissance'. In Dronke, Peter, red., *A History of Twelfth-Century Western Philosophy*, pp. 21-53. Cambridge: Cambridge University Press, 1988.

White, Lynn, Jr. *Medieval Technology and Social Schange*. Oxford: Oxford University Press, 1962.

White, T.H., vert., *The Bestiary: A Book of Beasts*. New York: G.P. Putnam's Sons, 1954.

Whitney, Elspeth. *Paradise Restored: The Mechanical Arts from Antiquity through the Thirteenth Century*. Transactions of the American Philosophical Society, dl. 80, 1. Philadelphia: American Philosophical Society, 1990.

Williman, Daniel, red. *The Black Death: The Impact of the Fourteenth-Century Plague*. Binghamton: Center for Medieval & Early Renaissance Studies, 1982.

Wilson, Curtis. *William Heytesbury: Medieval Logic and the Rise of Mathematical Physics*. Madison: University of Wisconsin Press, 1960.

Wilson, N.G. *Scholars of Byzantium*. Baltimore: Johns Hopkins University Press, 1983.

Wippel, John F. 'The Condemnations of 1270 and 1277 at Paris'. *Journal if Medieval and Renaissance Studies* 7 (1977); 169-201.

Witelo. *Witelonis Perspectivae liber primus: Book I of Witelo's 'Perspectiva': An English Translation with Introduction and Commentary and Latin Edition of the First Catoptrical Book of Witelo's Perspectiva*, red. en vert. A. Mark Smith. Studia Copernicana, nr. 23. Wroclaw: Ossolineum, 1983.

Wolff, Michael. 'Philoponus and the Rise Preclassical Dynamics'. In Sorabji, Richard, red., *Philoponus adn the Rejection of Aristotelian Science*, pp. 84-120. Londen; Duckworth, 1987.

Wolfson, Harry Austryn. *Crecas' Critique of Aristotle: Problems of Aristotle's 'Physica' in Jewish and Arabic Philosophy*. Cambridge, Mass.: Harvard University Press, 1929.

Woodward, David. 'Medieval Mappaemundi'. In Harley, J.B., en Woodward, David, red., *The History of Cartography*, dl. 1: *Cartography in Prehistoric, Ancient, and Medieval Europe and the Mediterrean*, pp. 286-370. Chicago: University of Chicago Press, 1987.

Wright, John Kirtland. *The Geographical Lore of the Time of the Crusades: A Study in the History of Medieval Science and Tradition in Western Europe*. New York: American Geographical Society, 1925.

Yates, Francis A. *Giordano Bruno and the Hermetic Tradition*. Londen: Routledge & Kegan Paul, 1964.

'The Hermetic Tradition in Medieval Science'. In Singleton, Charles S, red., *Art, Science, and History in the Renaissance*, pp. 255-74. Baltimore: Johns Hopkins University Press, 1968.

Zimmerman, Fritz. 'Philoponus' Impetus Theory in the Arabic Tradition'. In Sorabji, Richard, red., *Philoponus and the Rejection of Aristotelian Science*, pp.1 21-29. Londen: Duckworth, 1987.

Zinner, Ernst. 'Die Tafeln von Toledo'. *Osiris* 1 (1936): 747-74.

Register